Roland, Ma

Memoiren der Frau Roland

Roland, Marie-Jeanne

Memoiren der Frau Roland

Inktank publishing, 2018

www.inktank-publishing.com

ISBN/EAN: 9783747795521

All rights reserved

Memoiren

der

Frau Roland

[handwritten:] 37447

[handwritten:] H. de la Platière, Marie Jeanne (Phlipon)

Mit einer Einleitung:

Die Frauen in der Revolution.

Erster Theil.

Belle-Vue, bei Constanz,
Verlags- und Sortimentsbuchhandlung zu Belle-Vue.

1844.

Einleitung.

„Die Riesenschritte unserer öffentlichen Meinung werden dann erst merkwürdig, wenn man sich der Ueberzeugung nicht länger erwehren kann, daß sie auf den Umsturz des in unserm Zeitalter mehr als jemals herrschenden Geistes gerichtet sind. — Dieser Geist ist der allvermögende Egoismus, der bis zum Widersinn und zur Unvernunft gehegte und gepflegte Trieb der Selbsterhaltung, der um des Lebens willen vergessen macht, warum man lebt. Mit jedem Tage wird das Anschauen klarer in meiner Seele, daß ohne unsre Revolution vor jener immer gewaltiger um sich greifenden Selbstsucht keine Rettung mehr zu hoffen war. Die Beweise von ihrer Existenz und dem unbegränzten Umfange ihres Wirkens können Sie mir füglich erlassen; es bedarf nur eines prüfenden Blickes auf die Geschichte des Jahrhunderts, so steht sie da in ihrer Ungeheuersgröße und rechtfertigt die Klagen aller unsrer Moralisten über die Kleinheit ihrer Zeitgenossen. Das vervielfältigte Bedürfniß der Sinne und der Eitelkeit verschlingt die ganze physische und moralische Thatkraft des Menschen und läßt der edleren Eigenliebe, die sich im Andern sucht und erkennt, keinen Raum. Wo fände man Gedanken-

6

größe, Schwung der Gefühle, begeisternden Schönheitssinn? wo
Selbstverleugnung, Aufopferung, Unabhängigkeit des Geistes? Mit
haben, gewinnen, besitzen, genießen, schließt der Ideenkreis eine Kette
um den Menschen, die ihn an Staub und Erde fesselt. Und nun
das Mittel alle diese Todesbande zu lösen, jene lebendigmachenden
hingegen wieder anzuknüpfen? Es ist allerdings so heftig, als der
Zustand des Menschengeschlechtes verzweifelt war; allein von seiner
Wirksamkeit macht man sich keinen richtigen Begriff, bis man nicht
alles in der Nähe gesehen hat." So schreibt Georg Forster unterm
24. Wintermonat des zweiten Jahres der Republik aus Paris. [1])
Wir haben diese Worte vorausgeschickt um den Gesichtspunkt anzudeuten den wir in den folgenden Blättern festzuhalten suchen
werden. Die französische Revolution deren Ausschweifungen noch
immer benützt werden um alle vom Herkömmlichen abweichenden Ideen
in Mißkredit zu bringen, hat gerade dadurch der Menschheit den
wesentlichsten Dienst geleistet, daß sie den Einzelnen Veranlassung
ward, aus den Kreisen die Gewohnheit und Selbstsucht um jeden
zieht, herauszutreten und sie zur größten Kraftentwicklung zwang.
Da offenbarte sich der unendliche Reichthum des Menschenherzens an
Liebe und Aufopferungsfähigkeit; die Umwälzung welche das Erzeugniß einer kalten, zweifelsüchtigen Philosophie sein sollte, strafte
eben diese Philosophie durch die heilige Begeisterung für Freiheit,
Menschenrecht und Menschenglück Lügen, mit der sich die Edelsten aller
Länder ihr anschloßen, durch die Begeisterung mit der in Frankreich
selbst ein ganzes Geschlecht zur Vertheidigung dieser Güter sich erhob. Mit welchem Schauder man sich auch von den blutigen Ge-

---

[1]) S. Parisische Umrisse im 6. Theile der „Kleinen Schriften von
Georg Forster. Berlin 1797" S. 350 u. f.

stalten der Schreckensmänner abwenden mag, so darf man doch nicht vergessen, daß sie es waren welche die Menschen nach zwei Jahrhunderten der Lethargie wieder für Ideen sterben lehrten. In einem Zeitalter welches den Genuß vergötterte, kam der Heroismus an die Tagesordnung, an den Grenzen dem Feinde, zu Hause der Guillotine gegenüber; der Samen der Freiheit ward wie einst jener des Christenthums in blutige Furchen gesäet um desto herrlicher aufzusprossen. Diese Lichtseite der Revolution tritt am deutlichsten in dem Antheile hervor den die Frauen an derselben nahmen; indem wir nun das Bild derjenigen aus ihnen welcher die Geschichte den ersten Platz zuerkennt, aufstellen, wie sie selbst es mit ergreifender Wahrheit malte, glauben wir dafür keinen passenderen Rahmen zu finden als die Schilderung einiger Gruppen in denen sich der Einfluß jener Epoche auf das Geschlecht, dem die Roland weniger durch ihre Schwächen als durch ihre Tugenden angehörte, am besten veranschaulicht.

Zwei Frauen sind es die, je nachdem man sich auf die Seite des Angriffs oder des Widerstandes stellt, den Mittelpunkt des Gemäldes bilden: Maria Antoinette und die Roland. Die Tochter Maria Theresias hatte mit dem pariser Bürgermädchen Manches gemein. Den unbeugsamen auf das Bewußtsein ihres Rechtes gegründeten Stolz und die Widerstandskraft den Feinden gegenüber, die Ueberlegenheit über den Gatten, die Standhaftigkeit mitten unter den grausamsten Prüfungen und den Todesmuth. Hätte Ludwig den Charakter Maria Antoinettens besessen, so würde er die Revolution entweder aufgehalten haben oder er wäre wenigstens nicht als ihr Schlachtopfer gefallen; hätte die Roland ihre eigene Thatkraft den Häuptern ihrer Partei einflößen können, so würde diese sich selbst vor dem Untergange und die Republik vor den Greueln des Terrorismus gerettet haben. Auf beide schoß die Verleumdung ihre giftigsten Pfeile ab: die Franzosen welche eine Dubarry ertragen hatten, nahmen an den geringfügigsten Abänderungen der hergebrachten Etikette Anstoß, die sich eine als Gattin und Mutter untadelhafte Königin erlaubte, deren schwerste Schuld darin bestand daß sie eine „Oesterreicherin" war; und wie Hebert die Königin, als sie überwunden vor ihren Siegern stand, mit seinem schmutzigen Geifer besudelte, so nahm es Marat über sich die Gattin des Ministers die den „Freund des Volkes" das ganze Gewicht ihrer Verachtung fühlen ließ, mit unreinen Verdächtigungen zu verfolgen. Wie sie fast gleichzeitig in die Welt getreten waren, so lag auch zwischen den Todesstunden beider nur ein Raum von wenigen Tagen. Das nämliche Tribunal verurtheilte sie kraft des nämlichen Gesetzes; beide bewiesen ihren Richtern gegenüber und in ihren letzten Augenblicken die nämliche Charakterstärke und gingen dem Tode im Kleide und mit der Ruhe der Unschuld entgegen. Nachdem das Requisitorium des öffentlichen Anklägers, Fouquier-Tinville, beendet war — so heißt es im Moniteur universel vom 6. des 2. Monats des 2. Jahres der einen und untheilbaren französischen Republik — forderte der Präsident die Angeklagte auf sich zu erklären, ob sie gegen die Anwendung der Gesetze auf die sich der öffentliche Ankläger berufe, Einspruch zu thun habe. Antoinette schüttelte den Kopf zum Zeichen der Verneinung. Während des Verhörs hatte sie fast immer eine ruhige und feste Haltung behauptet; in den ersten Stunden desselben sah man sie wie zerstreut mit den Fingern auf der Lehne des Armstuhles Bewegungen machen, als ob sie Klavier spielte. Als sie ihr Urtheil aussprechen hörte, ließ sie nicht das geringste Merkmal von Erschütterung blicken und entfernte sich lautlos aus dem Gerichtssaal. Es war vier ein halb Uhr Morgens

am 16. Oktober. Man führte sie in die Conciergerie zurück und
. brachte sie in das für die Verurtheilten bestimmte Zimmer. Um
fünf Uhr wurde in allen Sektionen Rappell geschlagen; um sieben
stand die ganze bewaffnete Macht unter dem Gewehr; an den Aus=
gängen der Brücken und Plätze und an den Straßenecken vom Palast
bis zum Revolutionsplatze waren Kanonen aufgestellt; um zehn Uhr
zirkulirten zahlreiche Patrollen in den Straßen; um elf Uhr brachte
man Maria Antoinette, verwittwete Capet, auf die nämliche Weise
wie die andern Verbrecher (d. h. auf einem Karren — der König
fuhr in einer verschlossenen Kutsche) auf den Richtplatz; sie trug
ein Morgenkleid von weißem Piqué und war von einem konstitu=
tionellen (beeideten) Priester begleitet der als Laie angezogen war;
eine starke Abtheilung Gendarmerie zu Fuße, und zu Pferde bil=
dete die Bedeckung. Antoinette schien den Weg entlang mit Gleich=
gültigkeit auf die bewaffnete Macht zu blicken die mehr als dreißig-
tausend Mann stark in den Straßen durch welche der Zug ging,
in doppelter Reihe aufgestellt war. Man gewahrte auf ihrem Antlitz
weder Niedergeschlagenheit noch Stolz; es war, als ob sie für das
Geschrei „es lebe die Republik — nieder mit der Tirannei," das
auf dem ganzen Wege unaufhörlich in ihre Ohren drang, unem=
pfindlich sei; sie sprach wenig mit dem Beichtvater[1]); in den
Straßen du Roule und St. Honoré erregten die dreifarbigen Fähn-
lein ihre Aufmerksamkeit; sie betrachtete auch die an den Vorder-
seiten der Häuser angebrachten Aufschriften. Auf dem Revolutions-

---

[1]) So drückt sich der Moniteur aus, wahrscheinlich um anzudeuten daß
Maria Antoinette ihre Beichte einem konstitutionellen Priester abgelegt habe.
Dies war jedoch nicht der Fall; durch die Vermittlung der Frau eines Ge=
fangenwärters ward es ihr möglich gemacht das Sakrament aus den Hän=
den eines unbeeidigten Priesters zu empfangen.

plate angekommen wendete sie ihre Blicke nach dem Volks= (Tui-
lerien=) Garten hin und man sah eine lebhafte Bewegung sich in
ihren Zügen malen; hierauf bestieg sie muthig das Schaffot. Eine
Viertelstunde nach zwölf fiel ihr Kopf; der Scharfrichter zeigte ihn
dem Volke das den Ruf „es lebe die Republik" erschallen ließ. So
starb die Tochter des ersten deutschen Kaisers aus dem Hause
Lothringen, die Tochter Maria Theresias und die Schwester Joseph II.
Die letzten Stunden der Republikanerin Roland werden wir an einer
andern Stelle schildern.

Der Verfasser der „Geheimen Geschichte des Revolutionstribunals" [1]) widmet „dem Muthe, der Hingebung, der Kaltblütigkeit der Frauen während der Schreckenszeit" einen eigenen Abschnitt
aus dem wir hier Einiges mittheilen was wir durch gleichzeitige
Quellen bestätigt gefunden haben.

Als die Gattin des Kommandanten von Longwy, Lavergne, der
beschuldigt war diese Festung dem Feinde überliefert zu haben, das
Todesurtheil über ihren Mann aussprechen hörte, faßte sie auf der
Stelle den Entschluß sein Loos zu theilen. Sie rief mit lauter
Stimme: Es lebe der König! Wir müssen einen König haben! —
wurde ergriffen, abgeurtheilt und erlitt zugleich mit ihrem Gatten
den Tod.

Die sieben und zwanzigjährige Prinzessin Grimaldi=Monaco
gehörte zu den Verdächtigen auf welche sich das berüchtigte Gesetz
vom 17. September 1793 bezog. Das Comité der Sektion des

---

[1]) **Histoire secrète du tribunal révolutionnaire, par M. de Prous-
sinalle. A Paris 1815.** Zwei Bände. Das Buch trägt freilich das Gepräge der Zeit in der es erschienen ist, der Zeit der heftigsten royalistischen
Reaktion, ist aber, einige Uebertreibungen abgerechnet, großentheils aus Akten=
stücken geschöpft.

Bonnet-rouge versprach ihr auf ihr Ansuchen, sie auf ihre Kosten in ihrem eigenen Hause bewachen zu lassen; allein es brach bald sein Wort und schickte Leute ab sie ins Gefängniß zu führen. Die Prinzessin flüchtete sich durch eine Hinterthüre in ein Nachbarhaus wo man sie allen Nachforschungen entzog. Aus Furcht, die Frau Davaux bei der sie eine Freistätte gefunden hatte, in Gefahr zu bringen, verließ sie zur Nachtzeit das Haus derselben, entfernte sich aus Paris und wanderte einige Zeit in der Irre herum. Dieses peinlichen Lebens müde kehrte sie wieder in die Hauptstadt zurück, wurde entdeckt, verhaftet und zum Tode verurtheilt. Als sie den Ausspruch des Tribunals vernahm, erklärte sie sich schwanger[1]), worauf sie in ein Hospital gebracht wurde um dort untersucht zu werden. Sie bereute es jedoch bald sich einer Lüge bedient zu haben, um ihr Leben zu verlängern und beeilte sich in einem Briefe an Fouquier ihre Aussage zurückzunehmen. Dieser ließ sie holen um sie dem Henker zu überliefern. Bevor sie sich auf den Weg zum Schaffot begab, verlangte sie von ihrer Kammerfrau einen Schminktopf, indem sie sagte: Für den Fall, daß die Natur stärker ist als mein Wille und ich einen Augenblick Schwäche empfinde, wollen wir die Kunst zu Hilfe nehmen um es zu verheimlichen. Dann zerbrach sie eine Fensterscheibe, nahm ein Stück Glas und schnitt vermittelst desselben, so gut es ging, ihre Haarlocken ab welche sie in ein Stück Papier

---

[1]) In den ersten Zeiten nach der Errichtung des Revolutionstribunals waren solche Aussagen hinreichend den zum Tode verurtheilten Frauen so lange Aufschub zu erwirken, bis man sich über ihren Zustand völlige Gewißheit verschaffen konnte. Aus den Zeugenaussagen im Prozesse des öffentlichen Anklägers Fouquier-Tinville geht jedoch hervor, daß man später die Frauen nach solchen Erklärungen unmittelbar untersuchen und wenn diese nicht sogleich begründet gefunden wurden, zum Tode führen ließ.

einmachte. Auf dem Gange durch das Hospital richtete sie an die Gefangenen freundliche Wünsche und übergab dem Kerkermeister das Paket welches ihre Haare enthielt, mit der Bitte es ihrem Sohne zu senden. Einer ihrer Frauen die mit ihr sterben sollte und ganz niedergeschlagen war, sprach sie Muth ein und sie selbst behielt ihre Standhaftigkeit bis ans Ende. Der neunte Thermidor war ihr Todestag. Zugleich mit ihr wurden hingerichtet ein Bischof und acht Priester, die ein und zwanzigjährige Schauspielerin Leroy vom Feydeautheater in dem man an demselben Tage die Oper Romeo und Julie gab, die Wittwe eines Marschalls von Frankreich, der Generallieutenant Herzog von Clermont-Tonnerre und ein ein und achtzigjähriger Greis — im Ganzen acht und dreißig Männer und dreizehn Frauen[1]). Vier und zwanzig Stunden später wäre sie gerettet gewesen.

In Lyon hatte ein sechszehnjähriges Mädchen, Maria Abrian, Männerkleider angezogen und während der Belagerung dieser Stadt durch die Truppen des Convents eine Kanone bedient. Vor dem Blutgerichte fragte man sie, wie sie dem Feuer habe trotzen und Kanonen gegen ihr Vaterland abschießen können. Ich that es im Gegentheil, erwiederte sie, um mein Vaterland zu vertheidigen. Weder ihr Alter noch ihr Muth konnten die Richter erweichen; sie schickten sie auf das Schaffot.

Frau von Jourdain sollte mit ihren drei Töchtern in der Loire ertränkt werden; ein Soldat wollte die jüngste, ein sehr schönes Mädchen, retten, sie aber stürzte sich in den Fluß um das Schicksal ihrer Mutter zu theilen. Das unglückliche Kind gerieth auf einen Haufen Leichname und sank nicht unter; da rief sie: Stoßt mich

---

[1]) S. Moniteur vom 30. Thermidor (17. August 1794).

13

hinab, ich habe nicht genug Waffer! — und die Wellen ver=
schlangen sie.

Das Fräulein von Cuiffard welches sechszehn Jahre alt und
noch schöner war, flößte einem Offizier den nämlichen Antheil ein.
Er brachte drei Stunden zu ihren Füßen zu und flehte sie an sich
retten zu laffen. Da er es jedoch nicht wagen wollte eine alte Ver=
wandte die sich bei ihr befand, dem Tode zu entreißen, so schlug
sie sein Anerbieten aus und stürzte sich mit dieser Frau in die Loire.

Diese zwei Züge von weiblichem Starkmuth der um der Liebe
willen den Tod nicht scheut, erzählt die Frau von la Rochejaquelein
die selbst, gleich der Frau von Bonchamps, mit ihrem Gatten, dem
Herrn von Lescure, einem frommen und tapfern Häuptling der
Vendee, alle Gefahren eines erbitterten Bürgerkrieges theilte [1]). In
diesem Lande, wenn die Männer ausgezogen waren um zu käm=
pfen, versammelten sich die Frauen in den Kirchen und beteten. In
der Schlacht bei Fol flohen die Royalisten von panischem Schrecken
ergriffen; da stellten sich ihnen die Frauen entgegen, hielten sie auf,
sprachen ihnen Muth ein und bewogen sie zur Umkehr. Die Kam=
merfrau der Frau von la Chevalerie nahm ein Gewehr, setzte ihr
Pferd in Galop und rief: Vorwärts! Ins Feuer, ihr Frauen von
Poitou! und eine Menge Gefährtinnen schloffen sich bewaffnet an
sie an. Der Sieg an dem man schon verzweifelt hatte, belohnte
diese heldenmüthigen Anstrengungen für die man ihnen nach der
Schlacht feierlichen Dank abstattete. Sonst nahmen sie in der Regel
an den Gefechten nicht unmittelbaren Antheil; die Generale hatten
allen Frauen strenge verboten der Armee zu folgen und man duldete

---

[1]) Mémoires de Me. la Marquise de la Rochejaquelein, écrits par
elle-même. Paris 1823.

bei denselben, weil sie meistens nur kurze Zeit beisammen blieben, nicht einmal Marketenderinnen. Einst wendete sich ein Soldat an die Frau von la Rochejaquelein mit der Bitte ihm zu gestatten, daß er ihr ein Geheimniß anvertraue. Es war ein Mädchen; sie wünschte ihre wollene Jacke gegen eine aus großblumigem Zitz zu vertauschen, wie man deren an die ärmsten Soldaten vertheilte, und weil sie erkannt zu werden fürchtete, so nahm sie zu dieser Dame ihre Zuflucht und ersuchte sie Herrn von Lescure nichts davon zu sagen. Die Frau von la Rochejaquelein schrieb an den Pfarrer der Gemeinde; er gab dem Mädchen, welches Johanna Robin hieß, das beste Zeugniß und fügte hinzu, er habe ihr ihren Vorsatz nicht ausreden können. Bevor sie das Dorf verlassen hatte, war sie zum Abendmahl gegangen. Den Tag vor dem Gefechte bei Thouars sagte sie zu Herrn von Lescure: Mein General, ich bin ein Mädchen; Ihre Gemahlin weiß es; sie weiß auch daß man über mich nichts Böses sagen kann. Morgen ist Schlacht; lassen Sie mir ein Paar Schuhe geben, und wenn Sie einmal gesehen haben wie ich mich schlage, bin ich gewiß daß Sie mich nicht fortschicken. Wirklich kämpfte sie fortwährend unter seinen Augen und rief ihm zu: Mein General, Sie kommen mir nicht voran; ich werde immer näher bei den Blauen sein als Sie. Eine Wunde die sie an der Hand empfing, erhöhte nur ihre kriegerische Begeisterung; sie zeigte sie ihm mit den Worten: Es ist weiter nichts als das. Endlich wurde sie in dem Getümmel getödtet in das sie sich wie wüthend stürzte.

Auch in den andern Abtheilungen gab es Frauen die in Männerkleidung kämpften. Im Heere d'Elbées war ein kleines dreizehnjähriges Mädchen Tambour und galt für sehr muthvoll; eine ihrer Verwandten machte mit ihr das Gefecht bei Luçon mit wo beide fielen. Herr von Bonchamps zählte unter seinen Leuten ein Mädchen das zu Pferde diente um den Tod ihres Vaters zu rächen, und während der ganzen Dauer des Vendéekrieges Wunder der Tapferkeit verrichtete. Sie hieß Renata Vorbereau, war mit Wunden bedeckt und wurde von Napoleon sechs Jahre lang, darunter ein Jahr in Ketten, gefangen gehalten. Erst bei der Rückkehr Ludwig XVIII. erhielt sie ihre Freiheit wieder und schlug sich noch 1815. Eines Tages kam in Chollet ein junges, groß gewachsenes und recht hübsches Mädchen an das zwei Pistolen im Gürtel trug und mit einem Säbel bewaffnet war; zwei andere Frauen mit Piken begleiteten sie: sie brachte einen Spion. Auf Befragen erwiederte sie, sie sei aus der Pfarrei Tout-le-Monde und dort ständen die Frauen Wache, wenn die Männer im Felde seien. Man überhäufte sie mit Lobsprüchen; ihre kriegerische Miene erhöhte noch den Reiz ihres Aussehens.

Nach der Aussage der Frau von la Rochejaquelein mögen etwa zehn Frauen in Männerkleidung die Waffen getragen haben und die Republikaner übertrieben diese Zahl offenbar deswegen, um die Greuel welche sie begingen, einigermaßen zu entschuldigen. Allerdings wurden manchmal Flüchtlinge in den Dörfern von Frauen und Kindern niedergemacht und dies war eine schreckliche Wiedervergeltung; allein die Mordbrennereien der Blauen und das schonungslose Abschlachten regten das Volk manchmal zur Wuth auf. Erzählt ja doch die Frau von la Rochejaquelein selbst, daß sie nach der tödtlichen Verwundung ihres Gemahls mit einer Art heimlicher und unwillkürlicher Erbitterung ihr Pferd absichtlich auf die Leichen von Republikanern treten ließ die im Wege lagen.

Der Gang unserer Betrachtung führt uns nun an Szenen vorüber die noch einbringlicher als die bisher geschilderten zeigen, welche Energie eine Umwälzung in der alle Interessen einander mit allen Waffen bekämpften, den Empfindungen der Frauen mittheilte die man sich während eines die Materialisirung alles Geistigen und Göttlichen anstrebenden Jahrhunderts blos als Werkzeuge des Vergnügens anzusehen gewöhnt hatte. Wir lassen die Geschichte reden, ohne uns Ausschmückungen zu erlauben die ihrer erschütternden Wirkung nur Abbruch thun könnten.

In den blutigen Septembertagen des Jahres 1792 wurde auch der Greis Cazotte[1]) der in der Abtei eingekerkert war, vor den Volksausschuß geschleppt welcher über die angeblichen Verschwörer in den Gefängnissen zu Gericht saß. Schon gab der Vorsitzer dieses Tribunals das Zeichen ihn zum Tode zu führen; da schlang die Tochter des alten Mannes die ihn nach Paris und in das Gefängniß begleitet hatte um ihn zu pflegen und zu trösten, ihre Arme um ihn und schützte ihn mit ihrem Körper vor den Streichen der Mörder. Umsonst suchten diese das Mädchen von ihm zu trennen; sie hörte nicht auf um Gnade zu flehen, bis man ihr endlich dieselbe gewährte. Das Volk umgab die rührende Gruppe, trug Vater und Tochter unter Beifallsgeschrei auf den Armen davon und schenkte beiden Leben und Freiheit. In einer Zeit wo man bei allen Gelegenheiten sich auf die Majestät des Volkes berief, war es eine grausame Folgewidrigkeit, daß drei Wochen später das ordentliche Gericht dieses Urtheil des Volkes umstieß und einer Tochter den Vater raubte um den sie so bittere Todesangst ausgestanden hatte.

---

[1]) Er ist der Dichter des lieblichen Mährchens Bioubetta und stand durch seine schriftstellerischen Arbeiten und durch die Aemter die er bekleidet hatte, in verdientem Ansehen. Eine unverbürgte Sage schreibt ihm eine merkwürdige Weissagung über die Revolution und über das Schicksal einiger hervorragenden Theilnehmer derselben zu. In den letzten Jahren seines Lebens war seine lebhafte Einbildungskraft in mystische Schwärmerei übergegangen.

Die Tochter des Gouverneurs der Invaliden, das Fräulein von
Sombreuil, rettete ihrem Vater auf ähnliche Weise das Leben.

Herr und Frau Morisset von Chollet (in der Vendée) hielten
sich fünf Wochen lang in der Nähe von Ancenis in einem Baume
versteckt dessen Höhlung ihnen nicht einmal so viel Platz gewährte,
daß sie sich beide auf einmal niedersetzen konnten. Als eines Tages
eine alte Meierin sie hatte holen lassen, damit sie sich wärmen konn=
ten, traten plötzlich die Blauen in die Stube. Sie forderten diese
Frau, eine Wittwe, auf den Namen und Stand aller in ihrem
Hause befindlichen Personen anzugeben und erklärten ihr daß sie,
wenn sie gestäude es sei ein Verdächtiger darunter, nicht gestraft
werden würde; entdeckte man aber einen solchen ohne daß sie ihn
angegeben, so werde man ihr den rothen Hahn aufs Dach setzen
und sie alle zusammen über die Klinge springen lassen. Sie erbleichte,
ging in ein anderes Zimmer und kam darauf zurück um den Blauen
mit der größten Kaltblütigkeit den Namen jedes einzelnen zu sagen.
Frau Morisset gab sie für eine ihrer Töchter aus. Als die Blauen
fort waren wendete sich diese Frau mit den Worten an sie: Ich
habe mich recht gefürchtet; als ich eure Verwirrung sah glaubte ich
mich verloren und war sehr erstaunt über den Muth den ihr nach=
her bewiesen habt. — Das ist wahr, mein Kind, erwiederte die
gute Alte, ich öffnete schon den Mund um euch zu verrathen, da
ging ich noch eilends mich auf die Kniee zu werfen, betete ein
Komm, heiliger Geist, und meine Furcht war verschwunden.
Solche Rettungsgeschichten erzählt man sich in der Vendée und
überall wo die Gefahr drohte, zu hunderten und in vielen spielen
Frauen die schönste Rolle. Mit welcher Begeisterung spricht der
Girondist Louvet, der Verfasser des Faublas, dessen Phantasie freilich
oft mit seinem Kopfe durchging, von seiner Lodoiska, die mitten

unter den Schrecknissen der Verfolgung seine Gattin ward, und von ihrer erfinderischen Liebe! Bei all' dieser Verderbniß, so heißt es in seinen Denkwürdigkeiten[1]), gewährt es Trost zu wissen, daß es in Frankreich noch einige der Freiheit würdige Wesen gibt. Wir haben sie vorzüglich unter dem Geschlechte gefunden das man für leichtfertig und furchtsam hält. Die Frauen sind es welche sich mit der rührendsten Sorgfalt unser angenommen und uns muthvoll jede Hülfe geleistet haben die großmüthiges Mitleiden unverdientem Unglück nie versagt. O Frau **! Ich kann Ihren Namen jetzt nicht nennen ohne Sie ins Verderben zu stürzen; aber der Tugend bleibt ihr Lohn nicht aus, und sollte es mir auch nie möglich sein Sie den dankbaren Republikanern zu bezeichnen, so seien Sie wenigstens überzeugt, daß derjenige welcher Ihre himmlische Seele nach seinem Ebenbilde schuf, Ihr Gott und der meinige, ein Gott der Barmherzigkeit und Güte gedenken wird, welche gefahrvolle Pflichten Sie um unsertwillen erfüllt und wie Sie unsern Henkern von denen Sie umgeben waren ihre Schlachtopfer entrissen haben! Ach, ruft Louvet später aus, diese edle Frau, sie war die Schwiegermutter Guadets (eines Girondisten), die Bürgerin Bouquet ... und sie starb auf dem Schaffot. Man hat sie zugleich mit ihrem Gatten, ihrem Schwager und dem Vater Guadets getödtet. Sie ist todt und ihre Mörder leben! Gott der Gerechtigkeit, wann wird sie dein Arm erreichen?

Camille Desmoulins hatte durch die Beredtsamkeit mit der er sich in seinem alten Cordelier den durch Schrecken herrschenden Männern des Tages entgegenstellte, die Irrthümer gesühnt welche

---

[1]) Mémoires de Louvet de Couvray, Député à la Convention nationale. Paris 1823.

ihm einst den Beinamen des Generalprokurators der Laterne ver=
schafften. Seine junge Gattin die er zärtlich liebte, trug viel zu
dieser glücklichen Umgestaltung bei, wegen deren er aus der „Ge=
sellschaft der Freunde der Freiheit und Gleichheit, die bei den ehe=
maligen Jakobinern ihre Sitzungen hält" [1]), ausgestoßen wurde was
damals einem Todesurtheile gleich kam. Als seine Gattin ihn nicht
retten konnte, suchte sie den Tod. — Das Tribunal fand daß sie
sich mit dem Bischof von Paris, Gobet, mit der Wittwe Heberts,
einer ehemaligen Nonne, mit Chaumette, den Generalen Dillon und
Beysser in eine Verschwörung gegen die Freiheit und Sicherheit des
französischen Volkes eingelassen habe und schickte sie auf das Schaffot.

In den Gefängnissen, sagt Lacretelle in seiner Geschichte von
Frankreich während des achtzehnten Jahrhunderts, sah man eine
Menge junger Frauen die ihren Gatten dahin hatten folgen wollen,
und viele junge Mädchen die sich zu den Füßen der Gewalthaber
geworfen hatten, um Erlaubniß zu erhalten ihre Mütter dahin zu
begleiten. Madame Elisabeth [2]), die Fräulein von Sombreuil und
Cazotte schienen ihre Seele ihrem ganzen Geschlechte eingeflößt zu
haben. Abends versammelte man sich zum Gebete, und man konnte
in dieser Umgebung ohne Schaudern die schrecklichen Worte aus=
sprechen: Wenigstens werden wir zusammen sterben. Die Frauen
wurden in den Gefängnissen Boten der Religion der Liebe wie in
den Zeiten des Heidenthums. Einigen aus ihnen ward das Glück
zu Theil hochmüthige Ungläubige zum Glauben zurückzuführen.
Man hörte sie die heilige Schrift erklären und darauf hinweisen,

---

[1]) Dies ist die eigentliche Benennung des Jakobinerklubs.

[2]) Sie wurde als „Anna Elisabeth Capet, Schwester des letzten Ty=
rannen", im Mai des Jahres 1794 vom Revolutionstribunal zum Tode ver=
urtheilt und hingerichtet.

daß die himmlische Herrlichkeit denen versprochen sei „welche weinen und leiden und auf Gott hoffen." Auf diese Weise geschah es daß die edle und liebenswürdige Wittwe des Grafen Clermont-Tonnerre die Freude hatte das Herz Laharpes, dieses Schülers Voltaires, sich mit einem Male der göttlichen Wahrheit öffnen zu sehen.

Eine einzige Frau machte ihrem Geschlecht, wie sie es durch ihr Leben entehrt hatte, auch durch die Feigheit Schande mit der sie ihre Richter — denn diese Frau traf ein gerechtes Strafgericht — um Gnade anbettelte und sich dem unvermeidlichen Tod gegenüber in vergeblichem Widerstand abmühte. Es war die Gräfin Dubarry, Ludwig „des Vielgeliebten" letzte und dem Lande verderblichste Mätresse. Sie war aus England, ihrer sichern Freistätte, in unbegreiflicher Verblendung nach Frankreich zurückgekehrt wo man sie ergriff und verurtheilte (im Dezember 1793). Das Volk hatte sich in Masse auf dem Richtplatz eingefunden um Zeuge der lange verzögerten Rache zu sein, welche die Nation an diesem berüchtigten Weibe nahm dessen zügellose Verschwendung ungeheure dem Schweiße der Unglücklichen abgepreßte Schätze erschöpft hatte. In Ausschweifungen und Verbrechen hatte sie gelebt und muthlos empfing sie den Tod[1]). Man erzählt, sie habe noch unter dem Beile der Guillotine den Henker um Gnade angefleht: Monsieur le bourreau, encore un moment !

Die Aufregung welche alle Verhältnisse verwirrte, mußte auch die Frauen zu thätiger Theilnahme an politischen Angelegenheiten veranlassen, um so mehr als ihnen in dieser Beziehung die Sitte des Landes und der Charakter des Volkes in Frankreich stets einen größeren Spielraum gewährt hatte als anderswo. Die Frauen in

---

[1]) S. Moniteur vom 20. Frimaire (10. Dezember) 1793.

Frankreich, bemerkt Frau von Staël[1]), wiesen bei sich zu Hause fast allen Gesprächen die Richtung an und ihr Geist hatte sich schon bei Zeiten die dazu erforderliche Beweglichkeit angeeignet. Die Unterhaltungen über öffentliche Angelegenheiten wurden daher durch sie geschmeidigt und oft mit feinen und treffenden Scherzen gewürzt. — Wie die Damen aus den bevorrechteten Ständen später zur Auswanderung antrieben und diejenigen welche abzureisen zögerten oder einen Augenblick schwankten, durch Stachelreden und einen angenommenen Ton der Geringschätzung zwangen diesen Weg einzuschlagen, von dem man verkehrter Weise Alles erwartete[2]), so nahmen sich die Frauen aus dem Volke der Sache der Freiheit an und schwärmten für die Republik die ihnen z. B. auch erlaubte sich von ihren Männern scheiden zu lassen wenn ihnen dieselben nicht mehr gefielen.

Maria Olympia de Gouges die mit Maria Antoinette und der Roland in gleichem Alter stand war eine von denjenigen Frauen, die der Revolution am begeistertsten anhingen und sie am eifrigsten zu fördern strebten. In Mirabeau sah sie ihr Ideal; sie verkündete die Wohlthaten der Freiheit vermittelst Anschlägen welche mit ihrem Namen unterzeichnet in den ersten Jahren der Revolution in Paris häufig an den Mauern zu sehen waren, strömte ihre Gesinnungen in Dichtungen vorzüglich dramatischer Gattung aus (ihr Stück „Die Negersklaverei oder der glückliche Schiffbruch" wurde 1790 im Théatre-Français gegeben), und stiftete zuerst einen politischen Klub für Frauen. Nach dem Tode ihres Helden und dem

---

[1]) Im 17. Kapitel der „Considérations sur les principaux événemens de la révolution française," welches überschrieben ist: Von dem Zustande der pariser Gesellschaft während der constituirenden Versammlung.

[2]) Mémoires du Marquis de Ferrières. Paris 1821.

Hereinbrechen der Anarchie schloß sie sich immer mehr an die Partei der Gemäßigten an. Als der Prozeß des Königs eingeleitet wurde, schrieb sie an den Convent einen Brief in dem sie sich erbot gemeinschaftlich mit Malesherbes die Vertheidigung desselben zu übernehmen. Die Römer, sagt sie darin unter Anderem, haben sich durch die Verbannung Tarquins den Kranz der Unsterblichkeit errungen. Es genügt nicht das Haupt eines Königs fallen zu machen um ihn zu tödten; er lebt noch lange Zeit nach seinem Tode und ist erst wahrhaft todt, wenn er seinen Sturz überlebt. Der Convent ging in Betracht daß Tronchet das ihm übertragene Amt eines Vertheidigers angenommen, dessen feige Ablehnung durch Target diesen Brief zunächst veranlaßt hatte, über denselben zur Tagesordnung über. Mehre Maueranschläge, Manuscripte und Flugschriften, darunter vorzüglich eine gegen Marat und Robespierre gerichtete, welche sie unter dem Titel: Die drei Urnen oder das Heil des Vaterlandes, veröffentlicht hatte, galten in den Augen derjenigen die in Marats und Heberts Journalen hundertfach wiederholte Aufforderungen zu Mord und Plünderung straflos hatten hingehen lassen, für todeswürdige Preßvergehen. Olympia de Gouges „sogenannte Wittwe Aubry, Femme de lettres" wurde demnach als „überwiesene Verfasserin von Schriften welche die Aufrichtung einer die Souveränität des Volkes beeinträchtigenden Macht bezweckten" am 2. November 1793 zu der herkömmlichen Strafe verurtheilt.

Eine nicht weniger glühende aber etwas zweideutigere Patriotin war die Schauspielerin Lacombe die, nachdem sie auf mehren Provinzialtheatern mit vielem Beifall aufgetreten war, 1791 nach Paris kam und sich hier an die eifrigsten Revolutionsfreunde anschloß. Bei dem Angriffe auf die Tuilerien am 10. August 1792 kämpfte sie als Amazone mit und wurde an der Hand verwundet.

Dafür erkannten die sogenannten Föderirten ihr und zwei andern
Mädchen, der Theroigne Mericourt und Reine-Audu, die sich bei
der nämlichen Gelegenheit hervorgethan hatten, Bürgerkronen zu.
Sie errichtete einen Frauenklub der seine Sitzungen im Beinhaus
der St. Eustachiuskirche hielt und führte, die rothe Mütze auf dem
Kopfe, in demselben den Vorsitz[1]). Als nun eines Tages eine Abordnung solcher Frauen vor dem pariser Gemeinderathe erschien,
erregten die rothen Mützen mit denen einige aus ihnen geschmückt
waren, das Murren und den Unwillen der Zuschauer auf den Tribünen. Man rief: Nieder mit den rothen Mützen der Frauen, und
Kaspar Anaragoras Chaumette, der Verehrer der Vernunftgöttin[2])

---

[1]) Der Jakobinerklub beschäftigte sich in seiner Sitzung vom 16. September 1793 sehr ausführlich mit dieser „Gesellschaft revolutionärer Repnbli-
kanerinnen" und insbesondere mit ihrer Präsidentin Lacombe. Diese Frauen
hatten sich, wie es scheint, durch Fürsprache für einige willkürlich Verhaftete
und durch Verbindungen mit sogenannten Ci-devants verdächtig gemacht und
der Exkapuziner Chabot, der übrigens für einen großen Verehrer des schönen
Geschlechtes galt, trat als ihr Ankläger auf um, wie er sagte, zu zeigen
daß ihn den man beschuldige unter dem Pantoffel der Frauen zu stehen, keine
Frau der Welt jemals bewegen werde etwas gegen das öffentliche Wohl zu
unternehmen. In Folge der Aufschlüsse die in dieser Sitzung über die Umtriebe der Lacombe und einige ihrer Gefährtinnen gegeben wurden, beschloß
man einmüthig an die „revolutionären Frauen" zu schreiben und sie einzuladen ihre Gesellschaft von den verdächtigen Mitgliedern zu reinigen, und
den Sicherheitsausschuß zu veranlassen daß er die letztern zur Haft bringe.
(S. Histoire parlementaire de la révolution française par Buchez et
Roux XXIX, 115 u. f.)

[2]) Am 10. November 1793 begab sich ein feierlicher Zug mit der
Statue der Vernunft die ein junges Mädchen in welßem Ueberwurfe mit
himmelblauem Mantel und der Freiheitsmütze auf dem Kopfe vorstellte, in
die Kirche Unserer lieben Frau und von da in den Konvent, wo Chaumette

und **Nationalagent** bei der genannten Körperschaft nahm es über sich diese Verletzung des revolutionären Anstandes in einer Rede zu rügen, die er mit folgender donnernden Apostrophe an die Fehlbaren schloß: Unverschämte Frauen die ihr Männer werden wollt, ist euer Theil nicht gut genug ausgefallen? was bedürft ihr mehr? Euer Despotismus ist der einzige den unsere Kräfte nicht niederschmettern können, weil er der der Liebe und folglich das Werk der Natur ist. Im Namen der nämlichen Natur, bleibt was ihr seid und weit entfernt uns um die Gefahren eines stürmischen Lebens zu beneiden, begnügt euch sie uns im Schooße unserer Familien vergessen zu machen, indem wir die Blicke auf dem bezaubernden Schauspiele unserer durch eure Sorgfalt glücklichen Kinder ruhen lassen. (Bei diesen Worten nahmen die Frauen die rothen Mützen ab und ersetzten dieses ehrwürdige Zeichen durch einen ihrem Geschlechte entsprechenden Kopfputz.) O, ich sehe es, ihr wollt die Frauen nicht nachahmen welche nicht mehr erröthen können; die Gefühle die den Reiz des geselligen Lebens ausmachen, sind in euch noch nicht erstorben; ich bringe eurer Empfindsamkeit meine Huldigungen dar, allein ich muß euch die ganze Tiefe des Abgrundes zeigen den ein Augenblick des Irrthums vor euch aufthat. Erinnert euch an jene hochmüthige Frau eines einfältigen und treulosen Mannes, die Roland, welche sich fähig glaubte die Republik zu regieren und in ihr Verderben rann; seid der unverschämten Olympia de Gouges eingedenk, die zuerst Frauengesellschaften stiftete,

---

an der Spitze der Departementsbehörden an den Schranken eine Rede hielt, um das Verlangen zu begründen daß die gewesene Liebfrauenkirche von nun an der Verehrung der Vernunft geweiht werden sollte. Dieses Verlangen wurde von Chabot in einen förmlichen Antrag gebracht und vom Konvent zum Beschluß erhoben.

die ihre Wirthschaft vernachläßigte um sich in Politik zu mischen, die einer Verschwörung gegen die Republik überwiesen wurde und deren Haupt unter dem rächenden Schwerte des Gesetzes fiel. Kommt es Frauen zu Motionen zu machen? haben sie sich an die Spitze unserer Armeen zu stellen? Daß es eine Johanna d'Arc gab, hat seinen Grund darin weil ein Karl VII. lebte; Frankreichs Schicksal lag einst darum in den Händen einer Frau, weil es einen König hatte der nicht den Kopf eines Mannes besaß und weil dessen Unterthanen weniger als Nichts galten[1]). Darauf nahm der Gemeinderath den Antrag Chaumettes, dieser Deputation kein Gehör zu geben und in Zukunft keine solche aus Frauen bestehende Abordnung anders als in Folge eines eigens zu diesem Zwecke gefaßten Beschlusses zu empfangen, mit Einmuth an, wobei jedoch das Recht aller Bürgerinnen den Behörden ihre sie persönlich betreffenden Gesuche und Klagen vorzutragen, vorbehalten blieb[2]). Einige Wochen später faßte die nämliche Körperschaft vor deren Erlassen man damals eben so viel Achtung hegte wie vor denen des Konvents, den Beschluß, daß den patriotischen Bürgerinnen vom 5. und 6. Oktober (die Tage des Zuges nach Versailles der mit der Abführung der königlichen Familie nach Paris endigte) bei Bürgerfesten ein besonderer Platz einzuräumen sei und daß man ihnen eine Fahne vorzutragen habe deren eine Seite die auf dem Triumph-

---

[1]) S. Moniteur vom 19. Brumaire 1793.

[2]) Am 15. September 1793 beklagte sich die Sektion der Einheit beim Gemeinderathe daß sich die Polizeibehörde gegen Gesuche hübscher Frauen, welche die Entlassung Verhafteter forderten, zu nachgiebig zeige. Auf den Antrag Heberts wurden Maßregeln getroffen um diesem Uebelstande abzuhelfen und am 17. schließlich verfügt daß alle „hübschen Ränkemacherinnen" in die Polizeibureaux keinen Zutritt haben sollten.

bogen des Boulevard befindliche Inschrift: Wie eine verworfene
Beute haben sie den Tirannen vor sich her gejagt, die andere aber
die Worte: Frauen vom 5. und 6. Oktober 1789 schmücken müßten. Sie werden, heißt es zuletzt, diesen Festen in Gesellschaft ihrer
Gatten und Kinder beiwohnen und st r i ck e n. Diese »tricoteuses
de Mr. de Robespierre« wie man sie in der Folge hieß, mochten
wohl mit den lécheuses de guillotine (Guillotinenleckerinnen), deren
Charakter und Beschäftigung ihr Name genugsam andeutet, in eine
Klasse gehören. Vielleicht hatte auch diese den Oktoberheldinnen
zuerkannte Auszeichnung den Zweck den durch das über die rothen
Mützen der Frauen verhängte Verdammungsurtheil etwas gedämpften
Patriotismus ihrer Gefährtinnen wieder aufzumuntern; es wäre auch
in der That eine schreiende Undankbarkeit gewesen die der Republik
durch diese „revolutionären Bürgerinnen" geleisteten Dienste mit der
Aufforderung an den Herd und in die Kinderstube zurückzukehren,
zu lohnen. Wie unheimlich mußten sich da z B. jene Klubistinnen
fühlen die am 12. Mai 1793 den Jakobinern ihren Beschluß mit-
theilten die Bürgerinnen aller Sektionen einzuladen, ihre Gatten
zur Ergreifung der Waffen anzufeuern, die Selbstsucht der Gleichgültigen zu bekämpfen und aus ihrer Mitte Amazonenbataillone
zu bilden[1]).

Die Lacombe sah zwei ihrer Liebhaber auf dem Schaffote sterben; keine Theaterdirektion wollte ihr mehr Anstellung geben, da
miethete sie, als sie sich so verlassen und hülflos sah, eine Bude
am Thore des Luxemburg und verkaufte Tabak, Zucker, Aepfel und

---

[1]) Im Juni 1793 entstand wegen des hohen Preises der Seife ein
Frauen-Auflauf. Fünfzehn derselben wurden deshalb und weil sie sich dieses
Artikels mit Gewalt zu bemächtigen gesucht hatten, in das Gefängniß der
Force gebracht.

ähnliche Gegenstände mehr, wovon sie sich kümmerlich nährte. Als das Direktorium in diesen Palast einzog, verschwand die Bude und die Hökerin verscholl.

Théroigne de Méricourt, geboren um das Jahr 1770, zeichnete sich in den Oktobertagen 1789 in dem Zuge der Pariser nach Versailles aus und gewann einen Theil des Regimentes Flandern für die Volkssache [1]). 1790 wurde sie nach Lüttich geschickt um dort das Volk aufregen zu helfen, und fiel den Oesterreichern in die Hände, welche sie zuerst nach Wien, wo Kaiser Leopold sie sah und sprach, und dann auf die Festung Kuefstein brachten. Nach kurzer Haft entließ man sie unter der Bedingung das österreichische Gebiet nicht wieder zu betreten. Sie ging wieder nach Paris zurück, hielt in Klubs und an öffentlichen Orten feurige Reden [2]) und half mit

---

[1]) Camille Desmoulins stattet in seiner Zeitschrift „Révolutions de France et de Brabant" (Februar 1790) Bericht ab über eine Sitzung des Distriktes der Cordeliers in die das „berühmte Fräulein von Théroigne" Zutritt begehrte. An den Schranken zugelassen stellte und begründete sie den Antrag, es solle auf dem Platze der Bastille für die Nationalversammlung ein prächtiger Palast „schöner als die St. Peterskirche in Rom" gebaut werden und verlangte schließlich die Erlaubniß den Distriktsversammlungen mit berathender Stimme beiwohnen zu dürfen. Diese zu gewähren erklärte sich der Distrikt für nicht befugt; dagegen wurde ihr Antrag mit Begeisterung angenommen und beschlossen in diesem Sinne eine Adresse an die 59 Distrikte der Hauptstadt und 83 Departements des Landes zu verfassen. Man erließ sie in der That, doch blieb sie ohne Erfolg.

[2]) In der Sitzung des Jakobinerklubs vom 1. Februar 1792 las sie auf der Rednerbühne einen kurzen Bericht über ihre Schicksale von ihrer Entfernung aus Paris an bis zu ihrer Rückkunft in die Hauptstadt und sprach den Vorsatz aus ihre Memoiren zu veröffentlichen. Der Präsident, Lanthenas, antwortete ihr, und Manuel schlug vor, sie solle als Präsidentin

Pike, Säbel und Pistolen bewaffnet und einen Helm auf dem Kopf am 10. August den Königspalast stürmen. Georg Forster, der sie im Jahre 1793 kennen lernte, entwirft in einem Briefe an seine Frau folgende Schilderung von ihr: Denke Dir ein fünf- oder achtundzwanzigjähriges braunes Mädchen mit dem offensten Gesicht, und Zügen die einst schön waren, zum Theil es noch sind und einen einfachen, festen Charakter voll Geist und Enthusiasmus verrathen; besonders etwas sanft Sprechendes in Augen und Mund. Ihr ganzes Wesen ist aufgelöst in Freiheitssinn, sie spricht unaufhörlich nur von Revolution, und wohl zu merken, ihre gestern geäußerten Urtheile waren treffend ohne Ausnahme, bestimmt und trafen gerade auf den Punkt, worauf es ankam. Von dem wiener Ministerium urtheilte sie mit einer Sachkenntniß, die nur die Fähigkeit, richtig zu beobachten, so geben kann. Sie ist aus dem Luxemburgischen, und für ihres Vaterlandes und Deutschlands Freiheit ist sie eigentlich am eifrigsten. Sie spricht nichts als Französisch, geläufig und energisch, wiewohl nicht correct. Doch wer spricht jetzt correct? Sie ist, weil der Kaiser sie auf freien Fuß stellen ließ, jetzt hier verdächtig, als wäre sie von Oestreich bestochen, — so wenig können diese Menschen nur beurtheilen, weil sie das wahre Prüfungsmittel, moralisches Gefühl, nicht kennen und nicht besitzen. Sie ist sogar eine Märtyrerin der Freiheit; denn vor sechs oder sieben Wochen schleppten sie die Furien, die in den Tribunen der Convention sitzen, heraus in den Tuileriengarten, zerschlugen ihr mit Steinen den Kopf und wollten sie im Bassin ersäufen. Zum Glück kam man ihr zu Hülfe. Allein sie hat seitdem die schrecklichsten Kopfschmerzen und sieht

ihres Geschlechtes ihren Platz an der Seite des Präsidenten nehmend sich der Ehren der Sitzung zu erfreuen haben. Die Versammlung beseitigte jedoch diesen Vorschlag durch die Tagesordnung.

wirklich jämmerlich aus. Gestern litt sie gar sehr und sprach des-
senungeachtet mit warmer Theilnahme. Sie hat einen heißen Durst
nach Unterricht, sagte, sie wolle aufs Land ziehen und dort Wissenschaften studiren, woran es ihr fehle. Dabei wünsche sie die
Gesellschaft eines Mannes von Kenntnissen, der gut rede und schreibe,
sie wolle ihn frei halten und ihm jährlich zweitausend Livres geben.
Sie sei nichts als eine Bäuerin, sagte sie, aber sie habe das Bedürfniß der Belehrung. Sie muß noch zu leben haben, obschon
sie sagte, ihr Vermögen habe sie ganz eingebüßt, denn ihr Aufzug
hier ist ganz anständig, so daß sie sich noch einen Wagen hält.
Diese Bekanntschaft machte uns allen Vergnügen. [1]) Theroigne
verfiel endlich in Wahnsinn und starb 1817 in einem Irrenhause.

Bevor wir unsere Aufmerksamkeit einem edleren Gegenstande zuwenden, erwähnen wir noch der sogenannten Mutter Theos, oder wie
sie eigentlich hieß, Katharina Theot, welche, nach dem von Vadier in
seinem Bericht an den Konvent gebrauchten Ausdrucke, in der Straße
Contrescarpe Nr. 1078 im dritten Stock eine Primarschule des Fanatismus hielt. Hier war es nämlich, wo sich einige Sektirer, unter ihnen
auch der bekannte Dom Gerle, gewesener Karthäuser und Abgeordne-
ter zur konstituirenden Versammlung, zusammenfanden um die Aus-
sprüche dieser durch langjährige Gefangenschaft geistig zerrütteten alten
Frau in der sie eine Prophetin verehrten, zu vernehmen und die Zere-
monien eines abergläubischen Kultus zu begehen. Die Entdeckung dieser „furchtbaren Werkstätte in der die Dolche des Aberglaubens geschlif-
fen und die Fackeln des Fanatismus entzündet wurden", kam derjenigen

---

[1]) Johann Georg Forsters Briefwechsel. Leipzig 1829 II. 515.

Partei des Wohlfahrtsausschusses und Konventes die Robespierres Ue=
bergewicht mit Ungebuld ertrug, sehr gelegen. Die von ihm am Feste
des höchsten Wesens aufgeführte Komödie bei der er im veilchenblauen
Frack die Hauptrolle spielte, hatte sie mit der nicht ungegründeten Be=
sorgniß erfüllt, daß er seine angemaßte und despotisch geübte Gewalt
in eine Art Theokratie umzuwandeln und sich als deren hohen Priester
hinzustellen beabsichtige. Es fand auch in der That ein Zusammenhang
zwischen Robespierre und dieser lächerlichen Sekte statt deren Prophe=
tin von einigen der Thoren, die ihr anhingen, Robespierres geistige
Mutter genannt wurde, während sie selbst in ihm einen zweiten Messias
verkündet haben soll. Man kam dahinter, daß Katharina Theot an
Robespierre geschrieben und Dom Gerle ein von ihm unterschriebenes
Zeugniß des Civismus besaß, und baute darauf einen Plan den Dikta=
tor in den Augen des Konventes dessen Mehrzahl an den religiösen
Ideen, am wenigsten in der von Robespierre beliebten Form, keinen
Geschmack fand, lächerlich zu machen, der Mitschuld an gefährlichen
Umtrieben zu überweisen und dadurch seinen Sturz herbeizuführen.
Da wir hier nicht die Geschichte der Revolution schreiben, so begnügen
wir uns beizufügen daß der Konvent auf einen von Barrere verfaßten
und von Vadier abgelesenen Bericht, der stellenweise zu großer Heiter=
keit Veranlassung gab, die Ueberweisung der Prophetin, Dom Gerles
und dreier ihrer Anhänger an das Revolutionstribunal beschloß, daß
aber Robespierres Einfluß seine Schützlinge vor dem ihnen zugedachten
Schicksale bewahrte.

Zur höchsten Entwicklung gelangte die politische Exaltation, so
weit ihren Wirkungen das weibliche Geschlecht unterlag, in einem Mäd=
chen das, um ihr Vaterland zu retten, ihr Leben opferte und einen Mord
auf ihre Seele nahm. Wir sprechen von Charlotte Corday. Sie sah

das Heil des Vaterlandes in dem Tode Marats und töbtete ihn. [1]) Welche Gesinnungen sie beseelten, geht am anschaulichsten aus den Antworten hervor die sie im Verhöre gab. Wir lassen hier einige derselben folgen:

Sitzung des außerordentlichen Kriminalgerichtes
am 17. Juli 1793.

Charlotte Cordah. Ja, ich bin es die Marat getödtet hat.

Der Präsident. Wer hat Sie bewogen, diesen Mord zu begehen?

Ch. C. Seine Verbrechen.

D. P. Was verstehen Sie unter seinen Verbrechen?

Ch. C. Das Unglück welches er seit dem Beginne der Revolution verursacht hat.

D. P. Wer sind diejenigen welche Sie zu diesem Mord angereizt haben?

Ch. C. Niemand hat dies gethan; ich allein habe den Anschlag dazu gefaßt.

D. P. Was thun die flüchtigen Abgeordneten?

Ch. C. Sie warten bis die Anarchie aufhört, um auf ihren Platz zurückzukehren.

---

[1]) Die sogenannte Wittwe Marats, eine Demoiselle Hevrard, mit der er sich „im weiten Tempel der Natur", nämlich ominös genug an einem Fensterkreuze seines Zimmers vermählt hatte, klagte am 8. August 1793 vor dem Konvente diejenigen an welche das Andenken dieses Märtyrers der Freiheit beschimpften. Der Konvent beschloß auf den Antrag Robespierres einstimmig den Sicherheitsausschuß zu beauftragen, daß er die nöthigen Maßregeln dagegen treffe.

D. P.   Was sagen sie von Robespierre und Danton?

Ch. C.   Sie betrachten sie nebst Marat als die Anstifter des Bürgerkrieges.

D. P.   Gingen Sie in Caen zu einem beeidigten oder unbeeidigten Priester beichten?

Ch. C.   Zu keinem.

D. P.   Was beabsichtigten Sie, indem Sie Marat töbteten?

Ch. C.   Die Unruhen aufhören zu machen.

D. P.   Ist es lange her, daß Sie diesen Anschlag faßten?

Ch. C.   Seit dem 31. Mai, dem Tage, an welchem die Abgeordneten des Volkes (von der Partei der Gironde) verhaftet wurden.

D. P.   Haben Sie also durch die Journale erfahren, daß Marat ein Gesetzverächter sei?

Ch. C.   Ja. Ich wußte daß er Frankreich ins Verderben stürzte. Ich habe — bei diesen Worten erhob sie ihre Stimme — ich habe einen Menschen getödtet um hundert tausend zu retten, einen Bösewicht, um Unschuldige zu retten, ein reißendes Thier, um meinem Vaterland Ruhe zu verschaffen. Ich war Republikanerin vor der Revolution und es fehlte mir nie an Energie.

D. P.   Was nennen Sie Energie?

Ch. C.   Ich nenne Energie die Empfindung welche diejenigen belebt die ihren Privatvortheil bei Seite setzen und sich für das Vaterland aufopfern.

Zu ihrem Vertheidiger sagte sie: Sie haben Ihr Amt auf zartsinnige und edle Weise verrichtet: diese allein konnte mir zusagen; ich danke Ihnen dafür; sie hat mir für Sie eine Achtung eingeflößt von der ich Ihnen einen Beweis geben möchte. Diese Herren haben mich eben davon benachrichtigt daß mein Vermögen mit Beschlag belegt ist:

ich bin im Gefängniß eine Kleinigkeit schuldig und trage Ihnen auf
diese Schuld zu bezahlen. Den Beichtvater der sich ihr im Gefängniß
vorstellte, entließ sie mit den Worten: Entrichten Sie denjenigen welche
Sie geschickt haben meinen Dank für ihre Aufmerksamkeit; aber ich bedarf Ihrer Dienste nicht. Am Abend vor ihrer Verurtheilung schrieb
sie noch an Barbaroux, einen der geächteten Deputirten, und an ihren
Vater. Wir theilen den Schluß des zweiten Briefes mit:

Adieu, lieber Papa; ich bitte Sie mich zu vergessen oder vielmehr
sich über mein Loos zu freuen. Sie kennen Ihre Tochter: ein tadelns-
werther Beweggrund hätte sie nicht bestimmen können. Ich umarme
meine Schwester die ich von ganzem Herzen liebe, so wie alle meine
Verwandten. Vergessen Sie nicht jenen Vers von Corneille [1]):

„Das Verbrechen macht die Schande aus,
und nicht das Schaffot."

Morgen um acht Uhr wird man mich richten.

Zwei Tage nach ihrer Hinrichtung schrieb Georg Forster an seine
Frau: Ein Beispiel hier, vor Aller Augen, wird einst die Geschichte
des Kampfes veredeln, wenn längst die Privatansichten verschwunden
sind, die jetzt die Urtheile der Menschen entzweien, und nur der reine
Ertrag übrig bleibt von der Größe, die ausführen kann, was sie unter-
nahm. Die fanatische Ueberzeugung der Mörderin Marats thut hier
nichts zur Sache, sie mag Irrthum oder Wahrheit zum Grunde haben,
wohl aber die Reinheit ihrer Seele, die von ihrem Zweck so ganz erfüllt war und mit so schöner Heldenstärke alle Folgen der That hin-
nahm. Sie war blühend von Gesundheit, reizend schön, am meisten

---

[1]) Man sagte, Charlotte Corday stamme von mütterlicher Seite von
Peter Corneille ab.

3*

durch den Reiz der Unverborbenheit, der sie umschwebte. Ihr schwarz-
braunes, kurz abgeschnittenes Haar machte einen antiken Kopf auf der
schönsten Büste. Ihre Heiterkeit blieb bis zum letzten Augenblick auf
dem Blutgerüste, wo ich sie hinrichten sah. Ihr Tod that mir wohl
für sie. Du hast schnell ausgelitten, dachte ich. Man fragte sie, ob
sie einen Priester wolle? „Nein.“ Vielleicht weil Du keinen unbeeibe-
ten bekommen kannst? „Ich verachte sie alle beide.“ Der Maler David
(ein heftiger Jakobiner und Mitglied des Nationalkonvents) ging hin,
sie im Gefängniß zu malen. „Man wird künftig mein Bild gern sehen
wollen“, sagte sie. Er erstaunte über die Heiterkeit ihres Gesichtes und
meinte, es sei Anspannung des Augenblicks, um sich vortheilhaft zu
zeigen. Werden Sie aber immer diese Miene behalten? fragte er:
„Sorgen Sie nicht“, antwortete sie mit Lächeln und sanfter Stimme,
„ich bin nie anders, als Sie mich jetzt sehen.“ Die That war ganz
ihr eigener Anschlag, mit keiner Seele ging sie darüber zu Rathe. Sie
führte das Messer sicher, ohne je eine Vorübung gemacht zu haben.
Sie liebte die Republik und die Freiheit mit Enthusiasmus und fühlte
tief ihre innere Zerrüttung. Ihr Andenken lebt bei Hunderttausenden,
die noch Sinn für einfache Größe haben, selbst unter denen, die Marats Rechtschaffenheit behaupten. In ihrem Briefe an Barbaroux
nach der That herrscht dieselbe große Ruhe. [1]

Wir können uns nicht versagen, obwohl dies eigentlich die Grenzen die wir uns gezogen haben überschritten, hier das Andenken eines
deutschen Mannes zu erneuern der sich selbst den Manen Ch. Cordays

---

[1] Es ist vielleicht nur Wenigen bekannt daß auch Jean Paul der Corday einen begeisterten Nachruf gewidmet hat (im „Taschenbuch für 1801.“
Herausgegeben von Fr. Genz, Jean Paul und J. H. Voß. Braunschweig,
bei Vieweg).

35

zum Todtenopfer darbrachte. Adam Lux war mit Georg Forster im
März 1793 nach Paris abgeschickt worden um dem Nationalkonvent
den Wunsch der Stadt und des Gebietes von Mainz vorzutragen der
Republik einverleibt zu werden. Hier sah er Charlotte Corday ihren
Richtern gegenüber, hörte ihre Worte und sah sie sterben. Ueber die
Wirkung welche dies auf ihn machte, die Schritte die er darauf that,
und die Folgen welche sie ihm zuzogen, gibt ein Brief Forsters den
besten Aufschluß: Ich habe Dir, meldet er seiner Frau, schon einige Be-
sorgnisse geschrieben, die mein College bei mir veranlaßt hat. Sie sind ein-
getroffen. Er ist diesen Morgen wirklich arretirt worden, weil er in der
That entweder unvorsichtig oder heroisch, je nachdem mans nimmt, das
Frauenzimmer hoch gepriesen hat, die mit so wunderbarem Muth den
Dolch auf Marat gezückt und ihn ermordet hat. Der gute Mensch hat
ganz den Kopf über dem Mädchen verloren und kennt nichts Seligeres,
als für sie sterben zu müssen und für die Partei, die ihm ausschließend
Recht zu haben scheint. Ein Beweis, daß er wirklich zu tief von seinen Empfindungen ergriffen ist; seit acht Tagen hat er beinahe gar
nichts genossen, den ganzen Tag vielleicht kein Viertelpfund Brod und
sonst nichts. Allein ob ihn das retten wird, ist unter den jetzigen
Umständen sehr die Frage, indem man seine Schriften so ansieht, als
störten sie die öffentliche Ruhe. Ich habe ihm immer zugeredet, sich
seiner Einbildungskraft nicht zu überlassen, allein es war in den Wind
geredet; selbst die Bedenklichkeit, mich zu compromittiren, die einzige,
die für ihn Gewicht hatte, hielt ihn nicht zurück. Es wird ganz unmöglich sein, das Geringste für ihn zu thun, was er denn auch gar
nicht wünscht.

Man brachte Adam Lux in das Gefängniß la Force wo er eines
Tages eben über das Gefährliche der Leidenschaften und über die man-
gelhafte Urtheilskraft sprach, welche unverdorbene und glühende See-

len gewöhnlich über das Ziel hinausführe, als er sich vom Kerkermeister rufen hörte. Er ging hinaus und kehrte mit seiner Anklageakte
in der Hand zurück die er mit der größten Kaltblütigkeit las. Als er
damit zu Ende war, steckte er sie in die Tasche mit den Worten: Das
ist mein Todesurtheil. Sagt denen die mit euch von mir sprechen
werden daß ich dem Tode mit Ruhe und Heiterkeit entgegenging. Vor
dem Tribunale war er sehr unbefangen und sagte er wisse er sei nach
den Gesetzen des Todes schuldig und das sei ihm lieb. Auf das Schaffot sprang er. Sein Urtheil steht im Moniteur vom 6. November
1793 und ist abgefaßt wie folgt: Adam Lux, Landwirth (cultivateur),
Doktor der Philosophie, 27 Jahre 10 Monate alt, gebürtig von Opim-
burg, wohnhaft in Ostenk (Kostheim), Mainz gegenüber, am vergangenen 30. März nach Frankreich gekommen um die Vereinigung seines
Landes mit der französischen Republik zu verlangen, überwiesen, zur
Auflösung der Volksvertretung und Wiederherstellung einer die Sou-
veränetät des Volkes beeinträchtigenden Gewalt auffordernde Schriften[1])
verfaßt und gedruckt zu haben, ist zur Todesstrafe verurtheilt worden.

---

[1]) Eine deutsche Uebersetzung der vom 19. Juli 1793 (am 13. wurde
Marat ermordet) datirten Schrift über Charlotte Corday, die Adam Lux mit
seinem Namen unterzeichnet an die Mauern von Paris anschlagen ließ, findet
sich in der Minerva (Jahrgang 1793 III. 302 u. f.). Zur Charakteristik derselben und ihres Verfassers heben wir folgende Stelle aus: Bloß der Gedanke an
diesen zum Tode gehenden Engel wird mich die Gewalt ihrer Henker verachten
lassen. Ihr Andenken wird genug sein, um meine Seele über das persönliche
Interesse zu erheben; um mich zum Gehorsam gegen die Gesetze, deren Herrschaft wir noch erwarten, anzufeuern. Dein Andenken entzündet mich zu allen
republikanischen Tugenden, und folglich auch zum unversöhnlichen Hasse gegen
die Feinde der Freiheit, gegen die Bösewichter, Anarchisten und Henker.... Du
wirst mir es verzeihen, erhabene Charlotte, wenn es mir unmöglich ist, in mei-

Marats Trophäen die er sich freilich erst durch seinen „Märtyrer-
tod" errang, ließen Robespierre nicht schlafen. Noch ein anderer seiner
Kollegen, der gewesene Schauspieler Collot = d'Herbois war Gegenstand
eines Mordanfalls, also auch gesteigerter Verehrung geworden. Um
nun auch ihm diese Glorie zu verschaffen, benützte man den Umstand,
daß ein junges Mädchen, Cäcilie Renault, mit auffallender Heftigkeit
den Zutritt zu ihm verlangt, und als sie ihn nicht erhielt, sich darüber
beklagt hatte, daß er nicht zugänglicher sei, und machte aus ihr zu Gunsten Robespierres eine zweite Charlotte Corbay. Im Verhöre um
ihre Absicht befragt verhehlte sie ihre royalistischen Gesinnungen nicht,
äußerte, sie sei neugierig gewesen zu wissen wie ein Tirann aussehe,
läugnete aber daß sie ihm ans Leben gewollt habe. Dem Konvent
wurde einer jener Berichte erstattet die für solche Fälle immer in Be-
reitschaft waren: eine höchst gefährliche und „unmoralische" Verschwörung sollte im Werke gewesen sein und Cäcilie Renault nebst einer
Menge anderer Personen jedes Standes und Alters, vom 74jährigen
Exgouverneur der Invaliden, Sombreuil, dem einst seine Tochter das
Leben gerettet hatte, und seinem Sohne an bis zu einem dreizehnjähri-
gen bei einer ebenfalls angeschuldigten Schauspielerin in Diensten stehenden Knaben daran Theil genommen haben. Cäcilie wurde mit ihrem Vater, ihrem Bruder, ihrer Tante, einer gewesenen Nonne, und
fünfzig andern angeblichen Mitschuldigen, darunter ein Rohan und
ein Montmorency, in rothe Hemden gekleidet auf den Richtplatz geführt, weil diese Tracht, das Sterbekleid der Mörder, dem beabsichtigten Eindrucke besser entsprach.[1]

---

nen letzten Augenblicken dieselbe Sanftmuth und denselben Muth zu zeigen,
als du gezeigt hast. Ich freue mich deiner Ueberlegenheit; denn ist es nicht
recht, daß der angebetete Gegenstand immer erhabener sei, als der Anbeter?

[1] S. Moniteur v. 27. Prairial und 5. Messidor (15. und 23. Juni) 1794.

Das Ende der Herrschaft der Schreckensmänner zu beschleunigen trug viel eine Frau bei deren Schönheit zu einer fast geschichtlichen Bedeutung gelangt ist. Als Tallien in Bordeaux das Amt eines Konventskommissärs versah, lernte er dort Frau von Fontenay kennen deren Gatte sich verborgen zu halten genöthiget war und um jeden Preis über die Pyrenäen entfliehen wollte. Frau von Fontenay erhielt für ihn von Tallien einen auf einen andern Namen ausgestellten Paß mit dem er allein abreiste. Diese zufällige Berührung zwischen der schönen Dame und dem mächtigen Manne ging bald in ein vertrauliches Verhältniß über und Frau von Fontenay benützte ihren Einfluß um den Proconsul der bisher nicht milder geschaltet hatte als seine meisten Amtsbrüder, auf menschlichere Gesinnungen zu bringen. Der Konvent gewahrte jedoch diese Veränderung bald und rief seinen Abgeordneten zurück. Frau von Fontenay aber wurde auf Befehl des Wohlfahrtsausschusses in Versailles verhaftet und nach Paris abgeführt [1] wo Robespierres Haß gegen sie und ihren Geliebten ihr gewissen Tod zu drohen schien. Sie fand Mittel aus ihrem Kerker beinahe täglich Briefe an Tallien gelangen zu lassen, in denen sie ihn ermunterte das Joch des Diktators abzuschütteln und der blutigen Herrschaft desselben der auch sie beide zu Opfern auserkoren habe, ein Ende zu machen. Wie dies gelang ist bekannt. Zu Ehren des Tages der ihr selbst zur Freiheit verhalf und in der Geschichte Frankreichs einen so merkwürdigen Wendepunkt bildet, nannte Frau Tallien — denn ihre Vermählung mit diesem Konventsabgeordneten erfolgte bald darauf — die erste Tochter aus ihrer Ehe Thermidor Tallien. [2]

---

[1] Der Brigadegeneral und Juweliergehülfe Boulanger welcher diese Verhaftung vollzog, stattete am 1. Juni 1794 dem Ausschuffe darüber Bericht ab (S. Histoire parlementaire u. s. w. XXXIII. 165).

[2] Wir lassen hier die Schilderung folgen welche Thibaudeau in seinen

Bevor wir unsere Aufgabe zum Schluße führen, haben wir noch, um dieser Darstellung denjenigen Grad von Vollständigkeit zu geben, der ihrem Charakter, dem einer Skizze, zukommt, der Frau von Staël zu erwähnen. Die Tochter eines Vaters dem die Revolution Huldigungen bereitete, wie sie kein König je genoßen hatte, mußte sich der Morgenröthe der neuen Zeit mit Begeisterung zuwenden. - Sie schildert selbst welche Empfindungen ihr Herz schwellen machten, als sie in Versailles die zwölf hundert Abgeordneten Frankreichs sich am Tage

"Memoiren über den Konvent und das Direktorium" von Frau Tallien entwirft. Nachdem er der Frau Recamier erwähnend bemerkt hat, sie habe ihre Erfolge ihrer reizenden Persönlichkeit verdankt in der sich die Schönheit, die Anmuth und die Einfachheit einer Jungfrau Raphaels vereinigten, führt er fort: Frau Tallien, nicht weniger schön, verband die liebenswürdige französische Lebhaftigkeit mit der wollüstigen Hingebung einer Spanierin. Tochter des Herrn Cabarrus, eines Banquiers von Madrid, Gattin eines französischen Edelmanns, des Herrn von Fontenay, während der Schreckenszeit verhaftet, verdankte sie Tallien ihr Heil und belohnte ihn mit ihrer Hand. Diese Ehe knüpfte sie an die Revolution und warf sie in den Strudel der Politik. Sie spielte da die einzige Rolle welche ihrem Geschlechte zukam, und verwaltete die Angelegenheiten der Grazien. Man nannte sie Unsere liebe Frau von Thermidor, denn sie nahm sich der Unglücklichen aller Parteien an. Dies hinderte die Royalisten nicht ihr mit empörender Undankbarkeit den ganz unverdienten Schimpfnamen Unsere liebe Frau vom September anzuhängen, wodurch sie auf die Metzeleien vom 2. und 3. September 1793 anspielten während welcher Tallien Sekretär der pariser Gemeinde war. Frau Tallien wurde sowohl ihrer selbst als des Einflußes ihres Gatten auf die öffentlichen Angelegenheiten wegen mit Aufmerksamkeiten und Schmeicheleien überhäuft. Sie war die Zierde aller Feste und die Seele aller Vergnügungen; sie herrschte ohne den Verlegenheiten eines Thrones ausgesetzt zu sein; ihre Regierung trocknete viele Thränen und preßte so viel ich weiß keine einzige aus (A. C. Thibaudeau, Mémoires sur la convention et le directoire. Paris, 1824. I. 131 u. f.).

vor der Eröffnung der Generalstaaten in feierlichem Zuge in die Kirche begeben sah, um die Messe zu hören. Ich hatte, erzählt sie, meinen Platz an einem Fenster neben Frau von Montmorin, der Gemahlin des Ministers der auswärtigen Angelegenheiten, und gab mich, ich gestehe es, den lebhaftesten Hoffnungen hin, als ich zum ersten Male in Frankreich die Vertreter der Nation sah. Frau von Montmorin deren Geist durchaus nichts Ausgezeichnetes hatte, sagte zu mir in einem entschiedenen Tone der jedoch auf mich Eindruck machte: Sie haben Unrecht sich zu freuen, dies hier wird Frankreich und uns großes Elend bringen. Die unglückliche Frau starb mit einem ihrer Söhne auf dem Schaffote; der andere ertränkte sich, ihr Gemahl wurde am 2. September 1792 abgeschlachtet, ihre älteste Tochter starb in einem Gefängnißspital und die jüngste erlag, bevor sie das Alter von dreißig Jahren erreicht hatte, unter dem Gewichte ihrer gramvollen Erinnerungen.

Durch ihre Stellung im Hause ihres Vaters, und später als Gemahlin des schwedischen Gesandten, mehr aber noch durch ihre hohe geistige Begabung war Frau v. Staël vor andern befähigt und gleichsam berufen politischen Einfluß auszuüben. Sie that es auch, und Dumouriez der sie die Circe der Feuillans nennt[1]), wie die Roland bei Marat die Circe der Girondisten heißt, bezeichnet die Art und die Grenzen dieses ihres Einflusses recht gut, wenn er damit nicht mehr andeuten will als daß sie für diese Partei einen mächtigen gesellschaftlichen Anziehungs-

---

[1]) La Vie et les Mémoires du Général Dumouriez. Paris 1822. II. 243. Feuillans oder Constitutionelle, auch Gemäßigte, hießen in jener Epoche diejenigen welche eine verfassungsmäßig beschränkte Monarchie wollten. Ihr Name kommt wie jener der Jakobiner, von einem ehemaligen Kloster her in dem ihr Klub seine Sitzungen hielt.

punkt bildete. [1]) Denn in eigentliche politische Ränke hat sie sich damals
wohl nicht eingelassen [2]); sie wirkte durch den Zauber ihrer Rede,
durch die Schärfe ihrer oft treffenden und immer glänzenden Urtheile,
und durch ihre Gedankenblitze die sich in ihren Kreisen mit der Geschwindigkeit und den Wirkungen elektrischer Ausstrahlungen fort-
pflanzten.

Als jene Morgenröthe deren anbrechenden Schein Neckers Tochter so freudig begrüßte, sich blutig färbte, nahm auch Frau v. Staël
ihren Antheil an den Prüfungen die gleich Gewitterschlägen Alles was
hoch stand, am ersten und am empfindlichsten trafen, muthig hin.
Mehre ihrer Freunde verdankten ihrer Geistesgegenwart Leben und
Freiheit, und sie selbst verließ Frankreich erst als die Absetzung des Kö-

---

[1]) Auch Edmund Burke (in seinen 1797 veröffentlichten, 1791, 92, 93
verfaßten drei „Denkschriften über französische Angelegenheiten") erwähnt der
Frau von Staël mehrmals als derjenigen in deren Hause der Ausschuß jenes
Klubs von Intriguanten, der sich bei den Feuillans versammle, seine Sitzungen
halte — ein Ausschuß der alle Minister einsetze und die wirkliche vollziehende
Gewalt Frankreichs sei.

[2]) Dagegen heißt es freilich in der unter der Redaktion Loustallots zweimal
hunderttausend Abnehmer zählenden Zeitung Prudhommes „Révolutions de
Paris" (Jänner 1792), Frau von Staël habe seit dem Dezember die ganze
Regierungsmaschine geleitet und ihrem Liebhaber, Herrn von Narbonne, die
Kriegsministerstelle verschafft. Und in der französischen Ausgabe der nach Papieren des Fürsten Hardenberg bearbeiteten „Memoiren eines Staatsmannes"
wird die Angabe in Betreff des Herrn von Narbonne mit dem die Staël allerdings in freundschaftlichen Verhältnissen stand (sie versteckte ihn auch, als die
Verfolgung ausbrach, in ihrem Hause und rettete ihm das Leben) bestätigt und
hinzugesetzt diese „erstaunliche Frau" habe das Verlangen sich bei ihren Zeitgenossen Ruhm zu erwerben, zur Theilnahme an allen wichtigen Intriguen jener
Zeit bewogen. Auf das Uebertriebene in solchen vom Parteigeist eingegebenen
Anschuldigungen brauchen wir nicht aufmerksam zu machen.

nigs und die Septembertage alle Hoffnungen der Partei vernichteten zu deren Ansichten sie sich bekannte. Doch blieb ihr Blick fortwäh= rend auf Frankreich geheftet[1]); in die Fußstapfen ihres Vaters tre= tend der sich erboten hatte die Vertheidigung eines Königs zu führen dem er wenig Dank schuldig war, erhob sie ihre beredte Stimme zu Gunsten einer Königin, welche die Tochter oft hatte die Abneigung fühlen lassen bis sie gegen deren Vater, den aufgenöthigten Minister empfand. [2])

---

[1]) Noch während ihrer Anwesenheit in Paris hatte, wie Bertrand de Molleville in seinen Memoiren erzählt, die Frau von Staël dem Herrn von Montmorin zu Handen des Königs einen sehr romantischen Fluchtplan einge= sendet, der aber unbenutzt bei Seite gelegt wurde.

[2]) Nach dem Aufhören der Schreckenszeit kehrte auch Frau von Staël mit ihrem Gatten wieder nach Paris zurück. Thibaudeau äußert sich in dem oben angeführten Werke folgender Maßen über sie und den Einfluß welchen sie übte: Frau von Staël war mit den glücklichsten Anlagen geboren und hatte sich in der zu ihrer Entwicklung günstigsten Lage befunden. In gewöhnlichen Zeiten hätte sie mit ihrer geistigen Kraft und lebhaften Phantasie als Schriftstellerin stets Erfolge errungen; die Revolution aber eröffnete ihr noch eine andere Bahn: sie wurde in der Politik und in der Literatur eine Person von Bedeutung. Ihre Erziehung und ihre gesellschaftlichen Verbindungen stellten sie auf die Seite der Aristokratie, ihr Gefühl und ihr Verstand sprachen für die Sache der Freiheit. Dieser Umstand erklärt die Widersprüche welche ihr Leben oft dargeboten hat. Sie hatte alle berühmten oder berüchtigten Personen des Hofes und der Natio= nalversammlungen gekannt; sie war Zeugin der meisten Ereignisse. Sie hatte mit ihrem Vater Glück und Unglück getheilt, sich an seinen Triumphen berauscht und war in seinen Unfällen nicht von seiner Seite gewichen. Ihre Bewunde= rung für den Staatsmann hatte durch die kindliche Liebe einen höhern Schwung erhalten und war zum förmlichen Kultus geworden; für sie waren die Grund= sätze ihres Vaters Orakelsprüche, seine Plane der Gipfel der Weisheit, seine Tugenden Ideale und seine Talente galten ihr als Genie.... Obwohl jedoch

Eine Würdigung jener Schriften der Frau v. Staël welche die Revolution betreffen, liegt außer den Grenzen dieses Aufsatzes; wir erwähnen blos als eine bemerkenswerthe Anomalie, daß in denselben, selbst dort wo die Gironbisten im Besondern besprochen werden, der Frau Roland nirgends Erwähnung geschieht. Dieses Schweigen das nothwendig ein absichtliches sein muß, hat vielleicht seinen Grund darin, weil die Frau Roland dem Minister Necker sehr abgeneigt war und sich über ihn herbe äußerte, die Frau von Staël aber, wie sie selbst sagt, eine ihrem Vater angethane Beleidigung nie verzieh und also von der Gegnerin desselben deren heroischer Tod die schwersten Irrthümer gesühnt hätte, lieber schweigen als in den Fall kommen wollte, ihren Grundsätzen gemäß über sie einen harten Tabel aussprechen zu müssen. Dies ist wenigstens die für Frau v. Staël ehrenvollste Erklärungsweise. Frau Roland hingegen hat den Namen der Frau v. Staël nur einmal schriftlich genannt und zwar ganz beiläufig in einem Briefe vom 22. November 1789. Der Umstand daß sie diesen Namen Staal schreibt, und der Zusammenhang in dem er vorkommt, beweist, daß ihr Neckers Tochter damals noch sehr wenig bekannt war. [1])

Frau von Staël der Schule des Herrn Necker angehörte, so besaß sie doch nicht die nämliche Geradheit. Ein Weib, ohne politische Verpflichtung und Verantwortlichkeit, verstand sie den Umständen nachzugeben. Sie war eine erklärte Republikanerin ohne daß sie deßhalb ihren Vater verläugnete und ihre königlich gesinnten Freunde verließ. Man verzieh es ihr zu Gunsten ihres Geschlechts, ihres Geistes, ihrer Talente und ihrer Grundsätze. Es war in Paris nichts Seltenes Frauen eine Auswahl von Schriftstellern, Gelehrten und liebenswürdigen Männern um sich versammeln zu sehen; allein seit den Zeiten der Fronde hat vielleicht keine einen so merklichen politischen Einfluß besessen.

[1]) S. Lettres autographes de Madame Roland, adressées à Baucaldes - Yssarts... précédées d'une Introduction par Sainte - Beuve. Paris, 1835. S. L. In den Mémoires secrets u. s. w. von Bachaumont wird sie

Da die Memoiren der Frau Roland selbst beinahe ihr ganzes Leben umfassen und die von den französischen Herausgaben beigegebenen Aktenstücke und Zusätze von denen wir die wichtigsten aufgenommen haben, die meisten vorhandenen Lücken befriedigend ausfüllen, so bleibt uns nur noch übrig das Bild, welches sie selbst von sich und ihren Umgebungen entwirft, durch einige Züge zu ergänzen die der Natur der Sache nach allein von fremder Hand hinzugefügt werden können. Wir nehmen dabei bloß Zeitgenossen zu Führern.

Aus allen Berichten geht hervor daß Frau Roland den Einfluß welchen sie in politischen Dingen auf ihren Gatten und die Männer seiner Partei übte, in ihren Memoiren zu geringe anschlägt. Mit einer Bescheidenheit die ihrem Herzen und ihrem Verstande Ehre macht, ordnet sie sich jenem überall unter, während doch die Thatsache daß Roland bei dem wichtigsten Schritte auf seiner ministeriellen Laufbahn, als welcher mit Recht sein Schreiben an den König gilt auf das seine Entlassung erfolgte, ganz ihren Eingebungen folgte, völlig hinreichend ist um ihr entschiedenes Uebergewicht zu beweisen. Sie war sowohl die Verfasserin dieses Schreibens als vieler anderen im Namen ihres Gatten ausgegangenen Aktenstücke und nicht bloß wie sie sich zurückhaltend nennt, die Schreiberin derselben und das Organ seiner Gedanken. So viel was ihr politisches Wirken betrifft dessen erste Periode — bis zu

---

bald Stabl, bald Stahl genannt und im 36. Bande derselben bei Gelegenheit eines Epigramms von Champcenets gegen sie, das mitgetheilt wird, ein sehr wenig schmeichelhaftes Bild von ihr entworfen. Man muß wissen, heißt es da S. 226, daß Frau von Stahl sehr häßlich ist und große Ansprüche auf Geist macht mit dem sie jedoch nicht in sehr hohem Grade begabt ist.

den Septembertagen 1792 — allerdings vielleicht zu sehr das Gepräge der revolutionären Aufregung trägt, in dessen zweiter Hälfte sie
aber als die unerschrockenste Bekämpferin der blutbefleckten Sophisten
welche eine in ihren ursprünglichen Zwecken so berechtigte und wohl-
thätige Umwälzung besudelten und zu selbstsüchtigen Zwecken aus-
beuteten, in unantastbarer Reinheit dasteht.

Der Genfer Dumont der die ersten Jahre der Revolution in
Paris zubrachte wo er mit Mirabeau, Talleyrand u. A. befreundet
war und auch zu Roland und den Girondisten in nähere Beziehungen
trat, gibt über Frau Roland folgendes Urtheil ab, welches uns
das Verdienst richtiger und unbefangener Auffassung zu haben scheint:
Frau Roland verband mit der angenehmsten Persönlichkeit die vor-
züglichsten Eigenschaften des Charakters und Geistes. Ihre Freunde
sprachen von ihr mit Ehrerbietung. Sie war eine Römerin, eine
Cornelia, und hätte sie Söhne gehabt sie wären erzogen worden wie
die Gracchen. Ich sah bei ihr mehre Ministercomités und die ausgezeichnetsten Girondisten. Eine Frau schien da nicht ganz an ihrem
Platze, allein sie mischte sich nie in die Verhandlungen, blieb meistens
an ihrem Schreibtisch, schrieb Briefe und schien gewöhnlich mit etwas
Anderem beschäftigt, obgleich sie kein Wort verlor. Ihr bescheidener
Putz that ihrer Anmuth keinen Eintrag und obschon ihre Arbeiten
die eines Mannes waren, so verschönerte sie ihr Verdienst doch durch
den Schmuck aller äußern Reize ihres Geschlechtes. Ich mache mir
einen Vorwurf daraus daß ich nicht den vollen Werth ihrer Eigenschaften kannte; ich war ein wenig gegen die politischen Frauen
eingenommen und fand bei ihr zu viel von jener Neigung zum Mißtrauen die aus der Unbekanntschaft mit der Welt hervorgeht. —

Die Denkwürdigkeiten in denen sie sich mit ihrer Persönlichkeit beschäftigt, sind bewundernswerth; sie sind eine Nachahmung der
Bekenntnisse Rousseaus, die oft des Urbildes würdig sind: sie
nimmt ihr Herz in die Hand und schildert sich mit einer Kraft und
Wahrheit die man in keinem andern Werke dieser Gattung findet.
Ihrer geistigen Entwicklung ging eine größere Weltkenntniß und
Verbindungen mit Männern ab die eine stärkere Urtheilskraft besaßen
als sie. Rolands Geist war beschränkt. Alle diejenigen welche in
ihren Kreis kamen waren von den gangbaren Vorurtheilen befangen:
sie glaubte nicht an die Möglichkeit die Freiheit mit dem Königthum zu verschmelzen und sah einen König mit dem nämlichen Abscheu an wie die Frau Macaulay, welche sie als ein weit über ihr
Geschlecht erhabenes Wesen betrachtete. Hätte sie ihre Seelenstärke
und Unerschrockenheit ihrer Partei einflößen können, so würde das
Königthum gestürzt worden sein, aber die Jakobiner hätten nicht
triumphirt [1]).

---

[1]) Souvenirs sur Mirabeau et sur les deux premières assemblées
législatives, par Etienne Dumont. Paris 1832. Delsner, der Verfasser der
in der Minerva veröffentlichten „Historischen Briefe über die neuesten Begebenheiten in Frankreich" die zu ihrer Zeit bedeutendes Aufsehen erregten
und auch jetzt noch als deutsche Quellen der Revolutionsgeschichte einen eigenthümlichen Werth haben, schreibt im Jänner 1793 aus Paris: Niemals hat
ein französischer Minister mehr Simplicität und Muth vereinigt (als Roland).
Einige Tage vor seiner Dimission verbreitete sich das Gerücht, in der Absicht
Neugierige und Banditen in sein Hotel zu sprengen, er fürchte Rechnung abzulegen und habe die Flucht ergriffen. Mein Herz trieb mich zu den braven Leuten; ich fand sie in einem Kabinete (ehemals Boudoir der Kammerfrau Madame
Neckers) ihn mit einigen Secretairen arbeitend, während Madame Roland

Am Tage nach der Hinrichtung des Königs gab Roland seine
Entlassung; da aber ein Gesetz den Ministern verbot sich aus der
Hauptstadt zu entfernen bis ihre Rechnungen untersucht und genehmigt worden seien, und der Konvent diese Untersuchung die Roland wiederholt und bringend forderte, absichtlich verzögerte, so konnte
dieser Paris nicht verlassen, wie er und seine Frau beabsichtigten.
Fliehen wollten sie nicht da sie sich keiner Schuld bewußt waren,
ungeachtet die Journale und Maueranschläge der Bergpartei Anklagen auf Anklagen und Schmähungen auf Schmähungen gegen sie
häuften deren Echo im Konvent wiederhallte wo die Girondisten
täglich an Boden verloren. Die Männer dieser Partei die mit der
Annahme einer republikanischen Verfassung die Umgestaltung des
Staates für vollendet hielt, glaubten, so lange die Mehrheit jener
Versammlung ihren glänzenden Reden Beifall zuklatschte, von ihren

---

ihre Besuche von den Angelegenheiten des Tages mit alle dem bewundernswür-
digen Geiste unterhielt, der sie unsterblich macht. Ihre Seelenruhe, welche bei
der Nachricht von dem Abfalle der Föderirten unerschüttert, und trotz der Gefahren, wovon ich sie bedroht sah, die nämliche blieb, flößte mir für diese beiden
Personen tiefe mit Wehmuth vermischte Ehrfurcht ein. Vielleicht irre ich nicht,
zu glauben, daß sich in Madame Roland der Ehrgeiz eines großen Herzens
nach der gefahrvollen Gelegenheit sehnt, über Wilde die Allmacht weiblicher
Superiorität zu versuchen. Sie würde ohne Beben den Mördern ihren Busen
öffnen; kaltblütige Septemberfurien, taub gegen die Schönheit, taub gegen der
Tugend Beredtsamkeit, könnte das nicht schmelzen; aber welcher Mann, in
dessen Innern nur noch ein Fünkchen Gefühl glömme, müßte nicht an einer
solchen Frauen Seite ein racheschnaubender, vertilgender Halbgott sein? — An
einer andern Stelle nennt Oelsner die Frau Roland „diese Ehre ihres Geschlechtes, deren große, schöne Seele um ihren reizevollen Körper wie ein kräftiger Wohlgeruch aus einer alabasternen Vase athmet."

Gegnern deren Zwecke sich mit der gesetzlichen Freiheit Aller, wie die Gironbisten sie im Sinne hatten, nicht vertrugen, nichts fürchten zu müssen: aber diese, welche was ihnen an Zahl abging durch kühne Thatkraft ersetzten, nahmen den Kampf mit ihnen nicht auf einem Felde auf wo Gedanken mit Gedanken rangen, sondern setzten gegen sie die Kraft der Massen in Bewegung die sich durch Schlagwörter bestimmen lassen. Die Mehrheit derjenigen welche die im Konvent gesprochenen Worte gegen einander abwogen, war für die Gironde; der Berg hatte die Straßenbevölkerung für sich die, weil ihr die Revolution bisher noch keinen Vortheil gebracht hatte, von jeder neuen Veränderung ihr Heil erwartete. Die Gironde war, um Bezeichnungen zu gebrauchen die erst in unserer Zeit zu ihrer vollen Bedeutung gelangt sind, die Vertreterin des Bürgerthums; um den Berg schaarte sich das Proletariat. Er brauchte blos mit der Einmischung des „Volkes" zu drohen um die unschlüssigen und furchtsamen Mitglieder einer Körperschaft die der physischen Gewalt gegenüber keine Waffen hatte als den Buchstaben des Gesetzes, mit sich fortzureißen.

Dies geschah am 31. Mai und in den ersten Tagen des Juni 1793. Da umgab der Gemeinderath von Paris der ganz unter dem Einflusse des Berges stand, den Konvent mit bewaffneter Macht und ertrotzte von ihm die Preisgebung der Häupter der Gironde.

Roland verließ Paris; seine Frau hätte ihm folgen können aber sie zog es vor in Paris zu bleiben, und wurde in der Nacht des 31. Mai verhaftet und in das Gefängniß der Abtei abgeführt. Seit in den Septembertagen 1792 besoldete Mörderbanden über welche der Justizminister Danton die Oberleitung führte, die

Gefängnisse „leerten," war sie auf das Schlimmste gefaßt gewesen: damals schrieb sie an Bancal: Sie kennen meine Begeisterung für die Revolution, nun wohlan! ich schäme mich ihrer! Bösewichter haben sie besudelt, sie ist häßlich geworden [1])!

In der Abtei und in St. Pelagie, wohin man sie später brachte, war es, wo die Frau Roland ihre „Berufung an die Nachwelt" schrieb, wie sie ihre Memoiren zuerst nannte [2]). In diesen Gefängnissen schuf sie sich eine eigene Welt um die welche sie umgab zu vergessen, und bevölkerte sie mit den Gestalten die aus den Erinnerungen an die schönen Tage ihrer Kindheit und Jugend herauftauchten. Ihr Gatte war auf der Flucht und konnte jede Stunde in die Hände seiner Verfolger fallen; ihr einziges Kind war zwar

---

[1]) Einen ähnlichen erschütternden Ausruf der Entmuthigung that Forster in einem Briefe an seine Frau (v. 16. April 1793): Du wünschest, daß ich die Geschichte dieser greuelvollen Zeit schreiben möchte? Ich kann es nicht! — O, seit ich weiß, daß keine Tugend in der Revolution ist, edelt es mich an. Ich konnte, fern von allen idealischen Träumereien, mit unvollkommenen Menschen zum Ziel gehen, unterwegs fallen und wieder aufstehen, und weiter gehen, aber mit Teufeln und herzlosen Teufeln, wie sie hier sind, ist es mir eine Sünde an der Menschheit, an der heiligen Mutter Erde und an dem Licht der Sonne. Die schmuzigen unterirdischen Canäle nachzugraben, in welchen diese Molche wühlen, lohnt keines Geschichtschreibers Mühe.

[2]) Wer sich davon überzeugen will zu welchen Abgeschmacktheiten die Systemsucht sonst unterrichtete und wohlmeinende Männer verleiten kann, der lese was die Herausgeber der Histoire parlementaire de la révolution française (XXXI, 99) über die Memoiren der Frau Roland, ihre Echtheit und Glaubwürdigkeit sagen. Man kann wohl behaupten daß die Widerlegung ihrer Ansicht auf jeder Seite dieser Memoiren steht.

4 *

gerettet aber welche Gefahren bedrohten es noch in so stürmischen Zeiten! Ihr selbst stand der Tod bevor und in dieser Lage versenkt sie sich bald in das reizende Stillleben ihrer Vergangenheit, bald gibt sie, überwältigt von dem Jammer der Gegenwart, diejenigen die sich ihr als Urheber desselben darstellen, dem rächenden Urtheile der Nachwelt preis. Für sich selbst verzichtet sie auf alle Hoffnungen. Mit mir, schreibt sie an einen Freund, ist Alles zu Ende. Sie kennen die Krankheit welche die Engländer das Herzbrechen nennen: ich bin ihr unrettbar verfallen und habe keine Lust ihre Wirkungen zu verzögern; das Fieber beginnt sich zu entwickeln, ich hoffe es wird nicht lange dauern. Und in einem andern Briefe: Ich glaube, mein Freund, daß man sich das Haupt verhüllen muß; dieses Schauspiel wird so traurig daß es kein großes Uebel ist von der Szene ab= zutreten.

Die in Paris verhafteten Girondisten, ein und zwanzig an der Zahl, wurden den 31. Oktober 1793 hingerichtet; am nämlichen Tage brachte man Frau Roland in die Conciergerie wo sie ein Verhör bestand[1]), und am 10. November erschien sie vor dem Re-

---

[1]) Riouffe, ein Schicksalsgefährte der Girondisten, der sich zugleich mit Frau Roland in der Conciergerie befand, entwirft in seinen „Denkwürdig= keiten eines Gefangenen" folgende Schilderung von ihren letzten Augen= blicken: Das Blut der zwei und zwanzig rauchte noch als Frau Roland in der Conciergerie ankam. Ueber das Loos welches ihrer harrte, im Klaren, hatte sie sich ihre ganze Ruhe bewahrt; ohne in der Blüthe ihres Alters zu stehen, war sie noch voll Anmuth: groß und zierlich gewachsen, mit geistreichen Zügen, doch hatten Unglück und Kerkerhaft auf ihrem Gesicht

volutionstribunal. Chauveau-Lagarde, der beredte und muthige Vertheidiger Charlotte Cordays, der Königin und der Girondisten, be-
warb sich auch bei ihr um diese gefährliche Ehre. Er besuchte sie
mehrmals um sich mit ihr zu besprechen und kam noch am Abend
des 9. um sich mit ihr über die Maßregeln für den folgenden Tag
zu verabreden. Sie hörte ihn ruhig an und erwog mit ihm ihre

Spuren einer Melancholie zurückgelassen die ihre natürliche Lebhaftigkeit
milderten. In ihrem schönen Körper, dem ein gewisses an die abgeschliffenen
Formen der Höfe mahnendes Ebenmaß eigen war, wohnte eine republikanische Seele; in ihren großen, schwarzen, ausdrucksvollen und sanften Augen
malte sich etwas mehr als man sonst gewöhnlich in Frauenaugen findet. Sie
sprach oft mit mir am Gitter, mit der Unbefangenheit und dem Muthe,
die einen großen Charakter bezeichnen. Diese republikanische Sprache aus
dem Munde einer hübschen französischen Frau für die man das Blutgerüst
aufschlug, war ein Wunder der Revolution an das man noch nicht gewöhnt
war. Wir schnarrten uns alle voll Aufmerksamkeit um sie, in einer Art Bewunderung und Bestürzung; ihr Gespräch war ernst ohne kalt zu sein; sie
drückte sich mit einer Reinheit, einem Maße und einem Wohllaut aus die
aus ihrer Rede eine Art Musik machten deren das Ohr gar nicht satt wurde.
Von den Abgeordneten die eben den Tod erlitten hatten, sprach sie nie anders als mit Ehrfurcht aber ohne weibisches Bejammern, ja sie warf ihnen
sogar vor nicht genug kräftige Maßregeln ergriffen zu haben. Sie bezeichnete dieselben gewöhnlich mit dem Namen unsere Freunde, und ließ
oft Clavieres holen um sich mit ihm zu unterhalten. Manchmal gewann auch
ihr Geschlecht die Oberhand und man gewahrte daß sie bei der Erinnerung
an ihre Tochter und ihren Gatten geweint hatte. Dieses Gemisch von na-
türlicher Weichheit und Kraft machte sie noch anziehender. Die Frau welche
sie bediente, sagte mir eines Tages: Vor Ihnen nimmt sie ihre ganze Stärke
zusammen; aber in ihrem Zimmer bleibt sie zuweilen drei Stunden lang
ans Fenster gelehnt und weint.

Vertheidigungsmittel. Die Unterhaltung verlängerte sich in die Nacht hinein; um eilf Uhr benachrichtigte man Herrn Chauveau, daß die Gefängnißthore geschlossen würden. Er schickte sich zum Weggehen an; da erhebt sich Frau Roland in plötzlicher Bewegung, zieht einen Ring vom Finger und gibt ihm denselben ohne ein Wort zu sprechen. Madame, ruft der Advokat der mit einem Blicke ihre Absicht und ihr Vorgefühl erräth — Madame, wir sehen uns morgen wieder, nach dem Spruche! — Morgen, erwiederte sie, werde ich nicht mehr leben! Ich weiß welches Loos mich erwartet — Ihre Rathschläge sind mir werth, sie könnten Ihnen Unheil bringen: dies hieße Sie verderben ohne mich zu retten. Ersparen Sie mir den Schmerz den Tod eines rechtschaffenen Mannes verursacht zu haben!... Kommen Sie nicht vors Tribunal, ich würde Sie nicht anerkennen; aber nehmen Sie dies einzige Pfand an das Ihnen meine Dankbarkeit bieten kann — morgen werde ich nicht mehr leben!

An dem zu ihrer Aburtheilung festgesetzten Tage kleidete sie sich weiß und mit Sorgfalt; ihre langen schwarzen Haare fielen aufgelöst um ihre Schultern. Das Tribunal welches die Wirkungen ihrer stolzen Beredsamkeit fürchtete, erklärte nach kurzer Frist die Verhandlungen für geschlossen und verurtheilte sie mit den gewöhnlichen Phrasen, „als überwiesene Urheberin und Mitschuldige einer Verschwörung gegen die Einheit und Untheilbarkeit der Republik und gegen die Freiheit und Sicherheit des französischen Volkes," zum Tode. Da schleuderte sie diesen Richtern die das Recht und den gesunden Menschenverstand so grausam höhnten, mit Verachtung die Worte zu: Ihr haltet mich für würdig das Schicksal der großen Männer zu theilen die ihr gemordet habt; ich werde mich bestreben das Schaffot mit dem nämlichen Muthe zu besteigen den sie gezeigt haben [1]).

Die ruhige Miene mit der sie zum Tode ging, die Heiterkeit ihrer Züge, der Ausdruck ihres Blickes, der einfache und natürliche Ton ihres Gespräches — denn sie unterhielt sich mit einem Unglücksgefährten — ließ in der Seele von Augenzeugen den tiefsten Eindruck zurück. Ihr Muth war nicht prunkhaft und ihre Ergebung ohne Schwäche. Der Mann welcher ihr Schicksal theilte — Lamarche, gewesener Generaldirektor der Assignatenfabrikation — übrigens ein ehrenhafter Charakter, zeigte einige Niedergeschlagenheit. Sie beschäftigte sich damit seinen Muth zu beleben und ihrer sanften und ungekünstelten Heiterkeit gelang es ein Lächeln auf seine Lippen zu locken. Am Fuße des Schaffotes sagte sie zu ihm: Gehen Sie zuerst; ich möchte Ihnen wenigstens den Schmerz ersparen mein Blut fließen zu sehen. Dann kehrte sie sich gegen den Henker und fragte ihn, ob er diesem Uebereinkommen seine Zustimmung gebe. Auf seine Erwiederung daß er Befehl habe sie zuerst hinzurichten, sprach sie zu ihm mit gewinnendem Lächeln: Ihr werdet, ich bin dessen gewiß, einer Frau ihre letzte Bitte nicht verweigern? — Neben der Guillotine war eine riesige Statue der Freiheit aufgestellt; o Freiheit, rief sie aus, wie viel Verbrechen begeht man in deinem Namen!

Das Haupt der Frau Roland fiel am 10. November 1793 gegen fünf Uhr Abends. Am 16. des nämlichen Monats fand man den Leichnam ihres Gatten auf einem Feldwege vier Meilen von

---

[1]) Die mit der Frau Roland angestellten Verhöre, die Zeugenaussagen, die Anklageakte und das Urtheil sind dem zweiten Theile als Aktenstücke beigegeben.

Rouen. Er hatte in dieser Stadt bei muthigen Freundinnen eine Zuflucht gefunden; als er das Ende seiner Frau vernahm, sprach er den Entschluß aus ihr in den Tod zu folgen. Er wollte mitten unter den Konvent treten, ihn zwingen ihm Gehör zu geben und dann verlangen das mit dem Blute seiner Frau bedeckte Schaffot zu besteigen. Allein sei es daß sie beide ihr Loos vorausgesehen und sich über ihre letzten Entschlüsse verständiget hatten, oder daß ein und dasselbe Gefühl ihnen den nämlichen Gedanken eingab, er kam auf den Plan zurück sich selbst den Tod zu geben um seiner Tochter wenigstens ihr Erbe zu sichern. Eine Viertelstunde brachte er noch mit Schreiben zu, dann nahm er einen Degenstock, verließ sein Asyl und folgte der nach Paris führenden Straße. Am nächsten Tage fand man seinen Leichnam in sitzender Stellung an einen Baum gelehnt, den tödtlichen Stahl in der Brust. Ein Brief den er bei sich trug, war in nachstehenden Worten abgefaßt:

Wer Du auch seist der Du mich liegend findest, ehre meine irdischen Ueberbleibsel. Es sind diejenigen eines Mannes der sein ganzes Leben sich bemühte nützlich zu sein und der gestorben ist wie er gelebt hat, als ein tugendhafter Ehrenmann.

Möchten meine Mitbürger mildere und menschlichere Gesinnungen annehmen!

Das Blut welches in meinem Vaterlande in Strömen fließt, bewegt mich diesen Wunsch auszusprechen.

Diese Metzeleien können nur durch die grausamsten Feinde Frankreichs veranlaßt werden. Sie werden mit einem Lande leichtes Spiel haben dessen beste Bürger man getödtet oder in die Flucht getrieben haben wird.

LV

Nicht die Furcht sondern die Entrüstung hat bewirkt daß ich meinen Zufluchtsort in dem Augenblicke verließ als ich erfuhr, daß man meine Frau gemordet habe. Ich wollte nicht länger auf einer mit Verbrechen besudelten Erde bleiben.

Ende der Einleitung.

Erster Theil.

Im Gefängniß Sainte-Pelagie, den 9. August 1793.

Die Tochter eines Künstlers, die Frau eines Gelehrten, der Minister geworden und ein rechtschaffener Mann geblieben ist, heute eine Gefangene, vielleicht zu einem gewaltsamen und plötzlichen Tode bestimmt, habe ich das Glück und das Unglück gekannt, habe den Ruhm in der nächsten Nähe gesehen und die Ungerechtigkeit über mich ergehen lassen müssen.

In niedrigen Verhältnissen, aber von ehrsamen Eltern geboren, habe ich meine Jugend im Schooße der schönen Künste verbracht, genährt von den Zaubern des Studiums, ohne eine andere Ueberlegenheit zu erkennen, als die des Verdienstes, oder eine andere Größe, als die der Tugend.

In dem Alter, wo man sich zu einem Stande entschließt, habe ich die Hoffnungen auf Glücksgüter verloren, welche mir zu einem meiner Erziehung angemessenen Stande verhelfen konnten. Die Verbindung mit einem hochachtungswürdigen Manne schien diese Widerwärtigkeiten gut zu machen; sie bereitete mir deren neue.

Ein sanfter Charakter, eine starke Seele, ein kräftiger Geist, ein sehr liebreiches Herz, ein Aeußeres, worin dies Alles ange-

1

kündigt lag, haben mich denen, die mich kennen, theuer gemacht. Die Lage, worin ich mich befunden, hat mir Feinde zugezogen; meine Person hat deren keine. Diejenigen, die mir am meisten Böses nachsagen, haben mich niemals gesehn.

Es ist so wahr, daß die Sachen selten das sind, was sie zu sein scheinen, daß diejenigen Epochen meines Lebens, in welchen ich am meisten Angenehmes genossen, oder am meisten Verdruß ausgestanden habe, häufig das gänzliche Widerspiel von dem sind, wofür andere sie halten könnten. Der Grund liegt darin, daß das Glück mehr auf den Herzensempfindungen, als auf den Ereignissen beruht.

Ich beabsichtige die Muße meiner Gefangenschaft zur Schilderung meiner persönlichen Verhältnisse von den Tagen zarter Kindheit an bis zu diesem Augenblick zu verwenden: man lebt zum zweitenmal, wenn man auf diese Art auf alle Schritte seiner Laufbahn zurückkommt; und was kann man im Gefängniß Besseres thun, als durch eine glückliche Selbsttäuschung oder durch anziehende Erinnerungen sein Dasein anderswohin verpflanzen?

Wenn die Erfahrung weniger durch Handlungen, als durch Betrachtungen über das, was man sieht und thut, erworben wird; so kann die meinige durch das Unternehmen, das ich beginne, ein Gutes gewinnen.

Die öffentlichen Angelegenheiten, meine eigenen Empfindungen lieferten mir seit zweimonatlicher Haft Stoff genug zum Nachdenken und Schreiben, ohne daß ich mich in sehr entlegene Zeit zurück versetzen müßte; auch waren die fünf ersten Wochen geschichtlichen Notizen gewidmet, deren Sammlung vielleicht nicht ohne Interesse war. Sie sind in der letzten Zeit vernichtet worden: ich habe die ganze Bitterkeit dieses Verlustes empfunden, den ich nicht wieder einbringen werde; aber ich müßte über mich selbst unwillig werden, wenn ich mich durch irgend etwas, was es auch sein mag, zu Boden schlagen ließe. Bei allen Unbilden, die ich ausgestanden habe, gesellt sich zu dem schmerzlichsten Eindrucke beinahe sogleich der Ehrgeiz, dem Uebel, dessen Gegenstand ich bin, meine Kräfte entgegen zu setzen, und es entweder durch Gutes, das ich Andern thue, oder durch Steigerung meines eigenen Muthes zu überwinden. Auf diese Art kann das Unglück mich verfolgen, aber nicht zu Boden drücken; die Tirannen können mich quälen: aber herabwürdigen? nein, nimmermehr! Meine Notizen sind verloren; ich will Denkwürdigkeiten schreiben, will mich in einem Augenblick, wo ich peinlich angeregt bin, klüglich in meine eigene Schwachheit finden und mich in Hoffnung auf Zerstreuung über mich selbst unterhalten. Ich werde mir mit gleicher Freiheit im Guten und im Bösen Gerechtigkeit widerfahren lassen; wer sich selbst kein gutes Zeugniß zu ertheilen vermag, der ist beinahe immer ein Elender, welcher das Böse, das man von seiner Person sagen könnte, weiß und fürchtet; und wer Bedenken trägt, seine Fehler einzugestehen, der hat weder die Kraft sie durchzuführen, noch die Mittel, sie zu sühnen. Bei dieser Offenherzigkeit auf meine eigne Rechnung werde ich mir andern gegenüber keinen Zwang anthun; Vater, Mutter, Freunde, Gatten, sie alle werde ich schildern wie sie sind, oder wie ich sie gesehen habe.

So lange ich mich in den Verhältnissen friedsam stiller Häuslichkeit bewegte, hüllte meine natürliche Warmherzigkeit meine übrigen Eigenschaften dermaßen ein, daß sie allein entschieden hervortrat, oder die andern alle beherrschte. Mein erstes Bedürfniß war zu gefallen und Gutes zu thun. Ich hatte Aehnlichkeit mit jenem guten Herrn von Gourville, von welchem Frau von Sevigné sagt, er habe aus eitel Nächstenliebe seine Worte nur halb ausgesprochen, und ich verdiente, daß Sainte-Lette von mir äußerte, obschon ich Geist genug besitze, seine Sinnsprüchlein zu spitzen, so lasse ich doch keines heraus.

Seit die Umstände, die politischen und andere Stürme, die Thatkraft meines Charakters zur Entwickelung gebracht haben, bin ich vor allem freimüthig, ohne allzugenau auf die kleinen Ritze zu achten, die gelegentlich mit unterlaufen. Ich mache keine Epigramme mehr; denn sie setzen die Lust voraus, durch Tadel zu ärgern, und ich kann keinen Spaß darin finden, Mücken zu tödten; aber ich liebe es, offen mit einer Menge Wahrheiten herauszutreten, und ich sage die furchtbarsten den Betheiligten ins Gesicht, ohne zu zagen, ohne gerührt oder ärgerlich zu werden, ihre Wirkung mag sich nun kund thun, wie sie will.

Gratian Phlipon, mein Vater, war seines Geschäfts ein Graveur; auch gab er sich mit der Malerei ab, und wollte sich namentlich, weit weniger aus Liebhaberei als aus Berechnung, auf die Schmelzmalerei werfen: allein seine Augen und seine Gemüths- art vertrugen sich nicht mit dem Feuer, worin das Email gebrannt werden muß, und so sah er sich genöthigt, diesen Zweig der Kunst aufzugeben. Er beschränkte sich auf seinen frühern, der keine hohe künstlerische Stufe einnahm; aber obgleich er fleißig war, obgleich die Zeitverhältnisse sein Gewerb begünstigten, obgleich er viel zu thun hatte, und ziemlich viele Arbeiter beschäftigte, so trieb ihn doch das Verlangen, ein reicher Mann zu werden, zum Handel. Er kaufte Juwelen und Diamanten oder nahm sie von den Kauf- leuten, mit denen er zu thun hatte, an Zahlungsstatt an, um sie gelegentlich wieder zu verkaufen. Ich hebe diesen Umstand hervor, weil ich bemerkt habe, daß bei allen Menschenklassen der Ehrgeiz in der Regel zu einem schlechten Ende führt; für einige wenige Glückliche, denen er auf die Beine hilft, macht er eine Menge Opfer. Das Beispiel meines Vaters wird mir mehr als eine Anwendung dieses Satzes liefern; seine Kunst genügte, um ihm ein anständiges Auskommen zu verschaffen; er wollte reich werden und hat sich am Ende zu Grunde gerichtet.

Stark und gesund, thätig und großsprecherisch, liebte er seine Frau und den Putz; ohne gründliche Bildung besaß er jenen oberflächlichen Grad von Geschmack und Kenntnissen, wie ihn die Beschäftigung mit den schönen Künsten, auf welcher Stufe sie auch stehen mag, gewöhnlich mit sich bringt: auch machte er, trotz seiner Hochachtung für Reichthümer und die Mittel sie zu erwerben, mit Kaufleuten zwar Geschäfte, stand aber in genauerer Verbindung nur mit Künstlern, Malern und Bildhauern. Sein Leben war sehr geregelt, so lang sein Ehrgeiz Schranken kannte oder auf keine Widerwärtigkeiten gestoßen war. Man kann ihn nicht eigentlich einen tugendhaften Mann nennen, aber er hatte viel von dem, was man mit Ehre zu bezeichnen pflegt. Er hätte sich ohne Bedenken für eine Sache mehr bezahlen lassen, als sie werth war; dagegen wäre er lieber gestorben, als für etwas, das er gekauft hatte, den Betrag schuldig geblieben.

Margaretha Bimont, seine Frau, hatte ihm neben sehr wenig Geld eine himmlische Seele und ein ausgezeichnetes Aeußere als Heirathsgut mitgebracht. Das älteste von sechs Kindern, deren zweite Mutter sie gleichsam gewesen war, hatte sie mit sechs und zwanzig Jahren blos geheirathet, um ihre Stelle ihren Schwestern abzutreten: ihr gefühlvolles Herz, ihre angenehmen Geistesgaben hätten sie irgend einem aufgeklärten, feingebildeten Manne in die Arme führen sollen, aber ihre Eltern schlugen ihr einen ehrlichen

Mann, dem seine Geschicklichkeit ein gutes Einkommen sicherte, vor, und ihre Vernunft nahm ihn an. Konnte sie sich auch kein Glück versprechen, so fühlte sie doch, daß sie den Frieden, der seine Stelle vertritt, an ihre Schwelle fesseln würde. Es zeugt von hoher Lebensweisheit, wenn man sich zu beschränken versteht. Die Genüsse sind immer seltener, als man sich einbildet, aber an Tröstungen fehlt es der Tugend niemals.

Ich war ihr zweites Kind: meine Eltern hatten deren sieben, aber alle andern sind entweder in der Pflege der Amme oder gleich nach der Geburt in Folge verschiedener Umstände gestorben, und meine Mutter wiederholte zuweilen wohlgefällig, ich sei das einzige, das ihr niemals wehe gethan habe; denn ihre Entbindung von mir sei eben so glücklich gewesen, als ihre Schwangerschaft; es scheine, als hätte ich ihre Gesundheit befestigt.

Eine Tante meines Vaters suchte für mich in der Nähe von Arpajon, wohin sie Sommers oft ging, eine gesunde und rechtschaffene Amme aus, die in der ganzen Umgegend in großer Achtung stand, um so mehr, als die Rohheit ihres Mannes, worunter sie viel zu leiden hatte, weder ihrem Charakter eine schiefe Richtung gab, noch ihr Benehmen änderte. Frau Besnard (so nannte sich meine Großtante) hatte keine Kinder; ihr Mann war mein Pathe: beide betrachteten mich als ihre Tochter und ihre Zärtlichkeit für mich ist sich immer gleich geblieben. Sie leben noch und haben auf der Neige ihrer Tage vielen Kummer; sie seufzen über das Schicksal ihrer Enkelnichte, auf welche sie ihre Hoffnung und ihren Ruhm gebaut hatten. Ehrwürdige alte Leutchen, tröstet Euch; es ist nur sehr wenigen Menschen vergönnt, ihre Bahn in der Stille und Friedsamkeit zu durchwandeln, die Euch umgeben; ich erliege nicht unter der Last des Jammers, der auf mich einstürmt, und werde nicht aufhören, Eure Tugenden zu ehren.

Die Wachsamkeit meiner Amme wurde unterstützt oder belohnt durch die Aufmerksamkeit meiner guten Eltern; der Eifer und die Erfolge dieser lieben Frau erwarben ihr die Anhänglichkeit meiner ganzen Familie. Sie hat, so lange sie lebte, niemals zwei Jahre vorübergehen lassen, ohne eine Reise nach Paris zu machen, und nach mir zu sehen: sie eilte zu mir, als sie erfuhr, daß ein grausamer Tod mir meine Mutter entrissen hatte. Ich erinnere mich noch deutlich, wie sie hereinkam: ich befand mich auf einem Schmerzenslager; ihre Anwesenheit führte mir einen kaum erlittenen Verlust, den ersten Kummer meines Lebens, allzulebhaft vor die Augen, und so verfiel ich in Zuckungen, worüber sie gewaltig erschrack; sie reiste wieder ab und ich sah sie nicht wieder; sie starb bald darauf. Ich hatte sie in der Hütte, wo sie mich gesäugt, besucht, hatte mit Rührung die Erzählungen angehört, unter welchen die redselige Frau mir mit so viel Vergnügen die Plätzchen zeigte, die ich vorgezogen, und an die kleinen Bosheiten erinnerte, welche ich ihr angethan hatte, und woran ihr heiterer Sinn sich noch immer erlustigte. Mit zwei Jahren wurde ich ins Vaterhaus zurückgebracht: man hat mir immer von der Verwunderung erzählt, in welche ich ausbrach, als ich Abends in der Straße die angezündeten Laternen sah, die ich schöne Flaschen nannte; von meinem Widerwillen gegen die Anwendung dessen, was man in anständigen Häusern Nachttopf nennt, weil ich für einen gewissen Gebrauch nur ein Winkelchen im Garten kannte, und von der spöttischen Miene, womit ich fragte, ob die Salatnäpfe und Suppenschüsseln, auf welche ich mit dem Finger zeigte, auch diese Bestimmung haben. Ich muß diese schönen Sachen und noch andere gleich wichtige, woran sich bloß Ammen und Großeltern erbauen, mit Stillschweigen übergehen: man erwartet nicht, daß ich hier eine kleine zweijährige Brünette abzeichne, deren schwarze Haare sehr gut zu einem in den lebhaftesten Farben blühenden Gesichte ließen, und welche das Glück ihres Alters athmete, deſſen ganze Gesundheit ſie beſaß. Ich weiß eine beſſere Zeit, um mein Bild zu entwerfen, und ich bin nicht ſo ungeſchickt, derſelben vorzugreifen.

Die Verſtändigkeit und Güte meiner Mutter hatten ihr auf meinen ſanften und zärtlichen Charakter bald den Einfluß erworben, welchen ſie jederzeit nur zu meinem Beſten gebrauchte. Er war ſo groß, daß ſie bei den vorübergehenden unvermeidlichen Streitigkeiten zwiſchen der anleitenden Vernunft und der ſich widerſträubenden Kindheit niemals einer andern Strafe für mich bedurfte, als einer kalten Anrede mit Jungfer und eines ſtrengen Blickes. Noch empfinde ich den Eindruck, den ihr gewöhnlich ſo liebkoſender Blick dann auf mich machte. Noch überläuft es mich kalt, wenn ich an das Wort Jungfer denke, das mit einer Würde, die mich zur Verzweiflung brachte, ſtatt der ſüßen Anrede mein Kind, ſtatt des artigen Namens Manon gebraucht wurde. Ja Manon, ſo nannte man mich; es thut mir leid für die Liebhaber von Romanen: dieſer Name iſt nicht edel; er taugt nicht für eine Heldin von der großen Art; aber er war einmal der meinige, und es iſt eine Geſchichte, was ich ſchreibe. Im Uebrigen würden ſich auch die Wähligſten mit dieſem Namen verſöhnt haben, wenn ſie ihn aus dem Munde meiner Mutter vernommen und die Beſitzerin deſſelben geſehen hätten. Welchem Ausdruck mangelte es an Anmuth, wenn meine Mutter ihn mit ihrem liebevollen Ton begleitete? Und wenn ihre rührende Stimme in mein Herz drang, lehrte ſie mich da nicht, ihr ähnlich zu werden?

Lebhaft, ohne lärmend zu sein, und von Natur gesezt, verlangte ich bloß nach Beschäftigung und faßte die Begriffe, die man
mir vorführte, schnell auf. Diese Anlage wurde so gut benüzt, daß
ich mich niemals erinnern konnte, das Lesen gelernt zu haben; ich
habe mir sagen lassen, dies sei mit vier Jahren eine abgemachte
Sache gewesen, und die Mühe, mich darin zu unterrichten, habe
um diese Zeit so zu sagen ihre Endschaft erreicht, weil man von
nun an nur noch das Bedürfniß gehabt, es mir an Büchern nicht
fehlen zu lassen. Wie nun auch diejenigen sein mochten, die man
mir gab, oder deren ich mich bemächtigen konnte, sie nahmen meine
ganze Thätigkeit in Anspruch, und nur mit Blumensträußen vermochte man mich davon abzubringen. Der Anblick einer Blume
spricht meine Einbildungskraft ungemein angenehm an und schmeichelt
meinen Sinnen auf eine unaussprechliche Art; er erweckt in mir
ein freudvolles Gefühl des Daseins. Unter dem ruhigen Schuze
des väterlichen Daches war ich als Kind glücklich mit Blumen und
Büchern: in dem schmalen Raume eines Gefängnisses, inmitten der
Ketten, welche die empörendste Tirannei auflegt, vergesse ich bei
Büchern und Blumen die Ungerechtigkeit der Menschen, ihre Dummheiten und meine Leiden.

Die Gelegenheit war zu schön, als daß man es hätte verab-
säumen können, mich mit dem alten und dem neuen Testament
bekannt zu machen, so wie im kleinen und im großen Katechismus
zu unterrichten; ich lernte alles, was man wollte, und hätte den
Koran auswendig hergesagt, wenn man mich in der Kunst ihn zu
lesen unterwiesen hätte. Ich erinnere mich noch eines Malers,
Namens Guibal, der sich später in Stuttgart niederließ, und von
dem ich vor wenigen Jahren eine von der Akademie zu Rouen
gekrönte Verherrlichung Poussin's sah. Er kam oft zu meinem

Vater: er war ein drolliger Geselle, der mir Alteweibermährchen erzählte, die ich nicht vergessen habe und die mich sehr ergötzten; eben so machte es ihm vielen Spaß, mich meine Weisheit auskramen zu lassen. Ich kann ihn noch sehen mit seinem etwas wunderlichen Gesichte, wie er in einem Lehnstuhl saß, mich zwischen seine Knie nahm, auf die ich meine Ellbogen aufstemmte, und mich das athanasische Glaubensbekenntniß hersagen ließ; wie er dann meine Gefälligkeit mit der Geschichte des Tanger belohnte, dessen Nase so lang war, daß er sie um seinen Arm wickeln mußte, wenn er gehen wollte. Es ließen sich noch ungereimtere Gegensätze aufstellen.

Mit sieben Jahren schickte man mich alle Sonntage in den Religionsunterricht, den man Katechismus nannte, um mich zur Firmung vorzubereiten. Bei dem dermaligen Stande der Dinge werden diejenigen, die diese Stelle lesen, vielleicht fragen, was das sei; ich will es ihnen offenbaren. In der ersten Ecke einer Kirche oder Kapelle stellte man einige Reihen Stühle oder Bänke einander gegenüber in einer bestimmten Länge auf; in der Mitte ließ man einen ziemlich breiten Gang und oben befand sich ein etwas höherer Stuhl. Es war dies der kurulische Sitz des jungen Priesters, welcher die seiner Leitung übergebenen Kinder unterrichten sollte. Hier ließ man das Evangelium des Tages, die Epistel, das Gebet und das als Wochenaufgabe bezeichnete Kapitel des Katechismus auswendig hersagen. Wenn die Schülerzahl groß war, so hatte der lehrende Priester einen Gehülfen, der die Kinder abhörte, und der Meister selbst behielt sich die Fragen über das eigentliche Thema vor. In gewissen Kirchspielen besuchten die Kinder beider Geschlechter einen und denselben Katechismus und waren blos durch die Plätze von einander getrennt. In den meisten hatten sie nichts mit einander gemein; die Mütter oder die guten alten Frauen, die es immer nach dem Brode des Wortes hungert, so grob es auch bereitet sein mag, wohnten diesem Unterrichte bei, der nach dem Alter und der Vorbereitung für die Firmung oder die erste Beichte stufenweise abgetheilt war. Die eifrigen Pfarrer erschienen von Zeit zu Zeit inmitten dieser jungen Schäflein, die man bei ihrem Anblick ehrfurchtsvoll sich erheben ließ, und richteten an die hoffnungsvolleren einige Fragen, um sich ein Urtheil über ihre Kenntnisse zu bilden. Die Mütter derjenigen, die man fragte, warfen sich stolz in die Brust, und der Pastor trat inmitten ihrer Knire seinen Rückzug an. Herr Garat, Geistlicher von Saint=Barthelemy, meiner Pfarre, in dem Theil von Paris, den man damals die Cité nannte, ein guter Mann, der im Rufe großer Gelehrsamkeit stand, und auf der Kanzel, die zu besteigen er eine wahre Wuth hatte, nicht zwei Worte im Zusammenhang sprechen konnte, kam eines Tages in meinen Katechismus, und um mir auf den Zahn zu fühlen, so wie seinen eignen Scharffinn dabei an den Tag zu legen, fragte er mich, wie viel es in der himmlischen Hierarchie Klassen von Geistern gebe. Der triumphirende und boshafte Ton, womit er diese Frage an mich richtete, brachte mich auf die Ueberzeugnng, daß er mich in Verlegenheit zu bringen glaubte; ich antwortete lächelnd, obgleich ihrer mehrere im Eingang der Messe angezeigt seien, so habe ich doch anderwärts gesehen, daß man neun zähle, und führte ihm die **Engel, Erzengel, Throne, Herrschaften** u. f. w. auf. Nie war ein Pfarrer vergnügter über die Kenntnisse seines Neubekehrten; ich hatte Aussicht mir unter den heiligen Frauen einigen Ruf zu machen: auch war ich, wie man in der Folge sehen wird, eine kleine Auserwählte. Vielleicht werden einige sagen, bei der aufmerksamen Obhut und dem guten Verstande meiner Mutter sei es

zu verwundern, daß sie mich in den Katechismus geschickt habe;
allein jedes Ding hat seinen Grund. Meine Mutter hatte einen
jungen Bruder, der Geistlicher in ihrer Gemeinde war und den
Firmungs-Katechismus, um den Kunstausdruck zu gebrauchen, zu
besorgen hatte. Die Anwesenheit seiner Nichte bei seinem Unterricht
war ein schönes Beispiel, das Leute, die nicht zum eigentlichen
Volk gehörten, bestimmen konnte, ihre Kinder ebenfalls hinzuschicken,
was für den Pfarrer sehr angenehm war. Ueberdies hatte ich ein
Gedächtniß, das mir immer den ersten Rang sichern mußte; und
da alle Nebenumstände diese Art von Ueberlegenheit begünstigten,
so waren meine Eltern stolz darauf, gaben sich aber den Anschein,
als hätte die Sache weiter keinen großen Werth. Bei den Preis-
vertheilungen, welche am Schluffe des Jahres mit vielem Gepränge
vorgenommen wurden, erhielt ich die erste Prämie, ohne im min-
besten bevorzugt worden zu sein, und sämmtliche Kirchenvorsteher,
so wie die ganze Geistlichkeit der Gemeinde schätzten meinen jungen
Oheim sehr glücklich, der dadurch bedeutend an Ansehen gewann
und bei dem weiter nichts als dieses nöthig war, um Wohlwollen
einzuflößen. Eine schöne Gestalt, große Herzensgüte, der gefälligste
Charakter, die sanftesten Sitten und die unzerstörlichste Heiterkeit
haben ihn bis in diese letzten Zeiten begleitet, wo er als Canonicus
von Vincennes gestorben ist, als die Revolution alle Kapitel zer-
störte. Ich habe in ihm den letzten meiner Verwandten von mütterlicher Seite zu verlieren geglaubt, und nur mit Rührung erinnere
ich mich an Alles, was seine Person betrifft. Die Lust und Leichtigkeit, womit ich lernte, brachte ihn auf den Einfall, mir Unterricht im Lateinischen zu ertheilen: ich war hoch erfreut darüber;
es war ein Genuß für mich, einen neuen Stoff zum Stubiren zu
finden. Ich hatte zu Hause Lehrer im Schreiben, in der Geographie,

im Tanzen, in der Musik; mein Vater hatte mich das Zeichnen anfangen lassen, aber es war nichts zu viel: Morgens fünf Uhr,
wenn Alles im Hause noch schlief, stand ich auf, schlich mich in
einem kleinen Jäckchen, ohne an eine Fußbekleidung zu denken, an
den in einer Ecke des Schlafzimmers meiner Mutter stehenden Tisch,
worauf meine Arbeit lag, und zeichnete mit solchem Eifer meine
Vorbilder nach, daß ich reißend schnelle Fortschritte machte. Meine
Lehrer wurden immer freundlicher; sie gaben mir lange Lektionen
und beurkundeten dabei ein wirkliches Interesse, das mich noch mehr
an sie fesselte. Ich habe nicht einen einzigen gehabt, dem es nicht
offenbar ebenso geschmeichelt hätte, mich unterrichten zu dürfen, als
ich ihm für seinen Unterricht erkenntlich war; nicht einen einzigen,
der nicht, nachdem er mir einige Jahre lang Anleitungen gegeben,
zuerst gesagt hätte, er sei mir nicht mehr nothwendig, man brauche
ihn nicht mehr zu bezahlen, aber er bitte um Erlaubniß, seine
Besuche bei meinen Eltern fortzusetzen und sich zuweilen mit mir
zu unterhalten. Ich werde immer das Andenken des guten Herrn
Marchand ehren, der mich von meinem fünften Jahre an im Schreiben
so wie später in der Geographie unterrichtete und mit dem ich Geschichte studirte: er war ein einsichtsvoller, geduldiger, klarer, metho-
bischer Mann, den ich Herrn Süß (Doucet) nannte; ich wohnte
seiner Vermählung mit einer anständigen Frau aus dem Hause Nesle
bei; ich besuchte ihn in seiner letzten Krankheit, wo ein unzeitiger
Aderlaß ihm die Gicht, von welcher er einen Anfall gehabt, auf
die Brust trieb, so daß er in seinem fünfzigsten Jahre daran starb.
Ich war damals achtzehn alt.

Nicht vergessen habe ich den Musiker Cajon, ein lebhaftes,
redseliges Männchen aus Macon, wo er Chorknabe gewesen war,
später Soldat, Deserteur, Kapuziner, Handlungsdiener und dann

abgeſetzt. Drauf war er nach Paris gekommen mit Frau und Kindern, ohne einen Sou in der Taſche, aber mit einer äußerſt angenehmen Diskantſtimme, wie man ſie nur ſehr ſelten bei Männern
findet, mit denen nicht eine gewiſſe Operation vorgenommen worden iſt, und mit viel Talent, um jungen Leuten Geſangunterricht
zu ertheilen. Meinem Vater, ich weiß nicht von wem, vorgeſtellt,
hatte er an mir ſeine erſte Schülerin, widmete mir große Sorgfalt,
entlehnte von meinen Eltern oft Geld, das er ſchnell durchbrachte,
gab mir eine gewiſſe Sammlung Lektionen von Borbier, welche er
mit ziemlicher Geſchicklichkeit ausplünderte, um Elemente der
Muſik zu ſchreiben, die er unter ſeinem Namen veröffentlichte,
niemals zurück, ſtellte ſich auf einen glänzenden Fuß, ohne reich zu
werden, verließ endlich nach fünfzehn Jahren Paris, wo er Schulden gemacht hatte, und begab ſich nach Rußland, wo ich nicht
weiß, was aus ihm geworden iſt. Von dem Tänzer Mazon, einem
guten, ſchrecklich häßlichen Savoyarden, deſſen Sackgeſchwulſt ich
noch ſehe, wie ſie auf ſeiner rechten Wange in ihrer ganzen Schönheit zum Vorſchein kam, wenn er ſein plattnaſiges verwittertes
Geſicht links auf ſeine kleine Geige neigte, könnte ich allerhand
Luſtiges erzählen; ebenſo auch von dem armen Mignard, meinem
Guitarrelehrer, einer Art von ſpaniſchem Coloß, deſſen Hände denen
Eſau's glichen, und der in Beziehung auf Grandezza, Höflichkeit,
Großſprecherei keinem ſeiner Landsleute nachſtand. Nicht lange habe
ich den ſchüchternen Watrin gehabt, deſſen funfzig Jahre, Perücke,
Brille und flammendes Geſicht ganz in Unordnung zu gerathen
ſchienen, wenn er die Finger ſeiner Schülerin auf die Geige legte,
oder ſie in der Kunſt unterrichtete, den Bogen zu führen. Da-
gegen ſchickte der ehrwürdige Pater Colomb, ein Barnabit, weiland
Miſſionär, Superior ſeines Hauſes, fünf und ſiebzig Jahre alt und

Beichtvater meiner Mutter, seine Kniegeige in unser Haus, um mich wegen der aufgegebenen Uebung auf der Armgeige zu trösten und mich in eigner Person zu begleiten, wenn er uns besuchte, und mich bat, meine Guitarre zu nehmen. Ich setzte ihn in großes Erstaunen, als ich mich seines Instrumentes bemächtigte und recht artig einige Stücke spielte, die ich heimlich einstudirt hatte. Hätte ich einen Contre-Baß zu Handen gehabt, so wäre ich auf einen Stuhl gestiegen, um auch damit etwas zu machen. Um mich indeß nicht gegen die Zeitordnung zu verstoßen, muß·man im Auge behalten, daß ich vorgreife und erst sieben Jahre alt war, in welche Lebenszeit ich mich zurückversetze. Ich bin bis zu dieser Epoche angelaugt, ohne von dem Einfluß meines Vaters auf meine Erziehung zu sprechen. Derselbe war gering, weil er sich nicht viel damit abgab; inzwischen ist hier der rechte Ort auf den Umstand aufmerksam zu machen, der ihn bestimmt hatte, sich noch weniger damit abzugeben. Ich war sehr hartnäckig, d. h. ich verstand mich nicht leicht zu etwas, wovon ich den Grund nicht einsah, und wo ich bloß einen Machtbefehl sah oder Laune zu bemerken glaubte, da war es mir unmöglich nachzugeben. Meine Mutter, eine gewandte und kluge Frau, sah vortrefflich ein, daß man mich durch Vernunft beherrschen oder durch das Gefühl gewinnen müsse; auch stieß sie auf keinen Widerstand. Mein Vater, der ziemlich barscher Natur war, befahl herrisch und der Gehorsam stellte sich zögernd, oder auch gar nicht ein. Wenn er dann Versuche machte, mich despotisch zu bestrafen, da wurde aus seinem sanftmüthigen Töchterlein eine Löwin. Er gab mir zwei- oder dreimal die Ruthe; ich biß ihn in den Schenkel, über welchen er mich gelegt hatte, und protestirte gegen seinen Willen. Eines Tages, als ich ein wenig krank war, handelte es sich darum, mir eine Arznei zu geben: man

brachte mir das trübselige Gebräue; ich führe es an meine Lippen, sein
Geruch nöthigt mich, es mit Abscheu zurückzustoßen: meine Mutter giebt
sich Mühe meinen Widerwillen zu überwinden und bringt mich wirklich
zu dem Entschlusse: ich strenge aufrichtig alle meine Kräfte an, aber jedesmal, so oft das abscheuliche Getränk mir unter die Nase geführt wurde,
empörten sich meine Sinne dagegen, so daß ich den Kopf abwandte.
Meine Mutter wurde ärgerlich; ich weinte über ihren und meinen
eigenen Verdruß und war immer weniger im Stande, den unglückseligen Trank zu verschlucken. Mein Vater kommt dazu; er wird
zornig und giebt mir die Ruthe, da er in meinem Widerstande
Hartnäckigkeit erblickt; von diesem Augenblick an vergeht mir alle
Lust zu gehorchen und ich erkläre, daß ich die Arznei nicht nehmen
werde. Großer Lärm, wiederholte Drohungen, eine zweite Züch-
tigung: ich empöre mich, schlage ein schreckliches Geschrei auf, erhebe
die Augen zum Himmel und mache mich bereit, den Trank, den
man mir überreichte, wegzuwerfen; meine Geberde verräth meine
Absicht, mein Vater wird wüthend und droht, mich zum dritten-
mal durchzupeitschen. Ich empfinde in dem Augenblick, wo ich dies
schreibe, noch deutlich die Art von Umwälzung und Kraftentwicklung, die jetzt in mir vorging; meine Thränen halten auf einmal
ein, mein Schluchzen hört auf, eine plötzliche Ruhe vereinigt meine
Kräfte in einem einzigen Entschlusse, ich richte mich in meinem
Bette auf, drehe mich nach dem Fenster, neige meinen Kopf, den
ich gegen die Wand lehne, hebe mein Hemd hinauf und biete mich
schweigend den Streichen dar: man hätte mich auf dem Platze tödten
können, ohne mir einen Seufzer zu entreißen.

Meine Mutter, die sich, über diesen Auftritt aufs Schmerz-
lichste betrübte, und ihrer ganzen Klugheit bedurfte, um die Wuth
ihres Mannes nicht noch zu vermehren, war endlich so glücklich,

ihn aus dem Zimmer zu entfernen. Sie legte mich, ohne ein Wort zu sprechen, wieder ins Bett, und nach zweistündiger Ruhe beschwor sie mich weinend, ihr keinen Kummer mehr zu machen und die Arznei zu nehmen: ich sah sie starr an, ergriff das Glas und leerte es auf einen einzigen Zug. Aber nach Verfluß einer Viertelstunde erbrach ich mich und bekam einen heftigen Fieberanfall, den man mit ganz andern Mitteln, als mit schlechten Arzneien und Ruthen heilen mußte. Ich war damals etwas mehr als sechs Jahre alt.

Alle Einzelnheiten dieses Auftrittes sind mir so gegenwärtig, alle Empfindungen, die er in mir aufregte, stehen mir so klar vor den Augen, wie wenn er erst in der neuesten Zeit vor sich gegangen wäre. Es ist dies dieselbe Zähigkeit, die ich seither in feierlichen Augenblicken in mir wirksam verspürt habe, und ich hätte heute, um stolz auf das Schaffot zu steigen, nicht mehr zu thun, als ich damals that, um mich einer rohen Behandlung preiszugeben, welche mich tödten, nicht aber überwinden konnte.

Von diesem Augenblick an legte mein Vater nie mehr Hand an mich, und gab mir sogar nicht einmal mehr einen Verweis: er liebkoste mich viel, lehrte mich zeichnen, führte mich spazieren und behandelte mich mit einer Güte, die ihn in meinen Augen ehrwürdiger machte und ihm von meiner Seite eine vollständige Unterwürfigkeit sicherte. Man gefiel sich darin, meine sieben Jahre als das Alter der Vernunft zu preisen, worin man von mir alles zu erwarten berechtigt sei, was dieselbe einflöße. Es war dies eine kluge Begründung der Art von Rücksicht, womit man mich meinen Weg führen mußte, indem man meinen Muth aufrecht erhielt, ohne meine Eitelkeit rege zu machen. Mein Leben floß in häuslichem Frieden und in großer Geistesthätigkeit sanft dahin; meine Mutter blieb beständig daheim und empfing sehr wenig Gäste. Zweimal in der Woche gingen wir aus:

2

das einemal um die nächsten Verwandten meines Vaters zu besuchen, das anderemal, und zwar am Sonntag, um bei der Mutter von Mama einzusprechen, dem Gottesdienste anzuwohnen und spazieren zu gehen. Wenn man aus der Vesper kam, begab man sich jedesmal zur guten Mama Bimont; es war dies eine große und schöne Frau, die aber frühzeitig lahm geworden war, eine Krankheit, die auch auf ihren Kopf überging. Sie war allmälig kindisch geworden und brachte die Tage in ihrem Lehnstuhl zu, am Fenster oder am Feuer, je nachdem es die Jahreszeit fügte. Eine alte Magd, die seit mehr als vierzig Jahren in der Familie diente, verpflegte sie. Sobald ich kam, gab mir Marie ein Vesperbrod; dies war sehr gut, aber wenn ich damit fertig war, hatte ich schreckliche Langeweile; ich suchte nach Büchern, es fand sich keines vor, als der Psalter, und in Ermangelung eines bessern, habe ich zwanzigmal die Uebersetzung desselben gelesen, oder den Text gesungen. Wenn ich lustig war, weinte meine Großmutter; wenn ich mich schlug oder auf den Boden fiel, brach sie in ein schallendes Gelächter aus: dies ärgerte mich. Man stellte mir zwar vor, daß dies blos eine Folge ihrer Krankheit sei, allein ich fand es nicht minder trübselig. Ich hätte es noch ertragen, wenn sie mich verspottet hätte, aber ihre Thränen rangen sich immer mit einem zugleich so schmerzhaften und blödsinnigen Geschluchze los, daß es mir in der Seele weh that und mich beängstigte. Die alte Marie schwatzte voll Vergnügen mit meiner Mutter, die sich eine heilige Pflicht daraus machte, zwei Stunden bei der ihrigen zuzubringen und Mariens Erzählungen wohlgefällig anzuhören. Es war dies gewiß für mich eine peinliche Geduldübung, allein ich mußte sie durchaus überstehen; denn eines Tages, da mir die Langeweile Thränen des Unmuths auspreßte und ich fortzugehen verlangte, blieb meine Mutter den ganzen Abend. Sie ermangelte nicht, mir zu gelegenen Zeiten diesen regelmäßigen Besuch als eine strenge und rührende Pflicht vorzustellen, an welcher Theil zu nehmen eine Ehre für mich sei; ich weiß nicht wie sie es anfing, aber mein Herz nahm diese Lehre voll Rührung an. Wenn der Abbé Bimont sich bei seiner Mutter einfinden konnte, so war dies eine unaussprechliche Freude für mich. Dieses liebe Onkelchen brachte mich zum Spielen, Hüpfen und Singen, aber es war ihm um diese Zeit nicht oft möglich; er war Lehrer der Chorknaben und dadurch an sein Haus gefesselt. Bei dieser Gelegenheit erinnere ich mich an einen seiner Zöglinge, einen Jungen von glücklichem Aeußeren, über den er viel Gutes sagte, weil er ihm am wenigsten Leid anthat. Dieser Bursche, der gute Anlagen verrieth, erhielt wenige Jahre später einen Freitisch in irgend einem Colleg und ist der Abbé Noël geworden, der sich anfangs durch einige kleine Werke bekannt gemacht hat, von dem Minister Le Brun auf die diplomatische Laufbahn berufen, im vergangenen Jahr nach London geschickt worden ist und gegenwärtig in Italien sich befindet.

Meine Uebungen füllten sehr gut die Tage aus, die mir kurz erschienen, denn ich war niemals mit allem fertig geworden, was ich zu unternehmen Lust gehabt hätte. Neben den Elementarbüchern, womit man mich versehen, erschöpfte ich sehr bald die in der kleinen Hausbibliothek sich vorfindenden Werke. Ich verschlang Alles und fing die alten Bücher von vorne an, wenn es mir an neuen fehlte. Ich erinnere mich noch zweier Folio=Bände, enthaltend die Lebensbeschreibungen von Heiligen, einer Bibel in demselben Format und in veralteter Sprache, einer alten Uebersetzung von Applan's Bürgerkriegen, eines schlecht stylisirten „Schauplatzes" der Türkei, lauter Werke, die ich oftmals gelesen habe. Ich fand auch Scarron's komischen Roman und einige Sammlungen von angeblichen witzigen Einfällen, die ich nicht zum zweitenmale las: die Denkwürdigkeiten

des wackern von Pontis, die mir viele Freude machten, und die des
Fräuleins von Montpensier, deren Stolz mir recht wohl gefiel, ferner
einiges andere alte Zeug, dessen Form, Inhalt, so wie die Flecken
darin ich noch sehe. Die Wuth zu lernen hatte sich meiner dermaßen
bemeistert, daß ich, als ich eine Abhandlung über Wappenkunde
irgendwo aufstöberte, dieselbe zu studiren anfing; es waren illuminirte
Kupfer darin, woran ich mich ergözte, und es machte mir Vergnügen
zu erfahren, wie man alle diese kleinen Bilder mit Namen nannte.
Bald setzte ich meinen Vater in Staunen über meine Wissenschaft,
indem ich ihm über ein gegen die Regeln der Kunst verfertigtes Siegel
Ausstellungen machte; ich wurde sein Orakel in diesen Stücken und
ich täuschte ihn nicht. Eine kleine Abhandlung über die Verträge
gerieth mir in die Hände; ich versuchte, auch sie zu lernen, denn ich
las nichts, das ich nicht den Ehrgeiz gehabt hätte zu behalten: inzwischen langweilte sie mich und ich brachte das Werk bloß bis zum
vierten Kapitel.

Die Bibel zog mich an, und ich kehrte oft zu ihr zurück; in ihren alten
Uebersetzungen drückt sie sich so derb aus, wie die Aerzte: gewisse naive
Wendungen waren mir sehr auffallend und sind mir nie aus dem Gedächtniß entschwunden. Auf diese Art erfuhr ich allerlei, worin man
junge Mädchen nicht zu unterweisen pflegt; allein es stellte sich mir in
einem Lichte dar, das nichts Verführerisches besaß, und ich hatte zu
viel zu denken, um mich bei einer rein materiellen Sache aufzuhalten,
die mir nicht liebenswürdig schien. Nur lachte ich, wenn meine Großmutter mir von kleinen Kindern erzählte, die unter Krautblättern gefunden worden seien, und ich sagte, mein Ave Maria belehre mich, daß
sie anderswoher kommen, bekümmerte mich aber nicht um die Art und
Weise, wie sie dahin gerathen. Bei meinem Herumstöbern im Hause hatte
ich eine Quelle von Lektüre ausfindig gemacht, woran ich mich ziemlich

lange Zeit erlabte. Mein Vater hatte das, was man seine Werkstätte nannte, unmittelbar in der Nähe des Ortes, den ich den Tag über bewohnte. Es war dies ein angenehmes Zimmer, das man Salon nennen könnte, während meine bescheidene Mutter es nur als den Saal bezeichnete; es war hübsch meublirt, mit Spiegeln so wie mit einigen Gemälden geschmückt, und ich erhielt darin meine Lektionen. Seine Vertiefung gegen eine Seite des Kamins hin hatte erlaubt, einen Verschlag anzubringen, dem man durch ein kleines Fensterchen Helle gegeben; dort stand ein Bett, dermaßen in den Platz eingezwängt, daß ich immer am Fußende hineinsteigen mußte; ferner befand sich darin ein Stuhl, ein kleiner Tisch und einige Fächer: dies war meine Zufluchtsstätte. Auf der entgegengesetzten Seite bildete eine große Kammer, in welcher mein Vater seinen Werktisch, viele Gegenstände der Bildhauerkunst und solche, die in sein eigenes Fach einschlugen, hatte stellen lassen, seine Werkstätte. Ich schlich mich am Abend, oder auch in den Stunden des Tags, wo Niemand da war, hinein. Ich hatte darin einen Versteck bemerkt, wo einer von den jungen Leuten Bücher aufbewahrte: ich nahm vorsichtig eines heraus, lief auf mein Stübchen, um es zu verschlingen und war wohl darauf bedacht, es in den geeigneten Stunden zurückzustellen, ohne jemandem davon zu sagen. Es waren dies im Allgemeinen gute Werke. Eines Tags bemerkte ich, daß meine Mutter dieselbe Entdeckung gemacht hatte, wie ich; ich erkannte in ihren Händen einen Band, der durch die meinigen gegangen war: nun legte ich mir keinen Zwang mehr auf und ohne zu lügen, aber auch ohne von dem Vergangenen zu sprechen, gab ich mir den Anschein, als wäre ich blos ihrer Spur gefolgt. Der junge Mann, der Courson hieß und der später, als er sich in der Eigenschaft eines Pagenlehrers in Versailles einzuschmuggeln wußte, ein von vor seinen Namen setzte, unterschied sich auffallend von seinen Kameraden; er war

höflich, führte einen anständigen Ton und ließ sich seine weitere Ausbildung sehr angelegen sein. Nie hat er über das kurze Verschwinden
einiger Werke ein Wort gesagt: es schien, als finde zwischen uns
Dreien ein stillschweigender Vertrag statt. Ich las auch viele Reisebeschreibungen, die ich leidenschaftlich liebte, unter andern und zwar
zuerst die von Regnard; ferner einige Schauspiele von Autoren zweiten
Rangs und den Plutarch von Dacier. Das letztgenannte Werk zog
mich mehr an, als alles, was ich bisher gesehen hatte, mehr sogar als
zärtliche Geschichten, die mich gleichwohl sehr rührten, wie z. B. die
von dem unglücklichen Laboboyère'schen Ehepaare, die mir noch gegenwärtig ist, obschon ich sie seit diesem Alter nicht wieder gelesen habe.
Plutarch dagegen schien mir die wahre Kost, die für mich taugte; nie
werde ich die Fastenzeit von 1763 vergessen (ich war damals neun
Jahre alt), wo ich ihn statt der „Charwoche" mit in die Kirche nahm.
Von diesem Augenblick an schreiben sich die Eindrücke und Gedanken,
die mich zur Republikanerin machten, ohne daß ich daran dachte, es
bereinst zu werden. Telemach und das befreite Jerusalem störten diese
majestätischen Spuren ein wenig. Der zärtliche Fenelon bewegte mein
Herz und Tasso entzündete meine Einbildungskraft. Zuweilen las ich
auf den Wunsch meiner Mutter vor, that es aber nicht gerne: dies
störte mich in meiner anbächtig gesammelten Stimmung, die meine
Wonne ausmachte, und nöthigte mich, minder schnell voranzugehen;
lieber aber hätte ich meine Zunge hinabgeschluckt, als die Episode auf
der Insel der Calypso und eine Menge Stellen in Tasso laut vorgelesen.
Mein Athem hob sich, ich fühlte, wie ein plötzliches Feuer mein Gesicht bedeckte, und meine ergriffene Stimme hätte den aufgeregten Zustand meines Innern verrathen. Ich war Eucharis für Telemach und
Herminie für Tankred; aber obschon ich mich gänzlich in sie verwandelt hatte, dachte ich doch nicht daran, selbst für irgend Jemanden

etwas zu sein; ich machte keine Beziehungen auf mich, suchte nichts um mich her; ich hatte mich vollständig an ihren Platz gestellt, und sah nur die Gegenstände, welche für sie vorhanden waren: es war dies ein Traum ohne Erwachen. Gleichwohl erinnere ich mich, mit großer Herzensbewegung einen jungen Maler, Namens Taboral, gesehen zu haben, der manchmal zu meinem Vater kam. Er war vielleicht zwanzig Jahre alt, hatte eine sanfte Stimme, ein feines Gesicht und wurde alle Augenblicke roth wie ein junges Mädchen. Wenn ich ihn in der Werkstätte hörte, so hatte ich immer ein Bleistift oder sonst etwas dort zu suchen; da mich aber seine Anwesenheit eben so verlegen machte, als sie mir angenehm war, so ging ich schneller wieder hinaus, als ich gekommen, mit einem Herzklopfen und Zittern, das ich auf meinem Stübchen zu verbergen eilte. Ich glaube es jetzt wohl, daß, wenn zu einer solchen Gemüthsanlage Müßiggang oder gewisse Gesellschaften gekommen wären, meine Einbildungskraft und meine Person leicht hätten auf allerlei Abwege gerathen können. Die Werke, von denen ich so eben gesprochen, machten andern Platz, und die Eindrücke wurden sanfter; einige Schriften von Voltaire dienten mir zur Zerstreuung. Eines Tags, als ich den Candide las und meine Mutter von einem Tisch, an dem sie Piquet spielte, aufgestanden war, rief mich die Dame, mit der sie ihre Partie machte, aus der Ecke des Zimmers, wo ich war, zu sich und bat mich, ihr das Buch zu zeigen, das ich in der Hand hielt. Sie wendet sich an meine Mutter, die in's Zimmer zurückkam, und spricht ihre Verwunderung über meine Lectüre aus. Meine Mutter giebt ihr keine Antwort, sondern sagt einfach zu mir, ich solle das Buch an den Ort zurücktragen, wo ich es genommen. Ich warf ein sehr böses Auge auf diese Frau mit dem sauertöpfischen Gesichte, dem plumpen Körperumfang, den wichtigthuenden Grimassen, und von Stund an hab ich der Frau Charbonné nie

mehr ein freundliches Gesicht gemacht. Aber meine gute Mutter än=
derte nichts an ihrer höchst eigenthümlichen Erziehungsweise und
ließ mich alles lesen, was ich fand, ohne scheinbar darauf Acht zu
haben, obschon sie recht wohl wußte, was es war. Im Uebrigen
ist mir nie ein unsittliches Buch in die Hände gerathen; noch bis
auf den heutigen Tag kenne ich blos zwei oder drei bei Namen,
und der Geschmack, den ich mir erworben, hat mich nicht der ge=
ringsten Versuchung ausgesetzt, mir solche zu verschaffen. Mein
Vater machte sich das Vergnügen, mir von Zeit zu Zeit einige
Bücher zu verehren, weil ich sie allen andern vorzog. Da er es
aber besonders darauf abgesehen hatte, meine ernsthaften Neigungen
zu fördern, so traf er oft sehr sonderbare und lustige Wahlen, z. B.
gab er mir Fenelon's Abhandlung über die Erziehung der Mädchen
und Locke's Werk über die Erziehung der Kinder, lieferte also der
Schülerin Bücher in die Hände, welche den Lehrern als Leitfäden
dienen sollen. Gleichwohl glaube ich, daß dies sehr gute Wirkung
machte, und daß der Zufall mich vielleicht besser bedient hat, als
gewöhnliche Berechnungen hätten thun können. Ich hatte viel Ver=
stand, und war eine Freundin von reiflicher Ueberlegung: ich dachte
wirklich daran, mich selbst zu bilden, d. h. ich durchforschte die Be=
wegungen meiner Seele, suchte mich selbst kennen zu lernen, fing
an einzusehen, daß ich eine Bestimmung habe, die zu erfüllen man
mich in den Stand setzen müsse. Die religiösen Begriffe gährten in
meinem Kopfe und führten bald zu einem großen Ausbruche. Ehe
ich sie beschreibe, muß man erfahren, was aus unserm Latein ge=
worden ist. Die ersten Lehrsätze der Grammatik hatten sich in meinem
Kopfe sehr gut zurecht gefunden; ich deklinirte, ich konjugirte, ob=
schon mir dies höchst trübselig vorkam, aber die Hoffnung, eines
Tags in dieser Sprache sehr schöne Dinge zu lesen, wovon ich

sprechen gehört, oder wovon meine dermalige Lektüre mir Begriffe beibrachte, erhielt meinen Muth aufrecht gegen die Trockenheit und Schwierigkeiten dieses Studienzweiges. Nicht so verhielt es sich mit meinem Onkelchen (so nannte ich den Abbé Bimont), einem guten Burschen, jung, faul und lebenslustig, der Niemanden das Mindeste zu Leid that, und es sich nicht beifallen ließ, irgend Jemand im Geringsten eine Mühe zu machen. Er war seines Geschäftes, die Chorknaben heranzubilden, herzlich überdrüßig, ging lieber spazieren, als daß er mir eine Lektion ertheilte, brachte mich lieber zum Lachen und zum Springen, als daß er meine Aufgaben mit mir durchging; er hielt in seinen Besuchen bei seiner Schwester weder die Stunde, noch die Tage pünktlich ein, und tausend Umstände vereinigten sich, seine Lektionen zu verhindern. Inzwischen wollte ich lernen, und ging nicht gerne von etwas ab, das ich angefangen hatte. Es wurde beschlossen, daß ich dreimal in der Woche Morgens zu ihm kommen solle, aber er konnte es nicht über sich bringen, sich seine Freiheit zu erhalten, um mir einige Augenblicke zu widmen; ich fand ihn mit pfarramtlichen Angelegenheiten beschäftigt, oder er war durch seine Jungen in Anspruch genommen und zerstreut, oder er frühstückte mit einem Freunde: ich verlor meine Zeit, darüber stellte sich die schlechte Witterung ein, und das Latein wurde aufgegeben. Ich habe mir von diesem Versuche nur noch eine Art von Instinkt oder einen Anfang von Kenntnissen bewahrt, der mich in den Zeiten meiner Frömmigkeit in den Stand setzte, die Psalmen herzusagen oder zu singen, ohne mich in gänzlicher Unwissenheit über den Inhalt dessen, was ich sagte, zu befinden, und überdies viele Leichtigkeit für Sprachstudien im Allgemeinen, namentlich für das Italienische, das ich einige Jahre später allein und ohne viele Mühe erlernte.

Mein Vater hielt mich zum Zeichnen nicht sonderlich an; er

erlustigte sich mehr an meiner Geschicklichkeit darin, als daß er sich's
angelegen sein ließ, ein großes Talent in mir zu entwickeln; ich
entnahm sogar aus einigen Worten, die in einer Unterhaltung mit
meiner Mutter fielen, daß diese kluge Frau nicht einmal wünschte,
daß ich es in dieser Kunst weit bringen sollte. „Ich will nicht,
daß sie Malerin wird," sagte sie; „sie müßte hiezu gemeine Studien
machen und Verbindungen anknüpfen, die für uns nichts taugen."
Man ließ mich das Graviren anfangen; mir war alles genehm:
ich lernte den Grabstichel halten und überwand bald die ersten
Schwierigkeiten. Beim Namensfeste eines unsrer nächsten Angehörigen, welchem feierlich Glück gewünscht wurde, brachte ich jedesmal entweder einen hübschen Kopf, den ich in dieser Absicht mit
vielem Fleiße schön gezeichnet, oder eine recht artige kleine Kupfer-
platte, auf die ich einen Blumenstrauß und einen sorgfältig geschriebenen Glückwunsch gravirt hatte, wozu Herr Süß mir die Verse
gedrechselt, als meinen Zoll der Huldigung mit. Dafür erhielt ich
Almanache, die mir viele Freude machten, und allerhand Gegenstände zu meinem Gebrauche, gewöhnlich Putzwaaren, die ich liebte.
Meine Mutter hatte für meine Person einen Gefallen daran: sie
selbst war einfach, oft sogar nachlässig in ihrem Anzug; aber ihre
Tochter war ihre Puppe, und ich hatte als Kind elegante, sogar
reiche Kleider, die sich mit meinem Stande nicht ganz zu vertragen
schienen. Die jungen Mädchen trugen damals sogenannte corps-de-
robes; es waren dies Kleider, gemacht wie die Hofkleider, sehr eng
anliegend, so daß die Taille schön gezeichnet war, unten sehr weit,
mit einer langen, je nach dem Geschmack oder der Mode mit verschiedenen Lappen geschmückten Schleppe; mir gab man die meinigen
in schönen Seidestoffen von einfacher Zeichnung und anspruchsloser
Farbe, im Uebrigen so theuer und so gut, wie die Festkleider meiner

Mutter. Der Anzug kostete mich manchen Verdruß, denn man
frisirte mir die Haare oft mit Papierwickeln und heißen Eisen, mit
all den lächerlichen und barbarischen Vorrichtungen, deren man sich
damals bediente; ich hatte einen äußerst empfindlichen Kopf und
das Rupfen, das ich ausstehen mußte, war so schmerzhaft, daß ein
festlicher Kopfputz mir immer Thränen auspreßte, die indeß nicht
von Klagen begleitet waren.

Es ist mir, als höre ich fragen, für welche Augen dieser Putz
in dem zurückgezogenen Leben, das ich geführt, bestimmt gewesen
sei. Diejenigen, die diese Frage stellen könnten, sollen sich erinnern,
daß ich zweimal in der Woche ausging, und wenn sie die Sitte
sogenannter Bürgersleute von Paris in meiner Zeit gekannt hätten,
so wüßten sie, daß Tausende unter ihnen waren, die ziemlich viel
für Schmucksachen ausgaben, nur um Sonntags einige Stunden in
den Tuilerien damit zu prangen: ihre Frauen besuchten dann noch
überdies die Kirche und machten sich das Vergnügen, unter den
Augen der Nachbarschaft langsam ihr Quartier zu durchstreifen.
Man füge hiezu die Familienbesuche in den wichtigen Epochen der
Namensfeste und des Neujahrs, ferner eine Hochzeit, eine Taufe,
so wird man Gelegenheiten genug entdecken, die Eitelkeit spielen zu
lassen. Im Uebrigen kann man in meiner Erziehung mehr als
einen Widerspruch bemerken. Diese kleine Person, die Sonntags
in der Kirche und auf dem Spaziergang in einem Aufzuge erschien,
neben welchem man nur einen Staatswagen vermißte, und deren
ganze Haltung und Sprache recht gut zu dieser prunkenden Er-
scheinungsweise paßte, ging in der Woche ebenfalls recht gut in
einem leinenen Kleidchen mit ihrer Mutter auf den Markt. Sie
ging wohl auch allein aus, um einige Schritte vom Hause Peter-
silie oder Salat einzukaufen, im Falle es die Haushälterin vergessen

hatte. Ich muß gestehen, daß mir dies nicht sehr zusagte, inzwischen ließ ich mir nichts anmerken, und besaß die Kunst, mich meines Auftrags so zu entledigen, daß ich Vergnügen daran fand. Neben einiger Würde entwickelte ich dabei so viele Höflichkeit, daß die Obsthändlerin oder irgend eine Person dieser Art sich ein Vergnügen daraus machte, mich zuerst zu bedienen, und auch die früher Angekommenen es sich gefallen ließen; ich sagte ihr dafür immer eine Artigkeit, wenn ich ging, und war nur um so herablassender. Dieses Kind, das ernsthafte Werke las, die Kreise an der Himmelskugel sehr gut erklärte, den Stift und den Grabstichel handhabte und mit acht Jahren die beste Tänzerin unter einer ganzen Versammlung älterer Mädchen war, die sich zu einem kleinen Familienfeste eingefunden hatten, dieses Kind wurde oft in die Küche gerufen, um einen Pfannkuchen zu machen, ein Gemüse zu putzen und einen Topf abzuscheuern. Diese Mischung ernster Studien, angenehmer Uebungen und häuslicher Beschäftigungen, angeordnet und gewürzt durch eine einsichtsvolle Mutter, hat mich zu allem tauglich gemacht, schien den Wechseln meines Glückes zuvorkommen zu wollen, und hat mir sie ertragen geholfen. Ich bin nirgends am unrechten Orte; ich verstehe meine Suppe so flink zu kochen, wie Philopömen Holz spaltete; aber Niemand würde sich's, wenn er mich sieht, einfallen lassen, daß dies eine passende Beschäftigung für mich wäre.

Aus dem bisher Gesagten hat man entnehmen können, daß meine Mutter das, was man Religion nennt, nicht verabsäumte. Sie war gottesfürchtig, ohne eine Frömmlerin zu sein; sie glaubte oder versuchte zu glauben und paßte ihr Benehmen den Vorschriften der Kirche an mit der Bescheidenheit und Pünktlichkeit einer Person, die für ihr Herz das Bedürfniß hat, sich zu den großen Grundsätzen zu bekennen, und wegen der Einzelheiten nicht mäkeln

will. Die ehrfurchtsvolle Weise, wie mir die ersten religiösen Begriffe beigebracht worden waren, hatte mich geneigt gemacht, dieselben aufmerksam anzunehmen: sie waren von der Art, auf eine
lebhafte Einbildungskraft große Eindrücke hervorzubringen, und trotz
der Verwirrung, in welche mich zuweilen der angehende Gebrauch
meiner Vernunft versetzte, die mich die Verwandlung des Teufels
in eine Schlange höchst sonderbar, und Gott, der dies zugelassen,
grausam finden ließ, glaubte ich doch zuletzt und betete an.

Ich hatte die Firmung mit der Sammlung eines Geistes
empfangen, der die Wichtigkeit seiner Handlungen berechnete und
über seine Pflichten nachdachte. Man sprach davon, mich auf meinen
ersten Abendmahlsgenuß vorzubereiten. Ich fühlte mich von einem
heiligen Schreck durchschauert; ich las fromme Bücher, ich hatte das
Bedürfniß, mich mit den großen Gegenständen, die das ewige Glück oder
Unglück begründen, zu beschäftigen, alle meine Gedanken wandten
sich allmälig auf diese Seite. Bald gewannen die religiösen Ideen
die Oberhand in mir; die Herrschaft des Gefühls, beschleunigt durch
ihre Mitwirkung, eröffnete sich für mein bereits gereiftes Innere
mit der Liebe Gottes, deren erhabene Verzückung die ersten Jahre
meiner Jugendzeit verschönte, die andern der Philosophie zuführte,
und mich auf diese Art für immer vor dem Sturme der Leidenschaften bewahren zu sollen schien, vor welchem ich mit der Kraft
eines Athleten kaum das gereifte Alter zu retten vermag.

Die Frömmigkeit, in die ich verfiel, veränderte mich auffallend;
ich wurde ungemein demüthig, unaussprechlich schüchtern; ich sah
die Männer nur mit einer Art Schreck an, der sich vermehrte, wenn
einige mir liebenswürdig erschienen. Mit unendlicher Gewissensängst-
lichkeit wachte ich über meine Gedanken; das geringste Bild, das
sich meinem Geiste, wenn auch nur verworren, darstellen konnte,

schien mir ein Verbrechen; ich gewöhnte mir eine solche Rückhaltsamkeit an, daß ich, als ich in meinem sechszehnten Jahr, wo ich
bereits nicht mehr fromm war, Büffon's Naturgeschichte las, den
Artikel Mensch übersprang und über die darauf bezüglichen Bilder
mit Raschheit und dem Zittern eines Wandrers, der einen Abgrund
gewahrt, wegsprang. Endlich habe ich mich erst im fünf und zwanzigsten Jahre verheirathet und mit einem solchen Gemüth, wie man
es sich denken kann, mit sehr aufregbaren Sinnen, mit vieler Kenntniß über verschiedene Gegenstände, hatte ich den Unterricht über einen
gewissen andern so gut vermieden, daß die Ereignisse der Ehe mir
eben so verwunderfam als unangenehm erschienen.

Mein von Tag zu Tag zurückgezogeneres Leben schien mir
bald noch zu weltlich, um mich zu meiner ersten Communion vorzubereiten; diese große Angelegenheit, die einen so bedeutenden Einfluß auf das ewige Wohl ausüben muß, beschäftigte alle meine
Gedanken. Ich gewann Geschmack an dem Gottesdienst, seine Feier-
lichkeit machte tiefen Eindruck auf mich. Ich las voll Begierde die
Erklärung der kirchlichen Feierlichkeiten, ich durchdrang mich mit
ihrer mystischen Bedeutung; jeden Tag blätterte ich meine Folianten
von Lebensgeschichten der Heiligen durch und ich seufzte um die
Zeiten, wo die Wuth des Heidenthums den großherzigen Christen
die Märtyrerkrone einbrachte. Ich dachte ernstlich daran, eine neue
Lebensweise zu beginnen, und nach reiflichem Hin- und Hersinnen
entschied ich mich zu einem bestimmten Entwurfe. Bis dahin hatte
mir der bloße Gedanke, mich von meiner Mutter zu trennen,
Ströme von Thränen entlockt, und wenn man sich über die plötzlichen Wolken, welche die Empfindsamkeit auf meine ausdrucksvolle
Stirne führte, lustig machen wollte, so scherzte man über die Klöster
und die nützliche Einrichtung, sie auf einige Zeit von jungen Mädchen

bewohnen zu laſſen. Aber was muß man nicht dem Herrn opfern! Ich hatte mir vom Kloſter, von ſeiner Einſamkeit und Stille die großen oder romantiſchen Vorſtellungen gemacht, die meine thätige Einbildungskraft erzeugen konnte. Je erhabener der Aufenthalt darin war, um ſo mehr ſagte er der Stimmung meiner gerührten Seele zu. Eines Abends nach dem Eſſen, als ich mit Vater und Mutter allein war, werfe ich mich ihnen zu Füßen; zur gleichen Zeit brechen meine Thränen aus und laſſen mich nicht zum Worte kommen. Erſtaunt, unruhig, fragen ſie um die Urſache dieſer ſeltſamen Aufregung. „Ich möchte Euch bitten," ſagte ich ſchluchzend, „etwas zu thun, was mein Herz zerreißt, von meinem Gewiſſen aber geboten wird; gebt mich in ein Kloſter." Sie richten mich auf; meine gute Mutter iſt heftig bewegt; ſie würde gezittert haben, wenn ſie, da ſie mich ſeit einiger Zeit keine Minute verlaſſen hatte, etwas hätte fürchten können. Man fragt mich, wie ich zu dieſem Wunſche komme, und bemerkt, man habe mir noch nie etwas Vernünftiges abgeſchlagen: ich antworte, meine Bitte beruhe lediglich auf dem Verlangen, meine erſte Communion mit aller geziemenden Sammlung zu begehen. Mein Vater lobt meinen Eifer und fügt hinzu, er wolle ihn unterſtützen: man beräth ſich über die Wahl eines Hauſes. Meine Familie ſtand zu keiner Anſtalt dieſer Art in irgend welchen Beziehungen, man erinnert ſich, daß mein Muſiklehrer ein Kloſter genannt hatte, wo er jungen Fräuleins Unterricht gab, und man beſchließt, Erkundigungen einzuziehen. Aus dieſen ergab ſich, daß das Haus anſtändig, die Geſetze deſſelben nicht allzuſtreng waren; die Nonnen galten dafür, daß ſie ſich keiner jener Uebertreibungen und Mummereien ſchuldig machten, welche die Mehrzahl unter ihnen bezeichneten: überdies war die Erziehung der Jugend ihr eigentliches Geſchäft; ſie hielten Schulen für Auswärtige oder für Kinder aus dem Volk, welchen sie, um ihr Gelübde zu erfüllen, unentgeltlich Unterricht ertheilten, und die sich zu diesem Behuf, wenn sie von außen her kamen, in einem für sie bestimmten Saale einfanden; aber abgesondert davon hatten sie noch ein Pensionat für junge Mädchen, deren Erziehung man ihnen anvertrauen wollte. Meine Mutter that die nöthigen Schritte, und nachdem sie mich zu allen meinen nächsten Verwandten geführt, und ihnen meinen Entschluß angekündigt hatte, welchem sie Beifall zollten, brachte sie mich zu den Damen der Congregation, Straße Neuve-Saint-Etienne, Vorstadt Saint-Marcel, sehr nahe bei dem Ort, wo ich gegenwärtig eingesperrt bin. Wie ich diese theure Mama in meine Arme preßte in dem Augenblick, als ich mich zum erstenmal von ihr trennte! Der Abschied wollte mir das Herz abdrücken, aber ich gehorchte der Stimme Gottes und überschritt die Schwelle des Klosterthores, indem ich ihm mit Thränen das größte Opfer darbrachte, das ich ihm bringen konnte. Es geschah dies am 7. Mai 1765; ich war damals eilf Jahre und zwei Monate alt.

Wie vermöchte ich heute, im Gefängnisse, inmitten der politischen Stürme, die mein Land verheeren, und Alles, was mir theuer war, von mir reißen, jene Zeit der Ruhe und Entzückungen zurückzurufen und zu schildern! Welche Frische des Pinsels wäre nöthig, um die süßen Regungen eines empfänglichen und zärtlichen Herzens, das nach Glück verlangt, das die Natur zu empfinden anfängt und nur die Gottheit gewahr wird, wiederzugeben? Die erste Nacht, die ich im Kloster zubrachte, war unruhig: ich weilte nicht mehr unter dem väterlichen Dache; ich fühlte mich fern von dieser guten Mutter, die sicherlich voll Rührung an mich dachte. Ein schwacher Schein erhellte das Zimmer, das man mir nebst vier andern Kindern von meinem Alter zum Schlafen angewiesen hatte: ich stand leise auf und ging an's Fenster; das Mondlicht erlaubte den Garten zu unterscheiden,

über welchen es seinen Glanz ergoß. Die tiefste Stille herrschte an
diesen Orten; ich hörte ihr, so zu sagen, mit einer Art von Ehrfurcht zu; große Bäume warfen da und dort ihren riesigen Schatten
und versprachen dem ruhigen Nachdenken eine sichere Zufluchtsstätte:
ich schlug die Augen zum Himmel auf, er war rein und heiter; ich
glaubte die Nähe der Gottheit zu verspüren, die mein Opfer beifällig
annahm und mir in dem tröstenden Frieden einer himmlischen Wohnung bereits den Lohn dafür bot: wonnige Thränen flossen langsam
über mein Gesicht; ich wiederholte mit heiligem Entzücken mein
Weihegebet, und genoß den Schlaf der Auserwählten.

Ich war Abends angekommen und hatte daher noch nicht alle
meine Gespielinnen gesehen. Sie waren vier und dreißig an Zahl und
gehörten einem Alter von sechs bis siebzehn oder achtzehn Jahren an;
beim Essen waren sie in zwei Tische und für die Uebungen im Laufe
des Tags gleichsam in zwei Sektionen abgetheilt. Das würdevolle
Wesen meiner kleinen Person ließ auf den ersten Blick erkennen, daß
ich unter die größeren eingereiht werden mußte; ich wurde die zwölfte
an ihrem Tisch und war die jüngste von ihnen. Der höfliche Ton, den
meine Mutter mir vertraut gemacht, die gesetzte Miene, die ich mir
angewöhnt hatte, meine sanfte und sprachgerechte Art mich auszudrücken bildeten ein vollkommenes Widerspiel zu der lärmenden Gedankenlosigkeit dieser schäkernden Jugend. Die Kinder wandten sich
mit einer Art von Vertrauen an mich, weil ich sie niemals schnöde ab-
wies; die großen Fräuleins behandelten mich mit einer Art von Achtung, weil meine Rückhaltung ein verbindliches Benehmen gegen sie
nicht hinderte und mir die Aufmerksamkeit der Lehrerinnen erwarb.
Bei der Erziehung, die ich bis dahin empfangen hatte, war es nicht
sehr zu verwundern, daß ich besser unterrichtet war, als die meisten
meiner Gespielinnen, selbst die ältesten nicht ausgenommen. Die

3

Nonnen fanden, daß sie mit meiner weitern Heranbildung Ehre einlegen könnten, ohne sich sonderlich damit abmühen zu müssen. Die Gegenstände, die sie uns zu lernen aufgaben, wußte ich bereits, oder faßte sie sehr leicht auf; ich wurde der Liebling sämmtlicher Klosterfrauen: sie wetteiferten mit einander mich zu liebkosen und mir schöne Dinge zu sagen. Die Schreiblehrerin war eine Frau von siebenzig Jahren, und hatte sich in ihrem fünfzigsten aus Verdruß und in Folge erlittenen Unglücks in's Kloster zurückgezogen; sie verband mit dem Vortheile einer guten Erziehung Alles, was nur Kenntniß der Welt und Erfahrung in derselben Vortheilhaftes darbieten kann. Sie that sich auf ihre Gelehrsamkeit etwas zu Gute, schrieb noch eine sehr schöne Hand, machte prächtige Stickereien, ertheilte guten Unterricht in der Rechtschreiblehre und war in der Geschichte so ziemlich zu Hause. Ihre kleine Gestalt, ihr hohes Alter, ein bischen Schulsteifheit waren Ursache, daß die Mutter Sophie bei den muthwilligen Kindern, welche sie unterrichten wollte, nicht in dem Ansehen stand, das sie verdiente; und wenn ich mich recht erinnere, trug auch die Eifersucht der lieben Schwestern, die weniger Talente besaßen und deßhalb nicht ungern die lächerliche Seite der Dame an's Licht gekehrt sahen, nicht wenig dazu bei. Die gute Alte faßte bald eine Vorliebe für mich, weil ich mich durch Lernbegierde auszeichnete: nachdem sie der ganzen Klasse Unterricht ertheilt, nahm sie mich noch besonders vor, ließ mich die grammatikalischen Aufgaben hersagen, Geschichtsauszüge machen, und half mir in der Geographie weiter; sie wirkte sich sogar die Erlaubniß aus, mich in ihre Zelle mitzunehmen, wo ich ihr vorlas. Ich hatte von allen meinen Lehrern blos den Musiklehrer beibehalten, welcher mir und zweien von meinen Gespielinnen unter der Aufsicht einer Nonne im Sprachzimmer Unterricht ertheilte; und um das Zeichnen fortzusetzen, hatte man mir eine Lehrerin gegeben, die in's Innere des Klosters Zutritt erhielt. Die

Regelmäßigkeit eines wohlausgefüllten, zwischen abwechselnden Uebungen getheilten Lebens sagte meinem Thätigkeitsstinn, so wie meiner
natürlichen Liebe zur Ordnung und Pünktlichkeit sehr wohl zu; ich
war in Allem eine von den ersten und hatte dabei noch freie Zeit, da
ich in meiner Emsigkeit keinen Augenblick unbenützt ließ. Auf den
Spaziergängen oder in den Erholungsstunden war es mir nicht gegeben, mich lustig unter den andern herumzutreiben; ich zog mich ein-
siedlerisch unter ein paar Bäume zurück, um zu lesen oder meinen Gedanken nachzuhängen. Wie angenehm die Schönheiten des Laub-
werkes, das Wehen der Zephyre, die Wohlgerüche der Pflanzen auf
mich wirkten! Ich erblickte überall die Hand der Vorsehung, fühlte
ihre wohlwollende Vorsorge, bewunderte ihre Werke; durchbrungen
von Dank ging ich, um sie anzubeten, in die Kirche, wo die majestätischen
Orgeltöne, vereinigt mit den rührenden Stimmen der jungen Nonnen,
welche Motetten aufführten, mich vollends in Begeisterung versetzten.
Außer der Messe, in welche man sämmtliche Schülerinnen des Morgens führte, wurde an den gewöhnlichen Tagen Nachmittags eine
halbe Stunde der religiösen Betrachtung gewidmet, wozu nur diejenigen Zutritt erhielten, die man fähig glaubte sie anzustellen oder diese
Zwischenzeit gesammelten Gemüthes mit frommen Lektüren auszufüllen. Ich hatte nicht einmal nöthig um diese Gunst nachzusuchen,
mit der man meinen Eifer zu belohnen eilte; aber inständig bat ich
um das Glück, meine erste Communion bei der nächsten Feier begehen
zu dürfen, die auf Mariä Himmelfahrt fiel. Obgleich ich erst vor
kurzem in's Kloster eingetreten war, so wurde mir doch diese Vergünstigung von den Superiorinnen und dem Beichtvater einstimmig be-
willigt. Letzterer war ein Mann von gesundem Verstande und gehörte
dem Orden des heiligen Victor an, bei welchem er Pfarrersdienste
versah; er hatte noch das Geschäft auf sich genommen, die Zöglinge der

Congregation Beichte zu hören, und er eignete sich zu diesem Amte vermöge seiner fünfzig Jahre und darüber, seines gemäßigten Charakters, seines einsichtsvollen Geistes, wodurch die Strenge seiner Sitten und seines Benehmens gemildert wurde. Als ich seiner geistlichen Obhut anvertraut wurde, hatte mein Pfarrer, Herr Garat, sich die Mühe gemacht, selbst in's Kloster zu kommen, und sein Schäflein in die Hände seines Amtsbruders zu übergeben. Sie sahen sich in meiner Gegenwart im Sprachzimmer und sprachen mit einander Latein, was ich nicht vollkommen verstand, obschon ich einige zu meinem Vortheil lautende Worte wohl auffaßte. Solche Worte entgehen einem, wenn auch noch so jungen Mädchen niemals, sie mögen in einer Sprache gesprochen werden, in welcher sie wollen. Ich gewann viel bei dem Tausche; Garat war blos ein Pedant, in welchem ich den geistlichen Richter verehrte; der Viktoriner dagegen war ein billigdenkender, aufgeklärter Mann, der meine frommen Neigungen auf die erhabensten Seiten der Moral lenkte, und sich darin gefiel, durch die Religion den Keim der Tugenden zu entwickeln, ohne einen lächerlichen Mystizismus darein zu mengen. Ich liebte ihn wie einen Vater, und in den drei Jahren, die er nach meinem Austritt aus dem Kloster noch lebte, kam ich am Vorabende großer Feste aus weiter Ferne nach der St. Viktorskirche, um bei ihm zu beichten.

Man muß gestehen, daß die katholische Religion, so wenig sie einem gesunden, durch Kenntnisse aufgeklärten und die Gegenstände seines Glaubens den Regeln der vernünftigen Ueberlegung unterwerfenden Urtheile zusagen mag, sehr geeignet ist, die Einbildungskraft gefangen zu nehmen, auf welche sie durch das Große und Furchtbare wirkt, während sie zugleich die Sinne durch geheimnißvolle, abwechselnd liebliche und schwermüthige Ceremonien beschäftigt. Die Ewigkeit schwebt dem Geiste ihrer Angehörigen beständig vor und beruft sie zur Betrachtung; sie macht dieselben zu strengen Beurtheilern des Guten und des Bösen, während tägliche Uebungen, achtunggebietende Gebräuche die Aufmerksamkeit erleichtern, aufrecht erhalten und angenehme Mittel darbieten, dem vorgesetzten Ziele beständig näher zu rücken. Die Frauen verstehen sich vortrefflich darauf, diese Uebungen in ein einnehmendes Licht zu stellen, diese Ceremonien mit allem zu bekleiden, was ihnen Reiz oder Glanz zu verleihen vermag, und die Nonnen waren Meisterinnen in dieser Kunst. Kurz nach meiner Ankunft im Kloster nahm eine Novize den Schleier. Blumen, strahlende Kronleuchter, seidene Vorhänge, prachtvolle Zierrathen schmückten Kirche und Altar: die Versammlung war zahlreich; sie füllte das Schiff der Kirche, in dem festlichen Aufzug, worin eine Familie bei solchen Gelegenheiten, wie bei der Hochzeitsfeier eines Kindes zu erscheinen pflegt. Siegprangend und geschmückt erschien das junge Opfer vor dem Gitter in der größten Pracht, die es bald darauf ablegte, um mit einem weißen Schleier bedeckt und mit Rosen bekränzt wieder zu erscheinen. Noch empfinde ich den Schauer, der mich überkam, als sie mit leicht zitternder Stimme melodisch den gebräuchlichen Bibelvers sang: Hier habe ich meine Wohnstätte gewählt u. s. w.: ich habe die Noten dieses kleinen Stückes nicht vergessen; ich trage es heute noch so richtig vor, wie wenn ich es erst gestern gehört hätte, und ich wünschte sehr, ich könnte es in Amerika singen. Großer Gott, welchen Ausdruck würde ich heute hineinlegen! Aber als die Novize, nachdem sie ihre Gelübde gesprochen, sich zu Boden warf, und mit einem Leichentuch bedeckt wurde, unter welchem man sie begraben hätte glauben sollen, da überrieselte mich tiefer Schreck; es war dies für mich das Bild gänzlicher Zerreißung aller Bande der Welt, der Absagung in Beziehung auf Alles, was sie Theures gehabt hatte; ich war nicht mehr ich, ich war sie; es war mir, als entreiße man mich meiner Mutter und ich vergoß

Ströme von Thränen. Mit der Erregbarkeit, welche die Eindrücke so tief macht und gar manchen Dingen, die an den gewöhnlichen Menschen Schatten gleich vorübergehen, eine mächtige Einwirkung auf das empfängliche Gemüth verstattet, ist das Leben niemals ohne Frische und Reiz; auch bin ich über das meinige frühzeitig in's Klare gekommen, habe es selbst inmitten der rauhesten Prüfungen noch nicht lästig gefunden, und habe, ohne das vierzigste Jahr erreicht zu haben, unendlich viel gelebt, wenn man das Leben nach dem Gefühle bemißt, das alle Augenblicke seiner Dauer bezeichnet.

Ich hätte zu viele ähnliche Auftritte zu schildern, wenn ich aller derjenigen gedenken wollte, welche die Regungen zarter Frömmigkeit mir in's Herz gegraben haben; diese Empfindungen hatten so vielen Reiz für mich und wurden mir dermaßen zur Gewohnheit, daß sie sich nicht mehr verwischen konnten. Die Philosophie hat die Täuschungen eines gehaltlosen Glaubens zerstreut, aber sie hat die Wirkung gewisser Gegenstände auf meine Sinne und ihre eingreifende Beziehung zu den Ideen oder den Gemüthsstimmungen, welche dieselben gewöhnlich hervorgerufen hatten, nicht vernichtet. Noch kann ich mit einiger Theilnahme der Feier des Gottesdienstes anwohnen, wenn sie auf eine würdevolle Art stattfindet; ich vergesse dann die Charlatanerie der Priester, die Lächerlichkeit ihrer Geschichten, oder die Abgeschmacktheit ihrer Geheimnisse; ich sehe bloß eine Versammlung von schwachen Menschen, die ein höchstes Wesen um Hülfe anflehen: der Jammer der Menschheit, die tröstende Hoffnung auf einen mächtigen Vergelter beschäftigen meine Gedanken: die sonderbaren Bilder verschwinden, die Leidenschaften geben sich zur Ruhe, der Sinn für meine Pflichten wird auf's Neue lebendig: wenn die Musik einen Theil der Feier bildet, so fühle ich mich in eine andere Welt versetzt, und besser verlasse ich die Stelle, wohin das blöde Volk gedankenlos gekommen ist, um ein

Stückchen Brod zu begrüßen. Es geht mit der Religion wie mit so vielen andern menschlichen Einrichtungen; sie verändert den Geist einer Person nicht; sie verschmelzt sich mit ihrer Natur, erhebt oder erniedrigt sich mit ihr. Der gewöhnliche Menschenhaufe denkt wenig, glaubt auf's Wort und handelt instinktmäßig so, daß zwischen den empfangenen Lehren und dem Gange, den er einschlägt, ein beständiger Widerspruch statt findet. Kräftige Geister haben eine andere Art sich zu bewegen; sie bedürfen inneren Einklanges, ihr Benehmen ist eine getreue Uebersetzung ihres Glaubens. Ich habe in der Kindheit denjenigen annehmen müssen, der mir gegeben wurde; er war der meinige, bis ich Aufklärung genug besaß, ihn in Frage zu stellen; aber selbst da noch waren alle meine Handlungen strenge Folgen desselben. Ich staunte über die Leichtfertigkeit derjenigen, die sich zu einem ähnlichen bekannten und entgegengesetzt handelten, wie ich mich heute über die Elendigkeit dieser Menschen empöre, die ein Vaterland zu haben wünschen und ihr Leben noch für etwas anschlagen wollen, wenn es sich darum handelt, es in seinem Dienste auf's Spiel zu setzen.

Indem ich Wiederholungen über einen und denselben Gegenstand vermeide, will ich gleichwohl den Augenblick meines ersten Abendmahls-Genusses mit einem Zuge bezeichnen. Durch alle in Klöstern gebräuchliche Mittel, durch einsame Andachtsübungen, lange Gebete, stilles Nachdenken vorbereitet, war er für mich der Augenblick einer feierlichen Verpflichtung und die Bürgschaft ewigen Glückes: diese Betrachtung durchdrang mich gänzlich. Sie hatte meine Einbildungskraft dermaßen entflammt, mein Herz so weich gemacht, daß ich in Thränen gebadet und hingerissen von himmlischer Liebe nicht die Kraft besaß, an den Altar zu gehen, ohne die Hülfe einer Nonne, welche mich unter den Armen hielt und mich, während ich auf den heiligen Tisch zuschritt, unterstützte. Diese Kundgebungen innerster Ergriffenheit, die bei mir nichts Gesuchtes, sondern nur die natürlichen Wirkungen eines Gefühls waren, das ich nicht in Schranken zu halten vermochte, erwarben mir großes Ansehn, und die guten alten Weiber, denen ich begegnete, empfahlen sich immer meinen Gebeten.

Es ist mir, als höre ich den Leser hier fragen, ob dieses so zärt= liche Herz, dieses so liebevolle und erregbare Gemüth nicht endlich durch wesenhaftere Gegenstände geübt worden sei, und ob ich, nachdem ich so frühe von Glück geträumt, diesen Traum nicht in einer für eine andere Person nützlichen Leidenschaft verwirklicht habe.

Wir wollen dem Gang der Begebenheiten nicht vorgreifen, werde ich ihnen sagen; verweilet mit mir bei diesen friedlichen Zeiten heiliger Selbsttäuschungen, in welche mich zurückzuversetzen meine Freude ist: haltet ihr es in einem so verborbenen Jahrhundert, in einer so schlech= ten gesellschaftlichen Ordnung für möglich, das Glück der Unschuld und der Natur zu genießen? Gewöhnliche Seelen finden ein Ver= gnügen darin; aber die andern, für welche das Vergnügen allein zu wenig wäre, die von Leidenschaften, welche mehr versprechen, ergriffen, von seltsamen oder grausamen Pflichten, denen sie gleichwohl mit Ehre nachkommen, gezwungen sind, kennen nur den Ruhm, sie zu erfüllen, und bezahlen ihn theuer. Ruhen wir für den Augenblick bei der süßen Freundschaft aus, welche mir ihre Zauber darbot, und der ich so viele glückliche Augenblicke verdankt habe.

Einige Wochen waren seit meiner Ankunft in's Kloster ver= flossen. Ich beschäftigte mich darin auf die eben angeführte Art: ich empfing alle Woche die Besuche meines Vaters und meiner Mutter, mit denen ich Sonntags nach dem Gottesdienste im Jardin du Roi, heutzutage Jardin des Plantes, einen Spaziergang machte. Ich ver= ließ sie niemals ohne einige Thränen zu vergießen; diese flossen aus Zärtlichkeit für ihre Person, nicht aus Mißvergnügen über meine

Lage, denn ich kehrte gerne unter diese schweigsamen Kreuzgänge zurück, die ich langsam durchstreifte, um ihre Einsamkeit besser zu
genießen: zuweilen hielt ich an einem Grabe an, wo das Lob einer
heiligen Jungfrau verzeichnet stand: sie ist glücklich! sagte ich seufzend
zu mir. Dann bemächtigte sich eine Schwermuth, die nicht ohne ihre
lieblichen Seiten war, meiner Seele und ließ mich im Schooße der
Gottheit, in der Hoffnung, eines Tags darin aufgenommen zu werden, das vollständige Glück suchen, nach welchem ich ein Bedürfniß
empfand.

Die Ankunft neuer Schülerinnen brachte die ganze kleine Schaar
in Aufregung; man hatte Fräuleins aus Amiens angekündigt. Die
Neugierde junger Klosterbewohnerinnen in Beziehung auf Gespielinnen, die man ihnen verspricht, ist lebhafter, als man sich vorstellen
kann. Es war gegen den Abend eines Sommertages; man spazierte
unter den Linden.... Da sind sie, da sind sie! erscholl es auf
einmal von allen Seiten. Die erste Lehrerin übergab die beiden
Ankömmlinge derjenigen, welche gerade die Aufsicht über die Zöglinge führte; die Menge versammelt sich um sie, entfernt sich, kehrt
zurück, ordnet sich endlich und sämmtliche Schülerinnen gehen grup-
penweise in demselben Gange spazieren, um die Fräuleins Cannet
zu mustern. Es waren dies zwei Schwestern: die ältere war ungefähr achtzehn Jahre alt, hübsch gewachsen, hatte ein munteres
Gesicht und viele Unbefangenheit in ihrer Bewegung; inzwischen
bemerkte man eine gewisse Aufgeregtheit, etwas Stolzes und Miß-
vergnügtes an ihr; die jüngere zählte nicht mehr als vierzehn Jahre,
ein weißer Gazeschleier bedeckte ihr sanftes Gesicht und verhüllte die
Thränen, worin es gebadet war, schlecht. Ich betrachtete sie theilnehmend und blieb stehen, um sie mir besser anzuschauen; dann
mischte ich mich unter die schwatzhaften Mädchen, um mich zu

erkundigen, was man von ihr wiffe. Sie war, fagte man mir, der
Liebling ihrer Mutter, an der fie mit großer Zärtlichkeit hing; der
Abschied von ihr war ihr fehr hart gefallen, und man hatte ihr
ihre Schwester beigegeben, um ihr den Trennungsschmerz überstehen
zu helfen. Beide wurden Abends an den Tisch gewiesen, wo ich
mich befand: Sophie aß wenig; in ihr kämpfte ein stummer Schmerz,
der für Niemand etwas Abstoßendes hatte und Jedermann hätte
rühren müssen: ihre Schwester schien weit weniger darauf bedacht,
fie zu tröften, als unzufrieden darüber, daß fie dasselbe Loos theilen
mußte. Sie hatte auch einigen Grund dazu; ein achtzehnjähriges
Mädchen, das der Welt, in welche fie zurückgekehrt war, entriffen
wird, um auf's Neue in's Kloster zu gehen und ihrer jungen Schwester
Gesellschaft zu leisten, konnte sich als ein Opfer betrachten, und
wirklich hatte ihre Mutter durch diese Verfahrungsweise blos einen
ungestümen Charakter, den fie nicht beherrschen konnte, zu bändigen
beabsichtigt. Man brauchte der lebhaften Henriette nicht lange zu-
zuhören, um dies alles zu begreifen. Freimüthig bis zur Barschheit,
ungeduldig bis zum Zorn, luftig bis zur Tollheit hatte fie den
ganzen Geift ihres Alters, ohne feine Vernünftigkeit zu befitzen:
launisch, geiftreich, zuweilen im höchsten Grade angenehm, oft unerträglich, ließ fie manchmal die rührendfte Reue auf ihre wunderlichen Anfälle folgen. Sie verband das empfindsamfte Herz mit der
ausschweifendften Einbildungskraft; man mußte fie lieben, indem man
fie schalt, und doch war es schwer, in eigentlich gutem Einverneh-
men mit ihr zu leben. Die arme Sophie hatte manchmal viel zu
leiden von dem Charakter ihrer durch Eifersucht gegen fie auige-
brachten Schwester, die indeß zu billig dachte, um ihren Werth
nicht zu schätzen, und demzufolge in ihren Beziehungen zu ihr g…
mancherlei Stoff zur Uebellaunigkeit fand, die fie dann wieder jene…

zuerſt beſeufzte. Die Ruhe einer frühreifen Vernunft charakteriſirte Sophie; ſie fühlte nicht ſehr lebhaft, weil ihr Kopf kalt war, aber ſie liebte es nachzudenken und die Vernunft zu gebrauchen. Ruhig, ohne zuvorkommende Dienſtfertigkeit, verführte ſie Niemanden, erwies ſich aber gelegentlich gegen Jederman gefällig, und wenn ſie in Nichts entgegen kam, ſo konnte ſie eben ſo wenig etwas verweigern. Sie arbeitete und las gerne. Ihre Traurigkeit hatte mich gerührt, ihre Art und Weiſe zu ſein gefiel mir; mein Inneres ſagte mir, daß ich in ihr eine Geſpielin fand, und wir wurden unzertrennlich. Ich ſchloß mich ihr mit der Hingebung an, welche auf das Bedürfniß folgt zu lieben, beim Anblick des Gegenſtandes, der geeignet iſt, es zu befriedigen: Arbeit, Lektüre, Spaziergänge, Alles hatte ich mit meiner Sophie gemein. Sie war fromm, etwas weniger zärtlich, aber eben ſo aufrichtig, als ich, und dieſer Umſtand trug nicht wenig zur Innigkeit unſeres Bundes bei. Wir pflegten unſere Freundſchaft ſo zu ſagen unter den Flügeln der Vorſehung und in den Entzückungen eines und deſſelben Eifers; wir wollten uns gegenſeitig aufrecht erhalten und fördern auf dem Wege zur Vervollkommnung. Sophie war eine unbarmherzige Vernünftlerin; ſie wollte Alles zergliedern, Alles wiſſen und Alles erörtern; ich ſprach weit weniger als ſie und ſtützte mich bloß auf die Ergebniſſe. Sie unterhielt ſich ſehr gerne mit mir, denn ich verſtand es gut, ſie anzuhören, und wenn ich anderer Anſicht war, ſo hüllte ich meinen Widerſpruch, aus Furcht ſie mißvergnügt zu machen, in ſo ſanfte Formen, daß alle möglichen Verſchiedenheiten niemals einen Zwiſt zwiſchen uns verurſacht haben. Ihre Geſellſchaft war mir unendlich theuer, weil ich das Bedürfniß hatte, irgend Jemanden, der mich verſtand, meine Gefühle anzuvertrauen, die ſich durch dieſe Theilung zu ſteigern ſchienen. Ohngefähr drei Jahre älter und etwas weniger bemüthig, als ich, hatte Sophie äußerlich eine Art von Vortheil, um den ich sie nicht beneidete: sie plauderte hübsch; ich verstand mich bloß auf's Antworten; es ist wahr, daß man mich ungemein gern ausfragte, aber dies war nicht für Jedermann leicht. Wahre Mittheilungen hatte ich nur mit meiner lieben Freundin; jede andere Person durchblickte mich nur halb, wenn nicht anders irgend Jemand geschickt genug war, den Schleier zu lüften, womit ich mich, ohne mich verbergen zu wollen, ganz natürlich umhüllte.

Henriette kam zuweilen, jedoch selten, mit uns; sie hatte eine für sie passendere Verbindung geschlossen mit Fräulein von Cornillon, einem Mädchen von achtzehn Jahren, häßlich wie die Sünde, sprudelnd von Geist und Bosheit, einem wahren Kobold, womit man den Kindern Angst machte, der jedoch mit unsrer Vernunft sein Spiel nicht hätte treiben können.

Nicht verschweigen darf ich die zärtliche Theilnahme, welche mir gleich in den ersten Tagen nach meiner Ankunft ein vortreffliches Mädchen bewiesen, deren sich stets gleichbleibende Anhänglichkeit in mehr als einem Falle mein Trost gewesen ist. Angelika Bouflers, ein Mädchen ohne Vermögen, hatte sich in ihrem siebenzehnten Jahre durch Gelübde gebunden; sie kannte sich selbst noch nicht. Die Natur hatte Schwefel und Salpeter als Stoffe für sie gebraucht. Der Zwang, der ihrem thatkräftigen Wesen auferlegt wurde, trieb die Erregbarkeit ihres Herzens und die Lebhaftigkeit ihres Geistes auf die höchste Spitze. Der Mangel an einer Aussteuer hatte ihr ihre Stelle unter den Laienschwestern angewiesen, mit denen sie nichts, als ihre rauhen Uebungen, gemein hatte. Es giebt Seelen, die keiner besondern Ausbildung bedürfen; die heilige Agathe (dies war ihr Klostername) war ohne große Nachhülfe der Erziehung nicht blos ihren Gefährtinnen, sondern auch den meisten

Chordamen überlegen. Man kannte ihre Verdienste, und obgleich man nach altem Herkommen dieser Gesellschaften, deren Masse immer undankbar ist, ihre Thätigkeit mißbrauchte und sie mit Geschäften überlud, so genoß sie gleichwohl das Ansehen, welches dem wirklichen Werthe niemals entgeht. Sie wurde damals für die Bedienung der Schülerinnen verwendet. Sie hatte außer den andern Geschäften, die ihr anvertraut waren, dieselbe allein zu besorgen, und sie genügte allem mit eben so großer Pünktlichkeit als Munterkeit. Ich hatte sie kaum bemerkt, so zeichnete sie mich bereits aus; ihre entgegenkommende Güte machte mich aufmerksam auf sie. Bei Tisch belauschte sie ohne mein Wissen meine Liebhabereien und suchte sie zu befriedigen; im Zimmer machte sie mein Bett mit besonderem Wohlgefallen und ließ keine Gelegenheit hinaus, mir irgend etwas Verbindliches zu erweisen. Wenn sie mich begegnete, küßte sie mich zärtlich, und nahm mich zuweilen mit auf ihre Zelle, wo sie einen allerliebsten Zeisig besaß, zutraulich, liebkosend, den sie singen gelehrt hatte. Sie gab mir heimlich einen zweiten Schlüssel zu ihrer Zelle, damit ich in ihrer Abwesenheit hineingehen konnte; ich las darin die Bücher ihrer kleinen Bibliothek, die Dichtungen des Paters du Cerceau und mystische Werke. Wenn ihre Arbeiten ihr nicht gestattet hatten, einige Minuten bei mir zuzubringen, oder wenn sie voraussah, daß sie daran verhindert sein werde, so fand ich dort ein äußerst zärtliches Billetchen, das ich jedesmal pflichtmäßig beantwortete; sie bewahrte diese Antworten wie kostbare Juwele auf, und zeigte sie mir wohlverschlossen in ihrem Bettpulte. Bald sprach man im ganzen Kloster nur von Agathens Anhänglichkeit an die kleine Phlipon; aber man hätte glauben sollen, dies könne nicht anders sein; meine Gespielinnen zeigten sich niemals beleidigt durch die Bevorzugungen, womit sie mich bedachte. Wenn Nonnen mit ihr

darüber sprachen, so fragte sie dieselben mit ihrer natürlichen Offen-
heit, ob sie an ihrer Stelle nicht dasselbe thun würden, und wenn
eine achtzigjährige Keiferin, wie z. B. die Mutter Gertrud, zu ihr
sagte, sie liebe mich zu sehr, so antwortete sie: dies komme ihr
blos deswegen so vor, weil sie nicht eben so lieben könne, und
fügte hinzu: „Auch Sie halten ja das Mädchen jedesmal an, so
oft Sie ihm begegnen.“ Und die Mutter Gertrud ging brummend
von dannen; aber wenn sie mich eine Stunde nachher sah, so ermangelte sie nicht, mir einige Bonbons zu geben. Als die Fräuleins
Cannet kamen und ich mit Sophie meinen Bund schloß, schien
Agathe ein wenig eifersüchtig. Die Nonnen gefielen sich darin, sie
damit zu necken, aber ihre edelherzige Zärtlichkeit wurde um nichts
geschwächt. Es schien, als gäbe sie sich damit zufrieden, daß ich
mich lieben lasse, und als genieße sie die Freuden mit, welche mir
die Freundschaft einer meinem Alter näher stehenden Person, deren
Gesellschaft ich in allen Augenblicken des Tags hatte, bereitete.
Agathe war damals vier und zwanzig Jahre alt; ihr Charakter und
ihre Neigung für mich haben mir die wahrste Anhänglichkeit an sie
eingeflößt; ich habe mir's zur Ehre geschätzt, ihr dies ohne Unter-
laß zu zeigen. In den letzten Jahren des Bestehens der Klöster
war sie die einzige Person, die ich in dem ihrigen besuchte. Jetzt,
da das Alter und körperliche Gebrechen ihr diese Zufluchtsstätte nothwendig machten, aus derselben vertrieben, und auf den geringen
Jahrsgehalt beschränkt, der ihr angewiesen ist, vegetirt sie unweit
unsrer alten Wohnung und meinem jetzigen Kerker, und in den
Widerwärtigkeiten einer unbehaglichen Lage seufzt sie nur über die
Gefangenschaft ihrer Tochter, wie sie mich noch immer nennt. Fühlende Seelen, ihr werdet zuweilen aufhören mich zu beklagen, indem
ihr die Güter zu schätzen wisset, welche der Himmel mir erhalten

hat; meine Verfolger haben inmitten ihrer Macht nicht das Glück, von einer Agathe geliebt zu werden, die ihnen noch treuer zugethan sein würde, wenn sie in's Elend geriethen.

Der Winter war verflossen; ich hatte während dieser Jahreszeit meine Mutter etwas weniger gesehen, aber mein Vater hätte keinen Sonntag vorübergehen lassen, ohne mich zu besuchen und, wenn es das Wetter nur halbwegs gestattete, einen Spaziergang mit mir im Jardin du Roi zu machen. Wir boten dort der strengen Kälte Trotz und gingen fröhlich über den Schnee hin. Herrliche Spaziergänge, deren Erinnerung zwanzig Jahre später in mir erweckt wurde, als ich folgende Verse von Thompson las, die ich niemals ohne Rührung wiederhole:

> Oft hab ich ja
> Froh im beglückten Morgen meines Lebens,
> Da ich, gesängt von kummerloser Stille,
> Natur mit ewig neuer Lust besang,
> Froh hab ich euer ödes Reich durchirrt,
> Selbst rein, den reinen jungfräulichen Schnee.

Bei meinem Eintritt ins Kloster war festgesetzt worden, daß ich blos ein Jahr hier bleiben solle; ich hatte es selbst gewünscht und sah mit Vergnügen dem Ende des Opfers entgegen, das ich durch die Trennung von meiner Mutter brachte: die Nonnen ihrerseits hatten, als sie mir die Gunst bewilligten, mich im vierten Monat meines Aufenthalts bei ihnen zur ersten Communion zuzulassen, ausdrücklich die Bestimmung gemacht, daß ich deßhalb nicht früher von ihnen auszutreten, sondern mein Jahr auszuhalten habe. Nachdem dieses Jahr vorüber war, handelte es sich um den Abschied. Meine Mutter kündigte mir an, meine Großmutter Phlipon, die mich sehr liebte, wünsche sehr, daß ich ihr einige Zeit Gesellschaft leiste, und

fie habe mit ihr biefe Uebereinkunft getroffen, bie mir burchaus an=
genehm fein müffe, ba fie mich auf biefe Art weit öfter befuchen
werbe, als im Klofter. Diefe Uebereinkunft paßte auch vollkommen
zu ben übrigen Umftänben. Mein Vater hatte ein Gemeinbeamt
übernommen, bas ihn häufig von Haufe abrief: ich begriff leicht,
baß meine Mutter nunmehr hauptfächlich auch bie ben jungen Leuten
anvertrauten Arbeiten, um bie fie fich bisher niemals angenommen
hatte, beauffichtigen mußte, unb ein wenig von ber ihr fo angeneh=
men Freiheit verloren hatte, fich ausfchließlich mit mir zu befchäf=
tigen. Das Verhältniß, bas fie mir vorfchlug, war wirklich ein
fanfter Uebergang von meiner Trennung von ihr zu einer gänzlichen
Wiebervereinigung mit ihrer Perfon, unb ich nahm es um fo freu=
biger an, als ich meiner Großmutter mit Liebe zugethan war. Sie
war ein freunbliches munteres Weibchen unb ihre angenehmen Ma=
nieren, ihre feine Sprache, ihr anmuthiges Lachen unb ihr boshaftes
Augenfpiel beutete noch immer auf einige Abfichten zu gefallen ober
baran zu erinnern, baß fie ihrer Zeit gefallen habe. Sie war fünf
ober fechs unb fechzig Jahre alt unb verwandte Sorgfalt auf ihre
Toilette, bie übrigens für ihr Alter paßte, benn fie fuchte befon=
bers viel barin, wohl einzufehen, was fich gezieme, unb fich nie bagegen
zu verfehlen. Ein anfehnlicher Körperumfang, ein ziemlich leichter
Gang, eine fehr aufrechte Haltung, eine kleine Hanb, beren Finger
fie anmuthig fpielen ließ, ber gemüthliche Ton ihrer mit heitern,
aber immer anftänbigen Scherzen untermifchten Unterhaltung entfernte
von ihr ben äußern Schein bes hohen Alters. Sie war liebenswürbig
gegen bie Jugenb, beren Gefellfchaft ihr fehr gefiel, unb fie feßte einen
gewiffen Stolz barein, von ihr aufgefucht zu werben. Sie war nach
einjähriger Ehe Wittwe geworben, unb mein Vater war ihr einziges

und nachgebornes Kind. Durch Unfälle des Handelsgeschäftes bei
welchem sie ihr Vermögen angelegt in Noth gerathen, hatte sie sich
genöthigt gesehen, bei entfernten reichen Verwandten Hilfe zu suchen:
von diesen war sie als Erzieherin in ihre Familie aufgenommen worden, und so hatte sie bei Frau von Boismorel deren Sohn Roberge
von dem ich unten zu sprechen haben werde, so wie ihre Tochter, die
nachmalige Frau von Favières, erzogen. Endlich hatte ihr eine kleine
Erbschaft ihre Unabhängigkeit gesichert. Sie lebte auf der Insel
St. Louis wo sie ein anständiges Quartier bewohnte, mit ihrer
Schwester, Jungfer Rotisset, die sie Angelika nannte. Diese gute Person, engbrüstig und fromm, rein wie ein Engel, einfach wie ein Kind,
war die ganz gehorsame Dienerin ihrer älteren Schwester; die Geschäfte des kleinen Haushaltes lagen auf ihr allein. Eine ab- und
zugehende Magd die zweimal des Tages kam hatte die plumperen Arbeiten zu besorgen, die übrigen alle verrichtete Angelika selbst, und voll
Ehrerbietung machte sie ihrer Schwester die Toilette. Es fügte sich
ganz natürlich daß sie meine Gouvernante wurde, während Frau
Phlipon sich zu meiner Lehrerin machte. So befand ich mich denn in
den Händen dieser Frauen, nachdem ich das Haus des Herrn verlassen
hatte, bedauert, geliebt, umarmt von sämmtlichen Nonnen, beweint
von meiner Agathe und meiner Sophie, seufzend über meine Trennung von ihnen und mit dem festen Vorsatz die Bitterkeit derselben
durch häufige Besuche zu versüßen.

Diese Verpflichtung die ich auf mich genommen war mir zu
theuer, als daß ich sie nicht getreulich hätte erfüllen sollen. Meine
Spaziergänge hatten häufig die Congregation zum Ziele. Tante
Angelika oder mein Vater machten sich ein Vergnügen daraus mich
zu begleiten; meine Ankunft im Sprachzimmer wurde im ganzen

4

Haufe verkündigt, ich fah zwanzig Perfonen in einer Stunde; aber diefe Befuche waren mir ein fchlechter Erfatz für die alltäglichen Mittheilungen und vertraulichen Ergießungen der Freundfchaft: fie wurden feltener; dagegen leitete ich einen Briefwechfel ein, hauptfächlich mit Sophie: daher meine Neigung zum Schreiben, das mir auf diefe Art zur Gewohnheit und zu einer ganz leichten Arbeit geworden ift.

Zweiter Theil.

Ich fühle den Entschluß zur Fortsetzung meines Unternehmens schwächer in mir werden; der Jammer meines Landes peinigt mich; der Verlust meiner Freunde schlägt meinen Muth nieder; eine unwillkürliche Traurigkeit legt sich auf meine Sinne, verlöscht meine Einbildungskraft und bricht mir das Herz. Frankreich ist nur noch eine ungeheure Schlachtbank, ein blutender Tummelplatz auf welchem seine eignen Kinder sich zerreißen.

Begünstigt durch die inneren Zwistigkeiten, rückt der Feind von allen Seiten vor; die Städte des Nordens fallen in seine Gewalt; Flandern und Elsaß stehen im Begriff sein Raub zu werden; der Spanier verwüstet Roussillon; die Savoyer verschmähen ein Bündniß das ihnen durch die Anarchie schrecklich wird; sie kehren zu ihrem früheren Herrn zurück, dessen Soldaten über unsre Grenzen ziehen; die Aufrührer der Vendee fahren fort einen großen Strich Landes zu verheeren; die Lyoner die man unvorsichtigerweise gereizt haben ihren Widerstand entwickelt; Marseille fliegt ihnen zu Hilfe, die anliegenden Departements setzen sich in Bewegung, und in dieser allgemeinen Aufregung, in diesen blutigen Zerwürfnissen auf den verschiedensten Seiten bleibt sich nichts gleich als das Voranschreiten der fremden Mächte. Unsere Regierung ist eine Art von Ungeheuer, dessen Formen und Handlungen gleichen Abscheu erwecken müssen. Sie zerstört Alles was sie erreicht, und frißt sich selbst auf. Diese letzte Narrheit bildet noch den einzigen Trost ihrer zahlreichen Opfer.

Die Armeen die eben so schlecht verproviantirt als angeführt sind fechten bald, bald fliehen sie in Verzweiflung; die fähigen Generale werden des Verraths angeklagt, weil Repräsentanten die nichts vom Kriege verstehen schlecht finden was sie nicht begreifen, und alle Männer die aufgeklärter sind als sie für Aristokraten ausschreien. Ein gesetzgebender Körper den seit den ersten Augenblicken seines Bestehens Schwachheit charakterisirte, bot im Anfang sehr lebhafte Kämpfe dar, so lange sich in seiner Mitte Einsicht genug befand um die Gefahren zu erkennen, und Muth genug um sie vorherzusagen. Die rechtschaffenen und großsinnigen Männer die das Wohl ihres Vaterlandes wollten und Versuche wagten es zu begründen, wurden frech und unter den gehässigsten Farben, zugleich auf die widersprechendste Weise angeklagt und fielen endlich als Opfer der Unwissenheit und der Furcht, der Ränkesucht und der Banditenwuth: verjagt aus dieser Versammlung deren Kern sie gewesen, ließen sie nur eine ausschweifende und verdorbene Minderheit zurück, welche durch Tirannei herrscht, durch ihre Dummheiten und Verbrechen sich ihr eigenes Grab gräbt, zugleich aber das Verderben des Staates vollendet. Die Nation, feig und schlecht unterrichtet, weil die Eigensucht träge ist und die Trägheit sich nicht die Mühe nimmt etwas zu sehen, hat eine fehlervolle Verfassung annehmen lassen die, selbst wenn sie besser gewesen wäre, mit Entrüstung verworfen werden mußte, weil man von der Ruchlosigkeit nichts annehmen kann, ohne sich selbst zu erniedrigen. Sie verlangt Sicherheit, sie verlangt Freiheit, und hat dieselben ungestraft in der Person ihrer Vertreter verletzen lassen! Sie kann nur ihre Unterdrücker wechseln; bereits befindet sie sich unter einem eisernen Joch und jede Aenderung erscheint ihr als eine gute: aber unfähig selbst eine Verbesserung vorzunehmen, erwartet sie dieselbe vom ersten besten Herrn dem es gefallen wird ihr Befehle vorzuschreiben. O Brutus dessen kühne Hand vergebens die versunkenen Römer befreite, wir haben geirrt wie Du. Diese reinen Männer deren glühende Seele nach Freiheit lechzte, welche sich in der Ruhe des Studiums und in strenger Zurückgezogenheit durch Philosophie für dieselbe vorbereitet, haben wie Du sich geschmeichelt, der Umsturz der Tyrannei würde die Herrschaft des Friedens und der Gerechtigkeit eröffnen. Er ist nur das Zeichen zu den giftigsten Leidenschaften und den scheußlichsten Lastern gewesen. Du sagtest nach den Mordbefehlen der Triumvirn, das was den Tod Cicero's verursacht habe mehr Scham, als sein Tod selbst Schmerz in Dir erweckt; Du tadeltest Deine Freunde in Rom, daß sie sich mehr durch ihre eigene als durch der Tyrannen Schuld zu Sklaven machten, und daß sie die Feigheit hatten Dinge zu sehen und zu dulden, deren Erwähnung allein schon ihnen unerträglich hätte erscheinen und Schauder einflößen müssen. Dieselbe Entrüstung überkam mich in meinem Kerker; aber die Stunde der Entrüstung ist vorüber; denn es liegt klar am Tage daß man nichts Gutes mehr erwarten, über nichts Schlimmes mehr sich verwundern kann. Wird die Geschichte jemals die Entsetzlichkeit dieser Zeiten schildern und die abscheulichen Menschen welche sie mit ihren Verbrechen ausfüllen? Sie überbieten die Grausamkeiten des Marius, die blutdürstigen Siege Sulla's: der letztere, als er sechstausend Mann die sich ihm ergeben hatten, in der Nähe des Senats den er beruhigt

und bei der Musik ihres Klaggeschreis sich zu berathen zwingt,
einpferchen und erwürgen ließ, verfuhr als ein Tirann der seine
angemaßte Macht mißbraucht. Aber womit soll man die Herrschaft
dieser Heuchler vergleichen die immer mit der Maske der Gerechtigkeit vor dem Gesichte, immer die Sprache des Gesetzes im Munde
führend, eigens einen Gerichtshof geschaffen haben, um ihrer Rache zu
dienen, und unter hohnvollen juristischen Formen alle die Männer
auf's Schaffot schicken deren Tugend ihnen ein Anstoß ist, deren
Talente ihnen Argwohn einflößen, oder deren Reichthümer ihre
Lüsternheit reizen? Welches Babylon hat jemals einen Anblick dargeboten wie dieses Paris das von Blut und Ausschweifungen be-
fleckt und von Obrigkeiten beherrscht ist, welche ein Gewerbe daraus
machen die Lüge zu Markte zu tragen, die Verleumbung zu verkaufen, den Mord zu predigen? Welches Volk ist jemals auf eine
solche Stufe der Entsittlichung und Abwerfung alles natürlichen
Gefühls herabgesunken, daß es ihm zum Bedürfniß geworden ist
Hinrichtungen anzusehen, daß es vor Wuth knirscht, wenn sie aufgehoben werden, und daß es sich stets bereit zeigt seine wilde
Grausamkeit an Jedem auszulassen der einen Versuch macht es zu
besänftigen oder zu beschwichtigen? Die Septembertage waren nur
das Werk einer kleinen Anzahl bluttrunkener Tiger; der 31. Mai
und der 2. Juni bezeichneten den Triumph der Ruchlosigkeit in
Folge der theilnahmslosen Stumpfheit aller Pariser und ihrer still-
schweigenden Einwilligung in die Knechtschaft: seit dieser Zeit nimmt
die Wildheit in einem schrecklichen Grade zu; die Partei welche
man im Convent den Berg nennt besteht aus lauter Banditen,
die wie Hafenarbeiter sich kleiden und fluchen, den Mord predigen,
und wenn es Plünderung gilt mit ihrem Beispiel vorangehen.
Ein zahlreicher Volkshaufe umringt den Justizpalast und seine Wuth

bricht los gegen die Richter welche nicht schnell genug ihr Verdammungsurtheil über die Unschuld aussprechen. Die Gefängnisse
sind vollgepropft mit Beamten, mit Generalen und mit Männern
deren Charakter der Menschheit Ehre bringt; die Angeberei wird
als ein Beweis von Bürgersinn aufgenommen, und das Geschäft
rechtschaffene oder reiche Leute aufzuspüren oder zu verhaften ist die
einzige Verrichtung unwissender und feiler Regierungsmänner.

Die Opfer von Orleans sind gefallen. Charlotte Corday hat
nicht den geringsten Eindruck hervorgebracht in einer Stadt die es
nicht verdiente, durch sie von einem Tirannen befreit zu werden.
Brissot[1]), Gensonné und eine Menge anderer Deputirten sind in
Anklagezustand versetzt: die Beweise fehlen, aber die Wuth steigert
sich und in Ermangelung eines Grundes sie zu verurtheilen, berück-
sichtigt man den Willen des obersten Gebieters der ihre Köpfe fordert wie eine wilde Bestie die auf ihre Beute lauert. Custine ist
nicht mehr[2]); Robespierre hat seine Freude; Hebert bezeichnet die

---

[1]) Weiber die ihren Club in der St. Eustachius = Kirche haben heul-
ten eines Tags, Brissot's Kopf müsse fallen und es dürfe nicht geduldet werden, daß die Richter bei seinem Prozeß eben so langsam verfahren als bei
dem Custine's. Zweitausend Menschen die am Tage der Aburtheilung dieses
Generals den Palast umringten bebten vor Furcht, er möchte entwischen und
sagten laut: Wenn er sich weißgebrannt hat, so muß man's ihm machen
wie Montmorin, und nicht blos ihm, sondern all den Schurken die in den
Gefängnissen sind.

[2]) Seine Güter werden eingezogen, seine Schwiegertochter, eine aller-
liebste junge Frau, dabei schwanger, die ihre Tage zwischen ihrem vor das
Tribunal geschleppten Schwiegervater und ihrem in der Force eingesperrten
Gemahl theilte, wird sogleich nach der Hinrichtung des erstern gefangen gesetzt.
Sie thut eine Fehlgeburt; was fragen diese Tiger darnach! Der öffentliche An-
kläger hatte von ihr 200,000 Franken erhalten, damit er die Unschuld rette,

Opfer; Chabot zählt fie; das Tribunal zeigt fich eifrig; das Volk bereitet fich vor, die Hinrichtungen zu beschleunigen und zu verallgemeinern; gleichwohl macht die Noth fich fühlbar, mörderische Gefetze erfticken den Gewerbfleiß, hemmen den Verkehr, vernichten den Handel; die Finanzen werden verschleudert; überall find die Bande der Ordnung zerriffen, und auf diefe gänzliche Zerrüttung der öffentlichen Wohlfahrt gründen schamlose Menschen ihre Wohlhabenheit, verkaufen alle ihre Handlungen an den Meiftbietenden, und fetzen einen Preis feft für den Tod oder das Leben ihrer Mitbürger.

Dillon und Caftellane befreien fich, der eine aus den Madelonetten, der andere aus Sainte=Pelagie, dadurch daß fie an Chabot dreißigtaufend Franken bezahlen; Sillery läßt markten um feine Freiheit die zu erwerben er reich genug ift, und zweihundert Flaschen feines vortrefflichen Champagners werden für die Buhldirnen des Ausschuffes in den Kauf gegeben.[1] Die Frau Rolands, welche durch die Bemühungen des Pater Duchêne dem wüthenden Pöbel in's Gedächtniß zurückgerufen wird, erwartet deffen letzte Ausbrüche in demselben Gefängniß welches eine unterhaltene Person ruhig verlaffen darf, nachdem fie die Sicherheit und die Straflofigkeit ihres Mitschuldigen der falsche Affignaten gemacht bezahlt hat. Henriot,

---

er ftellt fie zurück, aber er läßt diejenige verhaften die feine Schmach verrathen könnte.

[1] Das Geld und der Wein find gegeben und angenommen worden; Sillery hat damit blos die Freiheit gewonnen Jedermann wen er will zu fehen und zu sprechen, aber er wird mit diefer Milderung im Luremburg bewacht. Drei oder vier schlechte Weibspersonen welche fich zu den elenden Schurken des Wohlfahrtsausschuffes und des Ausschuffes für die allgemeine Sicherheit halten bilden die Krämergesellschaft, in welcher man die pekuniären Rettungsmittel für jede bedeutende Person feftfetzt.

der Befehlshaber der Nationalgarde, früher Lakai, dann Commis an den Barrieren, hernach Mordbruder in Saint=Firmin, erbricht Siegel, leert Keller, raubt alles Hausgeräthe das ihm ansteht, und zeigt sich so übermüthig wie die andern. Mit der Bewachung der im Luxemburg verhafteten Deputirten beauftragt, erfrecht er sich, ihnen unter die Augen zu treten, sie zu verhöhnen, ihnen mit Gewalt Federn, Bücher, Papiere hinwegzunehmen und zur Beschimpfung Drohungen hinzuzufügen. Die Pflichttreue der Beamten ist ein Hirngespinnst an das man nicht erinnern darf, ohne sich eine Anklage wegen Unbürgerlichkeit zuzuziehen und in den Verdacht gegenrevolutionärer Absichten zu gerathen. Haben die flüchtigen Deputirten endlich dieses ungastliche Land verlassen das die rechtschaffenen Leute auffrißt und sich mit ihrem Blute tränkt? O meine Freunde! möge der Himmel euch begünstigen und in den Vereinigten Staaten, der einzigen Zufluchtsstätte der Freiheit, anlanden lassen! Meine Wünsche geleiten euch dahin, und ich habe einige Hoffnung, daß ihr gegenwärtig diesen Gegenden zusteuert. Aber ach! um mich ist es geschehen, ich werde euch nicht wieder erblicken, und so lebhaft ich für eure Rettung eure Entfernung wünsche, so beweine ich dennoch darin unsre letzte Trennung. Und du, verehrungswürdiger Gatte, du grämst dich ab und welkst dahin in einem frühzeitigen Alter das du mühsam der Verfolgung der Mörder entziehst; wird es mir vergönnt sein dich wiederzusehen und in dein von Kummer gebrochenes Gemüth einigen Trost zu gießen? Wie viele Tage bleiben mir noch übrig, um Zeugin zu sein von der Verwüstung meines Landes und der schmählichen Gesunkenheit meiner Mitbürger! .... Umgeben von diesen traurigen Bildern habe ich mich dem Schmerz nicht zu entziehen vermocht; seltene Thränen entringen sich meinen schweren Augen und ich habe meine leichte

Feder die sich über meine jungen Jahre ergangen hatte ruhen laffen.

Ich will es verfuchen sie noch einmal zurückzurufen, und ihrem Verlauf zu folgen; vielleicht werden eines Tags meine offenherzigen Erzählungen die Augenblicke irgend einer unglücklichen Gefangenen erheitern die ihr eignes Schicksal vergeffen wird, indem sie sich von dem meinigen rühren läßt; vielleicht werden die Philofophen welche das menschliche Herz in dem Gange eines Romans oder in der Handlung eines Dramas schildern wollen, Gelegenheit finden es in meiner Geschichte zu studiren.

Wer weiß, vielleicht werden nur noch einige Tage vergehen, so wird der Mangel an Lebensmitteln das verdroffene Volk zur Wuth reizen und zu Ausbrüchen veranlaffen welche unheilvoll zu machen das angelegentlichste Bestreben feiner Führer fein wird. Der 10. Auguft follte dem Gedächtniß der September-Jdus gewidmet werden; man drohte vorgeftern laut jene Gräuelscenen zu erneuern, wenn Cuftine nicht zum Tode verurtheilt würde. Die Cordeliers stellen bereits die Nothwendigkeit auf sich der verdächtigen Leute zu entledigen; Strafen sind vorgeschrieben gegen diejenigen welche von diesen berüchtigten Tagen übel gesprochen haben; soll dadurch nicht etwa eine Rechtfertigung ihrer Rückkehr vorbereitet werden? Die Perfonen die man dem Revolutionstribunal zuschickt sind nicht Angeklagte welche feinem Urtheilsspruche überwiefen werden; sie sind Opfer mit deren Hinschlachtung es beauftragt ist. Leute die wegen ganz anderer Dinge als wegen Verbrechen verhaftet sind stehen nicht unter dem Schuße des Gesetzes; willkürlichen Verhaftungen und Verleumdungen preisgegeben, können sie sich keinen Augenblick vor einer blinden Wuth sicher glauben. Verlaffen wir diese unglückselige Periode die mit der Herrschaft eines Tiberius verglichen werden muß; erneuert euch für mich, ruhige Augenblicke meiner holden Jugendzeit!

Ich hatte mein zwölftes Jahr hinter mir, und das dritte Jahr meines dritten Lustrums verfloß unter den Augen meiner Großmutter. Der Friede in ihrem Hause und die Frömmigkeit meiner Tante Angelika paßten vortrefflich zu der weichen und gesammelten Gemüthsstimmung die ich aus dem Kloster mitgebracht hatte. Jeden Morgen führte mich meine Tante in die Kirche, um die Messe zu hören; ich wurde dort bald bemerkt von jenen Gewissensmäklern die sich vor Gott ein Verdienst daraus machten, die Klöster zu bevölkern. Der Herr Abbé Gery nähert sich mit schiefem Hals und niedergeschlagenen Augen derjenigen die er für meine Gouvernante hält, wünscht ihr Glück zu der Erbauung welche das Beispiel ihrer Schülerin stifte, und äußert den sehnlichen Wunsch ausersehen zu werden, um dieselbe in den Wegen des Herrn zu führen. Mit Bedauern vernahm er, daß die großen Ceremonien vorüber waren, und daß ich mein Vertrauen bereits verschenkt hatte; dann wünschte er von mir zu wissen, ob ich wegen meiner künftigen Bestimmung und eines Rücktrittes aus der Welt keinen Plan entworfen habe: ich antwortete ihm, ich sei noch zu jung um meinen Beruf zu kennen. Herr Gery seufzte, sagte mir viel Schönes und ließ keine Gelegenheit vorbei sich auf meinem Wege einzufinden, um uns hochachtungsvoll zu begrüßen. Die Frömmigkeit meines jungen Herzens verstieg sich nicht bis zum Sinn für jesuitische Ziererei; sie war zu aufrichtig um sich mit den Lächerlichkeiten der Andächtelei zu vertragen, und der krumme Hals des Herrn Gery gefiel mir ganz und gar nicht. Gleichwohl hegte ich im Geheimen die Absicht mich dem religiösen Leben zu widmen; der heilige Franz von Sales, einer der liebenswürdigsten Heiligen des Paradieses, hatte meine Eroberung gemacht, und die von ihm gestifteten Frauen von der Heimsuchung Mariä, bekannter unter dem Namen Salesianerinnen, waren bereits meine Adoptivschwestern. Aber ich sah wohl ein, daß ich als einzige Tochter von meinen Eltern nicht die Erlaubniß erhalten würde vor meiner Volljährigkeit ein Gelübde abzulegen, und ich wollte sie nicht zum Voraus betrüben; überdies dachte ich, wenn während der Probezeit mein Glaube an diesen frommen Beruf erschüttert werden sollte, so würde ich dadurch den Weltmenschen Waffen in die Hände liefern; und so beschloß ich denn meine Absicht zu verschweigen und stille auf das Ziel loszugehen. Ich nahm die Bibliothek meiner Großmutter in Anspruch; die Philothea des heiligen Franz von Sales und das Handbüchlein des heiligen Augustin wurden die Quelle meiner Lieblingsbetrachtungen. Welch eine Lehre der Liebe und welch eine wonnevolle Kost für die Unschuld einer feurigen, den himmlischen Selbsttäuschungen hingegebenen Seele! Streitschriften von Bossuet boten mir eine neue Nahrung; so günstig sie für die Sache waren welche sie zu vertheidigen beabsichtigten, so machten sie mich doch mit einigen Einwendungen gegen dieselbe bekannt und brachten mich auf den Weg den Prüfstein der Vernunft an meinen Glauben zu legen. Es war dies der erste Schritt; ich hatte von da noch sehr weit zu der Zweifelsucht, in welche ich einige Jahre später gerathen sollte, nachdem ich hintereinander Jansenistin, Cartesianerin, Stoikerin und Deïstin gewesen war. Wie viele Wege, um endlich zu der Vaterlandsliebe zu gelangen welcher ich meinen dermaligen Aufenthalt im Kerker verdanke! Mitten unter all diesen Studien ergötzten alte Scharteken von Reisebeschreibungen so wie eine Menge von mythologischen Werken meine Einbildungskraft, und die Briefe der Frau von Sevigné gaben meinem Geschmack eine entschiedene Richtung;

ihre liebenswürdige Leichtigkeit, ihre Anmuth, ihre Heiterkeit, ihre
Zärtlichkeit ließen mich einen innigen Bund mit ihr schließen. Ich
kannte ihre Gesellschaft, ich war vertraut mit ihrer Umgebung, wie
wenn ich mit ihr gelebt hätte. Meine Großmutter erhielt wenig
Besuche und ging selten aus. Aber ihr angenehmer Humor belebte
die Unterhaltung, wenn ich mich neben ihr mit den kleinen Hand=
arbeiten beschäftigte worin sie mich mit großem Vergnügen unter=
wies oder wozu sie mich anhielt. Frau Besnard, die Großtante die
mich verpflegte, so lange ich noch bei der Amme war, kam tag=
täglich zu ihrer Schwester, um zwei Nachmittagsstunden bei ihr zu=
zubringen. Ihr strenger Charakter führte immer feierliche For=
men im Gefolge und ein gewisses ceremoniöses Wesen worüber
Frau Phlipon zuweilen scherzte, wiewohl nur ganz leichthin, um
ihre Schwester nicht zu beleidigen die übrigens mit irgend einer
guten, etwas barsch ausgesprochenen Wahrheit, deren Härte man
ihrem vortrefflichen Herzen verzeihen mußte, die Zeche bezahlte.
Meine Großmutter die auf ein freundliches Benehmen so wie auf
Alles was das gesellschaftliche Leben verschönern kann großen Werth
legte, wußte die zuvorkommende Gefälligkeit die mir mein sanfter
Charakter, der Wunsch denjenigen bei denen ich mich befinde zu
gefallen und ihr eigenes liebenswürdiges Wesen gegen ihre Person
ganz hauptsächlich zur Pflicht machten, unendlich hoch zu schätzen.
Sie sagte mir zuweilen Artigkeiten auf die ich nicht übel antwortete;
dann warf sie sich wohlgefällig in die Brust und ließ einen Blick
der Zufriedenheit auf Frau Besnard ruhen die ihrerseits die Achseln
zuckte und einen Augenblick wo ich etwas entfernter war dazu
benutzte, um ihr leise, jedoch so daß ich es sehr wohl hörte, zu=
zurufen: „Wahrhaftig, du bist unerträglich; du wirst sie verderben,
wie Schade!" Meine Großmutter setzte sich noch gerader und suchte

mit überlegener Miene ihre Schwester über ihre Erziehungsmethode
zu beruhigen; die gute Angelika mit ihrem blassen Gesichte, ihrem
hervorstehenden Kinn, ihrer Brille auf der Nase, ihrem Strickzeug
in der Hand, sagte ruhig zu ihnen, es sei keine Gefahr vorhanden,
Niemand könne hier etwas schaden, und ich sei selbst schon vernünftig genug um mich ganz allein zu erziehen. Diese so strenge
und wegen der Gefährlichkeit von Schmeichelreden so besorgte Frau
Besnard beunruhigte sich ungemein darüber mich in einem harten
Bette schlafen zu sehen, und wenn ich das geringste Leiden am
Finger bekam, so ermangelte sie nicht zweimal des Tags zu kom-
men, um sich von der Besserung zu überzeugen: welche aufrichtige
Aengstlichkeit, welche eifrige Besorgniß legte sie nicht da an den
Tag, und wie rührend wurde diese nicht durch die scheinbare Strenge
ihres Charakters!

Wahrhaftig, ich glaube der Himmel hatte mich dazu mit lauter
guten Seelen umgeben, um die meinige so liebreich als nur immer
möglich zu machen. Eines Tags kam meine Großmutter die Lust
an bei Frau von Boismorel einen Besuch abzustatten, sei es nun
um sich das Vergnügen zu machen sie zu sehen, oder ihr ihre
Enkelin zu zeigen: demgemäß die nothwendigen Vorbereitungen;
große Toilette vom frühen Morgen an; wir ziehen sammt der Tante
Angelika aus, um gegen Mittag in der Straße Saint-Louis im
Marais anzukommen. Bei unserm Eintritt ins Hotel grüßen alle
Leute, vom Portier aufwärts, freundlich und zugleich höflich Frau
Phlipon. Sie schienen in Artigkeiten gegen sie zu wetteifern. Meine
Großmutter antwortete Allen liebevoll und mit Würde; bis dahin
war es gut. Nun sieht man ihre Enkelin; sie kann sich das kleine
Vergnügen nicht versagen auf sie aufmerksam zu machen; die Die-
nerschaft fängt an mit Komplimenten herauszurücken. Mich überkam

eine Art von Mißbehagen worüber ich mir keine deutliche Rechenschaft zu geben wußte: nur so viel war mir klar daß die Leute
mich zwar ansehen können, daß es ihnen aber nicht zustehe mir
Artigkeiten zu sagen. Wir kommen weiter; ein großer Lakai kündigte uns an, und wir traten in den Salon wo Frau von Boismorel mit ihrem Hunde auf dem Dinge saß, welches man damals
nicht Ottomane, sondern Kanapee nannte, und mit ernster Miene
an einer Stickerei arbeitete. Frau von Boismorel war eben so alt,
eben so gewachsen und eben so beleibt wie meine Großmutter, aber
ihre Kleidung zeugte weniger von Geschmack als von dem Wunsche
Wohlhabenheit anzukündigen und die Person von Stand zu verrathen; auf ihrem Gesichte stand nicht sowohl die Absicht zu gefallen geschrieben, als der entschiedene Wille mit Hochachtung behandelt zu werden, und die sichere Ueberzeugung dies zu verdienen.
Ein reiches Spitzenhäubchen mit Ecken wie Hasenohren, das auf
ihrem Scheitel prangte, ließ Haare hervorblicken die ohne Zweifel
falsch und mit der heuchlerischen Bescheidenheit geordnet waren,
welche man nach sechzig Jahren erst annehmen mußte, und eine
doppelte Auflage von Schminke gab einem höchst nichtssagenden
Augenpaare weit mehr Härte als nothwendig war, um mich zu
veranlassen meine Augen niederzuschlagen. „Ah, guten Tag, Jungfer
Rotiffet!" ruft Frau von Boismorel mit lauter und kalter Stimme,
indem sie sich erhebt, als wir näher kommen. (Jungfer? wie!
meine Großmutter wird hier als Jungfer behandelt?) Ei wahrhaftig, es freut mich recht sehr Sie zu sehen! Und dieses schöne
Kind! Es ist wohl Ihre Enkelin? Sie wird sich sehr gut machen!
Kommen Sie, mein Herzchen, setzen Sie sich neben mich; sie ist
schüchtern: wie alt ist sie, Ihre Enkelin, Jungfer Rotiffet? Sie ist
etwas braun, aber die Haut an und für sich ist sehr schön; die

Farbe wird sich bald heller machen: sie ist schon recht hübsch gewachsen! Sie müssen eine glückliche Hand haben, meine liebe Freundin; haben Sie nie in die Lotterie gesetzt? — Nein, Madame,
ich liebe die Glücksspiele nicht. — Das glaube ich; in Ihrem
Alter bildet man sich ein sicheres Spiel zu haben: was für eine
Stimme! Sie ist sanft und voll: aber wie ernsthaft sie schon ist!
Sind Sie nicht ein bischen fromm? — Ich kenne meine Pflichten
und bemühe mich sie zu erfüllen. — Sehr gut! Sie haben Lust,
ins Kloster zu gehen, nicht wahr? — Ich weiß meine Bestimmung nicht, und verlange sie auch noch nicht zu kennen. — Wie
wohlweise dies lautet! Ihre Enkelin liest wohl viel, Jungfer Rotissel? — Das Lesen ist ihr größtes Vergnügen, sie verwendet alle
Tage eine gute Zeit darauf. — Das sehe ich schon; aber hüten
Sie sich, daß sie keine Gelehrte wird, es wäre sehr Schade. Nun
entspann sich zwischen diesen Damen eine Unterhaltung über die
Familie und die Gesellschaft der Hausbesitzerin; meine Großmutter
fragte nach dem Oheim und dem Vetter, nach der Schwiegertochter
und der Freundin, nach dem Abbé Langlois und der Marquise von
Levi, nach dem Rathe Brion und dem Pfarrer Parent. Man
sprach von ihrer Gesundheit, von ihren Verbindungen und ihren
Eigenheiten, wie z. B. von denen der Frau von Roubé die trotz
ihres Alters sich noch viel auf ihren schönen Busen zu gut thue
und ihn immer offen trage, außer wenn sie in, oder aus dem
Wagen steige; denn in diesen Fällen pflege sie ihn mit einem großen
Tuche zu bedecken das sie zu diesem Behuf in ihrer Tasche habe,
weil, wie sie sich erkläre, dies nicht da sei um den Lakaien gezeigt
zu werden. Während dieses Zwiegesprächs machte Frau von Boismorel einige Stiche auf dem Cannefas, liebkoste ihren Hund und
starrte mich sehr häufig an. Ich gab mir Mühe, ihren Blicken die

mir höchlich mißfielen auszuweichen, und ließ die meinigen im Zimmer umherschweifen, dessen Ausschmückung mir weit angenehmer erschien als seine Bewohnerin. Dabei kreiste mein Blut schneller als gewöhnlich; ich fühlte daß meine Wangen heiß wurden, mein Herz pochte und war bedrückt; ich fragte mich noch nicht, warum meine Großmutter nicht auf dem Kanapee sitze und Frau von Boismorel nicht die Rolle der Jungfer Rotisset spiele, aber ich hatte das Gefühl das zu dieser Betrachtung führte, und als der Besuch zu Ende ging, war es mir wie einem Kranken der plötzlich eine Erleichterung verspürt. „Ja ja, vergessen Sie nur nicht mich ein Lotterieloos nehmen zu lassen; Ihre Enkelin soll die Nummer für mich wählen: verstehn Sie mich, Jungfer Rotisset? Ich will das Geschenk von ihrer Hand haben: nun jetzt umarmen Sie mich, und Sie, mein Herzchen, schlagen Sie die Augen nicht so nieder; sie sind sehr gut zum Sehen, diese Augen, und ein Beichtvater verbietet nicht sie zu öffnen: ach, Jungfer Rotisset, Sie werden bald einen Freier für die Kleine bekommen, das sage ich Ihnen. Guten Tag, meine Damen!“ Und Frau von Boismorel zieht ihre Klingel, befiehlt Lasteur in zwei Tagen ein Lotterieloos bei Jungfer Rotisset zu holen, bringt ihr Hündchen zum Schweigen, und hatte sich, noch eh' wir aus dem Zimmer waren, schon wieder auf ihrem Kanapee zurechtgesetzt.

Wir gingen schweigend nach unserm Hause zurück, wo ich eiligst wieder nach Büchern suchte über denen ich Frau von Boismorel vergessen konnte, deren Komplimente mir eben so mißbehagten wie die von ihren Leuten. Meine Großmutter die nur halb zufrieden war sprach zuweilen von ihr und ihren Sonderbarkeiten, von ihrer Eigensucht welche sie behaupten ließ, Kinder seien blos untergeordnete Sachen, wenn meine Großmutter sich die Freiheit

5

nahm fie im Intereffe der ihrigen auf ihre große Geldausgaben aufmerkfam zu machen; von ihrer zwanglofen, aber bei den Frauen aus guter Gefellfchaft gewöhnlichen Art und Weife ihren Beicht= vater und andere Leute bei ihrer Toilette zu empfangen und in Gegenwart derfelben ihr Hemd zu wechfeln u. f. w. Diefer Ton, diefe Sitten fchienen mir höchft feltfam. Aus Neugierde veranlaßte ich meine Großmutter über diefen Gegenftand mit mir zu plaudern, aber ich behielt die Eindrücke die folche Mittheilungen auf mich machten für mich, und es fchien mir, als dürfte ich mir nicht er= lauben ihr diefelben alle kund zu thun.

Vierzehn Tage nach unferm Befuch fprach Herr von Bois= morel Sohn bei uns ein der fich nicht zu Haufe befunden hatte, als wir bei feiner Mutter waren; es war dies ein Mann von fieben und dreißig Jahren, er hatte ein ernftes, aber fanftes Geficht und einen anftändigen edlen Ton; feine Blicke fchweiften in langen Blitzen aus einem offenen, nur etwas zu dicken Auge; feiner männ= lich kräftigen Stimme konnte er einen feelenvollen Ton und den einnehmenden Ausdruck einer Höflichkeit geben die fich nicht blos auf der Oberfläche hielt. Er redete meine Großmutter ehrerbietig an, nannte fie feine liebe Freundin, begrüßte mich mit der Art von Hochachtung welche Männer von feinem Gefühl zu ihrer eigenen Ehre jungen Frauenzimmern erweifen. Die Unterhaltung wurde bei aller Gemeffenheit leicht; er ließ die Gelegenheit nicht hinaus freund= lich an die Verbindlichkeiten zu erinnern welche er gegen meine Großmutter für ihre Bemühungen um ihn habe, und ich verftand wohl daß er ihr auf eine verfteckte, aber zarte Art fagte, die Vor= fehung belohne ihre edle Sorgfalt für die Kinder anderer Leute durch das Vergnügen, das fie ihr in dem einzigen bereite welches ihr gegeben worden fei. Ich fand Herrn von Boismorel bei weitem liebenswürdiger als seine Mutter und war hoch erfreut, wenn er sich wieder einstellte, was alle zwei oder drei Monate geschah. Er hatte sehr jung eine allerliebste Frau geheirathet und besaß von ihr einen Sohn dessen Erziehung ihn sehr in Anspruch nahm. Er wollte dieselbe in eigner Person besorgen und leitete sie nach philosophischen Ansichten, an denen sich die Vorurtheile seiner Mutter und die große Frömmigkeit seiner Frau gewaltig stießen. Man erklärte ihn für einen Sonderling; er hatte in Folge einer furchtbaren hitzigen Krankheit Nervenzufälle gehabt, und die alten Gräfinnen, die großen Rechtsmänner und die kleinen Abbés seiner Familie, oder der Gesellschaft seiner Mutter schrieben die Ansichten und die Methode welche er angenommen hatte und bei der Erziehung seines Sohnes zu befolgen beabsichtigte einem Gehirnleiden, als Nachwehen seiner Krankheit, zu. Alle diese Umstände machten meine Aufmerksamkeit in hohem Grade rege, als sie mir zu Ohren kamen; ich fand daß dieser sonderbare Mann mit vielem Geschick seine Vernunft brauchte. Ich fing an auf den Verdacht zu gerathen daß es, um mich so auszudrücken, eine weltliche und eine Kabinetsvernunft gebe, ein auf philosophischen Grundsätzen beruhendes und ein für das wirkliche Leben anwendbares Sittengesetz, aus deren Widerspruch so viele Wunderlichkeiten entstehen von denen ich einige halb und halb durchschaute; kurz, daß die Gesellschaft denjenigen einen Narren nenne der nicht an der allgemeinen Narrheit leide; und die Stoffe zu Betrachtungen häuften sich allmälig in meinem zu Grübeleien geneigten Kopfe.

Meine Großmutter stellte den Ansichten und dem Benehmen des Herrn von Boismorel zuweilen das Benehmen und die Ansichten seiner Schwester, der Frau von Favières, entgegen, über welche sie sich zu beklagen hatte, die von ihrem Bruder hatte erinnert

werden müssen daß Jungfer Rotissel ihre Verwandte war (ein Umstand welchen, sagte ich bei mir selbst, auch ihre Mutter nicht zu
wissen, oder absichtlich zu verkennen scheint), und bei welcher sie
keine Lust hatte mich vorzustellen; daß ich darüber sehr vergnügt
war, sah sie so wohl ein daß sie mir auch nie mehr den Vorschlag
machte Frau von Boismorel zu besuchen.

Mein Vater hatte sein Amt abgegeben; das Jahr das ich
bei meiner Großmutter hatte zubringen sollen war vorüber, und
so kehrte ich zu meiner vortrefflichen Mutter zurück. Nicht ohne
einiges Bedauern verließ ich die schöne Wohnung auf der Insel
Saint-Louis, diese angenehmen Quais, dieses ruhige Ufer auf
welchem ich an den Sommerabenden mit meiner Tante Angelika
Luft schöpfte, den anmuthigen Lauf des Flusses und die Landschaften betrachtend die sich in der Ferne am Horizont zeichneten; diese
Quais die ich in heiligem Eifer durchstreifte, um in die Kirche zu
gehen und mich am Fuße der Altäre meinen frommen Empfindungen zu überlassen, ohne auf dem einsamen Wege einen Gegenstand zu finden der mich zerstreut und von meiner wonnigen Sammlung abgebracht hätte. Die Heiterkeit meiner Großmutter lieh ihrem
Zimmer worin ich so manche lachende und feierliche Tage zugebracht hatte Reize aller Art: ich verabschiedete mich von ihr weinend,
trotz meiner Anhänglichkeit an meine Mutter deren weit begrün-
deteres Verdienst ein achtunggebietenderes Aeußere hatte, welches bei
allen Vergleichungen die ich bis jetzt angestellt nicht das Mindeste von
seiner Anziehungskraft, wie sie mir in diesem Augenblick verworren vor-
schwebte, verloren hat. Ein Kind der Seine, kam ich immer wieder
auf die Ufer derselben zu wohnen. Die Lage des väterlichen Hauses
hatte nicht die einsame Ruhe der großmütterlichen Wohnung; die
abwechselnden Bilder auf dem Pont-Neuf gaben der Seine jeden

Augenblick ein anderes Ansehen, und ich kehrte wirklich, sowohl im eigentlichen als im bildlichen Sinne des Wortes, in die Welt zurück, indem ich zu meiner Mutter zurückkehrte. Inzwischen boten sich noch viel freie Luft und ein großer Raum meiner unstet herumschweifenden, romantischen Einbildungskraft dar. Wie oft habe ich von meinem gegen Norden gelegenen Fenster aus mit innerer Bewegung die ungeheuren Wüsten des Himmels betrachtet, sein prachtvolles, azurblaues, herrlich gezeichnetes Gewölbe von dem blaßblauen Osten an, fern hinter dem Pont-au-Change, bis zu dem von einem leuchtenden Roth vergoldeten Westen hinter den Bäumen der Promenade und den Häusern von Chaillot! Ich ermangelte nicht auf diese Art ein paar Augenblicke der Neige eines schönen Tages zu widmen, und oft flossen in aller Stille süße Thränen aus meinen entzückten Augen, während das von einem unaussprechlichen Gefühl geschwellte Herz, glücklich über sein Dasein und dankbar für sein Leben, dem höchsten Wesen eine reine und seiner würdige Huldigung darbrachte. Ich weiß nicht, ob die Erregbarkeit des Herzens allen Gegenständen eine lebhaftere Farbe leiht, oder ob irgend eine Lage die nicht sehr bemerkenswerth erscheint mächtig dazu beiträgt sie zu entwickeln, oder ob die eine und die andere nicht in dem Wechselverhältniß von Ursache und Wirkung stehen; aber wenn ich über mein Leben zurückdenke, so befinde ich mich in Verlegenheit, ob ich diese Mannigfaltigkeit, diese Fülle von Empfindungen die alle Punkte seiner Dauer so gut bezeichneten und eine so frische Erinnerung an sämmtliche Orte wo ich mich aufgehalten in mir zurückgelassen haben, auf Rechnung der Umstände oder meines Charakters schreiben soll.

Cajon hatte seinen Unterricht in der Musik bei mir fortgesetzt; er liebte es mich über die Theorie oder vielmehr den

Mechanismus derselben schwatzen zu lassen, denn er war zwar ein Stück von einem Componisten, aber durchaus kein Mathematiker, und noch weniger verstand er von der Metaphysik; bei all dem jedoch setzte er eine Ehre darein mir seine ganze Wissenschaft mitzutheilen. Er betrübte sich beinahe eben so sehr über meine Kälte im Singen, als er sich über die Leichtigkeit womit ich ihm auf dem Gebiete der Vernunftschlüsse folgte verwunderte. „Legen Sie doch auch Seele hinein," wiederholte er mir unaufhörlich, „Sie singen ja eine Arie, wie die Nonnen einen Lobgesang auf die heilige Jungfrau ableiern." Der arme Mann sah nicht daß ich zu viel Seele hatte um sie in ein Lied zu legen: wirklich fühlte ich mich eben so verlegen, wenn ich ein zärtliches Stück mit Gefühl vortragen sollte, wie früher, wenn ich die Episode von der Eucharis oder der Herminie laut hätte vorlesen sollen. Ich verwandelte mich jedesmal plötzlich selbst in die Person welche redend eingeführt wurde und konnte sie nicht nachahmen; ich empfand die Gefühle so lebhaft daß ich sie hätte malen können; meine Brust hob sich schneller, meine Stimme bebte: daraus entstanden Schwierigkeiten die ich nur mit Anstrengung durch ein ernsthaftes und plattes Singen überwinden konnte, denn ich wollte mir die leidenschaftliche Angeregtheit nicht anmerken lassen. Mignard dessen spanische Höflichkeit meine Großmutter hoch schätzte hatte in ihrem Hause angefangen mich die Guitarre zu lehren; er setzte seine Lektionen auch nach meiner Rückkehr zu meinem Vater fort. Ich hatte nicht vieler Monate bedurft um mir die gewöhnlichen Begleitungsarten anzueignen: Mignard fand eine Freude daran mich zu einer tüchtigen Spielerin heranzubilden, und ich wurde wirklich geschickter als er selbst. Der Unglückliche verlor darüber den Kopf, wie man später sehen kann, wann die Zeit kommen wird es zu sagen. Mozon wurde wieder berufen um mich im Tanzen zu vervollkommnen, eben so Herr Süß für die Arithmetik, Geographie, die Schreibekunst und die Geschichte. Mein Vater gab mir den Grabstichel wieder; er beschränkte mich auf einen kleinen Zweig der Kunst für den er mich dadurch besonders zu gewinnen suchte daß er einen Vortheil damit verknüpfte; denn nachdem er mich bald in den Stand gesetzt hatte nützlich zu sein, übergab er mir kleine Arbeiten deren Ertrag er mit mir theilte, indem er am Ende der Woche nach dem Buch das er mich halten ließ mit mir abrechnete. Dies langweilte mich; ich fand nichts so abgeschmackt, als die Ränder eines Uhrgehäuses zu graviren, oder ein beliebiges Büchschen zu verzieren; ich las viel lieber ein gutes Buch als ich mir ein Band kaufte, ich verhehlte meinen Ueberdruß an der genannten Arbeit nicht, und man that mir keinen Zwang an; ich schloß Grabstichel und Stifte ein und habe sie seitdem nicht mehr berührt. Alle Morgen ging ich mit meiner Mutter in die Messe, und dann machten wir zuweilen Einkäufe; hierauf kamen die Unterrichtsstunden, und nach diesen zog ich mich in mein Stübchen zurück um zu lesen, zu schreiben und nachzudenken. In den langen Abenden gewöhnte ich mir wieder Handarbeiten an, und so lange diese dauerten, hatte meine Mutter die Gefälligkeit mehrere Stunden hinter einander vorzulesen. Diese Lektüren gefielen mir sehr; da sie mich aber die Sachen nicht ganz vollkommen nach Wunsche verdauen ließen, so brachten sie mich auf den Gedanken Auszüge zu machen. Ich machte mir's daher zur ersten Morgenarbeit, dasjenige auf's Papier zu bringen was Tags zuvor am meisten Eindruck auf mich gemacht hatte. Dann nahm ich das Buch wieder um mir die Gedankenverbindung genau zu merken oder ein Stück abzuschreiben das ich vollständig haben wollte. Diese Verfahrungsweise wurde mir zur

Gewohnheit, zum Bedürfniffe und zur Leidenschaft. Da mein Vater nur eine kleine Bibliothek befaß die ich längst erschöpft hatte, so las ich entlehnte oder aus der Leihbibliothek geholte Bücher; ich konnte den Gedanken nicht ertragen fie zurückzugeben, ohne mir das was ich für das Befte hielt angeeignet zu haben. Auf diefe Art lernte ich eine Menge Werke aus: Pluche, Rollin, Crevier, den Pater von Orleans, Saint=Real, den Abbé von Vertot und Mezeray, der dem letzten fo wenig ähnlich ift; Mezeray, den trockenften aller Schriftfteller, der aber eine Gefchichte meines Vaterlandes gefchrieben das ich einmal kennen lernen wollte. Meine Großmutter war nicht mehr unter den Leben= digen; mein Onkelchen das an Saint=Barthelemy eine beffere Anftel= lung erhalten hatte als es früher in der Eigenfchaft eines Chor= knabenlehrers gehabt, nahm feine Koft bei dem erften Vikar, dem Abbé Le Jay, der ein ziemlich gutes Haus führte allwo wir mit ihm die Sonn= und Fefttagsabende nach der Kirche zubrachten.

Der Abbé Le Jay war ein guter alter Herr, kugelrund an Leib und Geift, ein abfcheulicher Prediger, ein unbarmherziger Beichtvater, ein Cafuift, und was weiß ich Alles! Aber er wußte feine Gefchäfte fehr gut umzutreiben: er hatte es verftanden feine zwei Brüder in die Höhe zu bringen und ihnen Stellen als Notare in Paris zu verfchaf= fen, welchem damals einträglichen und angefehenen Amte fie nicht ohne Ehre vorftanden. Er felbft hatte um feine Haushaltung zu beforgen eine feiner Verwandten, Fräulein von Hannaches, zu fich gerufen, eine ungefchlachte, ausgetrocknete, grüngelbe Weibsperfon, die eine ab= ftoßende Stimme hatte, fich ungemein viel auf ihren Adel zu gut that und mit ihren Haushaltungstalenten, fo wie mit ihren Pergamenten Jedermann langweilte. Doch fie war einmal eine Frau, und dies bringt immer Leben in das Haus eines Priefters; überdies verftand fie es Ueberfluß und Reinlichkeit auf der Tafel ihres Vetters zu erhalten der in diesem Artikel großer Liebhaber war. Der Abbé Le Jay fand es angenehm einen liebenswürdigen Tischgenossen, wie den Abbé Bimont, zu besitzen, seine Tafel wurde dadurch um so heiterer, seine Base um so besser gelaunt und an seiner Partie Trictrac konnte es ihm nicht fehlen. Meine Mutter und die Base spielten mit; was mich betraf, so wurde ich auf diese Art zwar scheinbar vernachlässigt, konnte mir aber die Beschäftigung der vier Leutchen sehr gerne gefallen lassen, denn der Abbé Le Jay hatte in seinem Salon eine große Bibliothek stehen die ich nach Gutdünken durchstöberte. Ich schöpfte aus dieser Quelle, so lang er lebte: dies währte keine volle drei Jahre. Einer seiner Brüder machte üble Streiche; er verlor darüber den Verstand, siechte sechs Wochen lang hin, stürzte sich dann zum Fenster hinaus und starb an den Folgen. Fräulein von Hannaches die damals wegen der Erbschaft ihres Oheims, des Capitäns, einen Prozeß hatte, wurde von meiner Mutter aufgenommen und hielt sich bei ihr achtzehn Monate lang auf. In dieser Zeit machte ich ihren Sekretär; ich besorgte ihre Geschäftsbriefe, schrieb ihr ihren theuren Stammbaum ab, setzte für sie Bittschriften auf die sie dem ersten Präsidenten und dem Generalprokurator des Parlaments von Paris vorlegte, welche als Verwalter der von einem Herrn von Saint=Vallier für adelige arme Fräulein gegründeten Stiftung aufgestellt waren; auch begleitete ich sie zuweilen, wenn sie bei verschiedenen Personen in dieser Angelegenheit als Bittstellerin Besuche machte. Ich bemerkte sehr gut daß man trotz ihrer Unwissenheit, ihres schwerfälligen Benehmens, ihrer schlechten Sprache, ihrer veralteten Toilette und aller ihrer Lächerlichkeiten dennoch ihrer Geburt Ehre erwies; man hörte die Namen ihrer Stammeltern die sie beständig aufzählte ernsthaft an und gab sich Mühe ihr Begehren zu unterstützen. Ich verglich den anständigen Empfang der ihr zu Theil wurde mit

dem Benehmen der Frau von Boismorel das tiefe Spuren in mir
zurückgelassen hatte; ich konnte mir nicht verhehlen daß ich mehr
werth sei als dieses Fräulein von Hannaches, der ihre vierzig Jahre
und ihre Stammtafel nicht die Fähigkeit gaben einen Brief zu
schreiben, worin sich der mindeste Menschenverstand beurkundet hätte,
oder der überhaupt nur leserlich gewesen wäre; ich fand die Welt sehr
ungerecht und die gesellschaftlichen Einrichtungen in hohem Grade
abgeschmackt.

Aber sehen wir ein wenig, was aus meinen Freundinnen im
Kloster geworden ist. Meine Agathe schrieb mir von Zeit zu Zeit
zärtliche Briefe in dem ganz eigenthümlichen Tone dieser schmachtenden
Tauben die sich nur Freundschaft erlauben durften, einem Tone der
aber bei ihr durch ihre glühende Seele Leben erhielt; kleine Schächtel=
chen, hübsche Nadelkissen und Bonbons begleiteten dieselben, so oft es
ihr möglich war welche beizufügen. Ich besuchte sie manchmal und
kam sogar bei einem Fest das der Superiorin gegeben wurde in's
Kloster selbst: ein Vorrecht das man mir ausdrücklich durch eine,
ohne mein Wissen nachgesuchte, Erlaubniß des Erzbischofs zugesichert
hatte, die man mir sodann als eine besondere Vergünstigung mittheilte
deren Werth ich wohl zu schätzen wußte. Alles war in Bewegung;
die jungen Mädchen schön geputzt, der allgemeine Saal mit Blumen
verziert, der Eßsaal mit leckern Speisen besetzt; man muß gestehen daß
bei diesem Feste armer Klausnerinnen, worin man mehr oder weniger
kindisches Zeug finden konnte, auch ein gewisser liebenswürdiger, offen=
herziger, anmuthiger Ton herrschte welcher nur der Sanftheit von
Frauen, der Lebhaftigkeit ihrer Einbildungskraft, der Unschuld ihrer
Belustigungen angehört, wenn sie sich unter einander selbst vergnügen,
fern von der Anwesenheit eines Geschlechtes das sie immer ernsthafter
stimmt, wenn es sie nicht zum Wahnsinn treibt. Ein höchst mittel=

mäßiges, aber durch die Stimmen junger Mädchen die im Chor einige Verse vortrugen belebtes Drama war der erste Versammlungs- punkt; darauf folgten schäkernde Tänze; Scherze, und zwar manchmal recht glückliche, ein lustiges Lachen, um so lebhafter, je mehr es gegen die gewöhnliche Ernsthaftigkeit abstach, bildeten die Saturnalien für sämmtliche werthe Schwestern und ihre Schülerinnen. Der Hausarzt kam auf die Krankenstube um einige Patienten zu besuchen; man konnte ihm den Anblick des Festes nicht wohl versagen: er wurde unter einen mit grünen Blumengewinden geschmückten Kreuzgang geführt wo man eine Art von Markt abhielt: junge Klosterschwestern verkauf- ten hier Lieder, andere theilten Kuchen aus, hier zog die eine Lotterie- nummern, dort verlegte sich eine andere auf's Wahrsagen; die kleinen Kinder trugen Obstkörbe, und man bildete sich zu einem Konzert. Bei der Ankunft der Doktorsperücke lassen die Novizen ihre Schleier herab, die großen Schülerinnen sehen, ob ihr Schmuck nicht in Unordnung ist, die jüngsten Mädchen nehmen ein ernsthaftes Gesicht an, ich selbst halte weniger nachlässig meine Guitarre. Ich hatte sie an einem Bande das über die Schulter ging hängen, man hatte mich hören wollen, und die Umstände hatten mich zu zwei mittelmäßigen Versechen begeistert die aber gut für die Gelegenheit paßten: Cajon wäre mit meinem Vortrage zufrieden gewesen, denn da ich nur solche Gefühle aussprach denen ich mich wohl überlassen konnte, so hatte Nichts meiner Stimme einen Zwang angelegt. Man wünschte, ich solle meinen Gesang vor dem Arzte wiederholen; dies war schon eine an- dere Sache: die Stimme war weniger sicher und der Ausdruck gleich- sam umdüstert; eine alte Schwester bemerkte es und sagte boshaft, mein Gesichtchen sei dadurch nur um so rührender geworden. Der Arzt ging; alle waren hocherfreut darüber, aber keine hätte gewünscht daß er nicht gekommen wäre.

Sophie war nach Amiens zu ihrer Familie zurückgekehrt; vor ihrer Abreise hatten wir ausgewirkt daß unsere Mütter sich besuchten; sie hatten so zu sagen unsern Bund eingeweiht, hatten sich zu der Wahl ihrer Töchter gegenseitig Glück gewünscht und gelächelt zu den Versprechungen die wir vor ihren Augen gaben einander niemals zu vergessen. Dies ist wahrer geworden als sie damals glaubten, trotz der Aenderungen die man in der Folge zu beurtheilen haben wird. Mein Briefwechsel mit meiner lieben Freundin wurde sehr regelmäßig; ich schrieb ihr jede Woche eher zwei- als einmal: Und was sagten Sie ihr denn? wird man fragen. — Alles was ich sah, dachte, fühlte, bemerkte, und wahrhaftig, ich hatte viel zu sagen. Diese Mittheilungen erleichterten und nährten sich durch sich selbst; ich lernte mehr nachdenken, indem ich meine Gedanken mittheilte, ich studirte mit größerem Eifer, weil ich ein Vergnügen darin fand meinen erworbenen Wissensschatz zu theilen, und ich beobachtete mit mehr Aufmerksamkeit, weil ich mir darin gefiel den Gegenstand meiner Beobachtungen zu beschreiben. Sophie schrieb mir weniger. Eine zahlreiche Familie, viele Besuche, eine Menge Gesellschaftspflichten, dieses Leben in der Provinz das mit Kleinigkeiten sehr beschäftigt und mit gegenseitigen Besuchen ausgefüllt ist, wobei man nichts lernt und ein Theil der Zeit aus Nächstenliebe regelmäßig dem Spiele gewidmet wird, ließen ihr weder Muße sich mit mir zu unterhalten, noch die Gelegenheit so viele Dinge zu sammeln. Sie legte einen vielleicht um so größeren Werth auf diejenigen die sie von mir erhielt, und machte es mir zu einer um so angenehmeren Pflicht ihr neue Mittheilungen zuzusenden. Durch den Tod des Abbé's Le Jay sah ich mich der Hilfe seiner Bibliothek beraubt, worin ich Geschichtschreiber, Mythologen, Kirchenväter und Gelehrte gefunden hatte: Catrou und Rouillé die den Horatius Cocles einen großherzigen Halbblinden nennen;

133

Maimbourg der einen eben so guten Geschmack verräth; Berruyer der die Geschichte des Volkes Gottes geschrieben hat, in demselben Style worin Bitaubé sein Gedicht Joseph abgefaßt; den Ritter von Folard, einen Schriftsteller von ganz anderem Korn, dessen umständliche Ausführungen über kriegsgeschichtliche Angelegenheiten mir vernünftiger erschienen als die Betrachtungen der Jesuiten; den Abbé Banier der mich weit mehr ansprach als der Abbé Fleury; Condillac und den Pater André, dessen auf die Beredsamkeit, auf das Schöne in allen Zweigen des menschlichen Wissens angewandte Metaphysik mir ausnehmend gefiel; einige Dichtungen von Voltaire und Nicole's Versuche über Moral; die Lebensbeschreibungen der Väter der Wüste, so wie die des Descartes von André Baillet; die allgemeine Geschichte von Bossuet; Briefe des heiligen Hieronymus, den Roman Don Quixote und tausend andere so gut zusammenpassende Sachen. Ich mußte wohl meine Zuflucht zu den Buchhändlern nehmen. Da mein Vater sich nicht in dem Falle befand eine Auswahl treffen zu können, so verlangte er, was ich ihm bezeichnete; meine Wahl betraf solche Werke von denen ich dadurch, daß sie in den bereits gelesenen aufgeführt oder sonst genannt waren, einigermaßen einen Begriff hatte: so verlangte ich die Uebersetzungen der alten Geschichtschreiber, des Diodor von Sizilien und Anderer. Auch wollte ich die Geschichte meines Vaterlandes in einem andern Schriftsteller als Mezeray wieder nachsehen; ich wählte den Abbé Velly und seine Fortsetzer die auf eine weit weniger anziehende Art als er Epochen behandeln, über welche sie interessanter hätten sein müssen, wenn sie dasselbe Talent gehabt hätten; ferner Pascal, Montesquieu, Locke, Burlamaqui und unsre ersten dramatischen Schriftsteller. Ich hatte keine Plane und keinen andern Zweck als zu lernen und mich zu unterrichten; ich fühlte das Bedürfniß die Thätigkeit meines

Geistes zu üben, meinen ernsthaften Neigungen Nahrung zu geben;
ich fühlte das Bedürfniß nach Glück und konnte dies nur in einer
großen Entwicklung meiner geistigen Fähigkeiten finden: für mich
bestand es in der Thätigkeit. Ich weiß nicht, was unter den Händen eines gewandten Lehrers wohl aus mir geworden wäre; es ist
wahrscheinlich daß ich, wenn ich mich auf einen einzigen oder
hauptsächlichen Gegenstand geworfen hätte, es in einem Zweig der
Wissenschaft weit hätte bringen, oder ein großes Talent hätte erwerben können: wäre ich aber dadurch besser oder nützlicher geworden? dies ist eine Frage die ich dahin gestellt sein lasse, aber gewiß
wäre ich nicht glücklicher gewesen: ich kenne nichts was sich mit
der Fülle des Lebens, des Friedens, des inneren Vergnügens in
den Zeiten der Unschuld und des Studiums vergleichen ließe. Gleichwohl waren sie nicht ohne einige Störungen, wovon ja das Er-
denleben des Menschen niemals frei ist.

Ich hatte gewöhnlich mehrere Bücher zugleich unter der Hand:
die einen betrachtete ich als ernsthafte Studien, die andern mußten
mir zur Unterhaltung und Erholung dienen: langathmige, geschicht-
liche Werke wurden, wie ich oben angezeigt habe, laut vorgelesen
an den Abenden die beinahe die einzige Zeit waren wo ich bei
meiner Mutter blieb; den ganzen Tag brachte ich einsam auf meinem
Zimmer mit Auszügen, Unterhaltungs=Lektüren oder Betrachtungen
zu. An den Ruhetagen in der schönen Jahreszeit gingen wir auf
die öffentlichen Spaziergänge; mein Vater führte mich pünktlich zu
allen Gemälde= oder sonstigen Kunstausstellungen die im Jahrhundert des Luxus und dieser Art von Wohlstand in Paris häufig
genug vorkommen. Er hatte bei solchen Gelegenheiten viel Vergnügen, denn er konnte auf eine angenehme Weise seine Ueberlegenheit geltend machen, indem er mir zeigte, was er besser verstand

als ich, und sich über den Geschmack den ich entwickelte als über sein eigenes Werk freute. Dies war unser Berührungspunkt; in diesem Fall fand ein wirklicher Einklang zwischen uns statt. Er hatte zu jeder Art von öffentlichem Auftreten Lust, und man sah leicht daß er sich recht gerne vor den Leuten zeigte mit einer wohlgekleideten jungen Person am Arme deren Frische Veranlassung wurde daß zuweilen angenehme Worte an seine Ohren summten. Kam Jemand zu ihm der sein Verhältniß zu seiner Begleiterin nicht kannte so sagte er: es ist meine Tochter, und nahm dabei eine bescheidene siegprangende Miene an die ich bald genug bemerkte, und die mich sehr rührte, ohne mich stolz zu machen, denn ich sah darin weiter nichts als seine Zärtlichkeit. Wenn ich sprach, so sah man ihn bei den Andern die Wirkungen des Klanges meiner Stimme, des guten Verstandes den ich vielleicht entwickelte, beobachten und durch seine Blicke zu ihnen sagen: Habe ich nicht Ursache stolz zu sein? Ich bemerkte das alles; es machte mich manchmal schüchterner, nicht aber unbehaglich: ich dachte, ich müsse die kleine Eitelkeit meines Vaters durch meine Bescheidenheit wieder gut machen. Inzwischen diese Welt, diese Künste, die Einbildungskraft die sie erwecken, der beim weiblichen Geschlechte so natürliche Wunsch zu gefallen, meine Frömmigkeit, meine Studien, Vernunft und Glaube — wie vertrugen sich alle diese Dinge mit einander? Eben daher entstanden die Störungen von denen ich eben sprach, und deren Ueberhandnahme nebst ihren Wirkungen wohl einige nähere Auseinandersetzung verdient die indeß ziemlich schwierig zu geben ist.

Bei den gewöhnlichen Menschen unter denen das Gefühl vorherrscht versetzen die Leidenschaften dem Glauben, wenn dieser durch die Erziehung beigebracht ist, die ersten Schläge; diese sind es dann die Widersprüche hervorrufen zwischen den Grundsätzen welche man vielleicht angenommen hat, den Wünschen die sich von diesen nicht vertilgen lassen, und den Einrichtungen eines Systems das schlecht darauf berechnet ist sie zu gewähren. Aber in einem nachdenkenden jungen Kopfe der fern von den Klippen der Gesellschaft gestellt ist beunruhigt sich die Vernunft zuerst und veranlaßt zu Prüfungen, ehe man noch ein Interesse am Zweifeln hat. Wenn indessen meine Unruhe keine persönlichen Rücksichten zum Gegenstand hatte, so war sie deshalb nicht unabhängig von der Erregbarkeit meines Gefühls; ich dachte durch mein Herz, und meine Vernunft wurde dadurch daß sie sich unparteiisch hielt dennoch nie theilnahmslos.

Das Erste was in der Religion, zu der ich mich mit der Ernsthaftigkeit eines ehrlich nach Belehrung strebenden und logisch denkenden Kopfes bekannte, meinem Gefühle widerstritt, war die allgemeine Verdammung aller derer welche sie verkennen oder nichts von ihr gewußt haben. Nachdem ich an der Hand der Geschichte die Größe der Welt, die aufeinanderfolgenden Jahrhunderte, den Gang der Reiche, die öffentlichen Tugenden, die Irrthümer so vieler Nationen wohl in's Auge gefaßt, fand ich etwas Armseliges, Lächerliches, Grausames in der Vorstellung von einem Schöpfer welcher diese zahllosen Individuen, schwache Werke seiner Hand, die inmitten so vieler Gefahren auf die Erde geworfen worden und sich in der Nacht einer Unwissenheit befunden haben durch die sie schon so viel gelitten, ewigen Qualen preisgibt. „Ich habe mich in diesem Artikel getäuscht, so viel ist klar; täusche ich mich nicht auch in Beziehung auf einen andern? Prüfen wir die Sache.“ Von dem Augenblick an wo ein Katholik diesen Vernunftschluß macht kann die Kirche ihn als für sie verloren betrachten. Ich begreife vollkommen gut, warum die Priester eine blinde Unterwerfung wollen

und so eifrig einen Religionsglauben predigen der ohne Prüfung an-
nimmt und ohne Murren anbetet; es ist dies die Grundlage ihrer
Herrschaft, und ihre Herrschaft ist vernichtet, sobald man den Maß-
stab der Vernunft an sie legt. Nach der Grausamkeit der Verdammniß
fiel mir besonders der sinnwidrige Glaube an die Unfehlbarkeit auf und
ich säumte nicht auch diesen Wahn wie den ersten zu verwerfen.
„Was bleibt denn also Wahres übrig?" Dies wurde der Gegenstand
von Forschungen die ich mehrere Jahre hindurch mit einer Thätigkeit
und zuweilen einer Herzensangst fortsetzte, welche schwer zu schildern
ist. Kritische Werke, die Philosophen, die Moralisten, die Metaphysiker
wurden meine Lieblingsbeschäftigungen; ich suchte sie mir von allen
Seiten her zu verschaffen: ihre Vergleichung und Zergliederung nahm
mich wesentlich in Anspruch. Ich hatte meinen Beichtvater, den
Viktoriner, verloren; er war gestorben dieser gute Herr Vallement
dessen Ehrlichkeit und Einsicht ich mit Vergnügen noch heute dankend
anerkenne. In der Nothwendigkeit einen Nachfolger für ihn zu wählen, hatten sich meine Blicke auf den Abbé Morel gerichtet der meiner
Gemeinde zugetheilt war, und den ich bei meinem Oheim gesehen hatte.
Es war dies ein kleiner Mann dem es nicht an Geist fehlte und der
sehr strenge Grundsätze hatte: letzteres war der Grund der mich bestimmte. Wenn mein Glaube wankte, so wurde er zuerst davon in
Kenntniß gesetzt; denn ich habe mich immer fest an die Wahrheit gehalten: er beeilte sich mir Lobredner und Vertheidiger der christlichen
Religion in die Hände zu spielen, und so sah ich mich denn in die
Gesellschaft des Abbé Gauchat, des Abbé Bergier, eines Abbadie, Holland, Clarke u. s. w. versetzt. Ich studirte sie voll Eifer und machte
zuweilen Bemerkungen die ich in dem Buche ließ, wenn ich es dem
Abbé Morel zurückstellte der mich dann verwundert fragte, ob ich
selbst sie geschrieben und ausgedacht habe. Das Lustigste bei der Sache

war, daß ich durch diese Werke mit denjenigen bekannt gemacht wurde deren Widerlegungen sie bilden sollten, und mir ihre Titel aufschrieb um sie bekommen zu können. So geriethen nach und nach die Abhandlung über die Duldsamkeit, das philosophische Wörterbuch, die encyklopädischen Fragen, der gesunde Menschenverstand des Marquis von Argens, die jüdischen Briefe, der türkische Spion, die Sitten[1]), der Geist[2]), Diderot, b'Alembert, Raynal, das System der Natur in meine Hände.

Inzwischen waren die Fortschritte meines Geistes nicht die einzigen; auch die Natur machte die ihrigen nach allen Richtungen. Obgleich meine Mutter mir niemals bestimmt gesagt hatte was ich zu erwarten habe, so hatte sie sich doch gelegentlich in meiner Gegenwart deutlich genug ausgedrückt, und meine Großmutter besonders hatte zu vielen Spaß daran gefunden mir gewisse Prophezeiungen zu machen, als daß ich über das Ereigniß erstaunt sein konnte.

Ich bemerkte es mit einer Art Freude als eine Einführung in die Klasse der großen Leute, und kündete es meiner guten Mutter an die mich zärtlich umarmte, hoch erfreut mich über eine Epoche von der sie für meine Gesundheit fürchtete so glücklich hinweggehn zu sehen. Vor dieser Zeit war ich zuweilen auf eine überraschende Art aus dem tiefsten Schlafe erwacht. Die Einbildungskraft hatte keinen Theil daran; ich übte sie an zu ernsten Dingen, und mein eingeschüchtertes Gewissen bewachte sie zu sorgfältig vor jeder Belustigung mit andern, als daß es ihr möglich gewesen wäre mir etwas vorzuführen was ich mir nicht einmal begreiflich zu machen für erlaubt hielt. Aber eine

---

[1]) Von Touffaint.   A. d. H.
[2]) Von Helvetius.   A. d. H.

außerordentliche Wallung regte meine Sinne in der Wärme der Ruhe auf, und durch die Kraft einer vortrefflichen Constitution ging eine Wirkung die mir so unbekannt war wie ihre Ursache von selbst vor sich. Die erste Empfindung die daraus entsprang war, ich weiß nicht warum, eine Art von Beängstigung : ich hatte aus meiner Philothea ersehen daß es uns nicht erlaubt sei aus unserm Körper irgend ein Vergnügen zu gewinnen, außer in rechtmäßiger Ehe; diese Lehre kam mir wieder in den Sinn : das was ich empfunden hatte konnte ein Vergnügen genannt werden; ich hatte also eine Schuld auf mich ge- laden, und zwar die Art von Schuld die mich am tiefsten beschämen und schmerzen mußte, weil sie diejenige war die dem unbefleckten Lamme am meisten mißfiel. Große Aufregungen in meinem Herzen, Gebete und Kasteiungen : wie eine solche Sache vermeiden? denn ich hatte sie nicht vorhergesehen, aber in dem Augenblick wo ich sie empfunden hatte ich mir keine Mühe gegeben sie zu verhindern. Meine Wachsamkeit steigerte sich auf's äußerste; ich bemerkte daß diese oder jene Lage mich mehr der Gefahr aussetzte als eine andere, und ich vermied sie mit ängstlicher Gewissenhaftigkeit. Meine Unruhe wurde so groß daß sie mich in der Folge vor der Katastrophe aufweckte. Wenn ich sie nicht hatte verhindern können, so sprang ich über das Bett hinab, blieb trotz der Winterkälte barfüßig auf einem geglätteten Boden stehen und flehte mit gekreuzten Armen den Herrn an, daß er mich vor den Schlingen des Satans bewahren möge. Auch legte ich mir als- bald eine Entbehrung auf; ja ich that buchstäblich was der königliche Prophet uns vielleicht blos als eine orientalische Redefigur übermacht hat, d. h. ich vermischte Asche mit meinem Brod und benetzte es mit meinen Thränen. Ich habe mehr als ein Frühstück eingenommen bei welchem ich aus eitel Bußfertigkeit Asche statt des Salzes auf meine Butterbemme streute : diese Frühstücke waren mir nicht unangenehmer als die nächtlichen

Zufälle die zu sühnen ich mich zu einer solch abgeschmackten Diät verurtheilte. Endlich sah ich ein daß dies Prüfungen sein können welche der Himmel gestatte, um uns in einem demüthigen Mißtrauen gegen uns selbst zu erhalten. Ich erinnerte mich der Klagen und Gebete des heiligen Paulus, worin er um Erlösung von einem gewissen Dämon und seinen ungestümen Reizungen flehte; ich dachte mir, aus diesem Grunde habe sich der heilige Bernhard zuweilen in den Schnee geworfen, der heilige Hieronymus seinen Leib mit einem härenen Hemde bedeckt, und deßhalb werde das Fasten den nach Vollkommenheit Ringenden so nachdrücklich empfohlen. Wie demüthig und inbrünstig ich war, als ich diese Erfahrung gemacht hatte! Wie mußten meine ängstliche Stimme und Haltung, die noch lebhaftere Farbe, die feuchten und glänzenden Augen den Ausdruck eines Gesichtes vermehren auf welchem Aufrichtigkeit und Erregbarkeit des Gefühls zu lesen stand! Welch eine Mischung von Unschuld, von vorzeitigen Empfindungen, von gesundem Verstand und von Einfachheit! Wahrhaftig, ich schätze mich beinahe glücklich daß ich im Gefängnisse bin, um mich an diese pikanten Einzelheiten zu erinnern über die ich niemals weiter nachgedacht hatte, und die mich wirklich ergötzen.

Schon sehe ich neugierige Leute sich bekümmern was ich wohl in der Beichte darüber gesagt habe; es kann sie wahrhaftig nicht mehr Mühe kosten dies zu errathen, als es mich gekostet hat mich aus meiner Verlegenheit zu ziehen. Obschon die ängstlichste Selbstprüfung mein Gewissen in Beziehung auf den Willen beruhigte, so kam ich doch immer auf den Grundsatz der Philothea zurück, und wenn es auch eine Prüfung war so mußte jedenfalls mit dem Beichtvater darüber gesprochen werden. Wie sollte ich mich dabei benehmen? welchen Namen der Sache geben? wie sie beschreiben? wie konnte ich mich ausdrücken? „Mein Vater, ich klage mich an . . ." — Nun gut! Was hernach sagen? Das Herz pochte mir, das Feuer stieg mir in's Gesicht, Angstschweiß brach mir am ganzen Leibe aus: „Ich klage mich an ... Regungen gehabt zu haben welche der christlichen Keuschheit widerstreben.“ Ach die herrliche Phrase! Santeuil konnte nicht vergnügter sein als er seinen Reim gefunden, Archimedes konnte sich nicht inniger über die Lösung seiner Aufgabe freuen als ich mich über diesen Ausdruck freute. Aber wenn er noch mehr fragte? Doch es ist seine Sache dies zu wissen, ich kann einmal nicht mehr sagen. Ich zitterte an diesem Tage weit heftiger als ich in dem heiligen Stuhle niederkniete, und ich war verschleiert bis ans Kinn; ich beeilte mich mein Herz von der größten meiner Selbstanklagen zu entlasten. „Haben Sie dazu beigetragen? — Ich weiß nicht, jedenfalls fand keine Absicht statt. — Haben Sie keine schlechten Bücher gelesen? — Niemals. — Haben Sie keine schlimmen Gedanken gehegt? — Ach nein, ich fürchte mich sogar davor. — Hm, und was weiter?“ — Ich weiß nicht ob der gute Abbé Morel in diesem Augenblick nicht gegen einen bösen Gedanken zu kämpfen hatte; da er aber in seiner einsichtsvollen Genügsamkeit nichts mehr hinzufügte, so fand ich daß sein Hm! und was weiter? einem Uebergang zur Tagesordnung gleichzuschätzen war, und daß ich nicht wohl so schuldig sein konnte wie ich gefürchtet hatte. Gleichwohl ließ er sichs in der Schlußermahnung angelegen sein mir große Wachsamkeit über mich selbst anzuempfehlen, mich zu erinnern daß die Engelsreinheit die angenehmste Tugend vor dem Herrn sei, und mir andere abgedroschene Redensarten die ich täglich las ans Herz zu legen. Ich überzeugte mich daß ich gut gerathen hatte, als ich die Sache für eine Prüfung ansah und die Beispiele vom heiligen Paulus und einigen Andern auf mich anwandte. Mein Gewissen war von einer sehr peinlichen Bedenklichkeit befreit, und ich wurde wachsam ohne unruhig zu sein. Man weiß nicht wieviel Gutes diese Behutsamkeit, gleichviel auf welche Art man sie sich angewöhnt hat, für das ganze Leben stiftet. Ueber mich hat sie eine solche Herrschaft gehabt daß ich aus Grund-

sätzen der Sittlichkeit und aus Gewissenhaftigkeit die Strenge beibehielt,
auf die ich durch Frömmigkeit gerieth. Ich bin dadurch daß ich sie
beständig hofmeisterte Herrin meiner Einbildungskraft geblieben; ich
habe mir eine Art von Widerwillen gegen jedes rohe oder einsam zu
genießende Vergnügen angewöhnt, und in gefährlichen Lagen habe ich
größeren Genuß darin gefunden tugendhaft zu bleiben, wenn die Ver=
führung mich hätte verlocken können Grundsätze und die Eingebungen
der Vernunft zu vergessen. Ich erblicke die Lust wie auch das Glück
nur in der Vereinigung dessen was das Herz und die Sinne auf
gleiche Weise entzücken und keine Gewissensbisse kosten kann. Bei einer
solchen Anschauungsweise ist es schwer sich zu vergessen und unmöglich
sich wegzuwerfen; inzwischen schützt alles das nicht vor dem was man
Leidenschaft nennen kann, und vielleicht bleibt noch mehr Stoff übrig
um sie zu unterhalten. Ich könnte hier noch, um mit den Mathema=
tikern zu sprechen, hinzufügen: Wie zu erweisen wäre; nur Geduld,
wir haben Zeit um zum Beweise zu kommen.

Zu den neuen Aufregungen einer wohlorganisirten leiblichen
Natur gesellten sich allmählig alle Schattirungen der Gefallsucht: ich
liebte es in hübschem Aufzuge zu erscheinen, ich hörte dies gerne sagen
und beschäftigte mich wohlgefällig mit dem was mir einen Reiz geben
konnte. Hier ist vielleicht der Ort mein Bild anzubringen; wenigstens
paßt es so gut hierher als irgend anderswohin. Mit vierzehn Jahren
war ich wie heute ungefähr fünf Fuß hoch, somit vollkommen ausge=
wachsen; meine Beine waren wohlgeformt, die Füße hübsch gebaut, die
Hüften sehr gewölbt; die Brust war breit und sehr gut ausgestattet;
die Schultern zurückgezogen, die Haltung sicher und zierlich, der Gang
schnell und leicht: so viel auf den ersten Blick. Mein Gesicht hatte
nichts Hervorstechendes als eine große Frische, viele Sanftheit und
Ausdruck. Wenn man jeden Zug einzeln vornimmt so kann man
fragen: Wo ist da die Schönheit? es ist keiner regelmäßig, aber

zusammen bilden sie ein gefälliges Ganze. Der Mund ist ein wenig groß; man sieht tausend hübschere, aber keiner weiß zärtlicher und verführerischer zu lächeln. Das Auge dagegen ist nicht sehr groß und seine Iris ist kastanienbraun; es liegt weder zu tief, noch steht es hervor; sein offener, freier, lebhafter und sanfter Blick, über= schattet von schön gezeichneten Brauen von derselben Farbe wie die Haare, wechselt in seinem Ausbruck wie die liebevolle Seele deren Bewegungen es schildert; ernst und stolz hat es zuweilen etwas Furchtbares, weit öfter aber ist es liebkosend und immer ansprechend. Die Nase machte mir einigen Kummer, ich fand sie vorn ein wenig dick; aber als ein Theil des Ganzen und von der Seite betrachtet verderbte sie nichts. Die Stirne war breit, glatt, für dieses Alter offen, getragen von den hochgewölbten Augenhölen und bei weitem nicht so nichtssagend wie man sie in so manchen Gesichtern findet, zumal da bei der geringsten Gemüthsbewegung die mittleren Adern schwanden. Das Kinn ist ziemlich hervorstehend und hat entschieden die Merkmale welche die Physiognomiker als die der Wollust be= zeichnen; vergleiche ich dieselben mit allen meinen Eigenthümlichkeiten, so zweifle ich ob jemals eine Frau mehr für Sinnenlust geschaffen war und sie weniger genossen hat. Der mehr lebhafte als sehr weiße Teint, glänzende Farben, häufig verstärkt durch die plötzliche Röthe eines kochenden, durch äußerst reizbare Nerven erregten Blutes; eine feine Haut, ein runder Arm, eine wenn auch nicht kleine, doch nied= liche Hand, weil ihre langen und dünnen Finger auf Gewandtheit deuten und gleichwohl anmuthig bleiben; frische und schön gereihte Zähne, eine Körperfülle die auf vollkommene Gesundheit hinweist — das sind die Schätze welche die Natur mir geschenkt hat. Ich habe viele davon verloren, besonders diejenigen die sich auf Fülle und Frische beziehen; diejenigen die mir geblieben sind verschweigen noch, ohne daß ich die mindeste Kunst gebrauche, fünf oder sechs von

meinen Jahren, und sogar den Personen die mich täglich sehen muß
ich mein Alter sagen, wenn sie glauben sollen daß ich mehr als
zwei oder drei und dreißig Jahre auf dem Rücken habe. Erst seit
meinen Verlusten kenne ich Alles was ich hatte; so lange ich es
besaß wußte ich es nicht zu schätzen, und vielleicht erhöhte eben
diese Unwissenheit seinen Werth: ich beklage es in meinen jetzigen
Umständen nicht, weil ich es nicht mißbraucht habe; ließe sich aber
die Pflicht mit meiner Neigung dahin vereinen das was mir geblieben weniger unnütz zu lassen, so wäre mir das nicht unangenehm. Mein Bild ist mehrere Male gezeichnet, gemalt und gestochen
worden; keine dieser Nachahmungen giebt einen Begriff von meiner
Person; [1] ich bin schwer zu treffen, weil ich mehr Seele habe als
Form, mehr Ausdruck als Züge. Ein gewöhnlicher Künstler bringt
mein Bild nicht zu Stande, es ist sogar wahrscheinlich daß er es
gar nicht auffaßt. Meine Physiognomie belebt sich nach Maßgabe
des Interesses das man mir einflößt, wie mein Geist sich im Verhältnisse zu demjenigen entwickelt der auf mich einwirkt. Bei manchen Leuten bin ich so dumm daß ich, wenn ich meine Fähigkeiten
bei geistreichen Personen gewahrte, in meiner Gutmüthigkeit lange
Zeit geglaubt habe, ich verdanke dieselben ihrer Gewandtheit. Ich
gefalle im Allgemeinen, weil ich mich scheuen würde irgend Jemand
zu beleidigen, aber nicht Allen ist es gegeben mich hübsch zu finden und meinen Werth einzusehen. Mancher in sich selbst vernarrte
alte Geck, der kein größeres Vergnügen kennt als sein auf einer
langen Lebensbahn erworbenes Bischen Wissen auszukramen, könnte
mich zehn Jahre lang sehen ohne sichs einfallen zu lassen daß ich
noch etwas anderes verstehe als ein Paar Zahlen zusammenzurechnen
und ein Hemd zu nähen. Camille Desmoulins hat Recht gehabt

---

[1] Die Kamée von Langlois ist die am wenigsten schlechte.

sich darüber zu verwundern, daß ich bei meinem Alter und bei
so wenig Schönheit das habe was er Anbeter nennt: ich habe
ihn niemals gesprochen, aber es ließe sich eine Wette darauf eingehen daß ich einem Menschen seines Gelichters gegenüber kalt
und schweigsam, wo nicht gar abstoßend sein würde. Er hat fehl-
geschossen indem er mir einen Hof gab; ich hasse die Galans eben
so sehr als ich die Sklaven verachte, und ich verstehe mich vollkommen auf die Kunst Komplimentenschneider abzuweisen. Ich bedarf vor allem der Hochachtung und des Wohlwollens; man mag
mich nachher bewundern wenn man will, aber man muß mich auszeichnen und werthschätzen: und das bleibt auch nie aus wenn man
mich öfter sieht, und wenn man einen gesunden Verstand und ein
Herz besitzt.

Diese Neigung zu gefallen, die einen herankeimenden Busen
schwellen macht, die eine süße Regung hervorruft bei den schmeich-
lerischen Blicken deren Gegenstand zu sein man sich überzeugt, verbreitete in ihrer auffallenden Verbindung mit der schüchternen Scham-
haftigkeit und der Strenge meiner Grundsätze einen ganz eigenthümlichen Zauber über meine Person, der auch auf meine Toilette
überging. Nichts anständiger als mein Aufzug und sittsamer als
meine Haltung; ich liebte es Rückhaltsamkeit darin auszudrücken;
es war mir damit blos um Anmuth zu thun, und man pries ihren
Liebreiz. Inzwischen vertrug sich diese absagende Verzichtung auf die
Welt, diese Verachtung ihrer Herrlichkeit und ihrer Werke die von
der christlichen Sittenlehre beständig empfohlen wurde schlecht mit
den Eingebungen der Natur; dieser Widerspruch quälte mich im
Anfang, allein der Gebrauch der Vernunft dehnte sich nothwendig
über die Verhaltungsregeln wie über die Geheimnisse welche Glau-
bensgegenstände sind aus: ich bemühte mich mit gleicher Aufmerksamkeit zu forschen was ich thun müsse, und zu prüfen was ich

glauben könne. Die Philosophie, als Wissenschaft der Sitten und als Grundlage der Glückseligkeit betrachtet, wurde mein einziges Studium; auf dieses bezog ich alle meine Lektüren und Beobachtungen.

Es ging mir in der Metaphysik, in der Welt der Systeme wie es mir bei Lesung von Dichterwerken ergangen war. Ich glaubte mich in die Person des Dramas verwandelt die am meisten Aehnlichkeit mit mir hatte oder die ich am meisten schätzte: ich erklärte mich für die Ansichten deren Neuheit oder Glanz am meisten Eindruck auf mich gemacht hatte; sie blieben die meinigen bis zu einer neuen oder tieferen Erörterung. So trat ich im controversistischen Gebiet auf Seite der Schriftsteller des Port-Royal[1]); ihre Logik und ihre Strenge sagten meinem Charakter zu, während ich gegen den mit Schlupfwinkeln sich behelfenden und süßlichen Jesuitismus einen natürlichen Widerwillen empfand. Wenn ich den alten Sekten der Philosophen folgte so gab ich die Palme den Stoikern; ich versuchte es wie sie den Satz durchzuführen daß der Schmerz kein Uebel sei, und da dieser Wahnsinn nicht von Dauer sein konnte, so setzte ich wenigstens alle meine Hartnäckigkeit darein mich niemals von ihm überwältigen zu lassen; meine geringen Erfahrungen überzeugten mich daß ich die größten Leiden ertragen könnte ohne zu schreien. Eine erste Nacht der Ehe warf meine Einbildung die ich bis dahin bewahrt hatte über den Haufen; freilich trug hier auch die Ueberraschung das Ihrige bei, und eine stoische Novize muß gegen das vorhergesehene Uebel stärker sein als gegen das welches unvermuthet trifft, zumal wenn sie gerade das Gegentheil erwartet hat.

Zwei Monate lang hatte ich, während ich Descartes und Malle-

---

[1]) Diese Abtei war die Wiege des Jansenismus der in der katholischen Kirche ein Jahrhundert lang so heftige Kämpfe verursachte.   A. d. H.

branche las, meine Katze wenn sie miaute als eine Maschine betrachtet die ihr Spiel mache; aber indem ich so das Gefühl von
diesen Zeichen trennte war es mir als secirte ich die Welt, und ich
sah nichts Verbindendes mehr darin; ich fand es weit angenehmer
allem eine Seele zu leihen, und ich hätte lieber die des Spinoza
angenommen als sie ganz entbehrt. Helvetius that mir wehe; er
vernichtete die entzückendsten Traumbilder; er zeigte mir überall ein
abstoßendes Interesse, und doch welcher Scharfsinn, welche glückliche
Entwicklung! Ich überredete mich Helvetius schildere die Menschen
wie sie in der Verdorbenheit der Gesellschaft geworden seien. Ich
dachte die Beschäftigung mit diesen Schriftstellern könne gut sein,
wenn man sich mit der sogenannten Welt einlassen wolle ohne von
ihr zum Besten gehalten zu werden, aber ich hütete mich wohl seine
Grundsätze anzunehmen um den eigentlichen Menschen kennen zu
lernen und mich selbst zu beurtheilen. Ich hätte mich dadurch herab-
zuwürdigen geglaubt: ich fühlte mich einer Großmuth fähig die er
nicht anerkennt. Mit welchem Entzücken hielt ich ihm die großen
Züge aus der Geschichte und die Tugenden der von ihr gefeierten
Helden entgegen! Ich las nie von einer schönen Handlung ohne zu
mir zu sagen: „So würde ich auch gehandelt haben." Ich be-
geisterte mich leidenschaftlich für die Republiken in denen ich am
meisten Tugenden fand die meine Bewunderung rege machten, und
Männer die meiner Hochachtung würdig waren; ich überredete mich
daß ihre Regierungsweise die einzige sei welche sich für die einen
und für die andern eignen; ich fand mich der ersteren nicht unfähig, mit Entrüstung verwarf ich den Gedanken mich einem Manne
zu verbinden der sich nicht mit den zweiten messen könnte, und seufzend
fragte ich mich warum ich nicht in ihrem Schooße geboren worden.

Wir machten eine Reise nach Versailles, meine Mutter, das
Onkelchen, Fräulein von Hannaches und ich; diese Reise hatte

keinen andern Zweck als mir den Hof mit seiner Residenz zu zeigen und uns an diesem Anblick zu vergnügen. Wir wohnten im Schlosse. Frau Legrand, Kammerfrau der Dauphine, kannte den Abbé Bimont durch ihren Sohn, einen Jugendfreund von ihm, auf den ich noch zu sprechen kommen werde, und da dieser nicht zu Hause war so wies sie uns sein Zimmer an. Es war zunächst unter dem Dache auf einem und demselben Gange wie das des Erzbischofs von Paris, und so nahe an demselben, daß dieser Prälat sich in Acht nehmen mußte wenn wir ihn nicht sollten sprechen hören. Dieselbe Vorsicht war uns nöthig. Zwei mittelmäßig meublirte Zimmer in deren einem man in der Höhe eine Schlafstätte für einen Bedienten angebracht hatte, Zimmer deren Eingang durch die Dunkelheit der Hausflur und den Geruch der Abtritte abscheulich war bildeten die Wohnung, deren Besitz ein Herzog und Pair von Frankreich sich zur Ehre rechnete um desto sicherer Gelegenheit zu haben jeden Morgen zum Lever der Majestäten zu kriechen: ich spreche von keiner geringeren Person als dem strengen Eiferer Beaumont[1]). Acht Tage sahen wir die großen und kleinen Gedecke der ganzen versammelten und vereinzelten Familie, die Messen, die Ausflüge, die Spiele und Vorstellungen mit an. Die Bekanntschaften der Frau Legrand verschafften uns allerhand angenehme Gelegenheiten; Fräulein von Hannaches drang allenthalben stolz ein, stets bereit ihren Namen Jedem ins Gesicht zu schleudern der ihr Widerstand entgegensetzen

---

[1]) Beaumont war es der gegen Rousseau's Emil einen Hirtenbrief an seinen Sprengel erließ. Rousseau vertheidigte sich in der Schrift: Jean Jaques Rousseau à Christophe de Beaumont, Archevêque de Paris, die dem Namen dieses Priesters die Unsterblichkeit sichert. Als eine merkwürdige Ironie des Schicksals ist zu erwähnen, daß das nämliche Parlament, welches den „Emil" zum Feuer verdammte auch einen Erlaß des Erzbischofs am Fuße der großen Treppe des Justizpalastes verbrennen ließ.   A. d. H.

würde, und im festen Glauben man müsse die sechshundert Jahre ihres bewährten Adels auf ihrer abschreckenden Physiognomie lesen. Sie kannte zwei oder drei von der königlichen Leibgarde deren Geschlechtstafeln sie aufs Genauste vortrug, indem sie sich als die Verwandte desjenigen vorstellte dessen Name der älteste war, und der mir. nichtsdestoweniger eine sehr kleine Person bei Hofe zu sein schien. Die artige Erscheinung eines Krägleins wie der Abbé Bimont, der blödsinnige Stolz der garstigen Hannaches paßten eben nicht schlecht an diese Orte; aber das ungeschminkte Gesicht meiner verehrungswürdigen Mutter und die Anständigkeit meiner Kleidung verkündeten das Bürgerpack: wenn meine Augen oder meine Jugend einiger Worte würdig gefunden wurden so schmeckte dies nach gnädiger Herablassung und war mir fast eben so widerwärtig wie die Komplimente der Frau von Boismorel. Die Philosophie, die Einbildungskraft, das Gefühl und die Berechnung waren bei mir gleich geübt. Ich war nicht unempfänglich für die Wirkung eines großen Gepränges, aber es empörte mich daß dasselbe die Verherrlichung einiger bereits allzumächtiger und an und für sich nicht im Geringsten merkwürdiger Personen zum Zweck haben sollte; ich sah lieber die Bildsäulen in den Gärten als die Personen im Schlosse, und als meine Mutter mich fragte ob ich mit meiner Reise zufrieden sei antwortete ich ihr: „Ja, vorausgesetzt daß sie bald zu Ende geht; noch ein paar Tage und ich werde die Leute die ich sehe dermaßen verabscheuen, daß ich nicht mehr weiß was ich mit meinem Hasse anfangen soll. — Was thun sie dir denn zu Leide? — Daß ich die Ungerechtigkeit empfinden und jeden Augenblick die Abgeschmacktheit betrachten muß.“ Ich seufzte bei dem Gedanken an Athen, wo ich auf gleiche Weise die schönen Künste bewundert hätte ohne durch den Anblick des Despotismus verletzt zu werden. Ich erging mich im Geiste in Griechenland, ich wohnte den olympischen

Spielen bei und ärgerte mich daß ich Französin war. Mit solchen
Eindrücken von Allem was mir die schönen Zeiten der Republiken
dargeboten, ging ich über die Stürme von denen sie aufgeregt worden
waren weg; ich vergaß den Tod des Sokrates, die Verbannung
des Aristides, die Verurtheilung Phocions. Ich wußte nicht daß der
Himmel mich bestimmt hatte Zeugin ähnlicher Verirrungen zu sein
wie diejenigen deren Opfer diese Männer geworden, und an dem
Ruhm einer Verfolgung derselben Art Theil zu nehmen, nachdem
ich mich laut und offen zu ihren Grundsätzen bekannt. Gott ist
mein Zeuge daß das Ungemach das meine Person betrifft mir keine
Klage und keinen Seufzer entreißt; ich leide nur an den Leiden
meines Vaterlandes. Bei den Zwistigkeiten zwischen dem Hof und
den Parlamenten im Jahr 1771 gewannen mich mein Charakter
und meine Ansichten für die letztgenannte Partei: ich verschaffte mir
alle ihre Protestationen, und diejenigen gefielen mir am besten
welche die stärksten Wahrheiten in der kühnsten Sprache enthielten.
Der Kreis meiner Gedanken dehnte sich immer mehr aus: mein
eignes Glück und die Pflichten an deren Erfüllung es geknüpft sein
konnte beschäftigten mich schon in sehr früher Jugend; das Bedürfniß Kenntnisse zu sammeln veranlaßte mich sofort die Geschichte zu
verschlingen und meine Blicke auf Alles zu richten was mich umgab;
die Beziehungen der Menschenkinder zu der so verschieden, in so
grobem und in so falschem Lichte dargestellten Gottheit erregten
meine Aufmerksamkeit; die Interessen der gesammten Menschheit und
die Organisation der Gesellschaft fesselten sie für immer.

Inmitten der Zweifel, der Ungewißheit und der Forschungen
die sich auf diese großen Gegenstände bezogen, stellte sich bald so viel
für mich fest, daß die Einheit des persönlichen Ich, wenn ich so
sagen darf, d. h. der größte Einklang zwischen den Meinungen und
der Handlungsweise zur Wohlfahrt des Menschen nothwendig sei:

man muß folglich prüfen was Recht ist, und wenn man es einmal erkannt hat sich in der Ausführung streng daran halten. Nun gibt es eine Art von Gerechtigkeit die man gegen sich selbst zu beobachten hat, und wenn man ganz allein in der Welt lebte : man muß seine eigenen Neigungen und Gewohnheiten regeln um nicht der Sklave der einen oder andern von ihnen zu sein. Ein Wesen ist an und für sich gut, wenn alle seine Theile zu seiner Erhaltung, seiner Kräftigung oder seiner Vervollkommnung mitwirken: diese Wahrheit gilt sowohl für seine sittliche als für seine leibliche Natur. Die Richtigkeit der Organisation, das Gleichgewicht der Säfte machen die Gesundheit aus; gesunde Speisen, eine mäßige Bewegung erhalten dieselbe. Das angemessene Verhältniß der Neigungen, der Einklang der Leidenschaften bilden die sittliche Beschaffenheit deren Vortrefflichkeit und Dauer nur allein durch Weisheit gesichert werden kann. Ihre ersten Grundsätze beruhen auf dem eignen Interesse der Person; und in dieser Beziehung sagt man mit aller Wahrheit daß die Tugend nur eine richtige Beschaffenheit des Geistes in seiner Anwendung auf die Sitten ist. Aber die eigentliche Tugend findet ihre Entstehung nur in den Beziehungen eines Wesens zu Seinesgleichen; man kann für sich weise, tugendhaft aber nur in einem Verhältniß zu Andern sein. In der Gesellschaft bekommt Alles Beziehung auf einander; es gibt kein unabhängiges Glück mehr; man ist genöthigt einen Theil desjenigen was man genießen könnte aufzuopfern um sich nicht der Gefahr auszusetzen es gänzlich zu verlieren, und eine Bürgschaft dafür zu bekommen daß immer ein gutes Stück davon vor jedem Angriffe geschützt bleibt. Hier schlägt selbst die Berechnung zu Gunsten der Vernunft aus. So mühevoll das Leben der rechtschaffenen Menschen sein mag, so ist es dies doch in geringerem Grade als das der schlechten. Man ist selten ruhig wenn man mit dem Interesse der Mehrzahl in Widerspruch tritt; man kann sichs unmöglich verhehlen daß man von Feinden umgeben ist oder von Personen die jeden Augenblick im Begriffe stehen es zu werden, und diese Lage ist immer peinlich, so viel Anziehendes sie auch dem äußeren Scheine nach haben mag. Man füge zu diesen Betrachtungen den erhabenen Naturdrang welchen die Verderbniß zwar vom rechten Wege abführen, eine falsche Philosophie aber niemals vernichten kann, der uns veranlaßt die Weisheit und den Edelsinn in den Handlungen so wie das Ebenmaß und die Größe in der Natur und den Künsten[1]) zu bewundern und zu lieben, und wir werden die Quelle der menschlichen Tugenden haben, ganz unabhängig von jedem religiösen System, von den metaphysischen Alfanzereien und den Betrügereien der Priester. Sobald ich mir diese Wahrheiten gründlich bewiesen hatte athmete ich freudig wieder auf; sie boten mir einen Hafen im Sturme an, und ich konnte nunmehr mit weniger Angst untersuchen was dem Glauben der Völker und den gesellschaftlichen Einrichtungen Irrthümliches anklebt. Die schöne Idee von einem Gott als Schöpfer dessen Vorsehung über die Welt wacht, die Geistigkeit der Seele, ihre Unsterblichkeit, diese trostreiche Hoffnung für die verfolgte Tugend, sollten sie blos liebenswürdig glänzende Traumbilder sein? In wie viel Gewölke sind diese schwierigen Fragen eingehüllt! Wie mannichfache Einwürfe erheben sich wenn man sie mit mathematischer Strenge behandeln will! Nein, der menschliche Geist ist nicht berufen sie jemals

---

[1]) Ich schreibe dies am 4. September Abends 11 Uhr, während in dem nächsten Zimmer an dem meinigen schallendes Gelächter ertönt. Die Schauspielerinnen vom Theatre Français die gestern verhaftet und nach Sainte-Pelagie gebracht wurden sind heute um der Wegnahme der Siegel beizuwohnen nach Hause abgeführt und dann ins Gefängniß zurückgeleitet worden, wo der Offizier friedlich mit ihnen zu Nacht speist und sich lustig macht. Es herrscht lärmende Freude bei dem Mahle, man hört mit plumpen Redensarten um sich werfen, und die fremden Weine schäumen. Der Ort, die Beschäftigung bilden ein Widerspiel das mir pikant zu sein scheint.

fie jemals im Lichte einer vollkommenen Klarheit zu erblicken, aber
was liegt der gefühlvollen Seele daran, ob fie diefelben beweisen kann
oder nicht? Ist es nicht genug fie zu fühlen?

Im stillen Kämmerlein und bei der Trockenheit der Forschung
werde ich mit dem Atheisten oder Materialisten die Unlösbarkeit gewisser Fragen zugestehen; aber draußen im Freien und in der Betrachtung der Natur erhebt fich mein bewegtes Herz zu dem lebendigmachenden Urgrund der fie befeelt, zu dem hohen Verstande der fie
anordnet, zu der Güte die mich fo viele Reize darin finden läßt. Wenn
unerfteigliche Mauern mich von dem trennen was ich liebe, wenn alle
Leiden der Gefellschaft zu gleicher Zeit über uns kommen, als follten
wir dafür geftraft werden daß wir ihr höchstes Wohl gewollt haben,
dann fehe ich jenfeits der Schranken diefes Lebens den Preis unferer
Opfer und das Glück uns wieder zu vereinigen.

Wie? auf welche Art? ich weiß es nicht, ich fühle bloß daß es
fo fein muß.

Der Atheist ift in meinen Augen kein verirrter Geift; ich kann
mit ihm fo gut und noch beffer leben als mit dem Frömmler, denn er
gebraucht feine Vernunft mehr; aber es mangelt ihm an Sinn,
und meine Seele verfchmelzt fich nicht vollkommen mit der feinigen:
beim entzückendften Schaufpiel bleibt er kalt und fucht nach einem Ver-
nunftfchluß während ich ein Dankgebet fpreche. Ich bin nicht auf einmal zu diefer feften und friedlichen Haltung gelangt, worin ich während
ich mich an den Wahrheiten die für mich erwiefen find erfreue, während ich mich vertrauensvoll glücklichen Empfindungen hingebe, mich
befcheide das nicht zu wiffen was ich nicht zu erkennen vermag ohne mich jemals über die Anfichten Anderer zu bekümmern.
Ich zeichne in wenigen Worten das Ergebniß einiger Jahre des
Nachdenkens und Studiums, in deren Verlauf ich zuweilen die

7

Anforderungen des Deïsten, die Strenge des Atheïsten, die Sorglosig=
keit des Skeptikers getheilt habe. Aber immer aufrichtig, weil ich nie
einen Vortheil darin finden konnte meinen Glauben zu ändern, um in
der Strenge meiner Sitten, wofür ich meine Richtschnur jenseits aller
möglichen Vorurtheile hatte, etwas nachzulassen, habe ich die Auf=
regungen des Zweifels gehabt ohne die Qualen der Furcht. Ich hielt
mich an die eingeführte Art Gott zu verehren, weil mein Alter, mein Ge=
schlecht, meine Stellung mir dies zur Pflicht machten: unfähig zu betrügen
sagte ich zu dem Abbé Morel: „Ich komme in die Beichte um meinen
Nächsten zu erbauen und meine Mutter nicht zu beunruhigen, aber ich
weiß nicht wessen ich mich anklagen sollte; mein Gemüth ist so ruhig und
meine Neigungen sind so einfach, daß mein Gewissen mir nichts vor=
wirft, obschon ich mirs zu keinem großen Verdienste anrechne das Gute
zu thun. Inzwischen bin ich zuweilen allzusehr mit dem Wunsche zu
gefallen beschäftigt und werde manchmal zu heftig und ungeduldig
gegen meine Umgebung, wenn irgend etwas Ungeschicktes vorkommt.
Ich bin vielleicht nicht nachsichtig genug in meinen Urtheilen, und ohne
es merken zu lassen fasse ich allzuleicht eine Abneigung gegen Personen
die mir dumm oder widerwärtig erscheinen: ich will mich in dieser Be=
ziehung besser beobachten. Endlich bin ich in den Religionsübungen
zu zerstreut und zu kalt; denn ich gestehe daß eine gewisse Aufmerk=
samkeit bei Allem nothwendig ist was zu thun man aus irgend einem
Grunde für nützlich hält.“ Der gute Abbé Morel, der seine Bibliothek
und seine Redekunst erschöpft hatte um mich gläubig zu erhalten, zeigte
Verstand genug meine Ansicht nicht ganz und gar zu verwerfen; nur
ermahnte er mich dem menschlichen Hochmuthe zu mißtrauen, schilderte
mir so gut er konnte die Annehmlichkeiten der Religion, ertheilte mir
in seiner verständigen Weise die Absolution und war noch wohl zufrie=
den, wenn ich zwei= oder dreimal des Jahres zu Gottes Tisch ging,

aus philosophischer Duldsamkeit nämlich, da es nicht mehr Glaubenssache für mich war. Ich nahm die göttliche Speise und dachte dabei an den Ausspruch Cicero's, daß den Menschen nach allen ihren Thorheiten in Beziehung auf die Gottheit nichts mehr übrig bleibe als dieselbe in eine Eßwaare zu verwandeln und zu verzehren. Meine Mutter neigte sich mit jedem Tage mehr einer Art von Frömmigkeit zu, die mir weniger erlaubte mich von den gewöhnlichen Gebräuchen zu entfernen, und ich fürchtete nichts so sehr als sie zu betrüben.

Der Abbé Legrand, ein Freund des Abbé Bimont, kam manchmal zu ihr. Es war dies ein Mann von vortrefflichem Urtheil, der von seinem Stande nichts an sich hatte als das Gewand das ihm lästig genug fiel. Seine Familie hatte ihn zum Priester gemacht, weil man von drei Brüdern doch wohl einen der Kirche weihen mußte: er war Almosenier des Prinzen von Lamballe gewesen, nach dessen Tod von Penthièvre in Ruhestand versetzt worden, hatte sich dann, weil er doch irgendwo sein mußte, in einer Gemeinde niedergelassen und zwar in der Nachbarschaft seines Freundes, um dessen Umgang zu genießen. Von Natur sehr kurzsichtig war er schon in früher Jugend blind geworden: ein Umstand der seinen Hang zu philosophischen Betrachtungen noch vermehrte und ihn vollends zum Denker machte. Er plauderte gerne mit mir und brachte mir oft Bücher. Es waren beinahe immer philosophische Werke, über deren Grundsätze er sich sehr frei aussprach. Meine Mutter ließ sich nicht viel auf solche Erörterungen ein; ich wagte es nicht die Sache sehr weit zu treiben, inzwischen hatte sie gegen mein Lesen und gegen diese meine Wahl der Beschäftigung nichts einzuwenden. Ein Uhrmacher aus Genf der mit meinem Vater in Geschäftsverhältnissen stand, ein guter Mann der unter seinem Handwerkszeug immer auch ein Buch hatte und eine ziemlich hübsche Bibliothek besaß, welche er besser kannte als mancher vornehme Herr die seinige kennt, bot mir diesen kleinen meiner Neigung vollkommen entsprechenden Schatz zur Benützung an, und ich machte Gebrauch von seiner Gefälligkeit. Dieser gute Herr Moré besaß viel gesunden Men= schenverstand und wußte nicht bloß von seiner Kunst, sondern auch von Moral und Politik zu sprechen; wenn er sich auch mühsam, sogar mit einer Langsamkeit ausdrückte die meiner Ungeduld kaum erträglich schien, so theilte er doch wenigstens mit den meisten seiner Landsleute jene feste vernünftige Grundlage über welcher man den Mangel an Anmuth gerne vergißt. Von ihm bekam ich Buffon und viele andere Werke; ich nenne den ersten mit Namen um an das zu erinnern, was ich weiter oben über die Behutsamkeit gesagt habe mit der ich ihn las: indem die Philosophie die Kraft meiner Seele entwickelte und meinem Geiste Kühnheit gab, verminderte sie um nichts die Bedenklichkeit meines Gefühls und die Empfindlichkeit meiner Einbildungskraft, gegen welche ich so harte Kämpfe zu bestehen hatte. Die Physik zuerst, dann die Mathematik übten einige Zeit lang meine Thätigkeit; Nollet, Reau= mür, Bonnet, welche schwärmen wenn Andere beschreiben, ergötzten mich einer nach dem andern, eben so auch Maupertuis, welcher Jere= miaden anstellt selbst während er die Vergnügungen der Schnecken schildert. Endlich brachte mich Rivard zu dem Wunsche die Geometrie zu erlernen. Guering, ein Marmorarbeiter und Feldmesser, ein ver= nünftiger und gutherziger Mann, kam eines Tags um meinen Vater zu sprechen und fand mich so emsig mit dem Rivard'schen Quartbande beschäftigt daß ich seine Ankunft nicht gewahr wurde. Er ließ sich in ein Gespräch mit mir ein, bemerkte mir Clairauts Elemente wür= den auf meiner dermaligen Stufe besser für mich taugen, und brachte mir am andern Tag ein Exemplar das ihm zu Gebot stand. Ich fand darin wirklich eine einfache Zurückführung der ersten Grundsätze; da ich nun sogleich einsah daß das Werk mir nützlich sein werde, und daß

es sich nicht schicken würde es dem Eigenthümer so lange zu entziehen als ich es zu behalten wünsche, so faßte ich gradezu den
Entschluß es von vorn bis hinten abzuschreiben und noch seine sechs
Kupfertafeln abzuzeichnen. Ich muß über dies Geschäft lachen, so
oft ich daran benke. Jeder andere Mensch hätte das Werk zu kaufen
gewünscht; aber dieser Gedanke kam mir gar nicht: dagegen schien
es mir eben so natürlich es abzuschreiben als eine Zeichnung durch-
zustechen, und ich machte mich beinahe sogleich an die Arbeit; es
war ein kleiner Octavband. Ich muß dieses drollige Manuscript noch
unter meinen alten Papieren haben. Die Geometrie machte mir viel
Spaß so lange keine Algebra dazu nöthig war; letztere widerte mich
durch ihre Trockenheit an, sobald ich über die Gleichungen des ersten
Grades hinaus war: ich wünschte die tausenderlei Brüche ins Pfef-
ferland, und fand es weit besser schöne Verse zu lesen als über
Wurzelrechnungen zu versauern. Vergebens suchte einige Jahre später
Herr Roland, als er mir den Hof machte, diese frühere Liebhaberei
wieder in mir zu erwecken; wir machten eine Menge Ziffern, aber
die Rechnung mit x schien mir nie liebenswürdig genug um mich
lange mit ihr abzugeben.

5. September.

Ich schneide das Papier ab um das Geschriebene in
die kleine Schachtel zu legen; denn wenn ich eine Revo-
lutionsarmee bekretiren, neue Blutgerichte bilden, Hun-
gersnoth brohen und die Tirannen in den letzten Zügen
liegen sehe, so sage ich mir daß sie im Begriffe stehen
neue Opfer zu schlachten, und daß Niemand sicher ist
noch vierundzwanzig Stunden zu leben.

Der Briefwechsel mit Sophie war immer eine meiner Haupt-

freuden; die Bande unfrer Freundschaft hatten sich auf ihren wiederholten Reisen nach Paris fester geknüpft. Meinem fühlenden
Herzen war, ich will nicht sagen ein Wahnbild, sondern ein haupt-
sächlicher Gegenstand, namentlich aber Vertrauen und Mittheilung
ein Bedürfniß; die Freundschaft bot mir was ich verlangte, und es
war mir eine Wonne sie zu unterhalten. So angenehm mir auch
das Verhältniß zu meiner Mutter war, so konnte es mir doch eine
Herzensneigung dieser Art nicht ersetzen; es behielt immer eine gewisse Ernsthaftigkeit, wie sie auf der einen Seite die Hochachtung,
auf der andern das mütterliche Ansehen mit sich bringen mußte.
Meine Mutter durfte Alles wissen, denn ich hatte nichts vor ihr
zu verbergen, aber ich konnte ihr nicht alles sagen; eine Mutter
empfing Geständnisse, vertraute Mittheilungen dagegen sind nur bei
Seinesgleichen möglich.

Ohne die Vorlegung meiner Briefe an Sophie zu verlangen
war meine Mutter sehr erfreut wenn ich sie ihr zeigte, und unser
Vertrag in dieser Beziehung hatte etwas Lustiges; wir hatten uns
verstanden ohne ein Wort darüber zu verlieren. Wenn ich Nachrichten von meiner Freundin erhielt, was alle Wochen regelmäßig
geschah, so las ich einige Stellen aus ihrem Briefe vor, theilte ihn
aber nicht mit; wenn ich an sie geschrieben hatte so ließ ich meinen
Brief, zusammengelegt und überschrieben aber noch nicht versiegelt
einen Tag lang auf meinem Tische liegen: meine Mutter ermangelte
nicht leicht einen Augenblick zu ergreifen um ihn anzusehen, that
dies jedoch selten in meiner Gegenwart, oder wenn es sich so schickte
so hatte ich sogleich einen Grund mich zu entfernen. Mochte sie ihn
nun gelesen haben oder nicht, sobald die Zeit die ich für nothwendig hielt
daß sie es thun konnte verflossen war, siegelte ich meinen Brief,
nicht immer ohne eine Nachschrift beigefügt zu haben. Sie hat

mit mir nie über das gesprochen was sie auf diese Art gelesen hatte; aber ich ermangelte nicht ihr auf dem gedachten Wege Alles zu wissen zu thun, was ich sie über meine Gemüthsstimmung, meine Neigungen und meine Meinungen erfahren zu lassen wünschte: ich setzte dieselben mit einer Freiheit auseinander die ich ihr gegenüber nicht anzunehmen gewagt hätte. Meine Offenherzigkeit verderbte dabei nichts; denn ich fühlte daß ich das Recht dazu hatte, ohne daß man mir auf der andern Seite einen Vorwurf darüber machen durfte. Ich habe seitdem oft gedacht, wenn ich an der Stelle meiner Mutter gewesen wäre, so hätte ich ganz die Freundin meiner Tochter zu werden gewünscht, und wenn ich heute etwas bedaure so ist es der Umstand, daß die meinige nicht ist wie ich damals war: wir würden sonst Kamerädinnen sein, und dies würde mich glücklich machen. Aber meine Mutter war bei vieler Güte dennoch kalt; sie hatte noch mehr Verstand als Gefühl, mehr Gemessenheit als Herzenswärme. Vielleicht bemerkte sie bei mir auch einen Schwung der mich weiter führen würde als sie; ihr Benehmen that mir daher keinen Zwang an, ließ aber auch kein vertrauliches Verhältniß aufkommen. Sie war nicht liebkosend, obgleich ihre Augen von Zärtlichkeit leuchteten und gewöhnlich auf mich gerichtet waren. Ich fühlte ihr Herz, es durchdrang das meinige; aber ihre Rückhaltsamkeit flößte mir eine gleiche ein die ich ihr gegenüber nicht gehabt haben würde; man konnte sagen, die Entfernung zwischen uns sei größer geworden seit ich die Jahre der Kindheit hinter mir hatte. Meine Mutter hatte eine Würde die allerdings ans Herz sprach, aber immerhin Würde war; die Entzückungen meiner glühenden Seele wurden dadurch gedämpft, und ich habe die ganze Ausdehnung meiner Anhänglichkeit an sie erst durch die Verzweiflung und den Wahnsinn kennen gelernt worein ihr Verlust mich stürzte.

Unfre Tage flossen in wonniger Ruhe dahin; ich brachte den größten Theil derselben mit meinen einsamen Studien zu und hatte mich vollständig ins Alterthum versetzt, dessen Geschichte und Künste ich verfolgte, dessen Ansichten und Lehren ich prüfte. Die Morgenmesse, einige Stunden lang eine gemeinschaftliche Lektüre, die Mahlzeiten und die Ausgänge waren die einzigen Zeiten meines Zusammenseins mit meiner Mutter. Ausgänge kamen selten vor, und wenn Besuche erschienen die mir nicht gefielen, so verstand ich es recht gut auf meinem Stübchen zu bleiben, auch hätte mir meine gute Mutter niemals das Leid angethan mich aus demselben abzuberufen. Alle Sonn- und Feiertage wurden Spaziergängen gewidmet die sich oft ziemlich weit erstreckten; bald waren sie hauptsächlich auf das Land gerichtet, weil ich dasselbe den Ziergärten der Hauptstadt vorzog, Inzwischen war ich auch nicht unempfänglich gegen das Vergnügen zuweilen auf den öffentlichen Spaziergängen zu erscheinen; sie boten damals ein sehr glänzendes Schauspiel dar bei welchem die Jugend immer eine angenehme Rolle hatte. Persönlichen Reizen wurden hier beständig Huldigungen zu Theil welche selbst die größte Bescheidenheit sich nicht verhehlen kann, und wornach es das Herz eines jungen Mädchens immer sehr gelüstet. Indessen genügten sie dem meinigen nicht. Ich empfand nach diesen Spaziergängen, auf welchen meine Eigenliebe sehr aufgeregt wurde und mit allem auf der Lauer stand was mich in einem vortheilhaften Lichte erscheinen lassen und vergewissern konnte, daß ich meine Zeit nicht verloren habe, eine unerträgliche Leere, eine Unruhe und einen Widerwillen welche mich die Vergnügungen der Eitelkeit allzutheuer bezahlen ließen. Gewohnt zu denken, mir Rechenschaft über meine Empfindungen abzufordern, forschte ich schmerzlich nach den Ursachen dieses Mißbehagens, und meine Philosophie wurde im vollsten Maaße geübt.

Werden denn die Mädchen darum zur Tugend gebildet, erwerben sie dazu Talente, um gleich den Blumen in einem Lustgarten den Vorübergehenden in die Augen zu glänzen und einige leere Schmeichelworte zugeworfen zu erhalten? Was bedeutet dieses ungemeine Verlangen nach Vergnügen von dem ich mich verzehrt fühle und das mich nicht glücklich macht, selbst wenn es befriedigt sein zu müssen scheinen sollte? Was liegt mir an den neugierig lüsternen Blicken, an den leise geflüsterten Artigkeiten einer Menge die ich nicht kenne und die vielleicht aus Leuten zusammengesetzt ist, die ich nicht achten würde wenn sie mir bekannt wären? Bin ich denn dazu auf der Welt um mit gehaltlosen Beschäftigungen, mit ungestümen Empfindungen mein Dasein zu vergeuden? O gewiß, ich habe eine bessere Bestimmung; diese Bewunderung, die mich für Alles was schön, weise, groß und edel ist entflammt, lehrt mich daß ich berufen bin mich auf demselben Gebiete zu üben; die erhabenen und entzückenden Pflichten einer Gattin und Mutter werden bereinst die meinigen sein; ich muß meine jungen Jahre dazu verwenden mich zur Erfüllung derselben fähig zu machen; ich muß ihre Bedeutsamkeit studiren, muß durch Regelung meiner eigenen Neigungen lernen wie ich mit der Zeit die meiner Kinder zu leiten habe; durch die Gewohnheit sorgfältig und pflichtmäßig meinen Geist zu schmücken, muß ich mir die Mittel sichern das Glück der süßesten aller Verbindungen zu machen; dem Mann der mein Herz verdienen wird das Paradies auf Erden zu bereiten und auf unsre ganze Umgebung das Wonnegefühl ausstrahlen zu lassen, das ich in ihm erwecken werde und das ganz und gar mein Werk sein soll. Bei solchen Gedanken hob sich mein Busen, mein bewegtes, geschwelltes, weichgestimmtes Herz ergoß sich in Strömen von Thränen; dann erhob es sich zur höchsten Weisheit, zu jener ersten Ursache, jener

Vorsehung ober was soll ich sagen? jenem Urgrund des Gefühls und des Gedankens, welchen zu glauben und zu kennen ihm Bedürfniß war. O Du, der Du mich auf die Erde gestellt hast, mache daß ich meine Bestimmung allda auf die Deinem heiligen Willen angemessenste und für das Wohl meiner Brüder zweckdienlichste Weise erfülle! Dieses naive Gebet, einfach wie das Herz das mir es eingab, ist mein einziges Gebet geworden; nie hat die vernünftelnde Philosophie, nie eine Verirrung irgend einer Art seine Quelle zu vertrocknen vermocht. Inmitten der Welt, im Dunkel eines Gefängnisses habe ich es mit der gleichen Inbrunst gesprochen: mit Entzücken betete ich es in den glänzenden Verhältnissen meines Lebens; ergebungsvoll wiederhole ich es inner der Kerkermauern; in den ersten von dem Wunsche durchglüht mich jeder Neigung zu erwehren welche nicht der Höhe meines Geschickes entsprochen hätte; inner der zweiten von dem Verlangen erfüllt mir die nothwendige Kraft zu erhalten um die Prüfungen zu bestehen denen ich ausgesetzt bin; überzeugt daß es im Laufe der Dinge Ereignisse gibt welche die menschliche Weisheit nicht zu verhindern vermag; mit dem klaren Bewußtsein daß auch die unglücklichsten Fälle eine gesunde Seele nicht zu Boden schlagen können; daß endlich der Friede mit sich selbst, die Unterwerfung unter die Nothwendigkeit die Urbestandtheile des Glückes sind und die wahre Unabhängigkeit des Weisen wie des Helden ausmachen. Das Land bot mir Gegenstände dar die meinen beschaulichen Gewohnheiten, dieser gesammelten, zärtlichen und schwermüthigen Stimmung, welche durch das Nachdenken und die Entwicklungen eines empfindsamen Herzens gekräftigt wurde, weit mehr entsprachen. Wir gingen oft nach Meudon, dies war mein Lieblingsspaziergang; ich zog sein wildes Gehölze, seine einsamen Teiche, seine Tannenalleen, seine hochstämmigen Bäume den

befeuchten Straßen, den einförmigen Gehauen des Boulogner Waldes, den künstlichen Zierereien von Belle-Bue, den geputzten Laub-
gängen von Saint-Cloud vor. „Wohin wollen wir morgen gehen
wenn das Wetter schön ist?" sagte mein Vater im Sommer an den
Samstagabenden, sah mich dann lächelnd an und fügte hinzu: „Nach
Saint-Cloud; die Waſſer ſollen ſpielen, es werden viele Leute hin-
kommen. — Ach, Papa, wenn Du mit mir nach Meudon gehen
wolltest, so würde mich das weit mehr freuen." Am Sonntag
war Morgens um fünf Uhr Alles auf den Beinen; ein leichtes
Kleid, frisch, ganz einfach, einige Blumen, ein Gazeschleier kündig-
ten die Tagespläne an. Die Oden Rouſſeau's, ein Band von Corneille oder einem andern Dichter machten mein ganzes Gepäcke aus.
Wir gingen alle drei; man schiffte sich am Pont-Royal den ich
von meinem Fenster aus sah auf einem kleinen Nachen ein, der
uns in einer stillen, sanften und schnellen Fahrt an die Gestade von
Belle-Bue brachte, nicht weit von der Glasfabrik deren dichten,
schwarzen Rauch man aus großer Entfernung gewahrt. Von da
kamen wir auf steilen Pfaden in den Weg nach Meudon, auf deſſen
zweitem Drittel wir rechts ein kleines Häuschen bemerkten das eines
unſrer Abstandsquartiere wurde. Es war dies die Wohnung einer
Milchfrau die hier als Wittwe mit zwei Kühen und einigen Hühnern lebte. Da wir Eile hatten um den Tag zum Spaziergang zu
benützen, so beschloſſen wir auf dem Rückweg wieder hier einzu-
ſprechen und erſuchten die Frau uns bis dahin einen Napf friſcher
Milch bereit zu halten. Dies wurde zur stehenden Gewohnheit: so
oft wir den Weg heraufkamen traten wir bei der Milchfrau ein
um ſie zu benachrichtigen, daß ſie uns auf den Abend oder den
folgenden Tag sehen werde und den Milchnapf nicht vergeſſen ſolle.
Die gute Alte empfing uns sehr freundlich; das Abendeſſen, gewürzt

durch ein Stückchen Schwarzbrod und sehr gute Laune, ging immer wie ein kleines Fest vorüber und hinterließ jedesmal einige Erinnerungen in der Tasche der Milchfrau. Das Mittagessen wurde bei einem der Schweizer im Park eingenommen; aber da ich immer danach trachtete mich von den besuchten Orten zu entfernen, so entdeckten wir bald ein Plätzchen das meinen Neigungen besser entsprach. Eines Tags nachdem wir lange Zeit in einem unbekannten Theile des Waldes herumgegangen waren, kamen wir an einen einsamen, sehr offenen Raum zu welchem eine Allee von großen Bäumen führte, unter denen man selten Spaziergänger erblickte. Einige andere auf einem reizenden Grasplatz zerstreuten Bäume verschleierten so zu sagen ein sehr niedlich gebautes zweistöckiges Häuschen. „Was ist das?" Zwei artige Kinder spielten vor der offenen Thüre; sie sahen weder städtisch aus noch erblickte man bei ihnen die auf dem Lande so häufigen Kennzeichen des Elendes. Wir treten näher und bemerken auf der linken Seite einen Gemüsegarten worin ein alter Mann arbeitete. Hineingehen und ein Gespräch mit ihm anknüpfen war das Werk eines Augenblicks; wir erfuhren daß das Lokal Ville-Bonne hieß, daß sein Bewohner Brunnenmeister der rothen Mühle war und die Unterhaltung der Kanäle welche die Wasser in einige Theile des Parks leiteten zu überwachen hatte; daß der schwache Ertrag dieser Stelle zum Theil eine junge Familie ernährte, welcher die kleinen Kinder angehörten, deren Großvater er, der alte Mann, war; daß die Frau die Haushaltungsgeschäfte besorge während er diesen Garten bebaue, dessen Ausbeute sein Sohn in seinen Mußestunden in der Stadt verkaufe. Der Garten war ein langes Viereck und in vier Theile abgetheilt um welche herum ein ziemlich breiter Laubgang angebracht war; in der Mitte befand sich ein Wasserbecken aus welchem man die Mittel zur Begießung schöpfte;

im Hintergrunde verhieß eine Nische aus Erlen unter der eine große steinerne Bank stand Ruhe und Schutz. Blumen die zwischen die Gemüse hinein gepflanzt waren machten den Anblick des Gartens freundlich und anmuthig: der kräftige und zufriebene Greis erinnerte mich an jenen Alten am Ufer des Galesus den Virgil besungen hat. Er plauberte gerne und verständig, und wenn es bloß einfacher Neigungen bedurfte um ein solches Zusammentreffen recht zu würdigen, so ermangelte meine Einbildungskraft nicht noch überdies Alles hineinzulegen was ihm Reize verleihen konnte. Wir erkundigten uns ob man Fremde im Hause zu empfangen pflege? „Es kommen nicht leicht welche, antwortete der Alte; dieser Ort ist nicht sehr bekannt; aber wenn einige einsprechen so bedienen wir sie recht gerne mit Allem was Küche und Keller vermag.“ Wir bitten um ein Mittagessen; man giebt uns unter einer frischen Geisblattlaube hinter dem Hause frische Eier, Gemüse und Salat. Nie habe ich eine angenehmere Mahlzeit gehabt: mein Herz erweiterte sich in der Unschuld und Freude einer zauberischen Lage. Ich liebkoste die kleinen Kinder viel, ich bewies dem Alten Verehrung; die junge Frau schien sehr erfreut uns empfangen zu haben: es kam die Rede auf zwei Kammern in ihrem Hause welche sie an Personen abtreten könne die dieselben auf drei Monate zu miethen wünschen, und wir machten den Plan sie in Besitz zu nehmen. Dieser freundliche Gedanke ist nicht zur Ausführung gekommen; ich bin nie nach Ville-Bonne zurückgekehrt, denn wir besuchten als wir diese Entdeckung machten Meudon schon seit langer Zeit und hatten ein Wirthshaus im Dorfe angenommen um dort zu übernachten, wenn zwei Feiertage hintereinander uns eine längere Abwesenheit gestatteten. In diesem Wirthshaus, welches sich wie ich glaube zur Königin von Frankreich nannte, ist uns etwas Lustiges begegnet.

Wir bewohnten ein Zimmer mit zwei Betten in deren größerem ich mit meiner Mutter lag; das andere das in einer Ecke des Zimmers stand war für meinen Vater bestimmt. Eines Abends hatte er sich so eben schlafen gelegt, als er in der Absicht die Vorhänge genauer zu verschließen so stark daran zog daß der Betthimmel herabfiel und ihn gänzlich bedeckte; nach einem kleinen Augenblick des Schrecks fingen wir alle an über das Abenteuer zu lachen, denn der Himmel war gerade so gefallen daß er meinen Vater überdeckte ohne ihm wehe zu thun. Wir rufen Hülfe herbei um ihn loszumachen: die Wirthin erscheint und voll Verwunderung über den Anblick ihres enthimmelten Bettes ruft sie mit der größten Naivetät: „Ach mein Gott! wie ist das möglich! er ist schon siebenzehn Jahre daran und hat sich noch niemals gerührt!" Ueber diese Art von Vernunftschluß mußte ich noch mehr lachen als über den Sturz des Betthimmels selbst. Ich hatte oft Gelegenheit sie aufs Leben anzuwenden, oder vielmehr die Beweise damit zu vergleichen welche ich in Gesellschaften vorbringen hörte, und ich sagte ganz leise zu meiner Mutter: „Es ist aller Ehre werth, wenn ein Bett siebenzehn Jahre ausgehalten hat um seine Dauerhaftigkeit zu erproben."

Liebenswürdiges Meudon! wie oft habe ich unter deinen Schatten frei aufgeathmet, voll Dankgefühls gegen den Schöpfer meines Daseins und mit Verlangen nach dem was dasselbe eines Tags ergänzen könnte; aber mit jenem Zauber eines durch Ungeduld nicht verbitterten Verlangens welcher blos die Wolken der Zukunft mit den Strahlen der Hoffnung färbt! Wie oft habe ich in deinen frischen Hainen bunte Farrenstengel, glänzende Orchisblumen gepflückt! Wie liebte ich es unter diesen hohen Bäumen auszuruhen, unweit der lichten Plätze wo ich zuweilen die schüchterne Hindinn leichtfüßig vorbeistreifen sah! Ich erinnere mich noch gut der mehr düstern

Plätze, wo wir die Zeit der größten Tageshitze zubrachten; während da mein Vater im Grase liegend und meine Mutter nachlässig auf einen Blätterhaufen gelehnt den ich ihr gesammelt hatte ein Mittagsschläfchen machten, betrachtete ich die Majestät dieser schweigsamen Gehölze, bewunderte die Natur, betete die Vorsehung an deren Wohlthaten ich empfand. Das Feuer des Gefühls färbte meine feuchten Wangen, und die Zauber des irdischen Paradieses waren für mein Herz vorhanden in deinen ländlichen Zufluchtsstätten. Die Erzählung von meinen Spaziergängen und von dem Glücke das ich auf ihnen genoß fand ihre Stelle in meinem Briefwechsel mit Sophie; zuweilen war meine Prosa mit Versen untermischt, regellosen aber muntern und manchmal glücklichen Kindern einer Seele, für welche Alles Leben, Gemälde und Glückseligkeit war.

Sophie sah sich, wie ich bereits bemerkt habe, in eine Welt geworfen, worin sie nicht die Annehmlichkeiten hatte die sie mich in meiner Einsamkeit genießen sah; ich kannte einige Personen aus ihrer Familie und lernte in ihrer Gesellschaft den Werth meines zurückgezogenen Lebens noch inniger schätzen.

Sie stieg, wenn sie mit ihrer Mutter nach Paris kam, bei Verwandten ab welche sich Fräulein von Lamotte nannten; es waren dies zwei alte Jungfern: die eine, eine gallsüchtige Frömmlerin, kam nie aus ihrem Zimmer wo sie ihre Gebete ableierte, die Dienerschaft auszankte, Strümpfe strickte und ziemlich verständig von ihren Geschäftsangelegenheiten sprach; die andere, eine gute Person, hielt sich im Salon auf, empfing die Gäste, las Psalmen und machte ihr Spielchen mit: beide legten großes Gewicht auf den Vortheil geborne Fräulein zu sein, begriffen nicht leicht wie man seine Gesellschaft bei Personen finden könne deren Vater nicht zum mindesten geadelt sei, und ohne daß sie es wagten einen Gebrauch davon zu machen bewahrten sie den Gebetbuchbeutel den ihre Mutter sich hatte in die Kirche tragen lassen als ein Familienstück. Sie hatten eine junge Verwandte zu sich genommen deren kleines Vermögen sie zu vergrößern beabsichtigten, vorausgesetzt daß sie einen Edelmann zum Gatten bekam. Fräulein von Hangard, so hieß das Mädchen, war eine dicke Brünette, sehr frisch, hatte eine kräftige, beinahe Schrecken erregende Gesundheit, und um mich eines Ausdrucks aus dem gemeinen Sprachgebrauche zu bedienen, das vollständige Benehmen einer Landpomeranze, wobei eine gewisse Barschheit des Charakters und ein höchst alltäglicher Verstand zum Vorschein kamen. Das merkwürdigste Geräthe im Haus war der Advocat Perdu, ein Wittwer, der mit lauter Nichtsthun sein Vermögen aufgezehrt und den seine Schwester (die Mutter meiner Sophie) bei den Basen in die Kost gegeben hatte, damit er die letzten Jahre seines nutzlosen Lebens anständig zubringe. Dick und puppenmäßig aufgeputzt widmete Herr Perdu den größten Theil des Morgens seiner äußeren Erscheinung, nahm sich gute Zeit zum Essen und war mit keiner Speise zufrieden, schwatzte mehrere Stunden des Tags im Luxemburg und beschloß seine Tagesarbeit mit einem Pikèt. Er legte auf die Edelmannswürde noch ein größeres Gewicht als seine alten Basen, und wußte sich viel damit daß man ihm dieselbe ansehen müsse, ja daß er Vorschriften darin zu ertheilen vermöge wie man ihr unter keinen Umständen etwas vergebe. Ich nannte ihn immer nur den Commandeur, wenn ich mit Sophie von ihrem Oheim sprach, denn ich hielt ihn für ein vortreffliches Ebenbild vom Commandeur im „Familienvater.“ Natürlich behauptete der Commandeur seinen Nichten gegenüber immer einen gewissen überlegenen Ton, welchen er durch alle möglichen Rücksichten der Höflichkeit zu würzen suchte; aber höchst wunderlich war sein Benehmen

gegen das Fräulein von Hangard, deren Frische und täglicher Anblick seine Einbildungskraft rege machte und ihm ein gewisses Etwas
einflößte was er nicht zu gestehen gewagt haben würde, und was
ihn zuweilen sehr launisch gegen seinen Neffen stimmte.

Dieser Neffe hieß Selincourt, war ein großer junger Mann
von sanftem Gesicht und desgleichen Stimme, besaß einige Aehnlichkeit mit seiner Schwester Sophie, wußte mit Geist zu schwatzen
und hatte angenehme Manieren zu welchen eine gewisse Schüchternheit nicht übel stand. Wenigstens schien dies mir so, selbst als
ich bemerkte daß diese Schüchternheit mir gegenüber am deutlichsten
hervortrat. Das Zusammentreffen der Umstände und die Wünsche
der Familie schienen ihn zum Bewerber um die Hand des Fräuleins von Hangard zu machen.

Was die Gesellschaft der Fräulein von Lamotte betraf, so bestand sie aus einem Grafen von Essales früherem St. Ludwigsritter
in Canada, wo er die Tochter des Gouverneurs geheirathet und sich
immer hundert französische Meilen außerhalb der Schußweite gehalten
hatte, einem unwissenden anmaßenden Schwätzer. Er kam um eine
Partie zu machen mit einer Marquise von Caillavelle, einer von
ihrem Leibgedinge lebenden alten Dame, bei welcher er noch allerhand Steine im Brette hatte von denen die guten alten Jungfern
nichts bemerkten. Frau Bernier, eine große Jansenistin, im Uebrigen
eine verständige Frau deren Mann bei der Chalotais'schen Angelegenheit*) das Parlament von Bretagne verlassen hatte, erschien, wiewohl
seltener, gleichfalls in diesem Hause, mit ihren beiden Töchtern,

*) La Chalotais, Generalprokurator des Parlaments der Bretagne, stand
an der Spitze der Partei die sich dort zur Zeit der Aufhebung der Jesuiten
gegen den Hof und den Herzog Aiguillon, Gouverneur der Provinz, der
diesen Orden begünstigte, gebildet hatte und lange vor dem Ausbruche der

8

der gelehrten und der frommen. Das zärtliche Herz der letzten
würde mich angezogen haben, aber ihr schiefer Hals trug mit Mühe
einen so ausgetrockneten Kopf daß für keinen vernünftigen Gedanken mehr Raum darin war. Die Gelehrte schwazte zwar ein
wenig zu viel, besaß übrigens Urtheil und Geschmack genug um ein abstoßendes Gesicht vergessen zu lassen. Der Haupthahn im Korbe
war Herr von Vouglans; ich brauche sein Bild keinem vorzuzeichnen,
welcher die Gründe meines Glaubens an Jesum Christum
von einem Beamten und die Sammlung der Kriminalge-
setze gelesen hat, eine mit Fleiß zusammengetragene Arbeit worin
Fanatismus und Grausamkeit sich überbieten. Ich habe nie einen
Mann getroffen dessen blutdürstige Unduldsamkeit mich mehr empört hätte; er gefiel sich sehr in der Unterhaltung mit dem Pater
Romain Joly, einem kleinen alten Kapuziner, Beichtvater der Fräulein von Lamotte, der gegen Voltaire Verse machte worin er
ihn mit Satan verglich und auf der Kanzel beständig die Capi-
tularien Carls des Großen und die Ordonnanzen unsrer
Könige anführte: ich habe das Glück gehabt bei den Vasen mit
ihm zu Mittag zu speisen, ihn in meiner Pfarrkirche zu hören
und seinen Phaëton zu lesen; er gäbe mir Stoff zu einem guten
Zerrbild; wenn ich den Muth hätte die Dummheit und Schein-
heiligkeit, verbunden mit der abgeschmacktesten Art von Wissenschaft und Kenntnissen, von seiner Kutte abzuschütteln. Sophiens
liebe Freundin nahm sich drollig genug aus in dieser Gesellschaft,
wo man hinter ihrem Rücken darüber seufzte daß eine so wohl-
erzogene junge Person nicht als Fräulein geboren sei. Ich zwei sie

---

Revolution (1762—68) ein glänzendes Beispiel des Widerstandes gegen
willkürliche Gewalt gab.   A. d. H.

sogar nicht daran daß der Commandeur in seiner Weisheit ein Gutachten darüber abgegeben hat, ob es sich für seine Nichte zieme eine solche Verbindung länger zu unterhalten. Aber die junge Person hatte einen sehr guten Ton, einen Anstand auf welchen die alten Basen große Stücke hielten, und abgesehen von einigen Redewendungen die nach Geist schmeckten und welche der Commandeur bei seiner Nichte scharf bekrittelte, konnte er nicht umhin ihr einiges Lob zu spenden. Es begegnete ihm sogar daß er manchmal die Briefe seiner Nichte in ihrer Abwesenheit besorgte und in eigner Person meiner Mutter überbrachte. Dem jungen Selincourt würde dies weit öfter begegnet sein, wenn seine Schwester darein gewilligt hätte ihm dieses Geschäft zu überlassen.

Die Unbedeutsamkeit und Abgeschmacktheit dieser Personen, denen ohne Zweifel eine Menge Leute von Welt glichen, leiteten mich auf Betrachtungen über die Leere der Gesellschaften und das Glück nicht zu ihrem Besuche angehalten zu sein. Sophie zählte mir alle die Leute auf mit denen sie in Amiens zusammentraf, zeichnete mir ihre Charaktere und gab mir einen Begriff von der geistigen Gehaltlosigkeit der meisten unter ihnen. Rechnete ich dann am Ende des Jahrs alles zusammen, so zeigte es sich daß ich in meiner Einsamkeit mehr verdienstvolle Leute gesehen hatte als ihr in dem ewigen Strudel von Gesellschaften zu Gesichte gekommen waren. Dies ist leicht zu begreifen, wenn man bedenkt daß mein Vater nur mit Künstlern in Verbindung stand von denen zwar keiner ein eigentlicher täglicher Hausfreund wurde, mehrere aber von Zeit zu Zeit sich einstellten. Die Bewohner der Hauptstadt haben, selbst wenn sie nicht den ersten Zirkeln angehören, eine Summe von Kenntnissen und eine Art von Bildung, wie sie sich sicherlich weder bei den Krautjunkern in der Provinz noch bei den Handelsleuten vorfindet, die nichts Eiligeres zu thun wissen als ein Vermögen zu erwerben um dann ein Adelspatent zu kaufen. Die Unterhaltung des guten Jollain, eines Malers von der Akademie; des ehrlichen Lépine, eines Schülers von Pigal*); eines Desmarteau, Collegen von meinem Vater; des Sohnes von Falconet**); eines Sauterne, den seine Talente in vollem Fluge der Akademie zugeführt haben würden, wenn er nicht als Protestant ausgeschlossen gewesen wäre; der Genfer Uhrmacher Ballexserd und Moré, von denen der erste über die physische Erziehung geschrieben hat, war sicherlich von weit größerem Werth als die des Millionärs Cannet der, als er die Erfolge der Tragödie seines Verwandten Du Belloy***) sah, den Gewinn den dieser daraus ziehen konnte berechnete und dann in allem Ernst nicht ohne Verdruß sagte: „Warum hat mich mein Vater das Tragödienschreiben nicht lernen lassen? Ich hätte sie an den Sonntagen gemacht!" Und gleichwohl hielten sich diese reichen Leute, diese jammervollen Neuadeligen, diese unverschämten Militärs wie Herr von Essales, diese armen Beamten wie Vouglans, für die Stützen der bürgerlichen Gesellschaft und genossen wirklich Vorrechte die dem Verdienste versagt waren:

---

*) Berühmter französischer Bildhauer. A. d. H.

**) Falconet ist vorzüglich durch das kolossale Denkmal Peter I. bekannt welches Katharina II. ihm zur Ausführung übergab. A. d. H.

***) Dieses Trauerspiel hieß „die Belagerung von Calais" und hatte übrigens ein mittelmäßiges Stück, die Begeisterung mit der es aufgenommen wurde dem Umstande zu verdanken, daß der Stoff desselben zum ersten Male der französischen Geschichte entlehnt war. Pensionen und ein Platz in der Akademie belohnte den glücklichen Einfall des Dichters. A. d. H.

Ich hielt diese Albernheiten des menschlichen Hochmuths mit den Gemälden Pope's zusammen, vergegenwärtigte mir seine eindrucks- volle Schilderung von der Zufriedenheit des Künstlers der sich in seiner Schürze zeigt wie der König seine Krone trägt; ich ver- suchte es mit ihm zu finden daß Alles gut sei, aber mein Stolz zog den Schluß daß in einer Republik Alles besser sei.

Es unterliegt keinem Zweifel daß unsre äußere Stellung großen Einfluß auf unsre Ansichten und unsern Charakter ausübt; aber man könnte sagen daß in der Erziehung die ich empfangen und den Ideen, wel- che ich mir durch Studium oder durch meinen Umblick in der Welt ange- eignet, alles darauf berechnet gewesen sei mir Begeisterung für die Republik einzuflößen, indem man mir die Lächerlichkeit einer Menge von Vor- rechten und Bevorzugungen zu beurtheilen oder ihre Ungerechtigkeit zu empfinden gab. So faßte ich bei meinen geschichtlichen Studien eine leidenschaftliche Liebe zu den Männern welche der Ungleichheit abzuhelfen bemüht waren; ich war Agis und Kleomenes in Sparta; ich war die Gracchen in Rom; und wie Cornelia hätte ich meinen Söhnen eingeschärft mich nicht anders als die Stiefmutter Scipios zu nennen. Ich war mit dem Volke auf den Aventin ausgezogen und hatte für die Tribune gestimmt. Heute, da mich die Er- fahrung Alles unparteiisch überlegen gelehrt hat, erblicke ich in dem Unternehmen der Gracchen und dem Verfahren der Tribune Fehler und Uebelstände die mir damals nicht aufgefallen waren.

Als ich die Art von Schauspielen mit ansah welche die Hauptstadt häufig bei feierlichen Einzügen der Königin oder Prin- zen, bei Dankfesten nach einer Entbindung und derartigen Gelegen- heiten darbot, hielt ich schmerzlich bewegt diese asiatische Pracht, dieses übermüthige Gepränge mit dem Elend und der Versunkenheit

des zum Vieh herabgewürdigten Volkes zusammen, das sich auf
den Weg der von seinen eigenen Händen errichteten Götzen stürzte
und blödsinnig all die Herrlichkeit bejubelte die es mit dem Noth-
wendigsten was es besaß bezahlte. Die Verdorbenheit des Hofs
in den letzten Regierungsjahren Ludwigs XV; die unter allen Klassen
eingerissene Verachtung gegen Alles was gute Sitte heißt; die
Ausschweifungen welche den Gegenstand aller Unterhaltungen bildeten flößten mir Entrüstung und Verwunderung ein. Ohne die
Keime einer Revolution schon zu erkennen, fragte ich mich wie
dieser Zustand von Dauer sein könne. Ich sah in der Geschichte
alle Reiche die zu diesem Grad von Verdorbenheit gelangt waren
von Unruhen zerrüttet dahin sinken, und ich hörte die Franzosen
lachen und singen über ihr eigenes Elend. Ich fand daß ihre
Nachbarn die Engländer guten Grund hatten sie als Kinder zu
betrachten. Ich fühlte mich zu diesen Nachbarn angezogen; Delol-
me's Werk hatte mich mit ihrer Verfassung vertraut gemacht; ich
suchte ihre Schriftsteller kennen zu lernen und studirte ihre Littera-
tur, damals jedoch blos in den Uebersetzungen.

Da alle Vorstellungen Ballexserd's meine Eltern nicht hatten
bewegen können mich als Kind impfen zu lassen, so bekam ich mit
achtzehn Jahren die Blattern. Diese Zeit hat tiefe Erinnerungen in
mir zurückgelassen, nicht etwa wegen der Befürchtungen welche die
Krankheit mir eingeflößt hatte, denn ich besaß bereits zu viel Philosophie um mich dieser Prüfung nicht standhaft zu unterziehen, sondern wegen der beinahe unglaublichen rührenden Herzensangst meiner
Mutter. Welcher Schmerz und welche Thätigkeit! wie die Unruhe
sie immer aufgeregt erhielt! wie in allen ihren Bemühungen ihre Zärtlichkeit sich abspiegelte! Selbst in der Nacht, wenn ich von meiner

Wärterin etwas zu empfangen glaubte, fand ich die Hand, hörte ich die Stimme meiner Mutter; jeden Augenblick stieg sie aus ihrem Bett um sich meinem Kopfkissen zu nähern; ihre gierigen Augen verschlangen die Geberden und so zu sagen die Worte des Arztes; heimliche Thränen entstahlen sich ihnen unwillkürlich wenn sie sich auf mich hefteten, während ich mir vergebliche Mühe gab sie durch mein Lächeln zu beruhigen. Sie hatte niemals die Blattern gehabt und mein Vater auch nicht; beide hätten keinen Tag vorübergehen lassen, ohne mein krankes Gesicht zu küssen das ich ihnen entziehen wollte aus Furcht diese Berührungen möchten ihnen schaden. Meine Agathe die trost-los war im Kloster bleiben zu müssen, schickte mir eine ihrer Verwandten, eine liebenswürdige Mutter von vier Kindern, der sie einen Theil ihrer Anhänglichkeit an mich eingeflößt hatte, und die ohne alle Rücksicht auf sich selbst sich's nicht nehmen ließ mich zu besuchen und zu umarmen. Man mußte Sophien die damals in Paris war den Zustand ihrer lieben Freundin verschweigen; um die gefährliche Zeit ohne Mittheil-ungen zwischen uns verstreichen zu lassen, gab man vor ich sei plötzlich auf's Land abgereist; aber Solincourt erkundigte sich im Namen seiner Mutter jeden Tag nach meinen Umständen: ich hörte seinen schmerz-lichen Ausruf, als man ihm sagte es stehe zu befürchten daß ein Faulfieber sich zu den Blattern geselle. Ich bekam das Hirnfieber, und da der eigenthümliche Eintritt desselben die andere Krankheit bekämpfte, so erhielt ich von den Blattern nur äußerst dicke aber wenige Pusteln die sich allmälig ohne Eiterung verloren und nur eine trockene Haut hinterließen welche leicht abfiel. Es sind dies wie mir der Doktor Missa versicherte die Blattern, welche der Italiener ravaglioni (nichteiternde Pusteln) nennt; sie hinterlassen keine Spuren und in der That wurde der Zartheit meiner Haut durch diese Krankheit kein Eintrag gethan, aber die Verdorbenheit der Säfte verfetzte mich

nach überstandener Gefahr in eine Mattigkeit von der ich erst nach
vier bis fünf Monaten genas. Gesammelt im Zustande der Gesundheit,
zu weichherzig um heiter zu sein, aber geduldig im Schmerz, denke
ich in Krankheiten nur darauf meine eigenen Leiden zu vergessen und
die mühsamen Sorgen die meine Umgebung auf mich verwenden muß
angenehm zu machen: ich lasse dann meiner Einbildungskraft die Zügel
frei schießen, sage Narrheiten und bringe sogar die andern zum Lachen.
Der Doktor Missa, ein Mann von Geist, gefiel mir sehr; er war alt
genug daß ich bei ihm die Art von Zwang ablegen konnte die ich
andern Männern gegenüber empfand: wir plauderten angenehm während seiner Besuche die er gerne verlängerte, und es entspann sich ein
freundschaftliches Verhältniß zwischen uns. „Eines von uns beiden",
sagte er eines Tages zu mir, „hat ein großes Unrecht verschuldet; entweder bin ich zu früh oder Sie sind zu spät gekommen." Obgleich
Missa wegen seines Geistes etwas Anziehendes für mich hatte, so hatte
mich doch sein Alter nicht merken lassen daß ich Unrecht gethan habe
später als er gekommen zu sein, und ich antwortete ihm daher nur
mit einem Lächeln. Er erzog einige Nichten mit denen er mich bekannt
machte: wir sahen uns zuweilen, aber da sie eben so wenig ohne ihre
Gouvernante ausgingen als ich ohne meine Mutter, und da der Oheim
bei seiner Beschäftigung nicht viel Zeit hatte dieser Verbindung bedeutenden Vorschub zu leisten, so wollte sie bei den Schwierigkeiten,
welche die Entfernung unsrer Wohnungen und die beiderseitige Gewohnheit viel zu Hause zu bleiben darboten, nicht gedeihen. Missa
hielt mir eines Tags eine scharfe Strafpredigt, als er auf meinem Bett
die Forschung nach der Wahrheit vom Pater Mallebranche fand.
„Ei mein Gott," sagte ich zu ihm, „wenn alle Ihre Patienten solche
Sachen trieben, statt über ihre Leiden und über Sie selbst ungeduldig
zu werden, so hätten Sie nicht so viel zu thun." Es waren noch

einige Perſonen in meinem Zimmer; man unterhielt ſich, ich weiß
nicht mehr von welchem Anlehen das kaum beſchloſſen war als ſchon
ganz Paris darauf losſtürzte. „Die Franzoſen,“ ſagte Miſſa, „opfern
doch Alles dem Vertrauen.“ — „Sagen Sie lieber der Wahr-
ſcheinlichkeit,“ bemerkte ich. — „Ja,“ verſetzte Miſſa, „dies iſt
das rechte und dabei ein tiefes Wort.“ — „Nun ſo zanken Sie mich
nicht aus, daß ich den Mallebranche ſtudire,“ verſetzte ich lebhaft;
„Sie ſehen ja, daß ich meine Zeit nicht vergeude.“

Miſſa hatte damals bei ſeinen Beſuchen einen jungen Arzt der
neuerdings Doktor geworden war bei ſich und ſchickte dieſen manchmal
zu mir voraus, um auf ihn zu warten. Dieſer hatte zwar, um mich
ſeines Ausdrucks zu bedienen, nicht das Unrecht verſchuldet zu früh
gekommen zu ſein; aber obgleich ziemlich hübſch hatte er eine gewiſſe
Wichtigthuerei an ſich die mir mißfiel. Ich hege einen ſo entſchiedenen
natürlichen Widerwillen gegen alle Arten von Stelzengängerei und
Großſprecherei, daß ich ſie beſtändig als Zeichen der Mittelmäßigkeit
und ſogar Dummheit betrachte, obſchon ſie allerdings in frühern Zeiten
zuweilen blos die Folgen einer in der Jugend erhaltenen ſchiefen Richtung waren. Sie haben ſo wenig Verlockendes für mich daß ſie mir
Unbehagen bereiten, und ich faſſe immer eine ungünſtige Meinung von
Leuten die damit behaftet ſind. Dies iſt die ganze Erinnerung die
mir von dem jungen Doktor übrig geblieben iſt, den ich ſeitdem nicht
mehr geſehen habe und wahrſcheinlich auch nicht mehr ſehen werde.

Da zu meiner vollſtändigen Wiederherſtellung das Land nothwendig war, ſo begaben wir uns um ſeine wohlthuende Luft einzuathmen zu Herrn und Frau Besnard; ſchon ſeit zwei Jahren brachten
wir, meine Mutter und ich, beinahe den ganzen September bei ihnen zu.
Ihr Verhältniß hatte auch Etwas das ſehr geeignet war meine Philo-

sophie zu nähren und meinen Betrachtungen über die Fehler der gesellschaftlichen Einrichtungen reichen Stoff zu geben.

Frau Besnard war in dem Unglück welches sie gemeinschaftlich
mit ihren Schwestern betroffen hatte als Hausverwalterin bei einem
Generalpächter, dem alten Haudry, eingetreten und hatte einen Intendanten, Herrn Besnard, geheirathet mit welchem sie seit langer Zeit in
bescheidener Zurückgezogenheit friedlich und glücklich lebte.

Der ziemlich schlecht angebrachte Stolz der Frau Philipon erinnerte zuweilen in meiner Gegenwart und blos unter der Familie
daran, wie sehr ihr diese Heirath mißfallen hatte. Sie hatte, so weit ich
die Sache beurtheilen konnte, gewiß Unrecht. Herr Besnard war ein
ehrlicher Mann und führte einen rechtschaffenen Lebenswandel; beide
Eigenschaften mußten ihm um so mehr zur Empfehlung gereichen, je
seltener sie bei seinem Stande sind; auch hat er sich gegen seine Frau
jederzeit auf's Zartsinnigste benommen: es ist unmöglich die Verehrung,
Zärtlichkeit und Ergebenheit weiter zu treiben; im Glücke einer vollkommenen Einigkeit setzen sie mit einander eine Laufbahn fort, wo sie,
moderne Philemon und Baucis, sich die Hochachtung aller erwarben
die sich mit eigenen Augen von ihrer Einfachheit und ihren Tugenden
überzeugen können: ich schätze mir's zur Ehre unter diese Klasse zu gehören und würde es mir bei ihrem Charakter und Benehmen nicht weniger zur Ehre schätzen, wenn Herr Besnard ein Lakai gewesen wäre.

Der alte Haudry der selbst der Schöpfer seines Glücks gewesen,
war gestorben und hatte ein großes Vermögen einem Sohne hinterlassen der, in der Wohlhabenheit geboren und aufgewachsen, dasselbe
verschleudern sollte. Dieser Sohn dem bereits eine vortreffliche Frau
gestorben war machte großen Aufwand und brachte nach dem
Gebrauche reicher Leute einige Monate auf dem Schlosse Soucy zu,

wohin er für seine Person weit mehr die städtische Lebensart mit ver-
pflanzte, als er sich in diejenige bequemte welche für das Land paßt.
Seine Besitzungen umfaßten mehrere vereinigte Landgüter. Das an
Soucy zunächst gelegene (Fontenay) hatte ein altes Schloß worin er
gerne Bewohner sah; er hatte einem Notar so wie einem Verwalter
Quartiere darin angewiesen, und forderte auch Herrn und Frau Besnard auf ein Zimmer daselbst zu nehmen wo sie einen Theil der
schönen Jahreszeit zubringen sollten. Es geschah dies wohlverstanden
im Interesse seines Gutes selbst und gab ihm noch überdies das Ansehen eines großartigen Herrn, was er sehr gerne vorzustellen
wünschte. Herr und Frau Besnard wohnten angenehm und hatten
zu ihren Spaziergängen einen Park, dessen artig vernachläßigter
Zustand ein liebenswürdiges Widerspiel zu den Gärten von Soucy
bildete und mir noch besser gefiel als die Pracht, welche die Wohnung
des Generalpächters auszeichnete. Als wir bei Frau Besnard angekommen waren, wünschte sie daß wir einen Besuch auf Soucy
machen sollten, wo Haubry's Schwiegermutter und Schwägerin sich
bei ihm aufhielten und die Gäste empfingen. Dieser Besuch wurde
bescheidentlich vor dem Mittagessen abgestattet; ich trat ohne das
mindeste Vergnügen in den Salon wo Frau Penault und ihre
Tochter uns zwar mit großer Höflichkeit empfingen, aber doch ihre
Ueberlegenheit ein wenig zu fühlen gaben. Der Ton meiner Mutter
und mein Charakter, welchen ich auch unter dem Schleier einer Schüchternheit die aus dem Gefühle des eigenen Werthes und dem
Zweifel an Anerkennung desselben hervorgeht nicht verläugnete,
erlaubte ihnen nicht starken Gebrauch davon zu machen. Man
sagte mir Artigkeiten die mir nicht sonderlich schmeichelten und
die ich mit einiger Feinheit beantwortete, als etliche Schmarotzer
mit dem St. Ludwigskreuze auf der Brust die gleich den Schatten

an den Ufern des Acheron fortwährend bei der Wohlhabenheit um-
herirren sich darein mischten und ihren Senf dazu gaben.

Wenige Tage nachher ermangelten diese Damen nicht uns
unsern Besuch zurückzugeben; sie erschienen in Begleitung der Gesellschaft welche sich auf dem Schlosse befand und beabsichtigten
bei dem Besuche auf Fontenay zugleich einen Spaziergang: ich war
jetzt liebenswürdiger und wußte in meinen Theil des Empfangs
die bescheidene und würdevolle Höflichkeit zu legen welche das
Gleichgewicht wieder herstellte. Frau Penault lud uns einmal zum
Mittagessen ein; ich war nie so erstaunt, als da man mir sagte
daß dasselbe nicht auf ihren Zimmern, sondern in denen der Dienerschaft statt zu finden habe. Ich sah wohl ein daß ich, da
Herr Besnard in früheren Zeiten dort seine Rolle gespielt hatte,
aus Rücksicht auf ihn kein Mißvergnügen darüber an den Tag
legen durfte, aber ich dachte auch Frau Penault hätte die Sache
anders einrichten und uns diese herabsetzende Höflichkeit ersparen
sollen. Meine Großtante betrachtete das Ding mit denselben Augen;
aber um jeden unangenehmen Zusammenstoß zu vermeiden, leisteten
wir der Einladung Folge. Es war für mich ein neuer Anblick
um diese Gottheiten zweiten Rangs; ich hatte mir noch keinen
Begriff von Kammerfrauen gemacht welche vornehme Damen spielen
wollen. Sie hatten sich zu unserm Empfange vorbereitet und in
der That Alles was in ihren Kräften stand aufgeboten. Putz,
steife Haltung und desgleichen Gesichter, nichts war vergessen. Die
kaum abgelegten Kleidungsstücke ihrer Gebieterinnen verliehen ihrem
Putze einen Reichthum welchen der ehrsame Bürgerstand sich un-
tersagte; die Karikatur des guten Tones fügte noch eine Art von
Pracht dazu, die der bürgerlichen Bescheidenheit eben so fremd

war wie dem Geschmack der Künstler: inzwischen hätte ihr Geplauder und ihre Haltung unerfahrnen Leutchen vom Lande mög-
licherweise Achtung einflößen können. Noch schlimmer war es bei
den Männern. Der Degen des Herrn Haushofmeisters, die
Aufmerksamkeiten des Herrn Chefs, die Höflichkeiten und die
glänzenden Kleider der Kammerdiener vermochten die Tölpelhaftigkeit des
Benehmens, die Ungeschicktheit der Sprache, wenn sie etwas recht
Ausgezeichnetes hineinlegen wollten, und die Abgedroschenheit der
Ausdrücke, wenn sie sich zufällig vergaßen, nicht zu bemänteln.
Die Unterhaltung handelte von Nichts als von Grafen, Marquis,
Finanzmännern, deren Titel, Vermögen und Verbindungen die Größe,
den Reichthum und überhaupt die Herzensangelegenheit der Leutchen
auszumachen schienen, die sich darüber ausließen. Die Ueberbleibsel
von der ersten Tafel kamen dieser zweiten zu gut mit einer
Ordnung und Reinlichkeit welche ihnen den Anschein vollständiger
Frische bewahrten, und einem Ueberfluß, womit der dritte Tisch
noch versehen werden mußte an dem die eigentlichen Bedienten
saßen; denn diese Personen an der zweiten Tafel nannten sich Of-
fizianten. Nach dem Essen wurde gespielt; der Satz war hoch;
er entsprach der gewöhnlichen Partie dieser Fräulein welche
nicht ermangelten täglich eine solche zu machen. Ich bemerkte eine
neue Welt in welcher ich eine Wiederholung der Thorheiten,
Laster und Dummheiten einer Welt fand die trotz ihrem glän-
zenderen Anschein um nichts besser war. Ich hatte tausendmal von
der Abstammung des alten Haudry sprechen gehört der aus seinem
Dorfe nach Paris gekommen war, auf Kosten des Staates Millionen zusammengebracht, seine Tochter mit Montule, seine En-
kelinnen mit dem Marquis Duchillau, dem Grafen Turpin vermählt und seinen Sohn als Erben seiner Schätze hinterlassen hatte.

Ich dachte an den Ausspruch Montesquieu's daß die Finanzmän-
ner den Staat aufrecht erhalten wie der Strick den Gehenkten
aufrecht erhält. Ich begriff daß Zöllner, die Gelegenheit fanden
sich dermaßen zu bereichern und mittelst dieser Wohlhabenheit mit
Familien zu verbinden, welche die Politik der Höfe als wesentlich
zum Glanz des Königthums und nützlich zu seiner Vertheidigung
betrachtete, nur einer verabscheuungswürdigen Regierungsweise und
einer höchst verdorbenen Nation angehören konnten. Ich wußte nicht
daß es ein noch schrecklicheres Regierungssystem und eine noch
scheußlichere Versunkenheit gab: aber wer hätte sich auch davon
träumen lassen? Alle Philosophen haben sich darin getäuscht wie
ich. Es ist dies das System das im gegenwärtigen Augenblicke
herrscht.

Am Sonntag tanzte man zu Soucy unter freiem Himmel
ohne einen andern Schutz als den der Bäume: hier verwischte
das Vergnügen den größten Theil der Auszeichnungen und sobald
es sich darum handelte den eigenen Werth geltend zu machen,
scheute ich mich nicht gegen den Rang zu verstoßen der mir zu-
stehen konnte. Die Neuangekommenen fragten sich leise flüsternd,
wer ich sei; aber ich schenkte ihnen meine Gegenwart nicht allzu-
lang und nachdem ich mich eine Stunde erlustigt, entwischte ich
den Neugierigen und zog mich mit meinen Verwandten auf einen
Spaziergang zurück, dessen liebliche Augenblicke ich dem lärmenden
immer eine Leere in meinem Herzen zurücklassenden Vergnügen einer
Art von Vorstellung nicht hätte opfern mögen. Ich sah zuweilen
Haudry, wie er noch jung war, den vornehmen Herrn spielte, seinen
Launen den Zügel schießen ließ, großmüthig und edel erscheinen
wollte. Er begann seiner Familie Unruhe einzuflößen; seine tollen
Streiche mit der Buhlerin Laguere bereiteten sein Verderben vor; man

beklagte ihn als einen unbesonnenen Burschen ohne ihn einen schlechten
Kerl zu nennen; auch war er weiter nichts als ein verwöhntes Glücks-
kind das, wenn es in mittelmäßigen Verhältnissen geboren worden
wäre, gewiß eine weit bessere Rolle gespielt hätte. Braun von Gesicht, den Kopf hochtragend, gnädig herablassend in seinem Benehmen,
im Allgemeinen freundlich war er vielleicht liebenswürdig gegenüber
von solchen die er für Seinesgleichen erachtete, aber ich verwünschte
es ihm begegnen zu müssen, und seine Anwesenheit gab mir immer
etwas Ernsthaftes und sehr Stolzes.

Im letztverflossenen Jahre gehe ich einmal aus dem schönen
Speisesaal welchen der prachtliebende Calonne in dem nachher vom
Minister des Innern bewohnten Hotel des General-Controllamtes gebaut hat, und treffe auf meinem Weg im zweiten Vorzimmer einen
großen Mann mit weißen Haaren und anständiger Miene, der mich
ehrfurchtsvoll anredet. „Madame, ich hoffte den Minister zu sprechen,
wenn er von der Tafel käme; ich habe ihm Etwas vorzutragen. —
Sie werden ihn sogleich sehen, mein Herr; er ist im letzten Zimmer
angehalten worden, wird aber augenblicklich hier vorbeikommen."
Ich grüße und gehe meinen Weg weiter nach meinem Zimmer. Bald
darauf kommt Roland; ich frage ihn, ob er einen Mann gesehen
hat den ich ihm beschreibe und der, wie es mir geschienen, sehr gefürchtet habe ihn nicht zu treffen? „Ja, es ist Herr Haudry. —
Wie! dieser vormalige Generalpächter der ein so großes Vermögen
durchgebracht hat? — Kein Anderer. — Und was hat er mit dem
Minister des Innern zu schaffen? — Er hat Berichte abzustatten über
die Fabrik von Sèvres an deren Spitze er steht." Welches Spiel
des Glücks! Ein neuer Stoff zum Nachdenken; ich hatte zwar einen
sehr bedeutsamen gefunden, als ich zum erstenmal in diese Gemächer

trat welche Frau Necker in den Tagen ihrer Herrlichkeit bewohnte;
ich bewohne sie zum zweitenmale und sie beweisen mir nur um so besser
die Wandelbarkeit aller irdischen Dinge; aber wenigstens soll mich das
Unglück nie unvorbereitet überraschen. Es war damals Oktober;
Danton machte mich berühmt indem er das Verdienst meines Mannes zu schmälern suchte, und er bereitete heimlich die Verleumbungen vor
durch welche er uns beide stürzen wollte. Ich kannte seine Handlungsweise nicht, aber ich hatte den Gang der Dinge in Revolutionen gesehen; mein ganzes Streben war darnach gerichtet meine Seele rein
zu erhalten und den Ruhm meines Gatten unbefleckt zu erblicken; ich
wußte wohl daß diese Art von Ehrgeiz selten zu andern Erfolgen
führt. Mein Wunsch ist erfüllt: Roland, verfolgt, geächtet, wird
für die Nachwelt nicht sterben; ich bin gefangen und werde wahrscheinlich als Opfer fallen. Mein Gewissen ersetzt mir Alles: es wird
mir gehen wie Salomo der nichts verlangte als Weisheit, und der
noch andere Güter hatte; ich wollte nur den Frieden der Gerechten:
und auch ich werde bei den künftigen Geschlechtern einige Erinnerung
hinterlassen. Aber vor der Hand laßt uns nach Fontenay zurückkehren:
die kleine Bibliothek meiner Verwandten lieferte mir noch einige Ausbeute; ich fand darin den ganzen Puffendorf der mir in seiner
allgemeinen Geschichte langweilig war, in seinen Pflichten
des Menschen und Bürgers aber mehr Anziehendes für mich
hatte; das Bauernhaus und verschiedene Werke über Ackerbau oder
Landwirthschaft, die ich in Ermanglung anderer studirte weil es mir
immer Bedürfniß war Etwas zu lernen; die artigen Kleinigkeiten
welche Bernis gereimt hat als er noch nicht in den römischen Purpur
gemummt war; ein Leben Cromwells und tausend andere bunt durch
einander geworfene Sachen. Ich habe große Lust darauf aufmerksam
zu machen daß unter dieser Menge von Werken welche der Zufall

ober die Umstände bereits in meine Hände geführt hatten, und von denen ich diejenigen an welche die Orte oder die Personen mich erinnern zuerst nenne, sich noch kein Rousseau befunden hat; diesen habe ich wirklich erst sehr spät gelesen und er hätte mich beinahe wahnsinnig gemacht; ich wollte nichts anderes mehr lesen; vielleicht ist aber auch er es hauptsächlich der meine Schwachheit gekräftigt hat.

Ich habe Ursache anzunehmen daß meine Mutter ihn absichtlich meinem Bereiche entrückt hatte; aber da sein Name mir nicht unbekannt war, so hätte ich seine Werke gesucht und ich kannte, als ich meine Mutter verlor, nur seine Briefe vom Berge und den an Christoph von Beaumont, während ich bereits den ganzen Voltaire und Boulanger, den Marquis von Argens*) und den Helvetius nebst einer andern Menge von Philosophen und Kritikern gelesen hatte. Wahrscheinlich fand meine vortreffliche Mutter welche wohl sah daß meinem Kopfe Beschäftigung gelassen werden mußte, keinen großen Uebelstand darin wenn ich ernstlich Philosophie studirte selbst auf die Gefahr hin ein bißchen ungläubig zu werden; aber ohne Zweifel dachte sie, mein erregbares und zur Leidenschaftlichkeit nur allzu geneigtes Herz dürfe nicht gar zu sehr hingerissen werden. Ach mein Gott! wie viele unnöthige Bemühungen um seinem Schicksale zu entgehen! Derselbe Geist hatte sie geleitet als sie nicht duldete daß ich mich der Malerei widmete; aus demselben Grund gab sie nicht zu daß ich das Klavier erlernte, obschon ich hierzu die beste Gelegenheit

---

*) f'Argens und Boulanger machten sich durch Werke über oder vielmehr gegen die christliche Religion bekannt. Der erste lebte geraume Zeit am Hofe Friedrich des Großen, wie überhaupt damals diese Richtung ihre entschiedensten Anhänger und Förderer gerade an den Höfen fand.

A. d. H.

von der Welt hatte. Wir hatten die Bekanntschaft eines in unsrer Nähe
wohnenden Abbés Jeauket gemacht, der ein großer Musiker, aber häßlich
wie die Nacht, im Uebrigen ein guter Mensch und ein Freund von wohl-
besetzten Tafeln war. Er stammte aus der Nähe von Prag, hatte mehrere
Jahre in Wien zugebracht, sich daselbst an die Großen bei Hofe gehalten
und Marie Antoinetten einige Lektionen gegeben. Durch Umstände nach
Lissabon geführt, hatte er endlich Paris als den Ort ausersehen, wo er in
Unabhängigkeit die Jahresgehalte verzehren wollte die sein kleines
Vermögen ausmachten. Er wünschte sehr daß meine Mutter ihm
erlauben möchte mich das Clavier zu lehren; er behauptete mit meinen
Fingern und mit meinem Kopfe würde ich bald einen schönen Weg
machen und gewiß würde ich mich auf die Komposition werfen.
„Wie Schade, sagte er, auf einer Guitarre zu klimpern, wenn
man Fähigkeiten genug besitzt schöne Sachen zu dichten und auf dem
ersten aller Instrumente auszuführen!" Diese Begeisterung und wiederholte bringende, sogar flehentliche Bitten konnten meine Mutter
nicht überwinden; was mich betraf so war ich immer geneigt Alles
mitzunehmen was zu lernen mir erlaubt würde; aber gewöhnt die
Entscheidungen meiner Mutter hochzuachten und ihre Person zu
lieben, verlangte ich niemals etwas. Ueberdies hatte mir das Studium im Allgemeinen ein so umfassendes Feld dargeboten daß ich
die Qualen des Müßiggangs nicht kannte. Ich sagte oft zu mir:
wenn ich selbst einmal Mutter sein werde, dann wird die Zeit kommen das was ich gelernt habe anzuwenden, und ich werde nicht
mehr studiren können; deshalb ließ ich mirs angelegen sein meine
Zeit wohl anzuwenden und scheute mich auch nur eine Minute zu
verlieren. Der Abbé Jeauket sah manchmal Leute von guter Gesellschaft, und wenn sie bei ihm waren so beeiferte er sich uns mit
ihnen bekannt zu machen. Auf diese Art habe ich unter einigen

Perfonen die keiner Erwähnung werth find den Gelehrten Rouffier,
den ehrlichen Obimont kennen gelernt; aber nicht vergeffen habe ich
den unverfchämten Parabelle und Frau von Puifleur: diefer Parabelle war ein großer Teufel, gekleidet wie ein Abbé, fett und groß-
fprecherifcher als irgend ein Einfaltspinfel der mir je in den Wurf
gekommen ift; er behauptete zwanzig Jahre lang in Lyon einen eigenen
Wagen gehalten zu haben, und um in Paris nicht Hungers zu
fterben gab er Unterricht in der italienifchen Sprache die er gar nicht
verftand. Frau von Puifleur, die für die Verfafferin der unter ihrem
Namen erfchienenen Charaktere galt, machte mit fechzig Jahren,
einem gekrümmten Rücken und zahnlofen Mund noch zieräffifche,
geckenhafte Anfprüche wie man fie felbft der Jugend nicht verzeiht.
Ich hatte mir vorgeftellt eine Schriftftellerin müffe eine fehr ver-
hrungswürdige Perfon fein, zumal wenn fie über Moral gefchrieben;
ie Abgefchmacktheiten der Frau von Puifleur gaben mir viel zu
nken; ihre Unterhaltung verkündigte eben fo wenig Geift als ihre
bernheiten Urtheilsgabe beurkundeten; ich begriff daß es möglich
Vernunft zur Schau zu tragen, ohne für feine eigene Perfon
ßen Gebrauch davon zu machen, und daß die Männer welchen
iftftellernde Frauen als Zielfcheibe ihres Witzes dienen müffen
leicht nur in fo fern Unrecht haben, als fie ihnen ausfchließlich
enigen Eigenfchaften beilegen die fie felbft theilen. Auf diefe
: fand ich bei einem fehr eingezogenen Leben gleichwohl Mittel
ug mein Beobachtungsmagazin auszurüften; ich befand mich in der
famkeit, aber auf den Grenzen der Welt, und fo daß ich viele Gegen-
nde erkennen konnte ohne von irgend welchen beläftigt zu fein. Die
nцerte der Frau Lepine boten mir einen neuen Gefichtspunkt dar. Ich
e bereits gefagt daß Lepine ein Schüler von Pigalle war, deffen rechten
m er fogar ausmachte; er hatte in Rom eine Frau geheirathet,

die wenn ich nicht irre früher Sängerin gewesen und im Anfange von seiner Familie nicht sonderlich günstig aufgenommen war, aber durch ihre gute Aufführung die Grundlosigkeit dieser Hintansetzung bewies. Sie hatte in ihrem Hause ein Liebhaberconcert gebildet das von geschickten Leuten ausgeführt wurde und wozu sie nur soge= nannte gute Gesellschaft zuließ: es fand jeden Donnerstag statt und meine Mutter führte mich ziemlich oft dahin. Hier habe ich Jarno= wick, Saint=George, Duport, Guerin und viele andere gehört. Hier habe ich auch Schöngeister beiderlei Geschlechts bemerkt: Fäulein von Morville, Frau Benoit, Silvain Maréchal u. s. w., ferner an= maßende Baronessen und hübsche Abbés, alte Chevaliers und junge Gelbschnäbel. Welch eine lustige Zauberlaterne! Die Wohnung der Frau Lepine in der Neuve=Saint=Eustachestraße war nicht sehr schön; der Concertsaal war etwas eng, öffnete sich aber in ein anderes Zimmer dessen große Thüren offen blieben. Hier stellte man sich im Kreise herum und hatte dann den doppelten Vortheil die Musik zu hören, die dabei thätigen Personen zu sehen und in den Zwi= schenzeiten plaudern zu können. Immer in der Nähe meiner Mutter, schweigsam wie es Sitte und Brauch den Mädchen vorschreibt, war ich ganz Auge und Ohr; aber wenn wir zuweilen allein bei Frau Lepine waren that ich einige Fragen, und die Antworten warfen ein belehrendes Licht auf meine Beobachtungen.

Diese Dame machte eines Tags meiner Mutter den Vorschlag in eine allerliebste Gesellschaft zu gehn, welche bei einem geistvol= len Manne abgehalten werde den wir manchmal bei ihr gesehen hatten: es kommen nur aufgeklärte Personen, Frauen von gebildetem Ge= schmack dahin; es werden angenehme Sachen vorgelesen; es sei wirklich zum Entzücken schön! Der Vorschlag mußte mehreremal wiederholt werden bis er angenommen wurde: „Sehen wir es einmal, sagte ich zu Mama; ich fange an die Welt gut genug zu kennen um mirs zu denken daß dies entweder sehr liebenswürdig oder sehr abgeschmackt sein muß; und ist auch das letzte der Fall, so kann man sich ja immerhin einmal daran erlustigen." Es wurde be= schlossen einen Versuch zu machen. Der Mittwoch war der Tag der literarischen Versammlung des Herrn Vase; wir begaben uns mit Frau Lepine nach seiner Wohnung an der Barriere du Temple; wir steigen in den dritten Stock, gelangen in ein ziemlich großes, nach hergebrachtem Brauche meublirtes Zimmer: Strohsessel, in mehreren Reihen dicht neben einander gestellt, erwarteten die Zuschauer und fingen an besetzt zu werden; sehr schmutzige kupferne Leuchter erhellten mit Talglichtern den Versammlungsort dessen wunderliche Einfachheit die philosophische Strenge und Armuth eines Schöngeistes nicht Lügen strafte. Feingeputzte Frauen, junge Mädchen, einige alte Damen, eine Menge Dichterlinge, Neugierige oder Ränkeschmiede bildeten die Gesellschaft.

Der Herr vom Hause stand vor einem Tische welcher den Ka= theder vorstellte, und eröffnete die Sitzung mit der Vorlesung eines Gedichtes aus seiner eignen Werkstatt; Gegenstand desselben war ein hübscher kleiner Affe den die alte Marquise von Preville beständig in ihrem Muff trug und nunmehr der ganzen Gesellschaft zeigte; denn sie war zugegen und glaubte den Helden des Stücks den be= gierigen Blicken der Versammlung aussetzen zu müssen. Schallendes Bravo belohnte den begeisterten Sänger der sehr zufrieden mit sich selbst seinen Platz einem Herrn Delpeches, glaube ich, abtreten wollte welcher für das Theater Aubinot's kleine komische Stücke verfertigte über die er das Urtheil der Gesellschaft, d. h. ihre aufmunternden Lobeser= hebungen einzuholen pflegte. Aber an diesem Tage war er verhindert, ich weiß nicht ob durch ein Uebel in der Kehle oder den Mangel einiger Verse in mehreren Auftritten. Deshalb setzte sich Imbert auf den Lehnstuhl; Imbert, der Verfasser des Urtheils des Paris, las eine angenehme Tändelei vor die sogleich bis in die Wolken erhoben wurde. Sein Lohn blieb nicht aus: Fräulein von Cossoniere trat nach ihm auf und verlas Abschiedsworte an Colin. Sie waren, wenn auch nicht sehr sinnreich, wenigstens recht zärtlich. Man wußte sogleich daß sie Imbert galten der im Begriff stand eine Reise anzutreten. Die Complimente fielen hageldicht: Imbert beurlaubte seine Muse und sich selbst, indem er alle Frauenzimmer in der Gesellschaft küßte. Diese Zeremonie die munter und lustig, jedoch in allem Anstand vor sich ging, wollte meiner Mutter ganz und gar nicht zusagen und schien auch mir so seltsam daß ich ein ganz verlegenes Gesicht machte. Nach irgend einem nicht sehr bemerkenswerthen Sinngedicht oder vierzeiligen Vers verlas ein Mann mit lauter Deklamatorsstimme Verse zum Lob der Frau Benoit. Sie war selbst anwesend, und ich muß hier ein Wort von ihr sagen für diejenigen die ihre schon lange Zeit vor der Revolution verstorbenen Romane nicht gelesen haben, Romane auf denen wohl die Asche haufenweise ruhen wird wenn man einmal meine Denkwürdigkeiten findet.

Albine war in Lyon geboren, wie die Geschichte der berühmten französischen Frauen, herausgegeben von einer Gesellschaft von Litteraten, erzählt; eine Geschichte worin ich zu meiner höchlichen Verwunderung Frauen gefunden habe die ich in der Welt sah, wie z. B. die ebengenannte, die Frau von Puisieux, Frau Champion und andere von denen in dem Augenblicke wo ich dies schreibe vielleicht noch einige leben oder erst seit wenigen Jahren diese irdische Wohnung verlassen haben.

Sie hatte den Zeichner Benoit geheirathet, war mit ihm in

Rom gewesen und daselbst der Aufnahme in die Akademie der Arkaden würdig befunden worden. Neuerdings Wittwe geworden und noch trauernd um ihren Mann, hatte sie sich sofort in Paris niedergelassen, allwo sie Verse und Romane machte, zuweilen ohne sie zu schreiben, Spielgesellschaften gab und mit Frauen von Stand zusammenkam welche das Vergnügen einen weiblichen Schöngeist an ihrer Tafel zu haben mit Geschenken an Geld oder allerhand Flitterkram bezahlten.

Frau Benoit war schön gewesen; die Sorgfalt welche sie auf ihren Putz verwendete und ihre Gefallsucht, beide etwas über das Alter hinausgehend in dem man mit diesen Artikeln auf Glück rechnen kann, trugen ihr noch immer einige Erfolge ein. Ihre Augen suchten mit solchem Verlangen nach denselben, ihr immer offner Busen pochte ihnen so heftig entgegen, daß man der Aufrichtigkeit des Wunsches und der Leichtigkeit ihn zu befriedigen wohl bewilligen mußte, was die Männer sonst so gerne bewilligen sobald sie nicht zur Standhaftigkeit verpflichtet sind. Die geradezu wollüstige Art und Weise der Frau Benoit war für mich etwas ganz Neues; ich hatte auf den Spaziergängen solche Priesterinnen des Vergnügens gesehen die auf eine widerliche Art durch Unanständigkeit ihren Beruf ankündigen; hier sah ich nun eine andere Schattirung davon, und nicht minder auffallend war mir der poetische Weihrauch der an sie verschwendet wurde, so wie die Ausdrücke: weise Benoit, keusche Benoit, welche mehrmals in diesen Versen wiederholt wurden bei deren Verlesung sie sich bemüßigt sah einen bescheidenen Fächer vor die Augen zu halten, während einige Herrn entzückt in Lobeserhebungen einstimmten die sie ohne Zweifel wohl angebracht fanden. Ich erinnerte mich an das was ich in den Büchern die ich schon gelesen über die Galanterie erfahren hatte; ich dachte daran wie sehr der damalige Zeitgeist und die Ausschweifungen des Hofes der Verderbniß des Herzens und einer falschen Richtung des Geistes Vorschub leisten mußten; ich sah entnervte Männer ihre Bewunderung an gehaltlose Verse, an windige Talente verschwenden, an die Leidenschaft Alle zu verführen ohne sie zu lieben; denn wer sich dem Glücke eines Gegenstandes widmet welchen er über Alles stellt gibt sich dabei nicht den Blicken der Menge Preis. Ueberdruß und Menschenhaß überkam mich inmitten der Gegenstände die meine Einbildungskraft aufregten, und mit einer stillen Schwermuth begab ich mich in meine Einsamkeit zurück. Wir gingen nie wieder zu Herrn Vase; ich hatte an dem einen Male genug, und der Kuß Imberts, das Lob auf Frau Benoit hatten meine Mutter auf immer von dem Wunsche geheilt mich wieder dahin zu begleiten. Eben so wenig besuchten wir wieder das Concert des Barons von Back das sehr ergötzlich aber in Folge der Grillen dieses Musiknarren zuweilen auch höchst langweilig war, und alle Handschreiben, alle artigen Anerbietungen der Frau Lepine uns in Gesellschaften einzuführen ließen uns künftighin unerbittlich. Die gleiche Rückhaltung beobachteten wir in Beziehung auf das sehr zahlreich besuchte Concert das unter dem Namen L i e b h a b e r c o n c e r t bekannt war. Wir waren ein einziges Mal dort in Begleitung eines Herrn Boyard von Creush der zu seinem Vergnügen eine Anleitung zum Guitarrespiel geschrieben und meine Mutter um Erlaubniß gebeten hatte mir ein Exemplar davon zu überreichen. Er war äußerst zuvorkommend gegen uns, und ich nenne ihn hier weil er den guten Gedanken gehabt hat von mir zu glauben, daß ich in einer Stellung die der große Haufe als eine unendlich hohe betrachtete, mit Vergnügen Personen sehen würde denen ich in meiner Jugend nicht unbekannt gewesen war. Er hat mir als ich Frau Ministerin war einen Besuch abgestattet, und mein Empfang hat ihm beweisen müssen daß ich Werth auf die Erinnerung an eine Zeit legte, die ich mir wie überhaupt alle andern Abschnitte meines Lebens zur Ehre rechnen kann.

Mit den Theatern sah es weit schlimmer aus; meine Mutter besuchte nie eines: ein einzigesmal wurde ich während ihrer Lebzeiten in die Oper und ins Français geführt; ich war damals sechszehn oder siebenzehn Jahre alt. Floquet's Vereinigung der Liebe und der Künste hatte für mich als Musik und als Drama betrachtet, Nichts was im Stande gewesen wäre mich in eine Täuschung zu versetzen und dem Begriff zu entsprechen, den ich mir von den Zaubern eines Schauspiels gebildet hatte. Die Kälte des Gegenstandes, die Zusammenhangslosigkeit der Auftritte, die unpassende Einflickung der Ballete mißfielen mir; der Aufzug der Tänzer widerte mich noch mehr an; sie trugen noch Reifröcke; ich habe nie etwas so Abgeschmacktes gesehen. Auch schien mir Piron's Kritik über die Wunder der Oper weit besser als dieses Stück. Im Français sah ich die Schottin; auch sie war nicht sehr geeignet mich zu begeistern; nur das Spiel der Dumesnil riß mich hin. Mein Vater kam manchmal auf den Einfall mich in Theater wie sie über die Meßzeiten gebräuchlich waren, zu führen, aber ihre Mittelmäßigkeit benahm mir alle Freude daran. So blieb ich denn vor den Lächerlichkeiten der Schöngeisterei bewahrt, gerade wie in Lacedämon die Kinder dadurch vor der Trunkenheit behütet wurden daß man ihnen die Widerlichkeiten dieses Zustandes vor die Augen führte, und meine Einbildungskraft erhält sich frei von den großen Erschütterungen welche die Verführungsmittel der Schauspiele hätten hervorbringen können, wenn ich ihren schönsten Vorstellungen angewohnt hätte. Was ich davon gesehen hatte, machte daß ich mich gerne damit begnügte die Meisterwerke der großen Dichter in meinem Stübchen zu lesen und in aller Muße mich an ihren Schönheiten zu erlaben.

Ein junger Mann der sehr fleißig in die Concerte der Frau Lepine kam, hatte sich beigehen lassen seinerseits meiner Mutter seine Aufwartung zu machen und sich nach unserm Befinden zu erkundigen, als einmal eine etwas längere Abwesenheit auf die Vermuthung führen konnte wir seien vielleicht unwohl. Ein anständiger Ton, eine angenehme Lebhaftigkeit, Geist und besonders die Seltenheit der Besuche machten diese ziemlich geschickte Wendung wodurch er sich in unser Haus einzuführen suchte verzeihlich, und endlich wagte es Lablancherie mit seiner Erklärung hervorzurücken. Aber da ich nun hiermit bei der Geschichte meiner Freier angelangt bin, so muß ich sie denn vorüberziehen lassen und zwar in Masse; ein allerliebster Ausdruck mit dem ich in meiner Schrift den Eintritt eines gewissen Zeitabschnittes bezeichnen werde, und der mich an die köstlichen Tage erinnern kann wo man Alles massenweise ordnet trotz der größtmöglichen Unterabtheilung der Geschmacks- und Willensrichtungen. Man hat den spanischen Coloß mit den Esaushänden nicht vergessen, jenen so höflichen Mignard deffen Name einen drolligen Gegensatz zu seinem Aeußern bildete. Nachdem er selbst eingestanden daß er mich auf der Guitarre nichts mehr lehren könne, hatte er um Erlaubniß gebeten daß er zuweilen kommen dürfe um mich zu hören, und er stellte sich in sehr entfernten Zwischenräumen ein, aber jedesmal ohne uns zu treffen. Geschmeichelt durch das Talent seiner jungen Schülerin das er als sein eigenes Werk betrachtete, und von diesem Grundsatze ausgehend um eine Art von Recht oder Entschuldigung zu erhalten, verlor er, nachdem er sich überdies als einen Edelmann aus Malaga angekündigt hatte der durch unglückliche Umstände genöthigt worden sei seine musikalischen Fähigkeiten zu seinem Lebensunterhalte auszubeuten, nach und nach den Kopf und schwatzte sich selbst das albernste Zeug vor um seine Ansprüche

in seinen eignen Augen zu rechtfertigen; endlich raffte er sich zu
dem wirklichen entschiedenen Entschlusse zusammen mich zur Frau zu
begehren, hatte aber nicht den Muth seinen Wunsch selbst vorzutragen. Da alle Vorstellungen des Freundes dem er diesen ehrenvollen Auftrag ertheilte ihn nicht von seiner Absicht abzubringen
vermochten, so wurde er wirklich vollzogen; die nächste Folge davon
war, daß man ihn, wiewohl mit der Höflichkeit die man Unglücklichen schuldig ist, ersuchen ließ das Haus nicht mehr zu betreten.
Ich erfuhr den Vorfall durch die Scherzreden meines Vaters; er
erzählte mir gerne von den Bitten die um meinetwillen an ihn gerichtet würden, und da er ein bischen ruhmredenerisch war, so schonte
er die Leute die Stoff zur Verhöhnung darboten nicht sonderlich.
Der arme Mozon war Wittwer geworden, er hatte sich seine kleine
Fleischgeschwulst, die Zierde seiner linken Wange, ausschneiden lassen;
er dachte daran ein Cabriolet zu halten: ich war fünfzehn Jahre
alt, er wurde von Neuem berufen um mich zu vervollkommnen; seine
Einbildungskraft gerieth in Feuer; an der guten Meinung von seiner
Kunst fehlte es ihm nicht; er hätte Marcel für einen recht braven
Spieler gehalten; er hätte sich mit jedem Künstler gemessen. Er ließ
seine Wünsche vortragen und wurde verabschiedet wie Mignard.

Von dem Augenblick an wo ein junges Mädchen das Alter
erreicht das ihre Entwicklung ankündigt, hängt sich ein Schwarm
von Liebhabern an ihre Fersen, wie ein Bienenschwarm um die so
eben aufgegangene Blume herumsummt. Da ich eine strenge Erziehung erhalten hatte und ein sehr zurückgezogenes Leben führte, so
konnte man nur in einer einzigen Absicht an mich denken, und der
achtungswürdige Charakter meiner Mutter, der äußere Anschein von
etwelchem Vermögen, so wie meine Eigenschaft als einziges Kind,
konnte diese Absicht für viele Leute sehr verführerisch machen. Es

stellten sich ihrer eine Menge ein, und da es schwer hielt Zutritt in unser Haus zu erlangen, so halfen sich die meisten damit daß sie an meine Eltern schrieben. Mein Vater brachte mir immer die dahin einschlagenden Briefe. Ganz abgesehen von den darin enthaltenen Erklärungen über Stand und Vermögensumstände hatte die Art wie sie abgefaßt waren im Anfang einigen Einfluß auf meine Meinung: ich nahm es auf mich eine Antwort zu entwerfen die mein Vater getreulich abschrieb. Ich ließ ihn die Bittsteller mit Würde, so daß sie aller Hoffnung entsagen mußten, aber ohne Beleidigung verabschieden. Auf diese Art wurde über die Jugend meines Quartiers Musterung gehalten; bei den meisten kostete es mich keine Mühe für meine abschlägigen Antworten einleuchtende Gründe aufzuführen. Mein Vater sah dabei blos auf den Reichthum; er machte gewaltige Ansprüche mit mir; wer erst vor gar zu kurzer Zeit ein Geschäft begründet hatte, und wem seine dermalige Habe oder seine unmittelbarsten Aussichten nicht eine sehr bedeutende Zukunft sicherten, der erhielt seine Zustimmung nicht; waren aber diese Punkte im Reinen, so sah er es sehr ungern daß ich mich nicht entschließen wollte. Hier begannen sich Uneinigkeiten zwischen meinem Vater und mir zu entwickeln die in der Folge nur immer mehr um sich griffen. Er liebte und schätzte den Handel weil er ihn als die Quelle des Reichthums betrachtete; ich verabscheute ihn weil er in meinen Augen die Wurzel des Geizes und der Schurkerei war.

Mein Vater sah wohl ein daß ich von eigentlichen Gewerbtreibenden nichts konnte wissen wollen, und seine Eigenliebe hätte ihm auch nicht gestattet an solche zu denken; aber er begriff nicht warum der feinaufgeputzte Juwelier der nur lauter schöne Dinge in die Hand nimmt und große Gewinnste damit macht, mir nicht behagen konnte, wenn er sich mit einem bereits wohlbegründeten

Haufe das glänzend werden mußte vorstellte. Inzwischen schien mir
der Geist des Juweliers wie der des geringen Krämers über welchen
er sich hoch erhaben dünkt, und des reichen Tuchhändlers der sich
mehr einbildet als alle andern, sich lediglich auf das Gelüste nach
Gold, auf die Berechnung wie dasselbe anzuhäufen und die Mittel
dazu listigerweise zu vervielfältigen seien zu beschränken. Er ist den
hohen Gedanken, den zarten und feinen Empfindungen nach welchen
ich das Dasein bemaß ganz und gar fremd.

Seit meiner Kindheit damit beschäftigt die Beziehungen des
Menschen in der Gesellschaft zu betrachten, genährt mit der reinsten
Moral, vertraut mit den großen Beispielen, sollte ich etwa darum
mit Plutarch und den Philosophen allen gelebt haben um mich mit
einem Kaufmann zu vermählen dessen Urtheile und Gefühle in Nichts
mit den meinigen übereinstimmten?

Man hat gesehen wie meine einsichtsvolle Mutter dafür sorgte
daß ich mich sowohl in der Küche als im Salon, sowohl auf dem
Markte als beim Spaziergang sollte zurechtfinden können; ich begleitete sie auch nach meiner Rückkehr aus dem Kloster bei den
Einkäufen für die Haushaltung die sie oft selbst besorgte; manchmal aber übertrug sie mir dieselben allein und schickte blos eine
Haushälterin mit. Der Metzger von dem sie ihren Bedarf bezog
verlor seine zweite Frau und sah sich noch jung im Besitz eines
Vermögens von fünfzigtausend Thalern das er noch höher zu treiben
beabsichtigte. Ich wußte von diesen Umständen nichts, und bemerkte
blos den Vortheil gut und mit ungemeiner Höflichkeit bedient zu
werden. Auch wunderte ich mich sehr, diesen Mann am Sonntag
häufig auf dem Spaziergange wo wir waren, in einem schönen schwarzen
Rock und feiner Hembkrause, auf meine Mutter zutreten und mit
einer tiefen Verbeugung an ihr vorübergehen zu sehen. So trieb er

es einen ganzen Sommer. Ich wurde unwohl; jeden Morgen ließ sich der Metzger erkundigen was man wohl wünschen könne, und Alles anbieten was sein Laden vermöge. Diese sehr weit gehende Aufmerksamkeit begann meinem Vater Spaß zu machen, und um sich ein Vergnügen zu bereiten führte er eine Jungfer Michon, eine ernsthafte Person mit frömmlerischem Gesichte, persönlich bei mir auf, als sie kam um im Namen des Metzgers feierlich um meine Hand zu bitten. „Du weißt, meine Tochter, sagte er in ernstem Tone zu mir, daß ich den Grundsatz habe Deinen Neigungen durchaus keinen Zwang anzuthun; folgende Vorschläge sind mir wegen Deiner gemacht worden;“ und er wiederholte mir was Jungfer Michon ihm mitgetheilt hatte. Ich biß mich in die Lippen, denn ich war ein wenig ärgerlich daß mein Vater sich von seiner guten Laune hatte verleiten lassen eine Antwort die er für mich hätte geben sollen mir zuzuschieben. „Es ist Dir nicht unbekannt, mein Papa, erwiederte ich in demselben Tone, daß ich mich in meiner gegenwärtigen Lage sehr glücklich schätze, und den festen Entschluß habe sie noch einige Jahre nicht aufzugeben; Du kannst auf diese meine Gemüthsstimmung Alles gründen was Du für angemessen hältst;“ und ich entfernte mich. „Ei wahrhaftig, sagte nachher mein Vater unter vier Augen zu mir, da hast Du Dir einen recht hübschen Vorwand und eine schöne Art ausgedacht alle Leute von Dir fern zu halten. — Ich habe, lieber Papa, blos Deine kleine Bosheit mit einer allgemeinen Redensart bezahlt die im Munde eines jungen Mädchens vollkommen schicklich ist, und ich habe das Geschäft in aller Form eine abschlägige Antwort zu geben, ein Geschäft das ich nicht auf mich nehmen kann, Dir überlassen wollen. — Das heißt sich sehr gut aus der Sache ziehen; aber sag mir doch was Dir einmal anständig sein wird. — Das wozu Du selbst mich

erzogen haſt, indem Du mich nachdenken lehrteſt und mir erlaubteſt
meine Zeit auf Studien zu verwenden; ich weiß nicht wer der
Mann iſt dem ich mich geben werde, aber jedenfalls wird es nur
ein ſolcher ſein mit dem ich meine Empfindungen und Gedanken
austauſchen kann. — Man trifft unter dem Handelsſtand ſehr ge-
bildete und unterrichtete Leute. — Ja, aber nicht ſo wie ſie für
mich taugen: ihre Bildung beſteht in einigen feinen Redensarten und
Artigkeiten; ihr Wiſſen bezieht ſich immer auf die Geldkiſte und
würde mir in der Erziehung meiner Kinder zu nichts helfen. —
Du würdeſt ſie ſelbſt erziehen. — Dieſe Aufgabe würde mir ſehr
hart erſcheinen, wenn nicht derjenige der ihnen das Leben gegeben
hätte Theil daran nähme. — Hältſt Du Lempereur's Frau nicht
für glücklich? Sie haben den Handel aufgegeben; ſie kaufen ſich
was ihnen gefällt; ſie haben eine ſchöne häusliche Einrichtung und
empfangen gute Geſellſchaft bei ſich. — Ich kann das Glück anderer Leute nicht beurtheilen und knüpfe das meinige nicht an den
Reichthum; ich begreife keine vollſtändige Befriedigung in der Ehe,
außer ſie entſtehe aus dem innigſten Bunde der Herzen; ich kann
mich mit keinem verbinden der nicht mir ſelbſt gleicht, und überdies
muß mein Mann noch beſſer ſein als ich; denn da Natur und Geſetze ihm eine Ueberlegenheit über mich verleihen, ſo würde ich mich
ſchämen wenn er ſie nicht wirklich verdiente. — Du wirſt wohl
einen Advokaten haben müſſen, allein die Frauen ſind mit ſolchen
Herrn von der Feder nicht gar glücklich; ſie ſind höchſt eingebildet
und haben ſehr wenig Geld. — Ei mein Gott, lieber Papa, ich beur-
theile Niemanden nach ſeinem Rock; ich ſage ja nicht daß ich dieſen
oder jenen Stand haben will, aber ich will einen Mann den ich
lieben kann. — Wenn man Dich hört, ſo iſt dieſer Mann alſo im
Handelsſtand nicht zu finden? — Ich geſtehe allerdings daß mir

dies sehr schwer scheint; ich habe noch keinen gesehen der mir zu=
gesagt hätte, und der Stand an und für sich selber ist mir zuwi=
der. — Es ist aber doch eine sehr angenehme Sache ruhig in
seinem Zimmer zu sitzen während der Mann gute Geschäfte macht.
Sieh einmal Frau von Argens an; sie versteht sich so gut auf die
Diamanten als ihr Mann; sie handelt in seiner Abwesenheit mit
den Mäklern; sie schließt auch mit Privatpersonen Geschäfte ab; sie
würde den Handel selbst dann fortsetzen wenn sie Wittwe würde:
diese Leute haben schon jetzt ein bedeutendes Vermögen; sie gehören
zu der Gesellschaft die neulich Bagnolet gekauft hat. Du bist ein
gescheidtes Mädchen; Du kennst dies Geschäft selbst seitdem Du die
Abhandlung über die Edelsteine gelesen hast; man würde Vertrauen
zu Dir haben; Du könntest thun was Du wolltest; Du hättest jetzt
ein angenehmes Leben, wenn Du den Delorme, den Dabreuil oder
den Lobligeois hättest nehmen wollen. — Siehst Du, Papa, ich
habe nur zu gut eingesehen daß man im Handel nur dann Glück
macht, wenn man theuer verkauft was man hoch eingekauft hat;
daß man tüchtig überfordern und den armen Arbeiter brandschatzen
muß; ich könnte mich nie zu etwas Derartigem hergeben, noch einen
Menschen hochachten der sich vom frühen Morgen bis an den späten
Abend damit beschäftigt. Auch will ich eine tugendhafte Frau sein;
und wie sollte ich dem Manne treu bleiben. vor dem ich keine Ach=
tung hätte, selbst vorausgesetzt ich hätte ihn heirathen können? Dia=
manten oder Pastetchen zu verkaufen scheint mir ganz dasselbe zu
sein, nur mit dem Unterschied daß letztere ihren beständigen Preis
haben; daß man vielleicht weniger damit betrügt, aber sich mehr
beschmutzt; mir gilt das eine so viel als das andere. — Glaubst
Du denn daß es unter dem Handelsstand keine anständigen Leute
gebe? — Darüber will ich nichts bestimmen; aber ich bin über=

zeugt daß sie dünn geſäet ſind; auch haben dieſe anſtändigen Leute nicht Alles was ich von einem Gatten verlange. — Du biſt ſehr wähleriſch geworden; und wenn Du Dein Hirngeſpinnſt nicht fin- deſt.... — So werde ich ledig abſterben. — Dies wäre vielleicht härter als Du glaubſt; im Uebrigen haſt Du Zeit darüber nach- zudenken: aber nach und nach ſtellt ſich die Langeweile ein, die Maſſe der Liebhaber verliert ſich und Du kennſt die Fabel. — O ich würde mich an der Ungerechtigkeit die mir das Glück verſagte da- durch rächen, daß ich es zu verdienen ſuchte. — Nun biſt Du wieder in den Wolken oben; es iſt recht ſchön wenn man hinaufſteigen kann, aber es iſt ſchwer ſich darin zu halten: bedenke doch auch daß ich ſehr gerne Enkelchen um mich ſehen möchte ehe ich zu alt werde.″

Ich würde ſie dir gerne geben, dachte ich bei mir ſelbſt, als mein Vater das Zwiegeſpräch abbrach und ſich entfernte, aber wahr- haftig ich will ſie nur von einem Manne haben der mir zuſagt. Es überkam mich jetzt eine gewiſſe Schwermuth indem ich meine Umgebung betrachtete, an welcher ich rund herum Nichts bemerkte was im Stande war meinen Neigungen zu entſprechen. Dieſe Em- pfindung war indeß nicht von Dauer; ich fühlte mich in der Gegen- wart glücklich und die Zukunft bedeckte ich mit einer unbeſtimmten Hoffnung; es war dies die Fülle eines Wohlſeins die auf die kom- menden Tage überſtrömt und von jeder Unruhe befreit. „Sollte es vielleicht diesmal ſein, mein Fräulein? ſagte mein Vater eines Tags mit erkünſtelter Ernſthaftigkeit und der zufriedenen Miene die er gewöhnlich annahm wenn er eine Beſtellung erhielt; lies einmal dieſen Brief.″ Er war ſehr hübſch geſchrieben, desgleichen gut ſtyliſirt und trieb mir die Röthe ins Geſicht. Herr Morizot von Rozain trug recht hübſche Sachen vor, aber er machte darauf aufmerkſam,

10

daß sein Name auf der Abelsliste seiner Provinz stehe; es schien mir
fad oder ungeschickt mit einem Vortheile zu prahlen den ich nicht
hatte und von dem er nicht voraussetzen durfte, daß ich ihn wünsche.
„Es ist hier weiter Nichts zu prüfen", sagte ich kopfschüttelnd, „inzwischen muß man den Menschen aussprechen lassen; noch ein oder
zwei Briefe und ich werde auf den Grund gesehn haben; ich will meine
Antwort darnach einrichten." So oft es sich's um Schreiben handelte,
war mein Vater ungemein dienstwillig und malte meinen Entwurf ohne
alle Umstände nach. Es machte mir Spaß den Papa vorzustellen; ich
behandelte meine eigenen Interessen mit dem ganzen Ernst den die
Sache verdiente und zugleich in einem recht väterlichen wohlweisen
Style. Es kam bis zu drei Erklärungsbriefen des Herrn von Rozain:
ich habe sie lange Zeit aufbewahrt, weil sie sehr hübsch abgefaßt
waren: sie haben mir bewiesen, daß Geist allein noch nicht genügte
um mir zu gefallen, sondern daß auch eine Ueberlegenheit des Urtheils
vorhanden sein mußte und jene Seele die sich durch nichts ersetzen,
durch nichts darstellen läßt, deren Ton aber sich gleich in den ersten
Augenblicken kund gibt. Außerdem nannte Rozain nichts sein eigen
als den Advokatentitel; mein dermaliges Vermögen konnte nicht für
beide ausreichen und er besaß nicht die Vereinigung von Eigenschaften
welche mich auf den Wunsch leiten konnten, von diesem Hindernisse
abzusehen.

Als ich ankündigte daß ich meine Liebhaber in Masse aufbieten
wolle, versprach ich nicht sie alle zu nennen, und man wird mir dies
leicht zu gut halten; ich wollte damit blos die Eigenthümlichkeit dieser
Lage bezeichnen, welche mich zum Gegenstand der Werbungen von
vielen Leuten machte die ich zum Theil nicht einmal von Angesicht
kannte, und worin ich die Freiheit hatte nach eigenem Gutdünken
über äußere Verhältnisse und Vernunftgründe zu entscheiden. Ich be-

merfte in der Kirche oder auf dem Spaziergange manchmal wohl neue
Gesichter von denen ich beobachtet oder verfolgt wurde und ich sagte
dann zu mir selbst, bald werde ich meinem Vater wieder eine Antwort
zu schreiben haben. Inzwischen habe ich nie ein Aeußeres gesehen das
mich angezogen, oder auch nur einen Eindruck auf mich gemacht
hätte.

Ich habe gesagt daß Lablancherie Geist genug gehabt habe,
sich in unser Haus einzuführen und offenbar einzusehn, daß er sich
angenehm zu machen suchen müsse, bevor er mit seiner Erklärung
herausrücke. Obschon noch sehr jung, hatte Lablancherie bereits
Reisen gemacht, viel gelesen und sogar etwas drucken lassen. Sein
Werk wollte nicht viel besagen, doch waren viel Moral und einige gesunde
Gedanken darin. Er hatte ihm den Titel gegeben: Auszug aus
meinen Reisen, als Leitfaden für Väter und Mütter.
Dieser zeugte, wie man sieht, nicht eben von übertriebener Bescheidenheit, indeß war man versucht ihn dem Verfasser zu verzeihen,
da er sich auf höchst achtungswürdige philosophische Berühmtheiten stützte,
dieselben ziemlich glücklich als Belege anführte und mit der Wärme
eines ehrlichen Gemüths gegen die Kälte oder Nachläßigkeit der Eltern
als die nur zu gewöhnlichen Ursachen der Unordnungen wodurch sich
die Jugend in's Verderben stürze, eiferte. Lablancherie, ein kleiner
Mann von brauner Gesichtsfarbe und im Uebrigen ziemlich häßlich,
hatte für meine Einbildungskraft ganz und gar nichts Ansprechendes;
aber sein Geist mißfiel mir nicht und ich glaubte zu bemerken, daß
meine Person ihm sehr gefiel. Eines Abends als ich mit meiner
Mutter von einem Besuch bei den Großeltern zurückkam, fanden
wir meinen Vater etwas nachdenklich. „Ich habe Neuigkeiten", sagte
er lächelnd zu uns, „Lablancherie ist so eben weggegangen, nachdem
er mehr als zwei Stunden bei mir gewesen; er hat sein Herz gegen

mich ausgeschüttet, und da seine Mittheilungen Sie betreffen, mein
Fräulein, so muß ich Sie wohl davon in Kenntniß setzen. (Diese
Schlußfolgerung lag so ziemlich auf flacher Hand. Inzwischen ver-
säumte es mein Vater nie sie besonders hervorzuheben). Er liebt
Dich und hat sich mir zum Eidam angetragen; allein er ist ein armer
Teufel und somit wäre es ein Wahnsinn, was ich ihm auch zu verstehen gegeben habe. Er hat die Rechte studirt und hätte den Plan
sich eine Stelle zu kaufen: da jedoch sein Pflichttheil hierzu nicht
ausreicht, so hat er gedacht, wenn er uns gefallen würde, so könnte
auch das Heirathsgut seiner Frau das Mangelnde ersetzen, und da meine
Tochter ein einziges Kind sei, so könnte ja das junge Ehepaar in den
ersten Jahren bei uns bleiben. Er hat mir über Alles das recht schöne
Sachen gesagt die im Gehirne junger Leutchen augenblicklich in der
besten Ordnung sind, allein kluge Eltern verlangen zuverläßigere und
sichere Grundlagen. Er soll einmal ein Geschäft anfangen oder ein
Aemtchen kaufen; er soll sich eine Stellung verschaffen, dann wollen
wir nachher schon sehen. Zum Heirathen ist es noch immer Zeit,
vorher aber wäre es eine Narrheit. Ueberdies müßte man noch zuvor
über seine Person Erkundigungen einziehen: doch diese wären bald
angestellt und würden ohne Zweifel befriedigend ausfallen. Ich wollte
lieber, er wäre kein Edelmann und hätte vierzigtausend Thaler. Er
ist ein recht guter Kerl: wir haben lange mit einander geplaudert;
meine Gründe haben ihn ein wenig betrübt, doch hat er sie angehört;
zuletzt hat er mich gebeten ihm mein Haus nicht zu verweisen und
hat mich so herzlich darum ersucht, daß ich's ihm versprechen mußte,
vorausgesetzt, daß er nicht öfter komme als bisher gewöhnlich. Ich
habe zu ihm gesagt, daß ich Dir Nichts darüber mittheilen wolle,
aber da du ein vernünftiges Mädchen bist, so will ich Dir lieber
Nichts geheim halten." Einige Fragen meiner Mutter und verständige

Betrachtungen über Punkte die man alle in's Auge fassen muß, bevor man sich gegen Jemand in Verbindlichkeiten einlasse, überhoben mich der Nothwendigkeit Etwas darüber zu sagen, nicht aber des, mir Gedanken über die Sache zu machen.

Die Berechnungen meines Vaters waren richtig; inzwischen waren die Vorschläge des jungen Mannes nicht unvernünftig und ich fühlte mich geneigt ihn mit größerer Theilnahme und Neugierde zu beobachten und zu studiren. Die Gelegenheiten dazu fanden sich nicht häufig. Mehrere Monate verstrichen; Lablancherie reiste nach Orleans und ich sah ihn erst nach zwei Jahren wieder. In dieser Zwischenzeit war ich auf den Punkt den Arzt Gardanne zu heirathen; eine Verwandte von uns hatte sehr eifrig darauf losgearbeitet diese Verbindung zu Stande zu bringen. Frau Desportes, eine geborne Provençalin, war mit einem Handelsmanne in Paris verheirathet gewesen. Sehr jung Wittwe geworden, und im Besitze einer einzigen Tochter, hatte sie einen Juwelenhandel welches Geschäft mein Vater so angenehm fand, für sich fortgesetzt. Geist, Ehrlichkeit, viele Gewandtheit und ein vortrefflicher Ton erwarben ihr allgemeine Achtung; man hätte sagen sollen, sie treibe ihr Geschäft blos aus Gefälligkeit gegen die Personen welche sich an sie wandten: ohne ihr Zimmer zu verlassen, das immer sehr schön gehalten war und wo sie eine anständige Gesellschaft empfing zum Theil aus denselben Personen bestehend welche ihren Bedarf an Luxusartikeln oder nothwendigeren Sachen von ihr bezogen, erhielt sie ihr kleines Vermögen, ich könnte sagen ihren Wohlstand, immer auf der gleichen Höhe. Sie war schon sehr alt und wurde von ihrer Tochter unterstützt die sich durch zärtliche Anhänglichkeit an ihre Mutter hatte bestimmen lassen alle ihr gemachten Anträge abzulehnen, um mit derselben im innigsten Bunde fortzuleben.

Garbanne war ein Landsmann der Frau Desportes. Sein Geist, seine südländische Lebhaftigkeit, tüchtige Studien und ein ungemeiner Eifer verhießen diesem jungen Doktor bedeutende Fortschritte auf seiner bereits mit Glück begonnenen Laufbahn. Frau Desportes welche ihn mit einer gewissen mütterlich schützenden Güte aufnahm, die ihrem Charakter und Alter wohl anstand und die sie liebenswürdig zu machen wußte, kam auf den Gedanken ihn mit ihrem Bäschen zusammen zu kuppeln. Sie starb mit diesem Plane und ihre Tochter beschloß ihn in's Werk zu setzen.

Garbanne wünschte und fürchtete zugleich eine Verbindung; bei der Berechnung der Vortheile und Uebelstände der großen Brüderschaft, hatte er sich nicht wie mein romantischer Kopf einzig und allein auf das wünschenswerthe Zusammentreffen meiner persönlichen Beziehungen beschränkt, sondern er zog Alles in Betracht. Meine Aussteuer belief sich auf nur zwanzigtausend Franken; inzwischen stand für die Zukunft noch einiges in Aussicht. Die geldlichen Bedingungen wurden gemacht, bevor ich etwas erfuhr; der Handel war abgeschlossen, als man mir von einem Arzte sagte den ich heirathen sollte. Der Stand gefiel mir, er ließ einen aufgeklärten Mann hoffen, inzwischen mußte ich doch seine Person kennen lernen. Man ordnete einen Spaziergang im Luxemburg an; auf demselben mußte man von einem Regen überfallen werden, wenigstens fürchtete man es und flüchtete sich zu einer Freundin der Frau Desportes, dem Fräulein de la Barre einer großen Jansenistin, die über den Zufall ungemein erfreut war und uns ein Vesperbrod anbot, zu welchem wir uns kaum niedergelassen hatten, als ihr Arzt und Landsmann gerade recht dazu kam und ihr seinen Besuch abstattete.

Man betrachtet sich von beiden Seiten genau, ohne daß ich mir jedoch das mindeste anmerken, aber auch ohne daß ich mir etwas ent=

gehen ließ. Meine Base frohlockte bereits und schien sagen zu wollen: „Ich hatte sie als hübsch angekündigt, aber was halten Sie jetzt von ihr?" Meine gute Mutter sah zärtlich und zugleich nachdenklich aus. Fräulein de la Barre spielte die Geistreiche und bewirthete uns dabei köstlich mit ihren Backwerken und tausend Bonbons; der Arzt plauderte ziemlich viel, knarpelte Zuckerwaaren und sagte mit einer Galanterie die ein wenig nach den Schulbänken schmeckte, er sei ein großer Liebhaber vom Süßen, worauf das junge Mädchen mit schüchterner Stimme einigem Erröthen und flüchtigen Lächeln bemerkte, man mache den Männern überhaupt den Vorwurf daß sie es sehr lieben, weil sie es immer nöthig haben süß behandelt zu werden. Der feine Doktor schien sich an diesem sinnreichen Spruche ungemein zu ergötzen. Mein Vater hätte gerne schon jetzt seinen Segen gegeben; er war so höflich und zuvorkommend, daß ich beinahe rasend wurde. Der Arzt beurlaubte sich zuerst, um seine Abendbesuche zu machen; wir kehrten nach Hause zurück, wie wir gekommen waren, und das war es nun, was man eine Zusammenkunft nannte. Jungfer Desportes, eine große Beobachterin der Formen, hatte Alles so angeordnet, weil ein Mann der Heirathsabsichten hat in einem Hause, das nicht offen ist und worin sich ein junges Mädchen befindet, nicht eher erscheinen soll, bis er angenommen ist; aber auch, wenn es damit schon seine Richtigkeit hat, muß vor Allem der Vertrag aufgesetzt werden und unmittelbar darauf der förmliche Verspruch folgen: Das war das Gesetz und die Propheten. Ein Arzt in seiner Amtstracht hat nie etwas Verführerisches für ein junges Mädchen; ich habe mir in keiner Zeit meines Lebens den Gott Amor mit einer Perücke vorstellen können. Gardanne mit seiner wichtigen Doktorsmiene, seinem süßlichen Accent, seinen beinahe zusammengewachsenen schwarzen Augenbraunen schien weit geeigneter ein Fieber zu beschwören als zu veranlassen. Ich fühlte das zwar, aber ohne mein Gefühl sich zum Gedanken erheben zu lassen, ich hatte von der Ehe so strenge Begriffe, daß ich in seinem Vorschlag nicht die mindeste Veranlassung zu einem Spaße fand. „Nun wie?" fragte mich meine gute Mutter in sanftem Tone, „wie findest Du diesen Herrn? wird er Dir wohlgefallen? — Das kann ich nicht so schnell wissen Mama. — Aber Du kannst doch sagen, ob Du Widerwillen gegen ihn empfindest? — Weder Widerwillen noch Wohlgefallen; das eine noch das andere müßte noch kommen. — Wie! man muß doch wissen was man antworten soll, wenn förmlich um Dich angehalten wird. — Und wird diese Antwort bindend sein? — Das versteht sich; wenn man einem ehrenwerthen Manne sein Wort gegeben hat, so muß man es auch halten. — Und wenn er mißfällt? — Ein vernünftiges Mädchen, das sich nicht blos von ihrer Laune leiten läßt, nimmt einen so großen Entschluß nie mehr zurück, wenn sie einmal die Gründe dazu gehörig erwogen hat. — Also soll ich mich auf diese Zusammenkunft hin entscheiden? — Das nicht gerade: die Beziehungen in welchen Herr von Garbanne zu der Familie steht, erlauben uns schon ein Urtheil über sein Auskommen und seinen Lebenswandel; einige weitere Erkundigungen werden uns vollends ein getreues Bild von seinem Charakter geben: sind nun diese Hauptgrundlagen auf die man einen Entschluß bauen muß, im Reinen, so ist das gegenseitige persönliche Sehen nur noch von untergeordneter Wichtigkeit. — Ach Mama, es hat bei mir durchaus keine Eile mit dem Heirathen. — Ich glaube das wohl, mein Kind; aber Du sollst nun einmal eine Frau werden, und stehst jetzt im geeignetsten Alter dazu; Du hast schon eine Menge Kaufleute abgewiesen und von diesem Stande her werden bei Deiner Lage wohl die meisten Anträge kommen; Du scheinst entschlossen zu sein, keinen

Mann zu wollen der demselben angehört; bei Deinem heutigen Bewerber aber haft Du an seinen äußeren Verhältnissen Nichts auszusetzen; hüte Dich wohl ihn leichtsinnig zu verschmähen. — Ich denke, ich werde noch Zeit haben mich zu besinnen; Garbanne selbst ist vielleicht noch nicht entschlossen; er hatte mich ja vorher noch nie gesehen. — Das ist wohl wahr; aber wenn dies Deine einzige Ausflucht ist, so würdest Du vielleicht nicht lange damit ausreichen. Im Uebrigen verlange ich für den Augenblick noch keine Antwort; Du kannst Dich bedenken, und mir nach zwei Tagen Deine Ansicht mittheilen." Mit diesen Worten küßte mich meine Mutter auf die Stirne und überließ mich meinen Betrachtungen.

Vernunft und Natur vereinigen sich so vollkommen ein verständiges und sittsames Mädchen zu überzeugen, daß sie heirathen muß, daß sie sich in dieser Beziehung über Nichts besinnen kann als über die Wahl des Gegenstandes. Nun fehlte es den Beweisgründen meiner Mutter auch hinsichtlich der Wahl selbst nicht an Richtigkeit. Ich bedachte ferner, daß meine vorläufige Annahme, was man auch darüber sagen möge mich nicht unbedingt fesseln könne; daß es abgeschmackt wäre mich deßwegen als gebunden zu betrachten, weil ich darin gewilligt, den Mann der als mein Freier auftreten wollte, in meinem väterlichen Hause zu sehen; und ich fühlte sehr wohl, daß ich, im Fall er mir mißfiele, mich durch keine Rücksicht in der Welt bestimmen lassen würde den Vertrag abzuschließen. Ich beschloß daher bei mir selbst nicht Nein zu sagen, und mir eine genauere Prüfung vorzubehalten.

Wir waren im Begriff auf das Land abzureisen, wo wir vierzehn Tage zuzubringen gedachten; ich fand, daß es nicht würdig gewesen wäre die Reise deßwegen aufzuschieben, weil man einen Freiersmann erwartete; meine Mutter war derselben Ansicht: aber ehe wir aufgebrochen waren, kommt eines schönen Vormittags Fräulein de la Barre, um im Namen des Doktors förmlich anzuhalten. Meine Eltern antworteten in den allgemeinen Redensarten mit denen man in einen solchen Vorschlag einzuwilligen pflegt, und sich nur noch einige Ueberlegung vorbehält. Die Liebesbotin verlangte für ihren Bittsteller die Erlaubniß persönlich seine Aufwartung machen zu dürfen, und diese wurde ihm gewährt. Jungfer Desportes die nie Etwas that ohne es nach allen Seiten reiflich erwogen zu haben, hielt es nun für ihre Pflicht ihn einzuführen, und ein Familienabendessen bei welchem auch Fräulein de la Barre und eine meiner Verwandten sich einstellten, bezeichneten den Eintritt des Liebhabers in das elterliche Haus. Tags darauf reisten wir auf das Land ab, um daselbst gerade so viel Zeit zuzubringen, als gewöhnlich zur Einziehung von Erkundigungen anberaumt wird. Diese zweite Zusammenkunft machte auf mich so wenig Eindruck als die erste; doch sah ich in Garbanne einen Mann von Geist, mit welchem ein denkendes Weib wohl leben könne und in meiner Unerfahrenheit meinte ich, sobald die Möglichkeit gegeben sei sich vernünftig zu unterhalten und zu verständigen, so könne es an Nichts mehr fehlen was zu einer glücklichen Ehe gehöre. Meine Mutter fürchtete, Anzeigen von einem herrischen Charakter bei ihm zu bemerken; dieser Gedanke hatte nichts Schreckliches für mich: gewöhnt mich selbst zu studiren, meine Neigungen und Wünsche zu regeln, meiner Einbildungskraft zu gebieten, durchdrungen von der Strenge und Erhabenheit der Pflichten einer Gattin, sah ich durchaus nicht was ein etwas mehr oder weniger sanfter Charakter für mich ausmachen sollte, und wie er höhere Forderungen an mich stellen könnte, als ich selbst stellte. Ich überlegte die Sache, wie ein Philosoph der berechnet, und zugleich wie ein Einsiedler der weder die Menschen noch die Leidenschaften kennt. Ich sah mein friedjames und liebevolles, edelmüthiges und aufrichtiges Herz als den gewöhnlichen Maaßstab für das menschliche Gemüth an. Ich habe diesen Fehler lange Zeit hindurch begangen; er ist die einzige Quelle meiner Irrthümer gewesen. Ich beeile mich darauf aufmerksam zu machen, und gebe so zum Voraus den Schlüssel zu meinem Schreibtische aus den Händen. Ich brachte auf's Land eine Art von Unruhe mit; es war nicht jene süße Aufregung die sein entzückender Anblick gewöhnlich in mir hervorgebracht und in Folge deren ich seine herzergreifenden Zauber mit noch größerer Wonne genoß. Ich fühlte mich am Vorabend einer neuen Lage; ich stand vielleicht im Begriff meine vortreffliche Mutter, meine theuren Studien, meine freudenreiche Zurückgezogenheit und endlich eine gewisse Unabhängigkeit gegen einen Stand zu vertauschen von welchem ich keinen klaren Begriff hatte und der mir große Verpflichtungen auflegen würde: ich hielt es für ehrenvoll, welche zu erfüllen zu haben und glaubte mich auch dazu geschaffen ihnen nachzukommen; aber ich sah doch nicht Alles und so empfand ich denn das Verlangen und zugleich die Furcht der Ungewißheit. Jungfer Desportes hatte mir das Versprechen abgenommen ihr zu schreiben; ich hielt mein Wort: aber nach Verfluß der vierzehn Tage erfuhr ich, daß sie einen großen Verdruß gehabt hatte. Mein Vater der so ziemlich am Buchstaben klebte, hätte seine Tochter nicht gut zu verheirathen und seine Vaterpflichten nicht pünktlich zu erfüllen geglaubt, wenn er nicht das was er Erkundigungen nannte, in aller Form und Regel eingezogen hätte. Garbanne wurde von einer unsrer Verwandten eingeführt die ihn von Geburt an und aus vieljährigen Umgang kannte; es waren alle nur möglichen Aufschlüsse über ihn gegeben worden; dessen ungeachtet hatte mein Vater beim Entstehen des Verhältnisses an zwei oder drei Personen in der Provence geschrieben, um sich über die kleinsten Ein-

zelhelten in Betreff der Familie und der Person des Doktors zu unterrichten: in unsrer Abwesenheit aber beschränkte sich seine Vor- und
Umsicht nicht hierauf. Er gebrauchte allerhand Mittelchen, um von
seinen Hausgenossen oder Lieferanten Näheres über die Gemüthsart
und Lebensweise seines künftigen Eidams zu erfahren: damit nicht
zufrieden, stattete er ihm selbst einen Besuch ab, und mit derselben
Geschicklichkeit die er bei seinen Nachforschungen beurkundet, wobei
er nämlich seine Ursachen dazu Jedermann hatte durchblicken lassen,
wollte er vor ihm sehr wohl unterrichtet erscheinen, nannte ihm sehr
pfiffig als einen Mann, vor dem er Achtung haben müsse, einen
Landsmann mit welchem er überworfen war, und fügte seinen Bemerkungen noch voreilige gutgemeinte Rathschläge in väterlichem Tone
bei. Garbanne erhielt zu gleicher Zeit sowohl Briefe aus seiner Heimath, worin man ihn mit den Nachforschungen deren Gegenstand
er sei, neckte, als auch Winke über die genauen Erkundigungen die
in Paris seinetwegen eingezogen wurden; und endlich eine schulmeister-
liche Ermahnung von seinem vermeintlichen Schwiegervater. Voll
Verdruß und Unmuth geht er zu Jungfer Desportes, beklagt sich mit
seiner südländischen Lebhaftigkeit über das auffallende Benehmen eines
Mannes, dessen sehr wünschenswerthe Tochter den Fehler habe einem
so eigenthümlichen Vater anzugehören; Jungfer Desportes ebenfalls
eine lebhafte und sehr stolze Person fühlt sich beleidigt, daß man von
ihrem Bäschen wenig genug entzückt sein könne, um sich über solche
kleine Unannehmlichkeiten zu beschweren und empfängt ihn ziemlich
schlecht. Sobald diese Nachrichten zu meiner Kunde gelangten, ergriff ich mit Begierde die Gelegenheit meiner Ungewißheit ein Ende
zu machen und schrieb, ich hoffe bei meiner Rückkehr den Mann nicht
mehr zu sehen. So endete ein Heirathsplan, dessen Ausführung man
dermaßen hatte beschleunigen wollen, daß Garbanne sicher darauf ge-

rechnet hatte, acht Tage nach meiner Rückkehr werde Alles im Reinen
sein: ich wünschte mir Glück einem Bande zu entgehen das man
so eilig hatte knüpfen wollen. Meine Mutter die über die Lebhaftigkeit des Doktors erschrack, athmete freier auf, wie wenn
ihr eine große Angst vom Herzen genommen wäre, obschon sie
sich auf der andern Seite ein wenig betrübte; mein Vater suchte einige
Scham und etwas Aerger unter dem Schleier großer Würde zu verbergen; meine Base bewahrte die ihrige vollständig, indem sie den
Doktor verabschiedete und fünf Jahre später sagte noch Fräulein de la
Barre zu ihr, diese Verbindung sei im Himmel beschlossen; ihr Freund
gehe keine andere ein; der Finger der Vorsehung werde eine Versöh-
nung zu Stande bringen, wie wir sie uns gar nicht denken.

Eine schöne Prophezeiung, die aber nicht in Erfüllung gehen
sollte!

Die Gesundheit meiner Mutter nahm allmälig ab; sie hatte
einen Anfall von Gliederlähmung bekommen, dem man im Einver-
ständniß mit ihr die sich nicht darüber täuschte und mir jede Unruhe
ersparen wollte, den gelinden Namen Rheumatismus gegeben hatte.
Ernst und schweigsam verlor sie mit jedem Tage an ihrer Lebhaftigkeit.
Sie liebte es sich einsamen Betrachtungen zu überlassen und nöthigte
mich manchmal mit der Haushälterin auszugehen, ohne daß sie
selbst ihr Zimmer verlassen wollte. Sie sprach oft von meiner Verheirathung mit mir und bedauerte, daß ich mich noch für keinen der
vielen Anträge die mir gemacht worden, habe entscheiden können.
Eines Tags drang sie in sehr schwermüthigem Tone in mich, ich möchte
doch einen ehrlichen Juwelier nehmen der um mich angehalten hatte:
„Er steht", sagte sie zu mir, „im Rufe großer Rechtschaffenheit,
einer gesitteten Aufführung, eines sanften Charakters und hat ein
recht hübsches Vermögen, das mit der Zeit glänzend werden kann; eine

Zugabe die selbst einem. mittelmäßigen Menschen theilweisen Werth
gibt. Er weiß, daß Du nicht die gewöhnlichen Ansichten hast; er
hegt hohe Achtung für Dich; er wird sich eine Ehre daraus machen
Deine Rathschläge zu befolgen, und er sagt bereits, er würde Nichts
dagegen haben, wenn seine Frau ihre Kinder selbst säugen wolle;
er würde sich vollständig von Dir leiten lassen. — Ei Mama, ich
will Nichts von einem Manne den ich leiten könnte; der wäre blos
ein großes Kind. — Aber weißt Du auch, daß man Dich sehr sonderbar finden könnte, denn Du wirst doch eben so wenig einen Herrn
haben wollen? — Verständigen wir uns, liebe Mama; ich will
keinen Mann der mir befehlen wollte; er würde mich blos Wider-
spenstigkeit lehren; aber ich will eben so wenig nöthig haben ihn zu
beherrschen. Entweder täusche ich mich oder diese Personen die fünf
Fuß hoch sind, und Haare um's Kinn haben, wollen früh oder
spät zu erkennen geben, daß sie die stärkeren sind. Der gute Mann
den die Lust anwandelte, mich an diese Stärke zu erinnern, würde
mich dann ungeduldig machen, wenn er sich leiten ließe, so müßte
ich mich meiner Herrschaft schämen. — Ich verstehe; Du möchtest
gerne einen unterjochen der sich für den Herrn hielte, aber Dir dennoch Deinen Willen thäte. — Dies eben so wenig; ich hasse die
Knechtschaft, aber ich glaube mich nicht für's Herrschen geschaffen:
es würde mich in Verlegenheit setzen; meine Vernunft hat mit mir allein
schon genug zu thun. Ich will Einen der meiner Achtung würdig
ist, für mich begeistern, einen solchen gegen den gefällig zu sein ich
mir zur Ehre rechnen kann, und der sein Glück darin findet, das
meinige zu machen, je nachdem es ihm sein Verstand und seine Liebe
für mich eingibt. — Das Glück, mein Kind, besteht nicht immer
aus dieser Vollkommenheit der gegenseitigen Verhältnisse, wovon Du
Dir träumen läßest; wenn es ohne sie keines gäbe, so würde es bei-

nahe in allen Ehen auf Null herabſinken. — Ich kenne aber auch keine die ich beneiden möchte. — Immerhin; aber unter dieſen Ehen die Du nicht beneiden willſt, kann es gleichwohl welche geben die dem ledigen Stande bei weitem vorzuziehen ſind. Ich kann eher ſterben, als Du glaubſt: Du würdeſt dann mit Deinem Vater allein bleiben; er iſt noch jung und Du kannſt Dir nicht denken welche Verdrießlichkeiten meine Zärtlichkeit für Dich fürchtet; wie ruhig würde ich ſein, wenn ich Dich mit einem anſtändigen Manne verbunden wüßte, ehe ich aus dieſer Welt ſcheide!" Dieſe letzten Vorſtellungen erfüllten mich mit tiefem Schmerz. Meine Mutter ſchien einen furchtbaren Schleier über eine düſtere und ſchreckenerregende Zukunft zu lüften, an die ich noch nicht von ferne gedacht hatte. Es war mir noch nie eingefallen, daß ich ſie verlieren müßte; der bloße Gedanke an dieſen Verluſt von dem ſie jetzt wie von einem unmittelbar bevorſtehenden ſprach, verſetzte mich in Schrecken; ein unheimliches Grauen durchrieſelte meinen Körper; ich ſtierte ſie mit irren Augen an denen ihr Lächeln Thränen entlockte. „Ei wie! Du beunruhigſt Dich als ob man bei den Entſchlüſſen die man faßt, nicht alle Möglichkeiten in Berechnung ziehen müßte! Ich bin nicht krank, befinde mich indeß in einem entſcheidenden Zeitpunkte in welchem Umwälzungen zuweilen ein böſes Ende nehmen; aber gerade in geſunden Tagen muß man an ſolche Sachen denken und die gegenwärtige Gelegenheit fordert mich namentlich dazu auf. Ein guter und würdiger Mann bietet Dir ſeine Hand; Du haſt zwanzig Jahre hinter Dir, Du wirſt nicht mehr ſo viele Freier ſehen, als ſich in den letztverfloſſenen fünf Jahren eingeſtellt haben: mit mir kann es ein ſchnelles Ende nehmen . . . Verſchmähe einen Mann nicht . . . der zwar allerdings nicht die feine Bildung beſitzt auf welche Du ſo vielen Werth legſt (eine feine Bildung, die immer höchſt ſelten iſt, ſelbſt bei ſolchen, bei denen man sie zu finden glaubt), der Dich aber lieben und mit dem Du glücklich sein wirst. — Ja Mama", rief ich mit einem tiefen Seufzer, "so glücklich wie Du es bist!" Meine Mutter kam in Verlegenheit, antwortete mir Nichts und öffnete ihren Mund nie mehr gegen mich weder über diesen noch über irgend einen andern Heirathsantrag; wenigstens suchte sie mich nimmer zu bestürmen. Das Wort war mir entfahren, wie ein unüberlegter Ausbruck eines lebhaften Gefühls zu entfahren pflegt; die Wirkung die es hervorbrachte, überzeugte mich daß es nur allzu treffend war.

Fremde Leute mußten auf den ersten Blick die ungemeine Verschiedenheit einsehen, die zwischen meiner Mutter und meinem Vater statt fand. Ach wer vermöchte die Vortrefflichkeit der Ersten besser zu empfinden, als ich; aber ich hatte nie eigentlich berechnet, wie viel sie leiden mußte; seit meiner Kindheit gewöhnt den tiefsten Frieden im Hause herrschen zu sehen, konnte ich nicht beurtheilen, ob es mühsam war ihn aufrecht zu erhalten. Mein Vater liebte seine Frau und war mir mit vieler Zärtlichkeit zugethan; nie hatte er ein Wort des Vorwurfs gegen meine Mutter verlauten lassen, oder ihr nur im Mindesten ein unzufriedenes Gesicht gezeigt. Wenn sie in irgend Etwas die Ansicht ihres Mannes nicht theilte und ihn nicht davon abzubringen vermochte, so hätte man sagen sollen, sie spreche ein Verdammungsurtheil über ihre eigene aus, ohne daß es sie sauer ankomme. Nur in den letzten Jahren als mir das Gerede meines Vaters hie und da lästig wurde, hatte ich mir manchmal erlaubt auf die Erörterung mit einzugehen; ich hatte dabei einen gewissen Einfluß von dem ich bald mit einer Art von Freiheit Gebrauch machte. Sei es nun wegen der Neuheit der Sache, oder aus Schwachheit, mein Vater gab mir eher nach als seiner Frau: ich machte mir es in ihrem Interesse zu Nutzen und bin, so zu sagen, der Wachthund meiner Mutter geworden. Er durfte sie in meiner Gegenwart nicht drangsaliren und dadurch, daß ich ihn entweder neckisch ankläffte und an seinem Rock- schoß zupfte oder daß ich ernstlich böse wurde, konnte ich mich immer darauf verlassen das Spiel zu gewinnen. Das Merkwürdige dabei war, daß ich bei der gleichen Rückhaltung wie meine Mutter ihrem Manne gegenüber beobachtete, niemals unter vier Augen und in Ab- wesenheit meines Vaters ein Wort zu ihr sagte das gegen die kind- liche Ehrfurcht hätte anstoßen können. Ich gebrauchte, um sie zu vertheidigen, die Kraft ja ich kann wohl sagen die Machtvollkommen- heit der Vernunft, wenn eine sinnreiche Gewandtheit nicht hinreichte; aber wenn wir einander allein gegenüber standen, so hätte ich den Mund niemals zu einem einzigen Worte über das Vergangene aufge- than. Für sie konnte ich ihren Ehemann sogar bekämpfen; aber dieser abwesende Ehemann war nur noch mein Vater von welchem beide schwiegen, wenn man nicht Ursache hatte, mit dankender Anerkennung von ihm zu sprechen. Inzwischen bemerkte ich, daß mein Vater allmälig seine gewohnte Arbeitsamkeit abgelegt hatte; seine Ge- meindegeschäfte hatten ihn Anfangs zerstreut, hernach erweckten sie das Bedürfniß in ihm öfter als früher auszugehen; allmälig ließ er sich vom Hang zur Verschwendung hinreißen: wo etwas Merk- würdiges zu hören oder zu sehen war, da mußte er sich einstellen. Dazu kam noch Spielsucht; Verbindungen, die er auf dem Kaffeehause gemacht, führten ihn auch an andere Orte; er vermochte den Lockungen der Lotterie nicht zu widerstehen. Nachdem ihn der Wunsch, ein reicher Mann zu werden, zu Handelsunternehmungen verleitet die mit seiner Kunst Nichts zu schaffen hatten und die nicht immer glücklich ausgefallen waren, veranlaßte ihn derselbe Wunsch, als er nach und nach die Lust zum Arbeiten verlor, dem Glücksspiele seine Opfer darzubringen. Dadurch daß er sein Talent weniger

11

übte, verlor er einen Theil deffelben; feine Fähigkeiten nahmen ab,
bei einem weniger geregelten Leben verfchlechterte fich fein Geficht und feine Hand verlor an ihrer Feftigkeit. Seine jungen
Leute die fich von ihrem Meifter weniger überwacht fahen er-
fetzten ihn immer fchlechter. Bald mußte er fie theilweife weg-
fchicken weil die Kundfchaft fich verzog. Diefe Aenderungen traten
in einer unmerklichen Stufenfolge ein, und ihre Wirkung wurde
fehr fühlbar bevor man noch den Belang derfelben berechnet hatte.
Meine Mutter die fehr in Nachdenken verfunken war fing manchmal an mir halb und halb ihre Beforgniffe zu eröffnen; ich fürchtete ihre Unruhe noch zu vergrößern, wenn ich mit ihr von einer
Sache fpräche die weder ich noch fie zu ändern vermochten. Sie
war fehr faul im Gehen geworden; ich brachte das Opfer daß ich
fie verließ um mit meinem Vater auszugehen, den ich bat mich
auf den Spaziergang zu begleiten. Er holte mich nicht mehr wie
früher von felbft ab, aber es machte ihm noch Vergnügen mich
zu begleiten, und ich brachte ihn dann mit einer Art Frohlocken
zu diefer guten Mutter zurück, deren ganze Zärtlichkeit und Rührung fich kund that wenn wir alle drei beifammen waren. Wir
gewannen indeß nicht immer Etwas dabei; denn wenn mein Vater
um feiner Tochter Nichts abzufchlagen mich nach Haufe zurückgebracht hatte, fo ging er um auch feinen anderweitigen Vergnügungen nicht untreu zu werden von Neuem aus; zwar nur auf
einen Augenblick, fagte er, aber ftatt zum Nachteffen zurückzukommen vergaß er die Stunde und kehrte erft um Mitternacht
heim. Wir hatten im Stillen geweint, und wenn es mir bei
feiner Nachhaufekunft begegnete ihn unfern Verdruß merken zu
laffen, fo nahm er das Ding auf die leichte Achfel und befeitigte
meine fanften Vorwürfe mit Scherzen oder zog fich mit ftillem

Mißvergnügen zurück. Das häusliche Glück ward unter diesen
Wolken zu Grabe getragen, aber der Friede wurde nicht gestört,
und gleichgiltige Augen würden die Aenderungen die sich mit jedem
Tage ergaben nicht bemerkt haben.

Meine Mutter litt seit mehr als einem Jahr viel an einer
Art von Stockschnupfen der Aehnlichkeit mit einem Hirnschnupfen
hatte, und dessen Ursache die Aerzte nicht hatten errathen können.
Nachdem sie verschiedene Heilmittel versucht, riethen sie hauptsächlich
Bewegung welche sie nicht mehr liebte, und die gute Landluft an.
Die Pfingstfeiertage des Jahres 1773 rückten heran. Es wurde
beschlossen daß wir dieselben in Meudon zubringen sollten. Ich
wachte nicht wie sonst gewöhnlich wenn es sich um solche Land-
partien handelte am Sonntagmorgen voll Munterkeit auf; ich hatte
diesmal einen schweren und von unheimlichen Träumen unterbroche-
nen Schlaf. Es däuchte mich, wir kommen zu Wasser unter einem
großen Sturme nach Paris zurück, und wie wir aus dem Schiff-
chen steigen wollen, versperre uns ein Leichnam den man aus
demselben ziehe, den Weg: bei diesem Anblick bebte ich voll Ent-
setzen zusammen und erkundigte mich wem diese traurige Leiche
angehöre. In demselben Augenblick berührte meine Mutter leicht
meine Beine über dem Bett, nannte mich mit ihrer sanften Stimme
und machte so dem Traumbild ein Ende. Bei ihrem Anblick war es
mir als hätte sie mich aus der äußersten Gefahr errettet; ich streckte
meine Arme gegen sie aus, drückte sie voll Rührung an mich und
sagte ihr, sie habe mir dadurch daß sie mich geweckt eine große
Wohlthat erwiesen. Ich springe aus dem Bett, wir treffen unsere
Anordnungen und reisen ab. Das Wetter war schön, die Luft
ruhig; ein kleiner Kahn hatte uns bald an unsern Bestimmungsort
geführt, und die Herrlichkeiten des Landlebens gaben mir meine

Heiterkeit wieder. Meiner Mutter bekam die Reise wohl und sie wurde wieder ein wenig munterer, namentlich am zweiten Tage als wir Ville-Bonne und den Brunnenmeister von der rothen Mühle entdeckten. Ich hatte meiner Agathe versprochen sie am Tage nach den Festen zu besuchen. Wir waren am Dienstag-Abend wieder zu Hause. Meine Mutter hatte sich vorgenommen mich in's Kloster zu begleiten, aber da die Bewegung an den vorhergehenden Tagen sie ein wenig ermüdet hatte, so änderte sie ihren Entschuß in dem Augenblick wo wir weggehen wollten und sagte, die Hausverwalterin solle mit mir gehen. Ich wollte jetzt gleichfalls dableiben, allein sie bestand darauf daß sie gerne allein bleibe, und wenn ich nachher noch einen Spaziergang im Jardin du Roi machen wolle, so solle ich mir das Vergnügen nicht versagen.

Ich sah Agathe, verabschiedete mich aber beinahe plötzlich wieder von ihr. „Warum so schnell gehen? fragte sie, wirst Du denn erwartet? — Nein, aber es drängt mich zu meiner Mutter zurückzukommen. — Du hast mir doch gesagt daß sie sich wohl befinde? — Das ist wahr, auch erwartet sie mich nicht und ich weiß nicht was mich quält; allein es ist mir Bedürfniß sie wieder zu sehen." — Bei diesen Worten überkam mich eine unwillkürliche Beklommenheit.

Man wird vielleicht denken, diese Umstände werden in Folge eines Gefühles hinzugefügt das zurückstrahle und den Gegenständen die ihm vorangegangen seine Färbung leihe. Allein ich bin nur eine treue Geschichtschreiberin und berichte blos Thatsachen an die mich allein das Ereigniß selbst nachmals erinnert hat.

Man hat gewiß aus der Darstellung meiner Ansichten und namentlich aus der stufenweisen Entwickelung der Ideen die ich mir angeeignet ersehen können, daß ich damals so wenig mehr in gewissen Vorurtheilen befangen war als ich heute mit abergläubischen Vorstellungen behaftet bin. Auch hat mich mein Nachdenken über die möglichen Veranlassungen der sogenannten Ahnungen zu der Ansicht geführt daß sie sich auf einen schnellen Ueberblick zurückführen lassen, welchen Menschen von lebhaftem Geist und feinem Gefühl über eine Menge unmerkbarer Dinge besitzen die man nicht einmal zu bezeichnen weiß, die sich mehr dem Gefühl als der Urtheilskraft offenbaren, und aus denen sich eine Gemüthsstimmung ergibt für welche man keine Gründe anführen kann, die aber durch die Wirkungen aufgeklärt und gerechtfertigt wird.

Je lebhafter die Theilnahme ist die uns ein Gegenstand einflößt, je klarer wir in seine Verhältnisse schauen, oder je erregbarer wir sind wenn es sich um ihn handelt, um so mehr haben wir diese physischen Einblicke, wenn ich so sagen darf, die man nachher Ahnungen nennt, und welche die Alten als Vorzeichen oder als Mahnungen der Götter betrachteten.

Meine Mutter war mir der geliebteste Gegenstand; sie näherte sich ihrem Ende ohne daß ein äußeres Zeichen es gewöhnlichen Augen ankündigte: ich selbst hatte bei aller Aufmerksamkeit Nichts zu erkennen vermocht was mich auf diesen schrecklichen Schlag schließen lassen konnte; aber ohne Zweifel gingen in ihr unmerkbare Aenderungen vor die mich aufregten ohne daß ich es selbst wußte. Ich konnte nicht sagen daß ich unruhig war, denn ich hätte nicht gewußt warum; aber ich fühlte eine gewisse Bangigkeit; mein Herz schnürte sich manchmal zusammen wenn ich sie ansah, und wenn ich nicht bei ihr war so hatte ich ein unheimliches Gefühl, das mich nirgends bleiben ließ. Ich verließ Agathe mit einem so eigenthümlichen Ausdruck im Gesichte daß sie mich bat ihr zu schreiben.

Nun kehrte ich eiligst zurück trotz der Bemerkungen meiner Beglei=
terin, welche meinte es wäre dies ein recht angenehmes Stündchen
zu einem Spazirgang im Jardin du Roi. Ich nähere mich dem
Hause und treffe an der Thür ein junges Mädchen aus der Nach=
barschaft das mir sogleich entgegenruft: „Ach, Jungfer Philipon,
Ihre Mama ist sehr unwohl gewesen; sie hat meine Mutter geholt
und diese ist mit in ihr Zimmer gegangen." Voll Schreck stoße ich
einige unartikulirte Töne aus, fliege hinauf, stürze mich ins Zim=
mer und erblicke meine Mutter mit herabgesunkenem Kopfe, nieder=
hängenden Armen, irren Augen, halboffenem Munde, in einem Lehn=
stuhle sitzend: bei meinem Anblick bekommt ihr Gesicht wieder einiges
Leben; sie will sprechen, ihre gefesselte Zunge bringt mühsam einige
Worte hervor; sie will sagen daß sie mich mit Ungeduld erwartet;
sie strengt sich an ihre Arme zu erheben; ein einziger gehorcht der
Anregung ihres Willens; sie legt ihre Hand auf mein Gesicht,
trocknet mit ihren Fingern die Thränen die es bedecken, streichelt
mir sanft die Wangen als wollte sie mich beschwichtigen; die Ab=
sicht zu lächeln zeichnet sich in ihren Zügen; sie versucht zu reden.
Nutzlose Bemühungen! Die Lähmung macht ihre Zunge stocken,
drückt ihren Kopf nieder und versetzt die eine Hälfte ihres Körpers
in einen Zustand der Erstarrung. Melissenwasser, Salz das man
ihr in den Mund gab, Reibungen brachten keine Wirkung hervor;
im Nu hatte ich Leute abgeschickt um den Arzt und meinen Vater
zu holen; mit Blitzesschnelle hatte ich selbst bei dem nächstwohnen=
den Apotheker ein Brechmittel geholt; der Arzt war gekommen,
meine Mutter lag im Bett; die Mittel wurden gereicht und das
Uebel griff mit schrecklicher Schnelligkeit um sich; die Augen waren
geschlossen; der auf die Brust herabgesunkene Kopf konnte sich nicht
mehr aufrichten; ein starker, sehr schneller Athem kündigte einen

allgemeinen Nachlaß der Kräfte an: inzwischen hörte sie was man zu ihr sagte, und als man sie fragte ob sie leide führte sie die linke Hand an ihre Stirne, gleichsam um den Sitz des Schmerzes anzuzeigen. Ich war in einer unaussprechlichen Thätigkeit; ich ordnete Alles an und hatte es selbst ausgeführt ehe die Andern Hand anlegten; ich schien nicht vom Bette wegzukommen und bereitete doch alles Nothwendige vor. Abends um zehn Uhr sehe ich daß der Arzt einige Frauen und meinen Vater auf die Seite nimmt; ich will wissen was er vorschlägt; man sagt mir es sei wegen der letzten Oelung fortgeschickt worden: ich glaube zu träumen; ein Priester kommt, betet und thut ich weiß selbst nicht was: ich halte maschinenmäßig eine Kerze und bleibe aufrecht am Fuße des Bettes stehn ohne zu antworten, ohne denen nachzugeben welche wünschen daß ich auf die Seite treten solle; die Augen starr auf meine sterbende, meine angebetete Mutter geheftet; in ein einziges Gefühl versunken das endlich alle meine Kräfte lähmt. Die Kerze fällt mir aus der Hand; ich sinke bewußtlos nieder; man trägt mich weg; nach einiger Zeit erhole ich mich wieder in dem Salon der zunächst an ihr Zimmer stößt, und sehe mich umgeben von Personen meiner Familie; ich richte die Augen nach der Thüre; ich erhebe mich, man hält mich zurück; ich mache flehende Geberden um die Erlaubniß zu erlangen wieder hineinzugehen ... ein trauriges Stillschweigen, ein düsterer und beharrlicher Widerstand hindert mich meinen Wunsch auszuführen. Ich komme wieder zu Kräften; ich bitte, ich breche laut aus, man ist unbarmherzig; ich gerathe in eine Art von Wuth.... In diesem Augenblick erscheint mein Vater; er ist bleich und schweigsam: man sieht ihn stille fragend an; er antwortet mit einer Bewegung der Augen auf welche ein allgemeines klagendes Ach! erfolgt. Ich entziehe mich der Aufsicht meiner bestürzten Wächter: ich

gehe haftig hinaus: meine Mutter!.. fie war nicht mehr! Ich hebe
ihre Arme auf; ich kann es nicht glauben; ich öffne und schließe
fie dann wieder — diese Augen die mich nicht mehr fehen follen, und
die mit fo großer Zärtlichkeit auf mir geruht hatten; ich rufe fie
bei Namen; ich werfe mich verzweiflungsvoll auf ihr Bett; ich
drücke meine Lippen auf die ihrigen; ich öffne fie halb; ich fuche
den Tod einzuathmen; ich hoffe ihn einzuziehen mit meinem Hauch
und auf der Stelle ebenfalls fterben zu können. Was weiter erfolgte
weiß ich nicht mehr genau; ich erinnere mich nur noch daß ich mich
Morgens in einem Nachbarhaufe befand, wo Herr Besnard erfchien,
mich in einen Wagen bringen ließ und nach feiner Wohnung ab=
führte. Ich komme an; meine Großtante umarmt mich fchweigend,
fetzt mich vor einen kleinen Tifch und reicht mir einen Trank mit
der inftändigen Bitte ihn zu mir zu nehmen: ich will es thun, da
finke ich in Ohnmacht. Man bringt mich zu Bette, und da habe
ich vierzehn Tage zwifchen Leben und Tod in furchtbaren Krämpfen
zugebracht. Das körperliche Leiden an das ich mich noch jetzt erinnere war ein beständiges Erstickenwollen; mein Athmen war nur
noch eine Art von Geheul das man, wie man mir nachher gefagt
hat, auf der Straße hörte: es war eine Umwälzung mit mir vorgegangen die meine Lage äußerst gefährlich gemacht hatte, und von
der ich mich nur durch meine kräftige Conftitution und durch die
unendlichen Bemühungen die auf mich verwandt wurden erholen
konnte. Meine verehrungswürdigen Verwandten hatten fich um mir
eine bequeme Wohnung zu verfchaffen in kleine Stübchen zurückgezogen. Sie fchienen neue Kraft gewonnen zu haben um mich zum
Leben zurückzurufen, und fie geftatteten nicht daß eine erkaufte Hand
mir etwas reichte; fie wollten mich in eigner Perfon bedienen und
nahmen in ihren unmittelbaren Handleiftungen nur von Frau Trude,

geborner Robineau, Unterstützung an, einer jungen Frau die mit mir verwandt war, die alle Abende kam um die Nacht bei mir zuzubringen, sich dann zu mir ins Bett legte und ungemein bemüht war die Krampfanfälle in die ich häufig gerieth vorherzusehen und mir Linderung zu verschaffen.

Acht Tage waren verflossen; ich hatte keine Thränen gefunden; große Schmerzen haben solche nicht. (In diesem Augenblick vergieße ich bittere und heiße Thränen, denn ich fürchte ein noch größeres Uebel als dasjenige an dem ich leide: ich hatte alle meine Wünsche für die Rettung des Mannes vereinigt den ich liebe; sie ist ungewisser als je! Jammer und Elend breitet sich wie eine finstere furchtbare Wolke aus die im Begriff steht Alles zu umhüllen was mir theuer war, und mit großer Mühe arbeite ich daran meine Aufmerksamkeit von der Gegenwart abzulenken, indem ich mich zwinge die Vergangenheit wieder vor meine Augen zu führen.)

Ein Brief an Sophie öffnete den Thränenquell von Neuem. Die Stimme der Freundschaft, ihre zarten Ausdrücke riefen meine Lebensgeister wieder zurück, machten mein Herz sanft und weich; sie brachten eine Wirkung hervor welche Bäder und ärztliche Kunst vergebens erzielt hatten; es war eine neue Umwälzung: ich weinte und ich war gerettet. Die Stickfucht legte sich, alle Zufälle wurden milder und die Zuckungen seltener; doch brachte jeder schmerzliche Eindruck neue Anfälle hervor.

Mein Vater erschien vor mir in dem traurigen Aufzuge der unsern gemeinsamen aber ungleich empfundenen Verlust bezeugte: er versuchte es mich zu trösten, indem er mir vorstellte daß die Vorsehung, selbst wenn sie Unglück verhänge, Alles aufs Beste lenke, daß meine Mutter ihre Arbeit in dieser Welt, die Erziehung ihrer Tochter, vollendet habe und daß es, wenn ich eines von meinen

Eltern habe verlieren sollen, noch gut sei daß er mir diejenige Person gelassen habe welche für mein weiteres Fortkommen am nütz-
lichsten sein könne. Gewiß war mein Verlust unersetzlich, selbst in
dieser Beziehung wie die Ereignisse bewiesen haben; aber ich dachte
daran nicht, ich empfand blos die Trockenheit dieser angeblichen, auf
meine ganze Denkungsweise so schlecht berechneten Tröstung: zum
erstenmal vielleicht ermaß ich.ben ganzen Abstand der zwischen meinem
Vater und mir obwaltete; es war mir als zerrisse er den Schleier
der Ehrerbietung unter welchem ich ihn anzusehen gewohnt war.
Ich fand mich gänzlich verwaist, da meine Mutter nicht mehr war
und mein Vater mich nie verstehen konnte; eine neue Art von
Schmerz bedrückte mein zerrissenes Gemüth; ich versank wieder in
den Zustand der heftigsten Verzweiflung. Die Thränen meiner Base,
die Traurigkeit meiner Verwandten stimmten mich nach und nach
etwas milder; sie hatten ihren Einfluß und ich ward den Gefahren
entrissen die mein Leben bedrohten. Ach, wäre es damals zu Ende
gegangen! Es war dies mein erster Kummer; wie manche harte
Prüfungen sind nicht auf ihn erfolgt!

Hier endet die angenehme freudenstrahlende Zeit dieser ruhigen
Jahre die ich im Frieden und der Wonne glücklicher Neigungen
und geliebter Studien verbracht hatte, die jenen schönen Frühlings-
morgen glichen wo die Heiterkeit des Himmels, die Reinheit der
Luft, das frische Grün des Laubwerks, der liebliche Duft der
Pflanzen Alles entzückten was da athmet, dem Leben frische Nahrung geben und, indem sie künftiges Glück verheißen, schon den
gegenwärtigen Augenblick beseligen.

Dritter Theil.

Meine Mutter hatte es nicht über fünfzig Jahre gebracht als
sie mir auf eine so grausame Art entriffen wurde; eine Eiterbeule
im Kopfe die sich gebildet hatte ohne daß man wußte wie, und der
man erst durch den Abfluß auf die Spur kam welcher nach ihrem
Tode durch Nase und Ohren stattfand, erklärte den seltsamen Stockschnupfen welcher sie so lange Zeit beläftigt hatte; der zweite Schlag-
anfall wäre ohne diese Beigabe wahrscheinlich nicht tödtlich gewesen.
Ihr freundliches, frisches Gesicht hatte einen solch frühzeitigen Tod
nicht vorhersehen laffen; ihre Unpäßlichkeiten schienen die natürlichen
Folgen eines Alters zu sein über welches die Frauen selten ohne
Beschwerden hinwegkommen; ihre Schwermuth und selbst die Niedergeschlagenheit, die ich seit einiger Zeit an ihr bemerkte, erklärten
sich für mich aus moralischen Ursachen welche ich nur zu deutlich
durchschaute.

Unsre letzten Ausflüge auf das Land hatten sie scheinbar wieder
erfrischt; noch an demselben Tage da sie mir entriffen wurde hatte
ich sie Mittags drei Uhr gesund verlaffen: als ich um halb sechs
Uhr zurückkam war sie vom Schlage gerührt worden, um Mitter-

228

nacht befaß ich fie nicht mehr. Wie wir Menfchen doch fchwache Spielzeuge des unbarmherzigen Schickfals find! Warum knüpfen fich fo lebendige Gefühle und fo großartige Plane an ein fo hinfälliges Dafein? So wurde eine der beften und liebenswürdigften Frauen welche je auf Erden geweilt dahin genommen. Keine glänzenden Eigenfchaften zeichneten fie aus; aber Alles machte fie theuer wenn man fie gekannt hatte. Sie war vernünftig und herzensgut, und die Tugend fchien fie keine Kämpfe zu koften; fie wußte diefelbe mild und angenehm zu machen wie fie felbft war. Weife und ruhig, zärtlich aber ohne Leidenfchaft, athmete ihre reine fanfte Seele wie der fchmiegfame Fluß dahin läuft, der mit gleichem Wohlgefallen den Fuß des Felfen welcher ihn gefeffelt hält und das Thal be-fpült das er verfchönt. Ihr plötzlicher Verluft hat mich den heftig-ften, zerreißenften Schmerz kennen gelehrt. „Es ift etwas Schönes um das Gemüth, aber es ift ein Unglück wenn man fo viel hat," fagte traurig der Abbé Legrand zu mir der mich bei meinen Groß-eltern befuchte. Sobald mein Zuftand fich gebeffert hatte beeilte man fich meine verfchiedenen Bekannten kommen zu laffen, oder einen um den andern zu empfangen um mich mit den äußern Gegenftän-den wieder vertraut zu machen. Ich fchien nicht in der Welt zu leben in der man mich fah; gänzlich in meinen Schmerz verfunken bemerkte ich nicht was um mich her vorging; ich fprach nicht oder aber antwortete ich auf meine eigenen Gedanken ftatt auf die der Andern einzugehen, fo daß man mich für verrückt halten konnte; zuweilen brachte das geliebte Bild das mir beftändig vorfchwebte das fchreckliche Gefühl feines Verlorenfeins zu einem verzweiflungs-vollen Ausbruche, ich ftieß auf einmal ein gellendes Gefchrei aus, meine ausgeftreckten Arme wurden fteif und ich verlor das Bewußt-fein. Jeder Geiftesthätigkeit unfähig hatte ich gleichwohl gute Augen-

blicke wo ich die Betrübniß meiner Verwandten, ihre namenlose
Güte, die zärtliche Sorgfalt meiner Base fühlte, und den Kummer
dieser guten Leute zu mildern suchte. Der Abbé Legrand besaß Verstand genug einzusehen daß man mit mir viel von meiner Mutter
sprechen müsse um mich nach und nach wieder zu andern Gedanken
fähig zu machen; er unterhielt mich von ihr und führte mich allmälig auf Betrachtungen und Ideen, die zwar noch immer mit
meinem Verluste im Zusammenhang standen aber doch auch noch
andere Gedanken aufkommen ließen. Sobald er mich fähig glaubte
die Augen auf ein Buch zu werfen, kam er auf den Einfall mir
die Heloise von Jean Jacques zu bringen, und diese Lektüre war
wirklich meine erste Zerstreuung. Ich war ein und zwanzig Jahre
alt; ich hatte viel gelesen; ich kannte ziemlich viele Schriftsteller,
Geschichtschreiber, Gelehrte und Philosophen; aber Rousseau machte
damals einen ähnlichen Eindruck auf mich wie Plutarch auf das
achtjährige Mädchen hervorgebracht hatte; es schien mir als sei dies
eine Kost die in jeder Beziehung für mich tauge, und als werde
dieser Weise mir Gefühle deuten die ich schon vor meiner Bekanntschaft mit ihm gehabt, die aber nur er allein mir zu erklären
verstehe.

Plutarch hatte mich zu einer Republikanerin gestimmt; er hatte
jene Kraft und jenen Stolz in mir erweckt die das wesentliche
Kennzeichen einer solchen bilden; er hatte mir wahre Begeisterung
für die öffentlichen Tugenden und die Freiheit eingeflößt: Rousseau
zeigte mir das häusliche Glück das ich ansprechen konnte, und die
unsäglichen Wonnen die zu genießen ich fähig war. Ach! wenn es
ihm gelang mich vor dem zu bewahren was man Schwachheiten
nennt, vermochte er mich wohl auch gegen eine Leidenschaft zu
schützen? In das verdorbene Jahrhundert worin ich leben mußte,

und in die Revolution die ich keineswegs voraus sah, brachte ich von langer Zeit her Alles mit was mich großer Opfer fähig machen und großem Unglücke aussetzen mußte. Der Tod wird für mich nur noch das Ziel der einen wie des andern sein. Ich erwarte ihn, und es wäre mir nicht eingefallen den kurzen Zwischenraum der uns noch trennt mit meiner eignen Geschichte auszufüllen, wenn nicht die Verläumbung mich auf den Schauplatz gezogen hätte um die-jenigen die sie zu Grunde richten wollte mit um so schwereren Waffen anzugreifen. Ich liebe es Wahrheiten zu veröffentlichen welche nicht mich allein betreffen, und ich will keine von ihnen verschweigen, damit ihre Verkettung zugleich zu ihrem Beweise diene.

Die Rückkehr in mein väterliches Haus war von all den Em-pfindungen begleitet, welche der Anblick von Plätzen hervorbringen muß die man mit einer nunmehr dahingeschiebenen Person bewohnt hatte. Man hatte die ungeschickte Vorsichtsmaßregel getroffen das Portrait meiner Mutter wegzunehmen, gleich als ob diese Leere mich nicht noch schmerzlicher als ihr Bild an den erlittenen Verlust hätte erinnern müssen. Ich verlangte es auf der Stelle, und es wurde mir zurückgegeben. Da die häuslichen Angelegenheiten vor der Hand auf mir allein lagen, so nahm ich mich ihrer thätig an; inzwischen gab es in einer Haushaltung von drei Personen nicht sonderlich viel zu thun. Ich habe niemals begriffen wie diese Geschäfte eine Frau welche Ordnung zu halten weiß und Thätigkeit besitzt gänz-lich in Anspruch nehmen können, und wenn die Haushaltung noch so groß ist; denn in diesem Fall sind auch mehr Leute da um ar-beiten zu helfen, und es handelt sich offenbar blos um eine gute Eintheilung so wie um einige aufmerksame Beaufsichtigung. Ich habe mich in dieser Beziehung in mehreren verschiedenen Lagen befunden: es geschah nichts in meinem Hause was ich nicht angeordnet hätte,

unb wenn bie Geschäfte am zahlreichsten waren so nahmen sie mich
boch nic mehr als zwei Stunden in Anspruch. Man hat immer
noch Muße wenn man zu arbeiten versteht; bloß ben Leuten bie
Nichts thun fehlt es zu Allem an Zeit. Im Uebrigen ist es kein
Wunber wenn Frauen bie unnöthige Besuche machen ober anneh=
men, unb bie sich für schlecht geputzt halten würben wenn sie nicht
ein schönes Stück Zeit ihrem Spiegel gewibmet hätten, ihre Tage,
weil sie sich nicht nach Wunsch unterhalten können, lang, für ihre
Pflichten bagegen zu kurz finden: ich habe aber auch sogenannte
gute Haushälterinnen gesehen bie für nichts Anberes als ihre häus=
lichen Geschäfte Sinn haben, unb burch ewiges unzeitiges Voran=
stellen berselben sich aller Welt, zumeist auch ihren Männern selbst
unerträglich machen: ich kenne nichts so Wibriges als biese Abge=
schmacktheit, unb Nichts was so geeignet wäre einen Mann in jebe
anbere Person als in seine Frau verliebt zu machen; er muß sie
freilich für eine gute Hausverwalterin halten, allein sie kann ihm
nicht bie Lust nehmen anberwärts Vergnügungen zu suchen. Ich
verlange baß eine Frau bas Weißzeug unb bie Kleiber in gutem
Stanbe erhält ober erhalten läßt, baß sie ihre Kinber säugt, ihre
Küche selbst ober burch anbere Personen bestellt unb zwar ohne
viele Worte barüber zu machen, mit einer Freiheit bes Geistes unb
einer Eintheilung ber Augenblicke welche ihr erlaubt auch noch von
anbern Dingen zu sprechen unb nebenbei burch ihre gute Laune, so
wie bie Anmuth ihres Geschlechts zu gefallen. Ich habe Gelegenheit
gehabt zu bemerken baß es sich mit ber Verwaltung ber Staaten
beinahe eben so verhält wie mit ber Leitung ber Familien: biese
vielbesprochenen Haushälterinnen bie immer ihre Arbeiten im Munbe
führen, lassen beren eine Menge im Rückstanbe ober erschweren sie
für Jebermann; biese so schwatzhaften unb so vielgeschäftigen Staats=

männer machen blos darum so vielen Lärm von den mit ihren Posten verbundenen Schwierigkeiten, weil sie zu ungeschickt sind sie zu überwinden und überhaupt zu wenig Kenntnisse haben um zu regieren.

Meine Studien wurden mir theurer als je; sie machten meinen einzigen Trost aus: mir selbst noch mehr überlassen und häufig schwermüthig, empfand ich das Bedürfniß zu schreiben. Ich liebte es mir von meinen Ideen Rechenschaft abzulegen; die Vermittlung meiner Feder half mir dieselben aufklären: wenn ich die Feder nicht gebrauchte, so träumte ich mehr als ich dachte; mit ihr hielt ich meine Einbildungskraft in Schranken und blieb fest bei einem vernünftigen Gedankengang. Ich hatte bereits einige Sammlungen begonnen und vermehrte sie jetzt unter dem Titel: Beschäftigungen in Mußestunden und verschiedene Betrachtungen. Mein Plan dabei war blos auf diese Art meine Ansichten festzuhalten und für meine Empfindungen Zeugen zu haben die ich dereinst mit einander zusammenstellen könnte, so daß ihre Abstufungen und Veränderungen für mich selbst ein belehrendes Gemälde abgeben müßten. Ich habe einen ziemlich dicken Pack solcher Beschäftigungen eines jungen Mädchens in der staubigen Ecke meiner Bibliothek oder auf irgend einem Boden liegen. Ich habe nie die mindeste Versuchung gehabt mit der Zeit Schriftstellerin zu werden; ich sah sehr frühzeitig ein daß eine Frau die sich diesen Titel verdient weit mehr verliert als sie gewonnen hat. Die Männer lieben sie nicht und ihr eignes Geschlecht tadelt sie: sind ihre Werke schlecht so spottet man ihrer und thut wohl daran; sind sie gut so nimmt man sie ihr. Wenn man auch genöthigt ist zuzugeben daß sie den besten Theil davon selbst verfaßt hat, so rupft man doch so lange an ihrem Charakter, ihren Sitten, ihrer Aufführung und ihren Talenten, daß ihre Fehler in ein

höchst auffallendes Licht gestellt werden welches ihren Ruf als geistreiche Frau zum Mindesten aufwiegt.

Im Uebrigen war meine wichtigste Sorge mein Glück, und ich
habe nie gesehn daß das Publikum sich bei irgend einem Menschen in
diese seine Privatangelegenheit mischte ohne sie zu verderben. Ich finde
Nichts so angenehm als von den Leuten mit denen man lebt nach seinem
Werthe geschätzt zu werden; auf der andern Seite aber auch Nichts so
trostlos als die Bewunderung etlicher Menschen mit denen man gar
nicht zusammentrifft.

Ach mein Gott! welch einen schlechten Dienst haben mir diejenigen erwiesen die sich einfallen ließen den Schleier zu lüften unter
welchem ich so gerne verweilte! Zwölf Jahre meines Lebens hindurch
habe ich mit meinem Manne gearbeitet wie ich mit ihm aß, weil mir das
Eine so natürlich war als das Andere. Wenn man einen Abschnitt
aus seinen Werken besonders anführte und den Styl darin feiner fand
als gewöhnlich; wenn man eine akademische Kleinigkeit, die er den gelehrten Gesellschaften deren Mitglied er war aus Höflichkeit zuschickte,
günstig aufnahm, so erfreute ich mich an seinem Vergnügen ohne besondern Werth darauf zu legen ob die Arbeit von mir gekommen war,
und oft überredete er sich selbst am Ende er sei damals wirklich in einem
guten Zug gewesen, als er diese oder jene Stelle niedergeschrieben die
aus meiner Feder kam. Wenn es sich auf dem Ministerium darum
handelte große oder kräftige Wahrheiten auszusprechen, so setzte ich
mein ganzes Gemüth daran, und es war mir eine höchst einfache Sache
daß der Ausdruck desselben mehr taugte als die Geistesanstrengungen
eines Sekretärs. Ich liebte mein Land; ich glühte schwärmerisch für
die Freiheit: ich kannte weder Interessen noch Leidenschaften die sich
mit diesen Ideen messen durften; meine Sprache mußte rein und ein-
bringlich sein, denn sie war die Sprache des Herzens und der Wahr-

heit. Die Wichtigkeit des Gegenstandes durchdrang mich dermaßen, daß ich mich selbst darüber gänzlich vergaß; nur ein einzigesmal ergötzte ich mich an dem seltsamen Zusammentreffen der Umstände. Es war damals als ich an den Papst schrieb um die Freigebung der in Rom gefangen gesetzten französischen Künstler zu verlangen. Ein Brief an den Papst, im Namen des Vollziehungsrathes von Frankreich heimlich von einer Frau entworfen, in dem strengen Kabinet das Marat ein Boudoir zu nennen beliebte, erschien mir etwas so Lustiges daß ich lachen mußte als ich ihn vollendet hatte[1]). Das Vergnügen an

---

[1]) Dieser Brief der die alsbaldige Freilassung der Gefangenen zur Folge hatte lautet also:

24. November.

Der provisorische Vollziehungsrath der französischen Republik an den Fürstbischof von Rom.

Freie Franzosen, Kunstjünger, deren Aufenthalt in Rom die Ausbildung von Geschmack und von Talenten erzielt welche dieser Stadt zur Ehre gereichen, leiden auf Ihren Befehl unter einer ungerechten Verfolgung. Auf eine willkürliche Weise ihren Arbeiten entrissen, in ein hartes Gefängniß gesperrt, dem Publikum als Verbrecher bezeichnet und als solche behandelt, ohne daß irgend ein Gericht ihre Schuld ausgesprochen hätte, oder vielmehr während man ihnen Nichts vorwerfen kann als daß sie ihre Achtung für die Rechte der Menschheit, ihre Liebe zu einem Vaterlande das sie anerkennt, unverholen kund gethan, werden sie als Opfer genannt die der Despotismus im Bunde mit dem Aberglauben demnächst schlachten werde. Bereits hat der Minister der auswärtigen Angelegenheiten der Republik die Loslassung dieser in Rom willkürlich gefangen gehaltenen Franzosen verlangt: heute fordert ihr Vollziehungsrath dieselbe im Namen der Gerechtigkeit gegen die sie sich nicht verfehlt haben, im Namen der Künste welche freundlich zu behandeln und zu schützen in Ihrem Interesse liegt, im Namen der Vernunft die sich empört ob dieser seltsamlichen Verfolgung, im Namen einer freien, stolzen und großherzigen Nation die zwar Eroberungen verschmäht,

solchen Gegensätzen lag eben im Geheimnisse: aber es war nothwendig
weniger vollkommen in einer Lage wo ich keine Privatperson mehr
war, und wo das Auge eines Schreibers die Handschriften unterschei-
det von denen er Copien zu machen hat. Inzwischen ist alles dies
blos durch seine Seltenheit merkwürdig; warum sollte eine Frau nicht
den Sekretär ihres Mannes machen können, ohne daß dieser dadurch
Etwas von seinem Verdienste verlöre? Jedermann weiß daß die
Minister nicht Alles selbst besorgen können, und wahrhaftig wenn die
Frauen der Minister des alten Systems oder auch die der neuen im
Stande gewesen wären Entwürfe zu prüfen, Rundschreiben oder An-

aber ihren Rechten Achtung verschaffen will, sich an Jedem der dieselben
zu verkennen wagt zu rächen bereit ist, und sie nicht deßwegen von ihren
Priestern und ihren Königen zu erobern gewußt hat um sie hernach von
irgend einem Menschen auf Erden beschimpfen zu lassen.

Oberpriester der römischen Kirche, derzeit noch Fürst eines Staates
welcher im Begriffe steht für Sie verloren zu gehn, können Sie den Staat
und die Kirche nur noch durch uneigennützige Befolgung der evangelischen
Grundsätze retten, welche die reinste Menschenliebe, die vollkommenste Gleichheit athmen, und zu denen sich die Nachfolger Christi nur bekannt haben
um eine Herrschaft zu vergrößern welche heutigen Tags veraltet zusammen-
sinkt. Die Jahrhunderte der Unwissenheit sind vorüber; die Menschen können nur noch durch Ueberzeugungen unterworfen, durch die Wahrheit geleitet, durch ihr eignes Glück gewonnen werden: die Kunst der Politik und
das Geheimniß der Regierung beschränken sich jetzo auf die Anerkennung
ihrer Rechte, und auf das Bemühen ihnen die Ausübung derselben zum
größten Vortheil für Alle und mit dem kleinstmöglichen Schaden für jeden
Einzelnen zu erleichtern.

Solcher Art sind heutzutage die Grundsätze der französischen Republik,
welche zu weise ist um selbst in der Diplomatie etwas zu verschweigen zu
haben, zu mächtig um der Drohungen zu bedürfen, aber zu stolz um eine
Beschimpfung schweigend hinzunehmen, und bereit sie zu bestrafen, falls
friedliche Forderungen wirkungslos bleiben sollten.

schläge zu verfassen, so hätten sie besser daran gethan ihre Zeit hierauf zu verwenden, als beständig Wünsche vorzubringen oder Ränke zu schmieden: daß das Eine hier das Andere ausschließt, bringt schon die Natur der Dinge mit sich. Hätten diejenigen die mich durchschaut haben die Sachen nach ihrem wahren Werthe beurtheilt, sie hätten mir eine Art von Berühmtheit erspart nach der es mich nicht gelüstet hat: statt jetzt meine Zeit mit Widerlegung von Lügen zubringen zu müssen, würde ich ein Kapitel von Montaigne lesen, eine Blume zeichnen, oder ein Liedchen spielen und damit die Einsamkeit meines Gefängnisses versüßen, ohne mich mit einer Beichte zu bemühen. Aber ich greife einer Zeit vor in welcher ich noch nicht angekommen war: ich bemerke es ohne weitere Umstände wie ich es unbedenklich gethan habe; da es sich um eine Schilderung meiner Persönlichkeit handelt, so soll man mich mit allen meinen Unregelmäßigkeiten sehen. Ich gebiete meiner Feder nicht; sie reißt mich fort wohin es ihr gefällt und ich lasse sie gehen.

Mein Vater war in den ersten Tagen seines Wittwerstandes aufrichtig bemüht fleißiger zu Hause zu bleiben; allein er langweilte sich, und da keine Freude an seiner Kunst dieser Krankheit entgegenarbeitete, so vermochten alle meine Anstrengungen sie nicht zu heilen. Ich wollte mit ihm schwatzen, aber wir hatten wenig Gedanken miteinander auszutauschen, und wahrscheinlich neigte er sich damals zu einer Art von Unterhaltung hin mit welcher er mich nicht bekannt zu sehen wünschte. Ich machte oft ein Piquet mit ihm; inzwischen hatte er wenig Spaß dabei mit seiner Tochter zu spielen; auch wußte er daß ich die Karten verabscheute, und so gerne ich ihn überzeugt hätte daß ich wirklich Vergnügen daran finde, so sehr ich mich wirklich um die Freude bemühte ihm eine angenehme Unterhaltung zu verschaffen, so zweifelte er doch nicht daran daß es von meiner Seite blos Gefälligkeit sei.

Gerne hätte ich ihm sein Haus recht angenehm gemacht, allein ich hatte keine Mittel dazu, denn meine Verbindungen beschränkten sich auf alte Verwandte die man in ihrer Wohnung besuchen mußte weil sie dieselbe nicht mehr verließen. Es hätte sich eine Gesellschaft bei ihm selbst bilden müssen, allein er hatte diejenige die er wünschte auswärts, und er fühlte wohl daß es nicht schicklich gewesen wäre sie bei mir einzuführen. Sollte meine Mutter wirklich dadurch einen Fehler begangen haben daß sie sich allzusehr zurückzog und ihr Haus nicht lebendig genug machte um ihren Mann zu fesseln? Jedenfalls würde sie nur ein leichter Tadel treffen; auch wäre es ungerecht meinem Vater einige Verirrungen deren Opfer er selbst wurde gar zu hoch anzurechnen.

Es gibt manche Verkettung von Uebeln die so nothwendig aus einer ersten Ursache entspringt, daß man immer auf diese zurückgehen muß um alles zu erklären.

Unsere Gesetzgeber des Jahrhunderts suchen ein allgemeines Wohl zu bilden aus welchem das Glück jedes Einzelnen hervorgehe; ich fürchte sehr daß sie die Ochsen hinter den Pflug spannen, Es wäre der Natur und vielleicht der Vernunft angemessener genau zu erforschen was das häusliche Glück bildet, und es den Individuen in der Art zu sichern daß das allgemeine Glück aus dem der Einzelnen bestände, und daß alle ihren Vortheil dabei fänden diejenige Ordnung der Dinge aufrecht zu erhalten die ihnen dasselbe verschafft haben würde. Die geschriebenen Grundsätze einer Verfassung mögen so schön sein als sie wollen, so lange ich einen Theil derjenigen welche sich zu ihr bekannt haben im Schmerz und in Thränen erblicke, so lange werde ich sie nur für ein po-

238

littfches Ungeheuer halten; so lange diejenigen die nicht weinen sich an den Leiden Anderer erfreuen, so lange werde ich diese Verfassung grausam und ihre Urheber Dummköpfe oder Schurken nennen.

In einer Ehe bei welcher die Betheiligten nicht gut zusammen paffen kann die Tugend des einen von beiden Ordnung und Frieden aufrecht erhalten; aber der Mangel an wirklichem Glück macht sich früh oder spät fühlbar und führt mehr oder weniger schwere Uebelstände mit sich. Das Gerüste diefer Verbindungen gleicht dem Syftem unfrer Staatsmänner; es ist fehlerhaft in den Grundlagen und muß trotz der Kunst die auf seine Aufführung verwendet worden ist eines Tags zusammenftürzen.

Meine Mutter konnte blos Leute die ihr glichen zu Befuchen in ihrem Hause veranlaffen, und diefe wären meinem Vater nicht mundgerecht gewesen: auf der andern Seite wären diejenigen die er zu einer täglichen Gesellschaft auserfehen haben würde meiner Mutter läftig gefallen, und hätten auf die Art wie sie mich erziehen wollte störend eingewirkt. Sie mußte sich somit an die Familie halten und an jene oberflächlichen Verbindungen welche zwar Bekanntschaften herbeiführen, nicht aber das Bedürfniß begründen viele Zeit beifammen zu sein.

Alles ging gut, so lange mein Vater bei einem artigen Vermögen und mit einer jungen Frau in feinem Haufe die Arbeit und die Genüffe fand die ihm nothwendig waren. Aber er war ein Jahr jünger als seine Frau; sie wurde frühzeitig kränklich; einige Umftände lähmten seinen Geschäftseifer; der Wunsch reich zu werden stürzte ihn in etliche gewagte Unternehmungen, und nun war Alles verloren. Die Liebe zur Arbeit ist die Tugend des Mannes in seinem Verhältniffe zur Gesellschaft; sie ist wesentlich die Tugend

des Mannes der keine sonderliche Geistesbildung besitzt; sobald diese
Liebe nachläßt sind die Gefahren da; erlöscht sie gänzlich, so ist der
Betreffende dem Irrsaal der Leidenschaften preisgegeben, die immer
unheilvoller ausschlagen je geringer seine Erwerbnisse sind, weil in
diesem Falle auch weniger Veranlassung vorhanden ist ihnen einen
Zaum anzulegen. Wittwer geworden in einem Augenblick wo er
neuer Fesseln in seinem Hause bedurft hätte, hielt sich mein armer
Vater eine Geliebte um seiner Tochter keine Stiefmutter zu geben;
er spielte um seinen Mangel an Erwerb oder seine bedeutenden
Ausgaben wieder einzubringen; und ohne daß er aufhörte ein ehr=
licher Mann zu sein, während er beständig fürchtete irgend Jeman=
den in Schaden zu bringen, richtete er sich in aller Stille zu Grunde.
Meine Verwandte, gute Leutchen die nicht viel von Geschäften verstan=
den und überdies auf die Anhänglichkeit meines Vaters an mich
Alles bauten, hatten nach dem Tode seiner Frau kein Inventar
verlangt; meine Interessen schienen ihnen in seinen Händen voll=
kommen gut gewahrt; sie hätten ihn durch eine solche Anmuthung
zu beleidigen geglaubt. Ich konnte das Gegentheil ahnen; allein
ich hätte es für unanständig gehalten dies aufzudecken; deßhalb
schwieg ich und ergab mich zum Voraus in alle Folgen. So war
ich denn allein im Hause, meine Zeit zwischen kleinen Handarbeiten
und Studien theilend, von denen ich mich zuweilen trennen mußte
um Leuten zu antworten die sich mißvergnügt darüber äußerten
daß sie meinen Vater allzuselten träfen: er hatte nur noch zwei
Lehrjungen die für sein Geschäft genügten; ein einziger hatte die
Kost bei uns. Meine Hausverwalterin war ein Weibchen von
fünf und fünfzig Jahren, mager und flink, lebhaft und heiter: sie
liebte mich sehr weil ich ihr das Leben angenehm machte, und sie
begleitete mich jedesmal so oft ich ohne meinen Vater ausging,

in welchem Falle meine Spaziergänge sich auf die Wohnung meiner
Großeltern und auf die Kirche beschränkten. Ich war nicht wieder
fromm geworden; aber was ich nicht mehr aus Rücksicht auf die
Ruhe meiner Mutter that, that ich fortan aus Rücksicht auf die
gute Ordnung der Gesellschaft und auf die Erbauung meiner
Nebenmenschen: von diesem Grundsatz geleitet besuchte ich die Kirche
wenn auch nicht mehr mit der zarten Frömmigkeit früherer Zeiten,
doch wenigstens mit ebensoviel Anstand und Sammlung. Ich las
darin nicht mehr die gewöhnlichen Meßgebete, sondern lieber irgend
ein christliches Werk. Ich hatte großes Gefallen an dem heiligen
Augustin, und in der That es gibt Kirchenväter und andere reli-
giöse Schriftsteller die man zu wiederholtenmalen lesen kann ohne
in der Frömmigkeit zu weit zu gehen, in deren Werken man für
das Herz und für den Kopf Nahrung findet. Ich wollte meinen
Cursus mit Predigern sowohl aus meiner Zeit als aus früheren
durchmachen; die Kanzelberedtsamkeit schien mir ein Gebiet zu sein
worauf sich das Talent mit Glanz entfalten könne. Bossuet und
Flechier hatte ich bereits gelesen; es war mir nun angenehm sie
mit geübterem Auge wieder anzuschauen, und überdieß machte ich
mit Bourdaloue und Massillon Bekanntschaft; nichts Lustigeres als
wenn ich sie auf meinen kleinen Bücherfächern neben Paw, Raynal und dem System der Natur stehen sah; was aber noch drolliger war ist der Umstand daß mich das viele Lesen von Predigten
zu dem Wunsch verleitete selbst eine zu machen. Es war mir
unangenehm daß die Kanzelredner immer auf die Geheimnisse zurück-
kamen; es schien mir sie sollten sich mehr über Angelegenheiten
des Sittengesetzes aussprechen, wobei sie den Teufel und die Fleisch-
werdung aus dem Spiele lassen könnten: ich ergriff die Feder um
zu versuchen wie ich die Sache durchzuführen vermöchte, und ver-

faßte eine Predigt über die Nächstenliebe. Ich ergötzte damit Onkelchen Vimont der seitdem Canonicus in Vincennes geworden war : er sagte es sei recht Schade daß ich mich nicht früher auf diese Arbeiten geworfen habe, so lange er selbst noch habe Predigten halten müssen ; er hätte dann die meinigen vorgetragen. Ich hatte von der Dialektik Vourbaloue's viel Rühmens gehört ; ich wagte es nicht seinen Bewunderern in Allem beizustimmen, und schrieb über seine geschätztesten Reden eine Kritik die ich Niemanden zeigte. Es war mir blos darum zu thun über meine Ansicht selbst recht klar zu werden, und ich wollte mir bei Niemanden eine Kennermiene geben. Massillon, der weniger stolz und viel eindringlicher ist, erwarb sich meine ganze Huldigung. Ich kannte damals die protestantischen Redner noch nicht, unter welchen namentlich Blair mit eben so viel Einfachheit als Feinheit und Anmuth diesen Zweig der Redekunst vervollkommnete, dessen Wichtigkeit ich begriff und auf den ich größeren Fleiß verwendet zu sehen gewünscht hätte.

Unter den Predigern meiner Zeit hatte ich den Abbé Lenfant in seinen letzten schönen Tagen gehört ; Feinheit und Vernünftigkeit schienen mir die Hauptkennzeichen seiner Vorträge zu sein. Der Pater Elizée war trotz seiner vortrefflichen Logik und der Reinheit seiner Sprache bereits nicht mehr in der Mode ; er hatte zu viel Metaphysik im Kopf und einen zu einfachen Vortrag um ein großes Publikum lange zu fesseln. Es war eine eigenthümliche Sache um das damalige Paris. Dieser Sammelplatz aller Verworfenheiten des Königreiches war zugleich der Vereinigungsort der Aufklärung und des guten Geschmacks ; Prediger oder Komödiant, Professor oder Marktschreier, Jeder der Talent hatte fand Anerkennung : aber das glänzendste Talent von der Welt hätte nicht lange Zeit die öffentliche Aufmerksamkeit zu erhalten vermocht die immer nach Neuem verlangte und sich durch bloßes Lärmschlagen so gut wie durch wirkliches Verdienst anlocken ließ. Einem gewissen Mitgliede des wohlbekannten Jesuitenordens, das Missionär geworden war und die Anmaßung hatte sich dem Hofe zu zeigen, gelang es durch dieses Mittel sich einen bedeutenden Anhang zu verschaffen und viel Geschrei von sich zu machen. Ich hörte auch den Abbé von Beauregard; es war dies ein kleines Männchen das aber eine gewaltige Stimme hatte und mit einer seltenen Unverschämtheit, einer außerordentlichen Leidenschaftlichkeit declamirte. Er trug ganz gewöhnliche Dinge im Tone eines Begeisterten vor und unterstützte sie mit so schrecklichen Geberden, daß er viele Leute auf den Glauben brachte es sei wirklich etwas Schönes. Ich wußte damals noch nicht so gut als ich es seitdem erfahren habe daß die Menschen, wenn sie in großer Anzahl versammelt sind, mehr große Ohren als einen großen Verstand haben; daß man sie nur zur Verwunderung zu bringen braucht um sie zu verführen, und daß sie Jedem zu gehorchen geneigt sind der es sich anmaßt ihnen befehlen zu wollen: ich konnte mich nicht genug wundern über die Erfolge dieses Menschen der entweder ein großer Fanatiker oder ein großer Schurke, vielleicht Beides zugleich war. Ich war mit meinen Begriffen von den Umständen, welche die Reden von den Tribünen der alten Republiken herab begleiteten, noch nicht ganz im Reinen, sonst würde ich über die Mittel das Volk zu erschüttern besser geurtheilt haben. Aber nie werde ich einen Menschen aus dem großen Haufen vergessen, der sich unmittelbar vor der Kanzel auf welcher Beauregard sich herumtummelte aufgepflanzt hatte und, die Augen starr auf den Redner geheftet, mit offenem Munde dastehend unwillkürlich seiner

dummen Verwunderung in den drei Worten Luft machte, die mir
wohl geblieben sind: Wie er schwitzt! Das war also das
Mittel Einfaltspinseln Achtung einzuflößen! Wie sehr hatte doch
Phocion recht, als er voll Verwunderung in einer Volksversamm-
lung Beifall gefunden zu haben seine Freunde fragte ob ihm vielleicht eine Dummheit entfahren sei!

Er hätte einen wilden Clubisten abgegeben, dieser Herr von
Beauregard, und wie viele Mitglieder der Volksgesellschaften haben
mich nicht in ihrer Begeisterung für unverschämte Schwätzer an
jenen andächtigen Ausspruch erinnert: Wie er schwitzt!

Die Gefahren die ich überstanden hatten einiges Aufsehen
gemacht; offenbar fand man es entweder selten oder schön daß
ein junges Mädchen durch den Kummer über den Tod ihrer Mutter an den Rand des Grabes gebracht wurde. Ich empfing Beweise von Theilnahme die mir wohlthaten. Herr von Boismorel
war einer der ersten der mich damit erfreute. Ich hatte ihn seit
seinen Besuchen bei meiner Großmutter nicht mehr gesehen und
bemerkte deutlich, welchen Eindruck die Veränderungen auf ihn
machten die seit jener Zeit mit meiner Person vorgegangen waren.
Er kam zum zweitenmale als ich abwesend war, und unterhielt
sich lange mit meinem Vater, der ihm ohne Zweifel von meinen
Liebhabereien sagte und auch das Plätzchen zeigte wo ich meine
Tage zuzubringen pflegte. Meine Bücher wurden in Augenschein
genommen, meine Beschäftigungen lagen auf dem Tisch und
erregten seine Neugierde: mein Vater erlaubte ihm dieselbe zu
befriedigen, indem er ihm meine Papiere auslieferte.

Großes Mißvergnügen und bittere Beschwerden von meiner
Seite, als ich bei meiner Rückkehr fand daß man meine Zufluchtsstätte entweiht hatte: mein Vater versicherte daß er sich bloß zu

Gunsten keines andern Menschen als nur allein dieses in jeder
Beziehung höchst achtungswürdigen Herrn von Boismorel erlaubt
haben würde. Dieser Grund konnte mich nicht versöhnen mit seiner Handlungsweise die ein offenbarer Angriff auf Freiheit und
Eigenthum war, denn sie verfügte ohne meine Einwilligung über
eine Sache die das höchste Vertrauen voraussetzte; inzwischen war
es nun einmal geschehen. Am folgenden Tage erhielt ich von
Herrn von Boismorel einen schönen Brief, der zu gut abgefaßt
war als daß ich ihm den Gebrauch welchen er von der Rücksichts-
losigkeit meines Vaters gemacht nicht hätte verzeihen sollen, zumal
da er mir seine ganze Bibliothek zur Benützung anbot. Ich nahm
das Anerbieten nicht gleichgültig auf. Von diesem Augenblick
an traten wir in Briefwechsel, und zum erstenmal genoß ich mit
wirklichem Bewußtsein das sehr süße Vergnügen, welches uns
Herzenswärme, verbunden mit einem bescheidenen Theile Selbstliebe,
in der Werthschätzung von Leuten finden läßt auf deren Urtheil
wir Gewicht legen.

Herr von Boismorel wohnte nicht mehr im Weichbilde
von Paris; seine Liebe zum Land und der Wunsch seine Mutter
nicht so weit von dem ihr theuren Aufenthalte in der Hauptstadt
zu entfernen, hatten ihn veranlaßt unterhalb Charenton das Petit-
Bercy zu kaufen, ein schönes Haus mit einem Garten der sich bis
an die Ufer der Seine erstreckte. Er lud uns dringend ein einen
Ausflug dahin zu machen und versicherte daß es ihm die größte
Freude sein würde uns dort zu empfangen. Ich erinnerte mich an
die Aufnahme die ich in früheren Zeiten bei seiner Mutter gefunden, und da ich durchaus keine Versuchung in mir fühlte mich von
Neuem einer solchen Begegnung auszusetzen, so lehnte ich lange
Zeit alle dahin zielenden Vorschläge meines Vaters ab. Er bestand

darauf, und da ich mich nicht widerſpenſtig zeigen wollte, wenn
es ihm einfiel mich zu Spaziergängen einzuladen, ſo begaben wir
uns eines Tages wirklich nach Bercy. Die Frauen von Boismorel
waren beiſammen im Sommerſalon. Die Anweſenheit der Schwieger=
tochter deren Liebenswürdigkeit ich hatte rühmen hören flößte
mir ſogleich eine gewiſſe angenehme Empfindung ein, deren ich
bedurfte um meine gute Stimmung nicht zu verlieren. Die Mut=
ter, an deren Ton ſich der Leſer erinnern wird, war durch die
Menge der Jahre nicht demüthiger geworden, zeigte ſich jedoch
gegen eine junge Perſon welche ausſah als ob ſie ſich fühlte
weit höflicher als ſie gegen das Kind geweſen war, das ſie weiter
keiner Beachtung werth gefunden hatte. „Wie hübſch ſie iſt, Ihre
liebe Tochter, Herr Philpon! Wiſſen Sie auch daß mein Sohn
ganz entzückt von ihr iſt? Sagen Sie mir einmal, liebes Kind,
wollen Sie nicht heirathen? — Es haben ſchon mehrere Leute
für mich daran gedacht, Madame, aber ich habe noch keinen Grund
gefunden mich zu entſchließen. — Sie ſind ohne Zweifel etwas
wähleriſch! Würden Sie ſich für einen Mann von einem gewiſſen
Alter vielleicht entſcheiden können? — Ich müßte ihn vorher genau
kennen um mich über Neigung, Abneigung oder allenfallſige Ein=
wendungen auszuſprechen. — Solche Heirathen beruhen auf einem
viel feſteren Grund. Ein junger Mann entwiſcht häufig, wenn man
ihn bereits an ſich gekettet zu haben glaubt. — Und warum, liebe
Mutter, ſagte Herr von Boismorel der ſo eben eingetreten war,
warum glauben Sie nicht, daß Jungfer Philpon ſich zutrauen dürfte
ihn vollſtändig zu feſſeln? — Sie kleidet ſich mit Geſchmack, bemerkte
Frau von Boismorel gegen ihre Schwiegertochter. — Ja ſehr hübſch
und mit ſolchem Anſtand! verſetzte die junge Frau in dem an=
ſprechenden Tone wie ihn nur frommme Leute haben, denn ſie ge=

hörte zu dieser Klasse, und das niedliche Häubchen über dem angenehmen vier und dreißigjährigen Gesichtchen war das Zeichen.
„Wie ganz anders, fuhr sie fort, als der Plunder von Federn
den die jungen Mädchen sonst auf ihren unbesonnenen Köpfchen
haben! Sie lieben wohl die Federn, nicht Jungfer Phlipon? —
Ich trage nie welche, Madame; denn als Künstlerstochter die immer
zu Fuße erscheint, würde ich dadurch einen Stand und ein Vermögen
anzuzeigen glauben das ich nicht habe. — Aber in einer andern
Lage würden Sie welche tragen? — Ich weiß es nicht; ich lege
wenig Werth auf solche Kleinigkeiten, ich füge mich hierin nach den
hergebrachten Begriffen von Schicklichkeit und hüte mich wohl eine
Person nach den ersten Blicken auf ihre Toilette zu beurtheilen."

Die Bemerkung war streng, allein ich sprach sie in einem so
sanften Tone aus daß ihre Spitze dadurch abgestumpft wurde.
„Eine Philosophin!" sagte die junge Frau mit einem Seufzer,
wie wenn sie erkannt hätte daß ich nicht zu ihrer Art gehöre.

Nach einer sehr genauen, mit allerlei hübschen Bemerkungen
der eben erwähnten Art gewürzten Musterung meiner Person,
machte Herr von Boismorel dem Ding ein Ende, indem er uns
einen Gang in seinen Garten und in seine Bibliothek vorschlug:
ich bewunderte die Lage des ersten und er machte mich namentlich
auf eine prachtvolle Libanonceder aufmerksam; die zweite durchstreifte
ich mit großer Spannung und bezeichnete nicht blos einzelne, sondern
sogar Sammelwerke, um welche ich ihn bitten wollte, wie z. B.
Bayle und die Denkschriften der Akademien. Die Damen luden
uns auf einen bestimmten Tag zum Mittagessen ein; wir erschienen,
und da außer uns noch zwei oder drei Geschäftsmänner geladen
waren, so konnte ich daraus leicht abnehmen daß die Damen zwar
meinem Vater für eine passende Gesellschaft gesorgt, mich aber nicht

in Berechnung gezogen hatten. Inzwischen nahm Herr von Boismorel auch diesmal seine Zuflucht zu der Bibliothek und dem Garten, wo wir angenehm mit einander plauderten: hatte er seinen Sohn aufgefordert mitzugehen, einen jungen Menschen von siebzehn Jahren, ziemlich häßlich und mehr eigenthümlich als liebenswürdig. Die große Gesellschaft die am Abend kam und auf welche ich meinen beobachtenden Blick warf, erschien mir trotz ihrer Titel nicht sehr anziehend; die Töchter eines Marquis, Räthe, ein Prior und etliche alte Baronessen schwatzten zwar mit mehr Wichtigkeit, aber ganz eben so fade wie nur immer barmherzige Schwestern, Kirchen= vorsteher und Bürgersleute von gewöhnlichem Schlage schwatzen können. Diese Einblicke in die Welt die ich auf solche Art in aller Geschwindigkeit erhielt, benahmen mir jede Lust ihre weitere Be= kanntschaft zu machen und bestimmten mich immer mehr für meine bisherige Lebensweise. Herr von Boismorel ließ keine Gelegenheit außer Acht einen freundschaftlichen Verkehr zu unterhalten, auf welchen er vielleicht einen Plan gründete; er sorgte dafür daß wir, die beiden Väter und die beiden Kinder, uns zuweilen unter acht Augen zusammen fanden. Auch führte er mich in die nächste öffentliche Sitzung der französischen Akademie am St. Ludwigstage ein. Diese Sitzungen waren damals der Sammelplatz der guten Gesellschaft, und es kamen darin alle Gegensätze zum Vorschein die unsere Sitten und Narrheiten hervorzubringen nicht ermangeln konnten. Am Morgen des St. Ludwigstages (1775) feierte man in der Kapelle der Akademie eine Messe die von Opernsängern vorgetra= gen wurde, worauf ein Redner aus der schönen Welt eine Lob= rede auf den heiligen König zum Besten gab. Der Abbé von Besplas verrichtete dieses Geschäft; ich hörte ihm trotz der Lang= weiligkeit eines so vielfach abgedroschenen Gegenstandes mit großem

Vergnügen zu: er hatte seine Rede mit kühnen philosophischen Bemerkungen und mittelbaren spöttischen Ausfällen gegen die Regierung gespickt, die er wegzulassen genöthigt wurde als er sie dem Drucke übergab.

Herr von Boismorel der mit ihm in Verbindung stand hoffte vergebens eine getreue Abschrift davon zu erhalten die er mir mitgetheilt hätte; der Abbé von Besplas, welcher als Almosenier von Monsieur zum Hof gehörte, schätzte es als ein hohes Glück durch vollständige Aufopferung der Stellen die seine Kühnheit ihm eingegeben hatte sich Verzeihung für dieselben erwerben zu können. Abends eröffnete sich die Sitzung der Akademie für die ersten Schöngeister des Königreichs; für die vornehmen Herrn die sich darin gefielen ihre Namen auf die Liste derselben setzen zu lassen und sich den Augen des Publikums im Lehnstuhle zu zeigen; endlich für die Liebhaber welche kamen um die Einen zu hören, die Andern zu sehen, Allen sich zu zeigen; und für die hübschen Frauen die überzeugt waren die Aufmerksamkeit auf sich zu ziehen.

Ich beobachtete d'Alembert, dessen Name, vermischte Schriften und encyklopädische Abhandlungen meine Neugierde erregten; seine kleine Gestalt und seine gelle Stimme brachten mich auf den Gedanken daß die Schriften eines Philosophen eine angenehmere Bekanntschaft seien, als seine äußere Erscheinung. Der Abbé Delille bestätigte mir diese Bemerkung in ihrer Anwendung auf die Gelehrten. Er verlas mit einer widrigen Stimme ein vortreffliches Gedicht. Das Lob Catinat's von La Harpe war die Preisarbeit und verdiente auch gekrönt zu werden.

Eben so einfach in der Akademie wie in der Kirche und wie ich es nachmals auch im Theater geblieben bin, enthielt ich mich der lärmenden Beifallsbezeugungen welche man voll Begeisterung den schönen Dingen spendete, oft aber auch nur aus Eitelkeit solchen, bei denen Jeder das Verdienst haben will sie gebührend beachtet zu haben. Ich war äußerst aufmerksam; ich hörte ohne mich um die Schauer zu bekümmern; und wenn ich gerührt war, so weinte ich ohne zu wissen, ob vielleicht Jemand dies sonderbar finden werde. Ich hatte Gelegenheit zu bemerken daß dies etwas Neues war, denn als ich an Herrn von Boismorels Arm die Sitzung verließ, sah ich einige Herrn die mich einander zeigten, mit einem Lächeln welches ich nicht eitel genug war auf Rechnung ihrer Bewunderung zu schreiben, worin übrigens auch keine Unhöflichkeit lag und ich hörte von meinem gefühlvollen Herzen sprechen. Ich hatte dabei eine Empfindung, worin sich Ueberraschung mit einer angenehmen Verwirrung mischte, und es war mir recht lieb als ich endlich aus dem Bereich der Menge und ihrer Blicke kam.

Das Lob Catinats brachte Herrn von Boismorel auf den Gedanken zu einer anziehenden Wallfahrt; er schlug mir vor einen Besuch in Saint-Gratien zu machen, wo dieser große Mann seine Tage in der Zurückgezogenheit, fern vom Hofe und seinen Ehren, beschlossen hat. Es war dies ein philosophischer Spaziergang der meiner Neigung vollkommen zusagte. Herr von Boismorel kam an einem Michaelistag mit seinem Sohn um meinen Vater und mich abzuholen. Wir begaben uns in das Thal von Montmorency, auf die Ufer des Teichs der es verschönt, und erreichten endlich Saint-Gratien, wo wir uns im Schatten der Bäume die Catinat mit eigener Hand gepflanzt hatte zur Ruhe niederließen. Nach einem einfachen Mittagsmahl brachten wir den Rest des Tages in dem herrlichen Park von Montmorency zu; wir sahen das kleine Haus

13

das Jean Jacques bewohnt hatte, und erfreuten uns der ganzen
Anmuth der schönen Landschaft, wie es nur möglich ist, wenn
Mehrere dieselbe mit den gleichen Augen betrachten. In einem
jener Augenblicke der Ruhe wo man schweigend die Majestät der
Natur beschaut, zog Herr von Boismorel ein Manuscript von
seiner eigenen Hand aus der Tasche und las uns einen Artikel
vor den er irgendwo ausgezogen hatte, und der damals noch wenig
bekannt war. Er betraf einen Zug aus dem Leben Montesquieu's,
wie er nämlich in Marseille von dem jungen Manne dessen Vater
er befreit hatte angetroffen wird, und sich den Danksagungen der
Leute denen er eine so bedeutende Wohlthat erwiesen entzieht.

So sehr ich Montesquieu's Edelmuth anerkannte, so hatte
ich doch keine unbedingte Bewunderung für die Hartnäckigkeit,
womit er es läugnete daß er der geliebte Befreier dieser entzückten
Familie war; ein edelsinniger Mann trachtet niemals nach Anerkennung, aber wenn es schön ist sich den Beweisen derselben zu
entziehen, so ist es auf der andern Seite groß ihren Ausdruck
entgegenzunehmen: ich glaube sogar daß dadurch den zartfühlen-
den Menschen welche man verpflichtet hat ein neuer Dienst erwiesen wird, denn es ist dies für sie eine Art ihre Schuld einigermaßen abzutragen.

Man muß inzwischen nicht glauben daß die Verbindung meines Vaters und des Herrn Boismorel nur eine angenehme Seite
gehabt habe; es fand zwischen diesen beiden Männern keine persönliche Gleichheit statt und dies machte mir Kummer: sein Sohn
sah mich viel an, aber er gefiel mir nicht; ich fand bei ihm mehr
Neugierde als wirkliche Theilnahme; überdies begründeten drei oder
vier Jahre um die er jünger war als ich, einen namhaften Ab-

ſtand zwiſchen uns. Sein Vater ſah dies wohl ein, und ich erfuhr in der Folge daß er einmal zu dem meinigen mit einem Hände= druck geſagt hatte: „Ach, wäre doch mein Sohn Ihrer Tochter würdig! Man könnte mich zwar für einen Sonderling halten, allein ich würde mich gar zu glücklich ſchäßen.“ Ich hatte mich zu Nichts der Art verſehen; ich berechnete nicht einmal die Ver= ſchiedenheit der Verhältniſſe; ich fühlte ſie und dies hinderte mich auf ſolche Gedanken zu kommen. Ich fand in dem Benehmen des Herrn von Boismorel die Handlungsweiſe eines verſtändigen und mit Gefühl begabten Mannes, der mein Geſchlecht ehre, meine Perſon ſchäße, und um mich ſo auszudrücken, meine Liebhabereien unter ſeinen Schuß nehme. Seine Briefe waren ein treuer Ab= druck ſeiner Perſönlichkeit; ſie hatten den Charakter eines milden Ernſtes und trugen das Gepräge eines über Vorurtheile erhabenen Geiſtes, ſo wie einer achtungsvollen Freundſchaft. Ich kam durch ihn auf's Laufende in Betreff der Neuigkeiten in der gelehr= ten und literariſchen Welt. Ich ſah ihn ſelten, erhielt aber wöchentlich Nachrichten von ihm, und um die häufigen Sendungen ſeiner Bedienten zu vermeiden, ſo wie auf der andern Seite einem Boten den ich nach Bercy hätte ſchicken müſſen den langen Weg zu erſparen, ließ er die für mich beſtimmten Bücher bei dem Por= tier ſeiner Schweſter, der Frau von Favieres abgeben, bei dem ich ſie holen ließ. Herr von Boismorel, der ein großer Freund der Literatur war und in Folge einer gewiſſen Grille ſich's nicht neh= men ließ daß ich dereinſt im Reiche derſelben eine Rolle ſpielen werde, forderte mich, vielleicht aber auch blos in der Abſicht meine Kräfte zu prüfen, auf mich für einen beſtimmten Zweig zu ent= ſcheiden und zu arbeiten: ich hielt dies anfangs blos für eine Artigkeit, als er aber zu wiederholten Malen darauf zurückkam, nahm ich eine Veranlassung ihm meine Grundsätze über diesen Punkt, meine wohlüberlegte Abneigung gegen jedes öffentliche Auftreten und meine höchst uneigennützige Liebe zu den Studien, worin ich mein Glück finde und durchaus keinerlei Ruhm suche, der mir im Gegentheil geeigneter scheine es zu stören, auseinanderzusetzen. Nachdem ich ihm alles Ernstes meine Grundsätze entwickelt, unterstützte ich meine Beweisgründe mit Versen die aus meiner Feder geflossen, und an denen die Gedanken besser waren als der Ausdruck; ich erinnere mich über die Götter und die Art wie sie die Güter und die Pflichten vertheilten folgendermaßen mich ausgesprochen zu haben:

> Als den Männern sie die Bahn erschlossen,
> Die nur Geisteskraft zu schreiten wagt;
> Jede Schranke wurde da geöffnet,
> Die dem kühnen Schwung entgegenragt.
> Doch von meinem schwächeren Geschlechte
> Wollen Tugenden die Götter nur;
> Wenn wir auch den Weg des Titus wandeln,
> Führt uns minder dornig seine Spur.
> Genießet ihr das Glück, euch aller Arten
> Von Ruhm und Ehre zu erfreu'n:
> Für uns soll der Gedächtnißtempel
> Im Herzen unsrer Freunde sein.

Herr von Boismorel antwortete mir mitunter in derselben Sprache; seine Verse waren nicht besser als die meinigen, auch legten wir beide gleichwenig Gewicht auf unsre poetischen Talente. Eines Tages vertraute er mir an, er wünsche bei seinem Sohn dessen Eifer gewaltig nachlasse ein Mittel anzuwenden, um ihn wieder anzufeuern.

Dieser junge Mensch stand ganz natürlich in genauer Verbindung mit seinem Altersgenossen und Geschwisterkind von Favières,
einem Parlamentsrath von ein und zwanzig Jahren, gedankenlos
wie man es in diesem Alter ist, mit der ganzen Zuversichtlichkeit
eines Beamten, der sich selbst in seinem Gewande achtet ohne seine
Verpflichtungen zu kennen; mit der Freiheit, vielleicht auch den
angehenden Tugenden eines reichen einzigen Erben.

Die italienische Comödie oder die Oper beschäftigten die beiden
Vetter weit mehr als Cujacius und Bartolus den Einen, und den
Andern die Mathematik die er angefangen hatte. „Sie müssen
mir, sagte Herr von Boismorel zu mir, eine kluge und eindring-
liche Strafpredigt für meinen Sohn machen, wie sie Ihr Gefühl Ihnen
eingibt, eine Predigt die seine Eigenliebe reizt und edle Entschlüsse
in ihm weckt. — Ich, mein Herr, ich? (Ich traute meinen Ohren
nicht.) Ich bitte Sie, mit welcher Miene könnte denn ich Ihrem
Herrn Sohne predigen? — Sie können die Sache betreiben wie
Sie wollen; Sie selbst werden dabei gar nicht zur Sprache kommen;
wir wollen es in einen Brief einkleiden von irgend Jemand der
ihn in der Nähe beobachte, seine Aufführung kenne, sich für ihn
interessire und deßwegen vor der Gefahr warnen wolle: ich werde
dafür sorgen daß ihm der Brief in einem Augenblick zugestellt
wird, wo er seine ganze Wirkung haben kann; nur darf man
meine Hand nicht in der Sache erkennen: wenn die Zeit kommt, so
werde ich ihm schon zu wissen thun, welchem Arzte er seine Arznei
zu danken hat. — O, Sie dürfen mich niemals nennen! Uebrigens
haben Sie ja Freunde die dies besser besorgen können als ich. —
Ich glaube gerade das Gegentheil und ersuche Sie um diese Gefälligkeit. — Nun gut, um Ihnen zu zeigen wie sehr ich wünsche
Ihnen einen Dienst erweisen zu können, will ich alle Rücksichten

auf mich selbst bei Seite legen; ich werde also einen Entwurf
auffetzen, über den Sie mir Ihre Ansicht und zugleich ihre Aus=
ftellungen mittheilen werden."

Noch am selben Abend verfaßte ich einen ziemlich pikanten, in etwas
spottendem Tone gehaltenen Brief, wie ich ihn für geeignet hielt
die Selbftliebe eines jungen Menschen zu kitzeln, dem man sein
Glück vor die Augen halten muß wenn man ihn auf den Weg
des Ernftes zurückführen will, und sein besseres Ich in ihm anzu=
regen. Herr von Boismorel war entzückt und bat mich ihn un=
verändert abgehen zu laffen. Ich schickte ihn an Sophie,
damit sie ihn in Amiens auf die Post gab, und wartete mit
ziemlicher Neugierde auf Nachrichten über die Wirkung meiner
Predigt.

Herr von Boismorel schrieb mir bald einen ausführlichen
Brief der mich im höchften Grade intereffirte; er hatte eine Menge
Umftände zusammenkommen laffen die der Sache noch mehr
Wirkung gaben. Der junge Mann war gerührt; er meinte der
berühmte Duclos sei der Verfaffer des Mahnschreibens, und ging
zu ihm um ihm seinen Dank dafür abzuftatten: in dieser Ver=
muthung getäuscht, wandte er sich an einen andern Freund seines
Vaters und hatte auch diesmal nicht beffer gerathen; inzwischen
war der Erfolg der gewünschte, und die Studien wurden wieder
mit Eifer aufgenommen.

Nicht sehr lange Zeit nach diesem Vorfall bekam Herr von
Boismorel, als er an einem heißen Tage mit seinem Sohn von
Bercy nach Vincennes ging, wo er mich bei meinem Oheim wußte
und mir die Georgica in der Ueberfetzung des Abbé Delille bringen
wollte, einen Sonnenftich. Er nahm ihn leicht; das Kopfweh
ftellte sich ein, das Fieber kam dazu, dann die Schlaffucht: er

ftarb nach einer Krankheit von wenigen Tagen in voller Mannes-
kraft. Mein Briefwechfel mit diefem Manne hatte nicht länger
als achtzehn Monate gewährt; ich habe ihn, glaube ich, bitterer beweint als fein eigner Sohn, und kann noch jetzt niemals an ihn
denken ohne das fchmerzliche Bedauern, das Gefühl der Verehrung
und Zärtlichkeit, welches das Andenken eines rechtfchaffenen Mannes begleitet.

Als mein Kummer fich ein wenig gelegt hatte, feierte ich den
Verftorbenen in einer Romanze die Niemand vor die Augen gekommen ift, die ich zu meiner Guitarre fang, fpäter aber vergeffen
und verloren habe. Ich habe von feiner Familie nicht mehr fprechen gehört; ein einzigesmal machte mein Vater einen gelegentlichen
Befuch im Haufe, und da fagte der junge von Boismorel in einem höchft
ungezwungenen Tone zu ihm, er habe meine Briefe an feinen Vater gefunden und in eine Ecke geworfen, um fie, wenn er es wünfche, ihm zurückzugeben; er habe darunter auch das Original einer gewiffen Epiftel
erkannt, die ihm zugekommen fei. Mein Vater wußte fehr gut,
was vorgefallen war; er gab eine kurze Antwort und fand daß
der junge Mann darüber ärgerlich fchien: ich fchloß daraus daß
er ein Einfaltspinfel fei, und kümmerte mich Nichts darum. Ich
weiß übrigens in der That nicht, ob ich recht gerathen habe.

Einige Zeit nachher kam Frau von Favières zu meinem
Vater, um ihn mit einem Ankauf von Juwelen oder andern in
fein Fach einfchlagenden Dingen zu beauftragen; ich befand mich
in meiner kleinen Zelle und hörte im anftoßenden Zimmer Folgendes fprechen: „Sie haben eine allerliebfte Tochter, Herr Phlipon,
mein Bruder hat mir gefagt, fie gehöre zu den geiftreichften Frauen
die er kenne; feien Sie wohl auf Ihrer Hut daß fie fich nicht auf
das fchöngeiftige Gebiet wirft; das wäre abfcheulich. Hat fie nicht

Etwas von Schulſteifheit an ſich kleben? Dies iſt ſehr zu befürchten; ich meine ſo etwas gehört zu haben. Ihr Aeußeres iſt hübſch,
ſehr hübſch." Ei, ſagte ich in meinem Winkelchen zu mir, das
iſt einmal eine unverſchämte Frau und ganz das Ebenbild von
ihrer Mutter: Gott behüte mich vor jeder Berührung mit ihr!

Mein Vater, der recht gut wußte daß ich nothwendig Alles
hörte was geſprochen wurde, rief mich nicht, weil ich nicht von
ſelbſt erſchien, und es iſt dies das einzigemal in meinem Leben,
daß ich die Stimme der Frau von Favières gehört habe.

Von meiner vortrefflichen Baſe Trude habe ich bis jetzt nur
ein Wort geſagt. Sie war eine von den Seelen welche der Himmel in ſeiner Güte, zur Ehre des menſchlichen Geſchlechtes und zur
Tröſtung der Unglücklichen ſchuf. Edelmüthig aus Naturdrang,
liebenswürdig ohne feinere Bildung zu beſitzen, hat ſie meines
Wiſſens nie einen andern Fehler gehabt als eine nur allzugroße
Gutherzigkeit und die Eigenliebe der Tugend. Sie hätte ihre Pflichten zu verſäumen geglaubt, wenn ſie ſich dabei ſo angeſchickt hätte
daß man auf den Gedanken kommen konnte, ſie habe ſie erfüllt.
Auf dieſe Art blieb ſie immer die vollſtändige Sklavin des wun-
derlichſten Mannes. Trude war eine Art von Bauernlümmel, ebenſo
verrückt in ſeinen Anſichten als auffahrend von Charakter und plump
im Betragen. Er trieb, wie ſeit einigen Menſchenaltern alle Trude
vom Vater auf den Sohn, den Spiegelhandel, und er war es mit
dem ich von mütterlicher Seite verwandt zu ſein die Ehre hatte.
Thätig von Natur, fleißig wenn es ihn gerade ankam, unterſtützt
durch die Sorgfalt und Einſicht einer ſanften und geſcheidten Frau,
machte er ein ziemlich gutes Haus und verdankte den Verdienſten
ſeines Weibes eine gute Aufnahme in ſeiner eigenen Familie, die,
wenn er allein geweſen wäre, Nichts von ihm hätte wiſſen wollen.

Meine Mutter liebte ihre kleine Base sehr die ihrerseits eine
merkwürdige Verehrung für sie hatte und sich herzlich an mich
anschloß.

Sie bewies es mir, wie man gesehen hat, beim Tode meiner
Mutter: den Tag über mit ihrer Haushaltung und ihrem Manne
beschäftigt, wollte sie bei Nacht meine Wärterin sein; sie kam ziemlich weit her um dieses Geschäft auf sich zu nehmen, und verrichtete es standhaft so lange ich in Gefahr war. Dieser Umstand
mußte uns noch näher zusammenführen, und wir sahen uns oft.
Ihr Mann ließ es sich in den Kopf kommen noch öfter bei mir
zu erscheinen, und zwar ohne seine Frau: ich duldete ihn anfangs
ihr zu Liebe so sehr er mich langweilte; endlich aber wurde er
mir unerträglich und ich brauchte alle möglichen, bei einem harten
Kopfe nothwendigen Rücksichten, um ihm zu verstehen zu geben
daß seine Eigenschaft als Verwandter und als Ehegemahl meiner
guten Freundin nicht hinreiche seine häufigen Besuche zu rechtfertigen, und daß überdies mit der Krankheit die ich mir durch meinen Gram zugezogen jeder Grund verschwunden sei.

Mein werther Vetter kam etwas weniger oft, pflanzte sich
aber dann für drei oder vier Stunden bei mir auf und ließ sich
dies nicht verdrießen, ich mochte thun was ich wollte; ich schrieb
sogar in seiner Gegenwart, ich erklärte ihm daß meine Zeit sehr
in Anspruch genommen sei, Alles umsonst: als ich aber endlich sah
daß man mit ihm offen sprechen mußte, und ihn mit Bestimmtheit
aufforderte sich zu entfernen, da kam er so übellaunig nach Hause
und machte bei seiner Frau einen solchen Lärm daß sie mich ersuchte um ihrer Ruhe willen Geduld zu haben. Hauptsächlich an
den Sonn- und Feiertagen hatte ich diesen Frohndienst auszustehen:
wenn das Wetter schön war, entwischte ich und kam mit seiner

Frau bei meinen alten Verwandten zusammen; denn wenn ich sie auch für kurze Zeit nebst ihrem Manne bei mir empfangen hätte, so hätte ich davon keine Freude gehabt, sondern blos unangenehme Auftritte mit ansehen müssen die der Brummbär jedesmal herbei= führte. Im Winter griff ich die Sache anders an; gleich nach dem Mittagessen gab ich meiner Verwalterin unbedingten Urlaub, ließ mich von ihr doppelt und dreifach einschließen, und blieb dann ganz allein und vollkommen ruhig bis Abends acht Uhr. Trube war gekommen, hatte Niemand getroffen der ihm antwortete, war wie= der gekommen und manchmal zwei Stunden lang im Regen und Schnee um's Haus herum spazieren gegangen, um den Augen= blick zu erlauern wo er eintreten könnte. Mich verläugnen zu lassen, wenn ich mich wirklich mit Jemand drinnen befand, war beinahe unmöglich; wollte ich ihm einfürallemal die Thüre weisen, in= dem ich meinen Vater zu einem förmlichen Bruch mit ihm ver= anlaßte (was überdies schwer gehalten haben würde, weil er kein Kind hatte, und mein Vater es rathsam fand säuberlich mit ihm zu verfahren) so brachte ich ihn dadurch in eine Wuth die seine Frau fürchtete, in Folge deren ich auch jedem weitern Umgang mit ihr entsagen mußte und sie neuen Widerwärtigkeiten aussetzte.

Ich kenne nichts Schlimmeres, als wenn man es mit einem Narren zu thun haben soll; es gibt gar kein anderes Mittel, als ihn zu binden; alles Uebrige ist nutzlos. Dieser unangenehme Vet= ter war für mich eine wahre Plage, und der größte Beweis für den Werth seiner Frau liegt vielleicht in der Thatsache daß ich mir's versagen konnte ihn zum Fenster hinauszuwerfen, allein er wäre dann durch den Speicher wieder hereingekommen. In= zwischen muß man gerecht sein; Trube war nicht ohne eine Art von Anständigkeit: er war mehr ein verrückter Kerl als eine

Beſtie, und man hätte von ihm ſagen können, er wiſſe bis zu
welchem Punkt er ſein ungeberdiges Weſen ungeſtraft treiben dürfe;
ſo plump ſeine Sprache war, ſo gerieth ſie doch niemals ins Un-
anſtändige, und wenn er immer und ewig gegen die gute Lebensart und gegen die Vernunft Verſtöße machte, ſo verfehlte er ſich
doch nie gegen die Geſetze der Beſcheidenheit oder Sittſamkeit.
Wenn ſeine Frau mit mir ſpazieren ging, ſo beobachtete er uns
wie ein Spion, und wenn wir von irgend einem Herrn angeredet
oder gegrüßt wurden, ſo wurde er unruhig und wüthend, bis er
ſich vergewiſſert hatte, wer es war. Man glaubt vielleicht, er ſei
eiferſüchtig gegen ſeine Frau geweſen; dies verhielt ſich ſo bis auf
einen gewiſſen Punkt: aber er war es weit mehr um meinetwillen.
Trotz der Unannehmlichkeiten ihrer Stellung verlor Frau Trude
ihre Sanftmuth und Heiterkeit nicht; ſie konnte heute weinen und
morgen ihre Freunde einladen. Von Zeit zu Zeit gab ſie ein
Familieneſſen, worauf ein oder zweimal im Winter Tanzbeluſtigung
folgte. Ihr Bäschen war immer die Heldin des Feſtes, und ihr
Mann machte ſich dann auf einige Tage etwas liebenswürdiger.
In ihrem Hauſe lernte ich zwei Perſonen kennen die ich hier anführen will. Die eine war der Abbé Beron, ein kleines buckliges Männchen voll Geiſt, ein großer Freund von François von Neufchateau
und Maſſon von Morvilliers, Verfaſſer einer Geſchichte Lothringens
die keine ſonderlichen Erfolge gehabt hat; ein Mann deſſen Feder
Buffon wie die einiger Andern benützte, um ſich Materialien und
Skizzen vorbereiten zu laſſen die er dann in ſeiner eigenen Weiſe
weiter verarbeitete. Beron wurde durch die Vermittlung ſeines
Gönners Buffon und einiger vornehmer Damen deren Verwandte
er in Remiremont, ſeinem Geburtsort und dem Sitze eines adeligen
Damenſtiftes, kennen gelernt hatte, Chordirektor der heiligen Kapelle

in Paris. Er nahm seine Mutter und seine Schwester mit sich
die mir Stoff zu einer hübschen Abschweifung geben könnten, wenn
ich nicht überhaupt gesonnen wäre mich streng an das Nothwendige zu halten.

Der arme Mann starb zu früh für das Glück seiner großen
Schwester mit den schwarzen Augen die nach Anbetern spürten,
und den schönen Schultern welche sie so gerne zeigte. Er besuchte
mich zweimal bei meinem Vater und war so entzückt einen Xeno-
phon in Folio auf meinem Tische zu treffen, daß er in einer Art
von Wonnerausch mich küssen wollte. Da nach meiner Ansicht
hierzu nicht der mindeste Grund vorhanden war, so brachte ich ihn
durch meine Kälte so zur Ruhe daß er sich in seinem geistreichen
Gespräche aller ferneren Ausbrüche des Entzückens enthielt, und
später sah ich ihn nur noch bei meiner Base.

Die andere Person war der ehrliche Gibert: er war ernst
von Charakter, unendlich sanft in seinem Benehmen, und hatte
schon jung eine Frau geheirathet die sich mehr durch Schönheit
als Milde auszeichnete, und von der er einen einzigen Sohn besaß dessen Erziehung ihm eine theure Beschäftigung war. Er bekleidete eine Stelle bei der Postverwaltung und widmete einige freie
Augenblicke der Musik und der Malerei.

Gibert besaß alle Eigenschaften eines rechtschaffenen und aufrichtigen Mannes, und hat dieselben niemals verläugnet. Wenn er
Fehler begeht, so sind es Verstandesfehler; die Freundschaft ist
bei ihm eine Art von Fanatismus, und man fühlt sich versucht
seine Irrthümer zu achten während man sie beklagt. Gibert stand
von Kindheit auf mit einem Manne in Verbindung dem er mit
eben so großer Verehrung als Anhänglichkeit zugethan war; er
rühmte seine Verdienste so oft sich eine Gelegenheit fand, und

schätzte es sich zur Ehre sein Freund zu sein. Da er meine Bekanntschaft zu machen wünschte, so kam er mit seiner Frau zu
meinem Vater: ich gab ihm den Besuch heim, und da die beiden
Eheleute nicht oft zusammen ausgingen, so kam er von Zeit zu
Zeit allein wieder. Ich empfing ihn immer mit Vergnügen und
Auszeichnung, so daß wir mit der Zeit einen wahren Freund-
schaftsbund schloßen. Gibert ermangelte nicht mir viel von seinem
Phönix zu erzählen; er schien nicht glücklich zu sein, bis sein Freund
und ich uns gegenseitig bewundern könnten; endlich lud er uns
zusammen zu einem Mittagsmahle ein. Ich sah einen Mann dessen
außerordentliche Einfachheit an Nachläßigkeit streifte; er sprach wenig, sah Niemanden in's Gesicht, und wer nie Etwas von ihm gehört hätte, für den würde es schwer gewesen sein ihn auf eine
blose Zusammenkunft hin zu beurtheilen; auch gestehe ich daß ich
bei all meinem ganz besondern Wohlgefallen an einem bescheidenen
Benehmen gleichwohl den Ton dieses Mannes allzubemüthig fand,
und ihm gern einige Aeußerungen über sich selbst entlockt hätte.
Da es ihm indeß weder an Urtheil, noch an einigen Kenntnissen
fehlte, so wußte man ihm nur um so mehr Dank, wenn er von
Zeit zu Zeit einige Zeichen davon gab, und am Ende hielt man
ihn, wie Gibert that, für weit mehr als wirklich an ihm war.

Seine Frau die zwar keine auszeichnenden Eigenschaften besaß, aber ihre Würde als Gemahlin eines solchen Eheherrn fühlte,
erinnerte immer an das Virgil'sche intentique ora tenebant, wenn
sie ihren Mann sprechen sah. Und offenbar kann ein Mensch, der
selbst diejenigen die beständig um ihn sind über das Maaß seines
wirklichen Verdienstes in solchem Grade zu täuschen versteht, kein
ganz gewöhnliches Wesen sein; er muß in irgend Etwas groß
sein, wenigstens in der Verstellung, und wenn die Umstände ihn

verleiten diese in wichtigen Angelegenheiten so weit als möglich zu treiben, so kann er aus einem Menschen der sich das Ansehen eines Weisen angemaßt und dadurch in Achtung gesetzt hat, ein Schurke werden auf Kosten derjenigen die ihm vertrauen. Die Geschichte wird Gelegenheit geben, darüber in der Folge ein Urtheil zu fällen. Ich sah Gibert's Freund wenig; er gab eine einträgliche Stelle auf und verließ Frankreich, um sich in der Schweiz festzusetzen wohin ihn seine Liebe zum Landleben lockte, wohin die Freiheit ihn rief. Lassen wir ihn abziehen; er wird nur zu frühe wieder kommen. So habe ich Pache kennen gelernt; ich muß ihn wohl bei Namen nennen; er ist es von dem ich spreche. Man wird sehen, wie Gibert ihn zehn Jahre hernach zu mir brachte und mit Roland bekannt machte der ihn für einen ausgezeichnet rechtschaffenen Mann hielt, dieses sein Vertrauen in einem Augenblick wo sein Beifall einen Namen verschaffen konnte, öffentlich aussprach und dadurch die Ursache seines Eintritts in's Ministerium wurde, wo er blos Dummheiten beging denen er die Mairesstelle verdankte, in welcher Eigenschaft er zu allen Greueln seine Zustimmung gab.

Frau Trube wünschte lebhaft zu einer ihr theuren Verwandten eine Reise zu machen. Es handelte sich um eine Abwesenheit von 14 Tagen oder drei Wochen. Ihr Mann fand es sehr mißlich, wenn das Comptoir so lange unbesetzt bleiben sollte; im Uebrigen erschien ihm die Sache ausführbar, im Fall ich mich herbeiließe einige Mal auf den Mittag zu kommen und die Stelle der Comptoirsdame auszufüllen. Meine Base wünschte daß ich diese Gefälligkeit haben möchte; meine Freundschaft konnte ihr Nichts abschlagen, und ich ließ mich ohne Bedenken auf den Vorschlag ein. Ich kam also sieben bis achtmal, von Mittags zwölf bis Abends

sechs Uhr, um die Stelle der Frau Trube in ihrem Comptoir aus=
zufüllen. Ihr Mann der darüber hoch vergnügt und stolz war
führte sich sehr gut auf, besorgte die Geschäfte auswärts und schien
die Verdienstlichkeit meiner Handlungsweise sehr zu erkennen. Mein
Verhängniß wollte daß ich trotz meiner Abneigung gegen den
Handel doch wenigstens Brillen und Uhrengläser verkaufen sollte.
Die Sache war nicht lustig. Trube wohnte in der Montmartre=
straße nahe bei der Straße Tiquetonne, wo sein Nachfolger noch
sein muß: ich kann mir nichts Höllischeres denken, als das Ge=
räusch der unaufhörlich dort vorbeirollenden Wagen, wenn man es
von einem ganz offenen Laden aus anhören muß; ich wäre beinahe
taub davon geworden wie es meine arme Base jetzt ist. Verlassen
wir ihr trauriges Haus dessen Schicksal wir später sehen werden,
und wenden wir uns zu einer anderen Verwandten.

Ein oder zweimal in der Woche besuchte ich Jungfer Des=
portes, jedesmal an dem Tage wo ihre gewöhnliche Gesellschaft
bei ihr war: ich könnte Gemälde zum Besten geben, wenn
die Originale die Mühe lohnten; aber Räthe vom Chate=
let schildern zu wollen, wie den kleinen Moplnot der mit seinen
Sinngedichten Ansprüche auf Geist machte; ferner den frommen
Laprésle, einen guten Mann der keinen andern Fehler hatte, als
daß er gallsüchtig und Jansenist war; dann eine alte Dame welche
ihre Vergnügungssucht hinter einer leichten Andächtelei versteckte,
wie Frau von Blancfuné; einen alten reichen Hagestolz der zu
eckelhaft war als daß ich ihn nennen möchte; zuletzt einen braven
Mann der viel schwatzte und es an Regelmäßigkeit einer Uhr gleich
that, wie der Beamte Baudin, und dann noch eine Menge anderer
Menschenkinder von verschiedenen Schattirungen, aber sämmtlich
gleich werthlos — wäre eine unverzeihliche Zeit = und Farbenver=

schwendung. Gleichwohl war es mir angenehm den Pater Rabbe dort zu treffen, einen sehr feinen Oratorier, ehrwürdig durch sein Alter, liebenswürdig durch seine hohe Geistesbildung, und ebenso den Doktor Coste, einen provençalischen Arzt der sich darin gefiel Perrault nachzuahmen ohne jedoch einen Louvre zu errichten, und über die Ehe loszog wie der Teufel vor einem Weihkessel Grimassen schneidet.

Jungfer Desportes hatte von ihrer Mutter außer ihrem Zartgefühl und Stolz auch die Kunst geerbt, ihr kleines Vermögen im Handel gut umzutreiben ohne sich scheinbar viel damit abzugeben, und die reichen oder vornehmen Leute welche sich an sie wandten im Tone der Vertraulichkeit und Gleichheit zu behandeln. Da inzwischen diese Art und Weise dem Handel der sich durch Thätigkeit und Eifer zu gewinnen aufrecht erhält wirklich fremd ist, so sah sie ihr Erbgut immer kleiner werden, gab zuletzt das Geschäft auf und führte eine namhafte Beschränkung in ihren Ausgaben ein.

Ihr Charakter, ihr Benehmen, der anständige Ton der bei ihr herrschte, die Vorliebe die sie für mich an den Tag legte, hatten meine Mutter zu dem Wunsche veranlaßt daß ich sie viel besuchen möchte; sie schickte mich oft zu ihr. Ein Piquet in einer Reihe von Partien bildete die Hauptunterhaltung in der Gesellschaft von welcher andere Mitglieder schwatzten und Etwas arbeiteten; Jungfer Desportes veranlaßte mich sehr oft zum Spiele das ich nicht liebte, und wollte mich ohne Zweifel dadurch in der Gefälligkeit üben; inzwischen machte mir die Hilfe eines Mitspielers und die Erlaubniß über meine Zerstreutheit zu lachen diese Unterhaltung etwas weniger unangenehm.

Ich muß nun einen alten Herrn aus Pondichery auf die Bühne bringen den ich beinahe ein Jahr hindurch oft und mit Interesse gesehen habe. Mein Vater hatte, ich weiß nicht auf welche Art, ich glaube aber in Geschäftsangelegenheiten, einen pensionirten Offi= zier Namens Demontchery der später Handlungsdiener geworden war aber auch diese Stelle verloren hatte, kennen gelernt und Freund= schaft mit ihm geschlossen; es war dies ein Mann von sechs und dreißig Jahren, höflichem Benehmen, herzlichem Ton und dem ge= fälligen Anstand welchen das Leben in der Gesellschaft, vielleicht auch die Blume der Galanterie zu geben pflegt. Demontchery be= suchte meinen Vater viel, ließ sich aber selten bei meiner Mutter sehen die häufige Besuche nicht geduldet haben würde. Er erklärte offen daß er große Hochachtung, Verehrung u. s. w. für mich habe, wie auch den Ehrgeiz um meine Hand zu werben sobald das Schicksal aufhören würde ihm ungünstig zu sein. Es schickte ihn geraden= wegs nach Ostindien; von da aus schrieb er und verhehlte nicht wie sehr er Erfolge wünsche die ihm erlauben würden unter vor= theilhaften Umständen zurückzukehren. Aber als einfacher Sipahi= Capitän und als ein Mann von zu guter Lebensart um sich Etwas zu erwerben, hatte er, glaube ich, keine sonderlichen Fortschritte gemacht als er nach siebenjähriger Abwesenheit zurückkam und dann sogleich zu meinem Vater eilte, von welchem er erfuhr daß ich seit vierzehn Tagen verheirathet war: ich weiß nicht was aus ihm ge= worden ist, und welche Empfindungen er mir eingeflößt haben würde wenn ich ernstlich an ihn hätte denken müssen. Während seines Aufenthaltes in Pondichery machte er die Bekanntschaft eines Herrn von Sainte=Lette, eines Rathsmitgliedes, dem er Briefe an meinen Vater mitgab als der Rath ihn im Jahre 1776 wegen einer wich= tigen Angelegenheit nach Paris abordnete.

Sainte=Lette war über sechszig Jahre alt; in seiner Jugend hatte ihn die Lebhaftigkeit seines Geistes und das Ungestüm seiner

14

266

Leidenschaften in allerlei Verirrungen gestürzt, und er hatte in Paris sein Vermögen vergeudet. Darauf war er nach Amerika gegangen, hatte sich dreizehn Jahre lang in Louisiana als Vorstand einer Sklavenhändlergesellschaft aufgehalten, war sofort nach Asien verschlagen worden und hatte bei der Verwaltung in Pondichery ein Amt erhalten in welchem er die Mittel zusammenzubringen suchte mit seinem Jugendfreund, Herrn von Sewelinges, von dem ich Einiges sprechen werde, in Frankreich zusammen zu leben oder allda zu sterben. Eine ernste feierliche Stimme, ausgezeichnet durch den Ton welchen Erfahrung und Unglück geben, unterstützt durch den gefälligen Ausdruck eines geübten Geistes, fiel mir gleich zu Anfang an Sainte-Lette angenehm auf. Demontchery hatte ihm von mir gesagt, und wahrscheinlich brachte ihn dies auf den Wunsch Bekanntschaft zu machen. Mein Vater empfing ihn gut; ich begegnete ihm mit großer Freundlichkeit weil er mir bald Theilnahme einflößte; seine Gesellschaft war mir sehr angenehm; er suchte die meinige auf und ließ während der Dauer seines Aufenthaltes keinen Tag vorübergehen ohne sich bei mir einzustellen.

Leuten die viel gesehen haben kann man immer mit Lust zuhören, und diejenigen deren Gefühle oft in Anspruch genommen waren, haben immer mehr gesehen als andere, selbst wenn sie weniger Reisen gemacht hätten als Sainte-Lette. Er besaß die Art von Kenntnissen die weit mehr durch Erfahrung als aus den Büchern erworben wird; weniger ein Gelehrter denn ein Philosoph, gründete er seine Wünsche auf das menschliche Herz und hatte noch aus seiner Jugend Geschmack an der leichten Poesie behalten worin er hübsche Sachen geschrieben hatte. Er gab mir mehrere von diesen Stücken; ich theilte ihm etliche von meinen Träumereien mit, und er wiederholte mir einigemale in prophetischem d. h. überzeugtem Tone: „Sie mögen sich

dagegen sträuben wie Sie wollen, mein Freund. Sie werden am
Ende doch noch ein Werk schreiben — Das möge unter einem
fremdem Namen gestehen, erwidert ich: denn eher wollte ich mir
die Finger abschneiden als Schriftsteller werden.‟

Sainte-Lette traf bei meinem Herrn einer Mann mit des-
kanntschaft ich seit einigen Jahren gemacht hatte und der einen
mächtigen Einfluß auf das Schicksal meines ganzen Lebens hatte
obschon ich es damals nicht merkte. Ich habe es schon gesagt
daß Sophie welche durch das Gesellschaftleben mehr in Anspruch
genommen und zerstreut war als ich, war erster von dem Mann
einen Vortheil zu erblicken: er kam bei gemacht mit einem sehr
dienstvollen Manne gesagt der in Paris angestellt war und häufig
zu ihrer Mutter kam wenn er es in reden Sinn wohre, was
aber nicht sehr häufig der Fall war, weil er nach Sommer bei nach
Paris begab und im Sommer eine längere Reise machte. Sie
hatte ihn mir namentlich angeführt, weil Sie unter der geselligen
Menge von der sie umgeben war mit Verzeihen einen Mann auszeichnete dessen belehrende Unterhaltung ihr immer neu erschien:
dessen ernstes aber einfaches Benehmen Vertrauen einflößte, und der
ohne von Jedermann geliebt zu werden weil seine gewissen beißende
Strenge vielen Leuten mißfiel, doch in allgemeiner Achtung stand.
Sophie hatte ihm auch von ihrer Freundin erzählt; überdies sprach
man in ihrer Familie von Nichts als von unserm innigen Bunde
und dem langen Bestand einer Klosterfreundschaft die mit den Jahren einen gewissen achtungswürdigen Charakter annehme; endlich
hatte er mein Bild gesehen das Frau von Cannet in ihrem Zimmer hängen hatte. „Warum denn, sagte er häufig, machen Sie
mich mit dieser guten Freundin nicht bekannt? Ich komme alle
Jahre nach Paris; werde ich nicht einmal einen Brief an sie mit-

bekommen?" Er erhielt diesen gewünschten Auftrag im Dezember 1775; ich trauerte noch um meine Mutter und befand mich in der sanften, schwermüthigen Stimmung die auf einen heftigen Kummer zu folgen pflegt. Wer mit Grüßen von Sophie zu mir kam konnte immer eines sehr guten Empfanges gewärtig sein. „Dieser Brief, schrieb mir meine liebe Freundin, wird Dir von dem Philosophen überbracht werden dessen ich schon einigemal gegen Dich erwähnt habe, von Herrn Roland de la Platière, einem aufgeklärten und durch strenge Sittenreinheit ausgezeichneten Manne, dem man Nichts vorwerfen kann als seine große Bewunderung für die Alten auf Kosten des jetzigen Geschlechtes das er gering schätzt, und die Schwachheit allzugern von sich selbst zu sprechen." Dieses Bild ist weniger als eine Skizze; aber die Auffassung erzeigte sich als richtig und wohlverstanden. Ich erblickte einen Mann von etlichen vierzig Jahren, hoch von Wuchs, nachlässig in seiner Haltung, mit einer gewissen Steifheit wie sie das viele Sitzen im Arbeitszimmer mit sich bringt; aber sein Benehmen war einfach, gefällig, und ohne die frische Lebendigkeit des Gesellschaftslebens zu haben vereinigte er die Höflichkeit des gebildeten Mannes mit dem würdevollen Ernst des Philosophen. Magerkeit, eine mitunter gelbe Gesichtsfarbe, eine bereits ziemlich kahle und sehr offene Stirne thaten seinen regelmäßigen Zügen keinen Eintrag, aber sie machten dieselben mehr ehrwürdig als verführerisch. Im Uebrigen gaben ein äußerst feines Lächeln und ein lebhafter Ausdruck seinem Gesichte gleichsam ein ganz neues Ansehen, wenn er in einer Erzählung etwas warm wurde oder an etwas Angenehmes dachte. Seine Stimme war männlich, sein Ton kurz wie der eines Mannes der keinen sehr langen Athem hat. Sein Gespräch das gehaltreich war, weil er den Kopf immer voll von Gedanken hatte, beschäftigte mehr den Geist als es dem Ohr schmeichelte; sein Ausdruck war zuweilen pikant, aber rauh und unharmonisch. Eine wohlklingende Stimme ist ein seltener Vorzug der nach meiner Ansicht auf die Sinne einen mächtigen Eindruck macht; dieser Wohlklang hängt nicht blos von der Art des Tones ab, sondern entsteht namentlich aus jener Zartheit der Empfindungen welche den Ausbrücken einen gewissen Wechsel und der Betonung ihre Schattirungen gibt.

Man unterbricht mich mit der Nachricht, daß ich nebst vielen andern Deputirten die neuerbings verhaftet worden sind in dem Brissot'schen Anklageakt mit einbegriffen bin. Die Tyrannen liegen in den letzten Zügen; sie glauben den vor ihnen geöffneten Abgrund dadurch auszufüllen daß sie die ehrlichen Leute hineinstürzen; aber sie werden hernach selbst fallen. Ich fürchte mich nicht in so guter Gesellschaft aufs Schaffot zu steigen; es ist eine Schande inmitten von Schurken zu leben.

Ich will dieses Heft weiter befördern um dann auf einem andern fortzufahren, wenn man mir die Freiheit dazu läßt.

Am Freitag, dem 4. Oktober, dem Geburtstag meiner Tochter die heute zwölf Jahre alt wird.

Diese Schönheit des Stimmorgans ist von seiner Kraft sehr verschieden und bei den Rednern die es gewerbsmäßig üben eben so selten als bei der Menge welche die Gesellschaften ausmacht. Ich habe sie in unsern drei Nationalversammlungen gesucht und bei keinem einzigen Mitgliede derselben vollkommen gefunden: selbst Mirabeau hatte bei dem achtunggebietenden Zauber eines edlen Vortrags weder einen einschmeichelnden Wohllaut noch den angenehm-

270

ſten Klang der Stimme. Die Clermonts ſtanden in dieſer Beziehung
ſchon höher. Wo war denn alſo Ihr Muſter? könnte mich Jemand
fragen. Ich würde antworten wie jener Maler der auf die Frage,
wo er jenen hinreißenden Ausdruck hernehme welchen er ſeinen
Köpfen gebe, den Finger auf ſeine Stirne legte und ſagte: „Von
da innen her;" nur würde ich meinen Finger an die Ohren legen.
Ich habe die Theater nicht fleißig beſucht, doch habe ich zu bemer=
ken geglaubt daß dieſer Vorzug in ihnen eben ſo ſchwer zu finden
iſt. Larive, der Einzige vielleicht der Erwähnung verdient, ließ im=
mer noch Einiges zu wünſchen übrig. Als ich beim Eintritt
in meine Jugendzeit die Art von Unruhe empfand welche jungen
Mädchen der Wunſch zu gefallen einflößt, erſchrack ich beim Ton
meiner eigenen Stimme; es war mir Bedürfniß ihr einen andern
Klang zu geben wenn ich mir ſelbſt gefallen wollte. Ich begreife
daß die Griechen bei der ungemeinen Feinheit ihres Gefühls auf
alle Theile der Redekunſt großen Werth legten; ich begreife auch
daß das Ohnehoſenthum zur Verachtung ſolcher Anmuth und
zu einer wilden Plumpheit führt, die von der Beſtimmtheit der
Spartiaten in ihrer hochverſtändigen Sprache eben ſo entfernt iſt,
als von der Beredtſamkeit der liebenswürdigen Athener.

Aber wir haben Lablancherie unlängſt in Orleans oder ſonſtwo
gelaſſen; wir müſſen dieſen Menſchen vollends auf die Seite ſchaffen.

Er kehrte kurz nach dem Tode meiner Mutter zurück. erfuhr
dieſes Ereigniß als er kam um ſie zu beſuchen, und zeigte nun eine
Verwunderung, einen Schmerz die mich rührten und mir gefielen.
Er wiederholte ſeine Beſuche bei mir und ich ſah ihn nicht ungern.
Mein Vater der ſich bei ſolchen Anfängen eines Verhältniſſes das
Geſetz auferlegte bei mir zu bleiben wenn Jemand kam, fand das
Amt einer Duenna nicht beſonders luſtig und hielt es für bequemer

Jedem der nicht das in seinen Augen nothwendige Alter der Ge-
setztheit hätte, das ihn der Pflicht anwesend zu sein entbände, zum
Voraus das Haus zu verbieten und mich mit meiner Verwalterin
mir selbst zu überlassen. Er kündigte mir an daß er Lablancherie
zu ersuchen gedenke nicht mehr zu erscheinen; ich antwortete keine
Silbe darauf, obgleich die Sache mich einigermaßen verdroß; der
Kummer den ich als Folge dieses Verbots bei ihm voraussetzte beschäftigte mich mehr als mein eigener Unmuth: ich beschloß ihm
die Pille dadurch zu vergolden daß ich sie ihm durch meine eigenen
Hände zukommen ließ; denn die Art und Weise meines Vaters
ließ mich fürchten er möchte die Sache beleidigend machen. Ich muß
aufrichtig sein: Lablancherie war mir nicht gleichgültig, und ich
dachte ich werde ihn wohl lieben können; nur mein Kopf war
glaube ich noch nicht ganz im Reinen, wiewohl auf dem besten
Wege. Ich schrieb daher einen schönen Brief der Lablancherie seinen
Abschied gab, ihm alle Hoffnung raubte mir antworten zu dürfen,
diejenige aber daß er gefallen habe, im Fall ihm dies schmeichelhaft
war, nicht zerstören sollte.

Nachdem dieses Eis gebrochen war überließ ich mich sanften,
schwermüthigen Gedanken wodurch mein Glück nicht gestört wurde.
Sophie kam nach Paris um sich nebst ihrer Mutter und ihrer
Schwester Henriette einige Zeit allda aufzuhalten. Letztere die sich
jetzt, da wir ihr nachgewachsen, sie selbst aber ruhiger geworden
war, auf gleichem Boden mit uns befand, wurde ebenfalls meine
liebe Freundin. Ihre lebhafte Einbildungskraft sprühte nach allen
Seiten Funken und gab den Gesellschaften in welche sie kam eine
eigenthümliche Munterkeit.

Ich ging mit meinen Freundinnen und Fräulein von Hangard oft
ins Luxemburg; dort begegnete ich Lablancherie: er grüßte mich ehrer-

bietig und ich dankte ihm nicht ohne einige Bewegung. „Du kennst also
diesen Herrn? fragte mich eines Tags Fräulein von Hangard die seinen
Gruß anfänglich auf sich bezogen hatte. — Ja, und Du auch? — O ge=
wiß; aber gesprochen habe ich ihn nie. Ich komme zu den Fräuleins Bor=
denave[1]) von denen er um die jüngste angehalten hat. — Ist dies schon
lange her? — Etwa anderthalb Jahre; er hatte Gelegenheit gefunden
sich ins Haus einzuführen; nun kam er von Zeit zu Zeit und
rückte endlich mit seiner Erklärung heraus: diese Fräuleins sind
reich, die jüngste ist hübsch; er besitzt keinen Sou und sucht eine
Erbin, denn er hat auch einer andern Person aus ihrer Bekannt=
schaft denselben Antrag gemacht was sie wieder erfahren haben: er
hat einen Korb erhalten, und wir nennen ihn nur den Liebhaber der
elftausend Jungfrauen. Woher kennst Du ihn? — Aus einem Con=
cert bei Frau Lepine.“ Und ich biß mich in die Lippen und be=
hielt das Uebrige für mich, sehr ärgerlich daß ich geglaubt hatte
ich werde von einem Manne geliebt, welcher meine Hand ohne
Zweifel blos deßwegen begehrt hatte weil ich eine einzige Tochter
war; noch weit ärgerlicher darüber daß ich ihm einen schönen Brief
geschrieben hatte den er nicht verdiente. Ein ergiebiger Stoff zum
Nachdenken und zur Uebung meiner Klugheit auf ein andermal!

Einige Monate waren verflossen als eines Tags ein kleiner
Savoyarde zu meiner Verwalterin kam und sagte es wünsche sie
Jemand zu sprechen, ich weiß nicht mehr wo: sie geht, kommt zurück
und sagt mir Herr Lablancherie habe sie beauftragt mich um eine
Audienz für ihn zu bitten. Es war Sonntag; ich erwartete Ver=
wandte: „Ja, versetzte ich, er mag kommen, aber sogleich; da er in

---

[1]) Ihr Vater war ein sehr bekannter Chirurg und Mitglied der Aka=
demie der Wissenschaften.

der Nähe des Hauses auf Dich wartet so suche ihn auf und laß ihn eintreten." Lablancherie kommt; ich befand' mich neben dem Kamin. „Ich habe es nicht mehr gewagt, mein Fräulein, vor Ihnen zu erscheinen seit Sie es mir verboten haben; nun treibt mich aber ein sehnlicher Wunsch Sie zu sprechen hierher, und ich kann Ihnen nicht sagen wie schmerzlich mich der theure aber grausame Brief den Sie mir damals schrieben berührt hat. Meine Lage hat sich inzwischen geändert; ich habe jetzt Pläne denen Sie nicht fremd bleiben können." Sofort entwickelte er mir den Gedanken zu einem kritischen und moralischen Werke in Briefen nach Art des Spectator, und ersuchte mich einen Gegenstand so zu behandeln. Ich ließ ihn ohne alle Unterbrechung reden, und als er eine kleine Pause gemacht hatte wartete ich sogar noch, damit er seinen Rosenkranz vollends ableiern konnte. Als er Alles gesagt hatte ergriff ich meinerseits das Wort und bemerkte ihm ruhig und höflich, ich habe es selbst auf mich genommen ihn um Einstellung seiner Besuche zu bitten, weil die Gefühle die er gegen meinen Vater in Beziehung auf mich ausgesprochen mich haben voraussetzen lassen, daß er die Fortsetzung derselben wünsche, und ich ihm für diese Aufmerksamkeit meine Erkenntlichkeit habe beweisen wollen. In meinem Alter mische sich die Lebhaftigkeit der Einbildungskraft beinahe in alle Dinge und lasse sie zuweilen anders erscheinen als sie seien; inzwischen sei Irrthum kein Verbrechen, und ich sei von dem meinigen zu leicht zurückgekommen als daß er sich darob Kummer zu machen brauche; ich bewundere seine literarischen Entwürfe ohne mich irgendwie dabei betheiligen zu wollen, so wenig als an denen irgend eines andern Menschen; ich beschränke mich auf Wünsche für die Erfolge aller Schriftsteller der Welt wie auch für die seinigen, in allen Arten und Richtungen; um ihm dieses zu sagen habe ich seinen Besuch angenommen, damit er sich für die Folge aller ähnlichen Versuche enthebe, und nun ersuche ich ihn

mich zu verlassen. Ueberraschung, Schmerz, Unruhe, Alles was in
solchen Fällen der Brauch ist, sollte jetzt vor mir entwickelt werden;
allein ich hielt ihn an und sagte zu ihm, ich wisse nicht ob die Fräuleins Bordenave und Andere an die er sich so ziemlich zu gleicher Zeit
gewendet, sich mit derselben Aufrichtigkeit gegen ihn ausgesprochen
haben; die meinige aber kenne keine Grenzen, und die Entschlüsse welche
sie kundgebe lassen keine Erklärung zu. In demselben Augenblick stand
ich auf, verbeugte mich gegen ihn und machte die bekannte Geberde mit
der Hand, welche Leuten die man gerne gehen sieht die Thüre zeigt.
Vetter Trube kam; nie habe ich sein ungeschlachtes Gesicht mit mehr
Vergnügen gesehen: Lablancherie trat schweigend seinen Rückzug an;
ich habe ihn nicht mehr gesehen: aber wer hat nicht seitdem von dem
Generalagenten der Correspondenz für die Wissenschaften und Künste gehört?[1]

---

[1] Lablancherie hatte den Plan zu einem allgemeinen schriftlichen Verkehr zwischen den Gelehrten und Künstlern aller Länder entworfen. Er eröffnete auch Zusammenkünfte unter dem prunkhaften Namen Sammelplatz
der Republik der Wissenschaften. Die Denkwürdigkeiten Bachau-
monts behandeln seine Plane, seine Ansprüche, seinen Briefwechsel und seine
Versammlungen ziemlich obenweg.

„Was ist, sagen sie, dieser Generalagent der Gelehrten, der Schrift-
„steller, der Künstler und der ausgezeichneten Fremden? Ein frecher junger
„Bursche der sich durch kein Talent bekannt gemacht hat. Wo hält er seine
„Versammlungen? In einer Dachstube des Collegs von Bayeux wo sich nicht
„einmal Stühle befinden, so daß man von drei Uhr bis zehn Uhr Abends,
„folglich die ganze Sitzungszeit über stehen muß. Endlich was thut man
„dort? Man plaudert allda wie in einem Café, nur etwas unbequemer.
„Was sieht man? Dinge die man bei den Künstlern finden würde, und
„zwar weit besser weil man sie dort jeden Tag und jede Stunde anschauen
„kann. Wo sind seine Korrespondenzen? In einem dicken Buch worein er
„die Adressen etlicher Gelehrten oder etlicher fremden Künstler schreibt.“

Nachdem dieser vom Schauplatz abgetreten ist, wollen wir zu Sainte-Lette und Roland zurückkehren.

Wir waren am Ende des Jahres 1776 angelangt; ich hatte seit acht oder neun Monaten Herrn Roland mehreremal gesehen; seine Besuche waren nicht häufig, aber er machte sie lang wie Leute die nicht kommen um sich an einem Ort zu zeigen, sondern sich, weil sie sich allda gefallen, so lange als nur möglich aufhalten. Seine Unterhaltung war lehrreich und freimüthig; sie langweilte mich niemals und er liebte es wenn man ihm theilnehmend zuhörte: eine Sache auf die ich mich sehr gut verstehe, selbst weniger unterrichteten Leuten gegenüber als er ist, und die mir vielleicht mehr Freunde erworben hat als der Vortheil mich selbst mit einiger Leichtigkeit auszusprechen. Ich hatte ihn nach seiner Rückkehr aus Deutschland kennen gelernt; jetzt schickte er sich an Italien zu bereisen; er hatte, wie alle vernünftigen Leute am Vorabende einer langen Abwesenheit thun, sein Haus beschickt und mich zur Aufbewahrerin seiner Manuscripte ausersehen die mein Eigenthum sein sollten im Fall ihm etwas Menschliches begegne. Ich war in der Seele gerührt über diesen ganz ausnehmenden Beweis von Achtung und nahm ihn dankend an. Am Tag seiner Abreise

---

„Trotz des Beifalls welchen die Akademie der Wissenschaften, man „weiß nicht warum, am zwanzigsten Mai auf den Bericht der Herrn Franklin, „Lervi, Marquis von Condorcet und Lalande über diesen Gegenstand aus- „zusprechen sich bemüßigt gefunden hat, kann man der Erfahrung gemäß „versichern daß dies bis jetzt das aberwitzigste Unternehmen, der fadeste Gesell- „schaftszirkel und die hohlste Korrespondenz ist."

Dieses unschmeichelhafte Zeugniß bestätigt das von Frau Roland ausgesprochene Urtheil. Man wird weiter unten in ihren Briefen eine Aeußerung über Lablancherie finden die seinen maßlosen Eigendünkel auf eine lustige Weise zeichnet. A. d. fr. H.

speiste er mit Sainte-Lette bei meinem Vater zu Mittag; beim Abschied bat er mich um Erlaubniß mich zu küssen, und ich weiß nicht
wie es geschieht, aber die Bewilligung dieser Höflichkeit geht von Seiten
einer Jungfrau nie ohne Erröthen vor sich, selbst wenn ihre Einbildungskraft ruhig ist. „Sie sind glücklich abreisen zu können, sagte
Sainte-Lette mit seiner würdevollen, feierlichen Stimme zu ihm; aber
sputen Sie sich zurückzukommen um sich das aufs Neue auszubitten."

So lange Sainte-Lette sich in Frankreich aufhielt wurde sein
Freund Sevelinges Wittwer; er besuchte ihn in Soissons, seinem
Wohnort, um seinen Schmerz zu theilen, und brachte ihn nach Paris
um ihn zu zerstreuen. Sie kamen mit einander zu mir. Sevelinges
war zwei und fünfzig Jahre alt und ein nicht sonderlich begüterter
Edelmann. Er bekleidete in der Provinz einen Posten im Finanzfach,
und beschäftigte sich mit der Literatur wie ein Philosoph der ihre
Lieblichkeiten kennt. Nachdem ich auf diese Art seine Bekanntschaft gemacht, setzte ich die Verbindung mit ihm auch nach der Abreise Sainte-
Lette's fort der bei seinem Abschied von Frankreich einige Beruhigung
in dem Gedanken zu finden versicherte, daß sein Freund niemals den
Vortheil verlieren würde mit mir in Briefwechsel zu stehen. Er bat mich
sogar um Erlaubniß demselben einige Manuscripte die ich ihm, wie ich
bereits erzählt, mitgetheilt hatte, auf kurze Zeit zur Einsicht zu überlassen. Dieser interessante Greis schiffte sich vielleicht zum fünften oder
sechsten Male in seinem Leben ein. Ein Geschwür am Kopfe das er
bereits gespürt hatte, ging auf während er sich auf dem Meere befand; er
kam krank in Pondichery an und starb daselbst sechs Wochen nach
seiner Rückkunft. Wir erfuhren seinen Tod durch Demontchery. Sevelinges bedauerte ihn lebhaft; er schrieb mir von Zeit zu Zeit, und
seine Briefe die eben so schön gemalt als hübsch stylisirt waren machten
mir großes Vergnügen. Sie trugen das Gepräge einer milden Philo-

sophie und einer schwermüthigen Empfindsamkeit, für welche beide Dinge ich viele Neigung hatte. Ich habe aus dieser Veranlassung bemerkt daß Diderot sehr Recht hatte wenn er sagte, großer Geschmack setze großen Verstand, feingebildete Organe und ein etwas schwermüthiges Temperament voraus.

Mein Vater dessen glückliche Neigungen allmälig eine schiefe Richtung nahmen, fand es ziemlich unnöthig Schöngeisterei zu treiben die Briefporto koste. Ich erzählte meinen Verdruß dem lieben Onkelchen, und dieser erlaubte mir die Briefe von Sevelinges den er im Hause gesehen hatte an ihn schicken zu lassen. Meine Manuscripte wurden mir mit einigen kritischen Bemerkungen zurückgeschickt auf die ich mir sehr viel einbildete, denn ich hatte nicht gedacht daß meine B e schäftigungen eine Prüfung aushalten würden; sie waren in meinen Augen zwar leidlich verständige aber ganz gewöhnliche Träumereien über Sachen die, wie es mir schien, Jedermann wissen mußte; ich dachte nicht daß sie ein anderes Verdienst haben könnten als die Eigenthümlichkeit von einem jungen Mädchen verfaßt zu sein. Ich habe lange Zeit die vollständigste Anspruchlosigkeit in Beziehung auf meine eigne Person bewahrt; es ist der Gang der Revolution, ein gänzlicher Umschwung der Dinge, die Verschiedenheit meiner Lage, die häufige Gelegenheit zu Vergleichungen bei einer großen Menge, und unter Leuten die wegen ihrer Verdienste geschätzt waren, nöthig gewesen, um mir zu zeigen daß die Stufe auf der ich mich befand nicht sehr übersetzt war. Im Uebrigen hat mir Dies, und ich beeile mich es zu bemerken, weit mehr die geistige Armuth in meinem Lande bewiesen als einen hohen Begriff von mir selbst eingeflößt. Inzwischen ist es nicht der Geist woran es fehlt, dieser findet sich auf allen Straßen, sondern die Richtigkeit des Urtheils und die Kraft des Charakters. Ohne diese zwei Eigenschaften aber erkenne ich das was man einen Menschen nennen kann nicht an. Wahrhaftig Diogenes hatte sehr Recht eine Laterne zu nehmen! Aber eine Revolution kann ihre Stelle auch vertreten; ich kenne keinen genaueren Maaßstab und keinen besseren Prüfstein.

Die Akademie von Besançon hatte als Preisaufgabe die Frage gestellt: **Wie kann die Erziehung der Frauen dazu beitragen die Männer besser zu machen?** Meine Einbildungskraft gerieth in Bewegung: ich ergriff die Feder und schrieb eine Abhandlung die ich incognito absandte, und die wie man wohl glauben kann nicht preiswürdig gefunden wurde. Keiner von allen eingelaufenen Arbeiten ward diese Ehre zu Theil, und die Frage wurde aufs Neue gestellt. Ich habe das Ergebniß im folgenden Jahre nicht erfahren; so viel aber erinnere ich mich daß ich in meiner Ausführung von der Ansicht ausgegangen war, es würde abgeschmackt sein eine Erziehungsweise festzusetzen welche sich nicht an die allgemeinen Sitten hielte, die ihrerseits von der Regierung abhängen, und man müsse nicht darauf ausgehen ein Geschlecht durch das andere umgestalten zu wollen, sondern darauf alle Menschen durch gute Gesetze besser zu machen. Ich sagte wie dann nach meiner Ansicht die Frauen sein müßten, fügte aber hinzu daß man sie nur in einer andern Ordnung der Dinge zu solchen machen könne. Diese gewiß richtige und philosophische Ansicht entsprach dem Zweck der Akademie nicht; ich gab Gedanken über die Aufgabe preis statt sie zu lösen.

Ich schickte meine Abhandlung Herrn Sevelinges zu, aber nachdem ich sie bereits nach Besançon abgefertigt hatte; Sevelinges machte mir einzig und allein über den Styl einige Bemerkungen. Inzwischen hatte sich mein Kopf abgekühlt; ich fand mein Werk in der Hauptsache ungeheuer mangelhaft und machte mir den Spaß eine Kritik darüber zu schreiben, wie wenn es einen andern Verfasser gehabt hätte den ich.

tüchtig aufs Korn nehmen wollte. Es ist dies ein ähnliches Verfahren wie wenn man sich selbst kitzelt um sich zum Lachen zu bringen, oder sich selbst Ohrfeigen gibt um seine Wangen heiß zu machen; aber sicherlich kann man nicht herzlicher und unschuldiger lachen als ich es that. Sevelinges theilte mir zur schuldigen Danksagung eine akademische Abhandlung über die Fähigkeit zu sprechen mit, die er an die französische Akademie abgesandt und worüber d'Alembert ihm einen schönen Brief geschrieben hatte. Es fand sich wenn ich mich recht erinnere in diesem Werke viel Metaphysik, und die Darstellung hatte etwas Geziertes. Sechs Monate, ein Jahr und noch mehr verflossen in diesem geistigen Verkehr, während dessen übrigens verschiedene Gedanken Platz griffen. Sevelinges schien sich über meine Stellung in der Welt zu beunruhigen und in seiner Einsamkeit zu langweilen; er stellte viele Betrachtungen an über die Freuden einer denkenden Gesellschaft. Ich fand sie sehr werthvoll; wir ließen uns ein Langes und Breites über diesen Gegenstand aus; ich weiß nicht recht was darauf in seinem Kopfe vorging, aber er machte eine Reise nach Paris und besuchte meinen Vater incognito unter dem Vorwand eines Geschäftes. Sehr lustig dabei war daß ich ihn nicht erkannte obschon ich ihn selbst empfangen hatte. Aber das außerordentlich betrübte Gesicht womit er mich verließ war mir aufgefallen und hatte in meiner Erinnerung den Gedanken an seine Züge wieder aufgefrischt; ich fand nachdem er gegangen war daß dieser Unbekannte viele Aehnlichkeit mit ihm hatte, und bald vergewisserte ich mich aus seinen Briefen daß er es wirklich gewesen war. Dieses sonderbare Benehmen machte einen ganz und gar nicht angenehmen Eindruck auf mich den ich nicht näher zu bezeichnen weiß; unser Briefwechsel wurde flauer und hörte, wie ich später erzählen werde, in der Folge ganz auf.

Ich ging zuweilen nach Vincennes: das domherrliche Ruheplätzchen meines Oheims war recht hübsch, der Spaziergang allerliebst, seine Gesellschaft angenehm; aber obgleich er die Freude hatte sein Haus durch Fräulein von Hannaches wohl verwaltet zu sehen, so begann er doch auch zu empfinden daß er dieselbe mit allen Plackereien welche die Uebellaunigkeit und Dummheit einer anspruchsvollen alten Jungfer über ihn brachte, theuer bezahlen müsse. Das Schloß zu Vincennes wurde von einer Menge Personen bewohnt denen der Hof ein freies Quartier daselbst anwies: da war ein alter königlicher Censor, Moreau de la Sarve; hier ein Schöngeist, und zwar Niemand anders als Frau von Pulsleur; weiterhin eine Gräfin von Laurencier; mehr unten eine Offizierswittwe u. s. f.; ohne den königlichen Lieutenant Rougemont zu rechnen[1]) der durch Mirabeau bekannt geworden ist, und dessen sinniges Gesicht im Verein mit seiner anmaßenden Dummheit ein höchst abstoßendes Ganzes ausmachte. Eine Kompagnie Invaliden deren Offiziere ihre Frauen bei sich hatten, bildete nebst all

---

[1]) Dieser Rougemont, der Bastard eines französischen Großen, war Commandant des Schloßthurmes (donjon, zum Unterschied vom Schlosse) von Vincennes in dem Mirabeau vom 7. Juli 1777 bis zum 17. Dezember 1780 gefangen saß und die Briefe an Sophie schrieb welche ihm, obwohl er sie nie für die Oeffentlichkeit bestimmte und gerade deshalb, einen Platz an der Seite des Dichters der neuen Heloise sichern. In seinem Werke „Des lettres de cachet et des prisons d'état. A Hambourg 1782" das er ebenfalls in diesem Kerker verfaßte, hat Mirabeau die Schändlichkeit dieser Regierungsmittel des Despotismus und solcher Werkzeuge königlicher und ministerieller Willkür wie Rougemont eins war mit flammender Beredtsamkeit gebrandmarkt. Man ist der Beauftragte des Königs, pflegte Rougemont mit lächerlichem Hochmuthe von sich selbst zu sagen. Ja wohl, erwiedert Mirabeau, der Kerkermeister des Königs! der Henker ist auch der Beauftragte des Königs, aber er peinigt weil es seine Pflicht ist, und Herr von Rougemont weil es ihm Vergnügen macht. A. b. H.

diefen Leuten und dem Domkapitel, die Gefangenen im Kerker nicht
gerechnet, eine Einwohnerzahl von fechshundert Köpfen für das
Schloß allein. Mein Oheim hatte überall Zutritt, zeigte fich nirgends
oft und fah nur eine kleine Anzahl Perfonen bei fich. Aber wenn man
vom Spaziergang zurückkam, hielt man fich Abends in der Regel in
dem Sommerhaus über der Brücke im Park auf wo die Frauen fich
verfammelten. Von hier könnte ich noch Gemälde genug aufführen
wenn ich Zeit dazu hätte; aber die Stunden find mir auf den Ferfen,
der Weg den ich noch zu durchlaufen habe ift lang; deßhalb hüpfe ich
mit gleichen Füßen über viele Sachen weg. Gleichwohl hätte ich noch
artige Dinge zu berichten über die Bälle in der Räuberallee, über die
Wettrennen des Grafen von Artois[1]), über die Narrheiten Seguin's,
des Kaffirs des Herzogs von Orleans, deffen (Seguin's) Namensfeft
man mit Beleuchtungen feierte, und der bald darauf Bankerott machte;
ferner die angenehmen Spaziergänge im Walde und die fchöne Aus-
ficht im obern Park auf die Marne der zu lieb wir eine Mauerbrefche
erkletterten; und die Eremiten des Waldes die fo malerifch daftanden,
in deren Kirche ein Gemälde hing das nicht blos durch feinen Kunft-
werth fondern auch durch feinen Gegenftand großes Intereffe hatte, indem man nämlich darauf Taufende von Teufeln erblickte wie fie auf
eben fo viele Arten die Verdammten peinigten; und meine Lektüren
mit meinem Oheim, namentlich die der Voltaire'fchen Trauerfpiele
woraus wir eines Tags abwechfelnd einige Rollen beklamirten, als im
ergreifendften Augenblick Fräulein von Hannaches die ftille da faß und

---

[1]) Der Graf von Artois welcher fpäter als Karl X. den Thron be-
ftieg, beftätigte durch den Gegenfatz feiner Lebensweife in feiner Jugend und
im Alter die Wahrheit eines bekannten Sprichwortes das fich zunächft blos
auf das weibliche Gefchlecht bezieht.   A. d. H.

15

strickte mit ihrer gellenden Stimme zu den Hühnern im Hofe hinab
zu kreischen anfing, in deren Gesellschaft wir sie selbst zu schicken
Lust bekamen; und jene hinkenden Concerte nach dem Nachteffen wo
auf dem so eben abgedeckten Tische Futterale von Schlupfern dem
guten Kanonikus Barré mit seiner Brille auf der Nase als Pulte
dienen mußten wenn er seinen Baß schnarren ließ, während ich eine
Violine zerkratzte und mein Oheim mit seiner Flöte einmal ums
andere aus dem Tone fiel. Ach ich werde wenn man mich leben
läßt auf diese angenehmen Auftritte zurückkommen; vor der Hand
muß ich wieder nach Hause zurück, jedoch nicht ohne vorher
von einem gewissen Großthuer gesprochen zu haben der einigen
Namen besaß.

Ueberblick

über das was ich als letzte Ergänzung der Denkwürdigkeiten aus
meinem Privatleben noch nachzutragen hatte. [1])

————

Die Manuscripte die Herr Roland mir zurückgelaffen hatte,
ließen mich ihn während der achtzehn Monate welche er in Italien
zubrachte beffer kennen lernen als zahlreiche Befuche vermocht hätten.
Es waren Reifen, Betrachtungen, Pläne zu Werken, Gefchichten die
feine eigene Perfon betrafen; eine starke Seele, eine unbestechliche
Rechtfchaffenheit, strenge Grundfätze, ausgebreitete Kenntniffe und
Gefchmack zeigten sich unverhüllt darin.

Im Wohlstande und im Schooße einer alten, dem Richterstande
angehörigen und durch Rechtfchaffenheit ausgezeichneten Familie geboren, hatte er fchon in früher Jugend fein Vermögen aus Mangel

————

[1]) Ich bin in meinem letzten Hefte in Vincennes geblieben; ich war
im Begriff von Caraccioli zu fprechen den ich dort bei dem Kanonikus ge-
fehen habe, und deffen unter Ganganelli's Namen erfchienenen Briefe
einiges Glück gemacht hatten, obgleich sie häufig eine blofe Wiederholung
von Dingen waren die er in feinen zahlreichen kleinen Schriften bereits aus-
gefprochen. Aber wenn ich auf diefe Art dem Gang der Begebenheiten Schritt
für Schritt folgen follte, fo bliebe mir noch eine lange Arbeit für die ich nicht
mehr genug zu leben habe; ich befchränke mich alfo auf einen Ueberblick.

an Ordnung von der einen, und in Folge übermäßigen Aufwandes von der andern Seite dahinschwinden gesehn. Als der jüngste von fünf Brüdern war er für den geistlichen Stand bestimmt worden, hatte aber in seinem neunzehnten Jahre allein und ohne Unterstützung das väterliche Haus verlassen, um weder in einen Orden treten noch sich dem Handel widmen zu müssen gegen welchen er gleichen Widerwillen hegte. Auf seinem ersten Ausflug nach Nantes gekommen, war er dort bei einem Schiffsrheder eingetreten um sich da über verschiedene Dinge zu unterrichten und dann nach Indien zu fahren. Die Anordnungen waren getroffen; auf einmal mußte er Blut speien, und deßhalb wurde ihm das Meer verboten wenn er nicht einem sichern Tode entgegen gehen wollte. Er begab sich nach Rouen wo Herr Godinot, sein Verwandter, Aufseher der Manufakturen, ihm den Vorschlag machte sich diesem Theile der Verwaltung zu widmen: er entschloß sich dazu, zeichnete sich bald durch Thätigkeit so wie durch gute Arbeiten aus und erhielt endlich eine vortheilhafte Anstellung. Er theilte nunmehr seine ganze Zeit zwischen Reisen und Studien. Ehe er nach Italien abging hatte er seinen geliebtesten Bruder, einen Benediktiner und damals Prior im Clugny-Collegium in Paris, zu meinem Vater gebracht; es war dies ein Mann von Geist, sanften Sitten und liebenswürdigem Charakter. Er besuchte mich zuweilen und theilte mir die Bemerkungen mit die sein Bruder ihm zukommen ließ; denn wenn dieser auf Reisen war so setzte er seine Beobachtungen schriftlich auf; später faßte er dieselben in Briefform und veröffentlichte sie, wobei er den Druck einigen Freunden in Dieppe anvertraute von denen einer der förmlich ins Italienische verrarrt war die Abschnitte über diese Sprache mit eignen Zusätzen vermehrte. Diesem sehr gehaltreichen Werke fehlte weiter nichts als eine bessere Abfassungsform um unter den

Reisebüchern über Italien obenan zu stehen. Eine Umarbeitung desselben war einer unsrer Plane seit wir verheirathet sind; aber ich wollte selbst zuvor Italien sehen; die Zeit und die Ereignisse haben uns auf eine andere Seite hingezogen.

Als Herr Roland zurückkehrte fand ich in ihm einen Freund; sein Ernst, seine Sitten, seine Gewohnheiten die sämmtlich der Arbeit gewidmet waren ließen mich ihn so zu sagen als geschlechtslos betrachten, oder als einen Philosophen der nur in der Vernunft lebe. Es stellte sich eine Art von gegenseitigem Vertrauen ein, und da er jedesmal Vergnügen in meinem Umgang fand so wurde es ihm allmälig zum Bedürfniß immer öfter zu mir zu kommen. Es waren etwa fünf Jahre daß ich seine Bekanntschaft gemacht hatte, als er mit einem Liebesgeständniß hervorrückte; ich war nicht unempfindlich dagegen, weil ich seine Persönlichkeit mehr schätzte als irgend eine von allen die ich bis jetzt kennen gelernt hatte; aber ich hatte bemerkt daß er selbst, vielleicht in Folge von Familienverhältnissen, nicht gegen alle äußeren Umstände gleichgültig war. Ich sagte ihm offen daß ich mich durch seine Bewerbung geehrt fühle und ihr mit Vergnügen entsprechen würde, daß ich aber keine gute Partie für ihn zu sein glaube, und nun setzte ich ihm ohne Rückhalt den Stand unsers Hauses auseinander das wirklich zu Grunde gerichtet war. Ich hatte durch Rechnungen die ich endlich meinem Vater, auf die Gefahr seiner Ungnade hin, abzuverlangen so frei war, eine Rente von fünfhundert Franken gerettet, die nebst meinen Kleidern den ganzen Rest des anscheinenden Wohlstandes ausmachte worin ich erzogen worden war.

Mein Vater war noch jung; seine Verirrungen konnten ihn hinreißen Schulden zu machen die ihn bei seiner Zahlungsunfähigkeit mit Schande bedecken mußten: er konnte eine unglückliche Hei-

rath eingehen, und zu allen diesen Uebeln konnten noch Kinder kommen die im Elend meinen Namen trugen u. s. w. u. s. w. Ich war
zu stolz um mich dem Uebelwollen einer Familie auszusetzen die sich
ihre Verbindung mit mir nicht zur Ehre schätzen, oder von der Großmuth eines Gatten abhängen zu wollen dem diese Verbindung allerlei
Verdruß bereiten könnte. Ich ertheilte daher Herrn Roland einen
Rath wie ihn eine unbetheiligte dritte Person hätte geben können,
und suchte ihm seine Absicht auf mich auszureden. Er bestand darauf; dies rührte mich und ich erlaubte daß er bei meinem Vater
die nothwendigen Schritte thue; da er es aber vorzog sich schriftlich
auszudrücken, so wurde beschlossen daß er seinen Antrag brieflich
machen solle sobald er an seinen Wohnort zurückgekehrt sei, und
wir sahen uns die ganze Zeit seines Aufenthaltes in Paris über
alle Tage. Ich betrachtete ihn als das Wesen mit dem ich mein
Schicksal verbinden sollte, und war ihm von Herzen zugethan. Sobald er nach Amiens zurückkam schrieb er an meinen Vater und
setzte ihm seine Wünsche und Absichten auseinander. Mein Vater
fand den Brief trocken; er liebte die Steifheit des Herrn Roland
nicht, und es lag ihm Nichts an einem strengen Tochtermann dessen
Blicke ihn an einen Censor erinnerten. Er schrieb ihm eine harte,
unverschämte Antwort und zeigte mir Alles erst nachdem er seinen
Brief bereits abgeschickt hatte. Ich faßte auf der Stelle meinen
Entschluß. Ich schrieb Herrn Roland das was geschehen sei habe
meine Befürchtungen in Bezug auf meinen Vater nur zu sehr gerechtfertigt; ich wolle ihm keine andere Unannehmlichkeiten bereiten,
und ersuche ihn seinen Plan aufzugeben. Meinem Vater erklärte ich
wozu sein Benehmen mich veranlaßt habe, und fügte hinzu, daß er
sich nach solchen Vorgängen nicht wundern dürfe wenn ich mir eine
neue Stellung schaffe und in ein Kloster gehe. Da ich aber wußte

daß er einige dringende Schulden hatte, so überließ ich ihm den
mir zustehenden Antheil am Silberzeuge um dieselben zu decken.
Darauf miethete ich mir ein kleines Zimmerchen in der Congregation und richtete mich allda ein, fest entschlossen alle meine Bedürf-
nisse mit meinen Einkünften zu bestreiten. Das that ich denn auch.
Ich könnte sehr pikante Einzelheiten über diese Lebensweise mittheilen bei der ich die Kräfte einer starken Seele in Anspruch zu nehmen
anfing.   Ich berechnete streng meine Ausgaben und legte die Ge-
schenke für die Bedienung des Hauses zum Voraus auf die Seite.
Kartoffeln, Reis, Bohnen die ich mit einigen Körnchen Salz und
etwas Butter in einem Topfe kochte, bildeten abwechselnd meine Nah-
rungsmittel und meine ganze Kocherei, die mir somit nicht viel Zeit
wegnahm. Ich ging zweimal in der Woche aus; das eine Mal um
meine Großeltern zu besuchen, das andere Mal um mich zu meinem
Vater zu begeben, einen Blick auf sein Weißzeug zu werfen und
das Ausbesserungsbedürftige mitzunehmen. Die übrige Zeit blieb ich
eingeschlossen unter meinem Schneedach wie ich es nannte, denn ich
wohnte nahe am Himmel und es war Winter.   Mit den Kost-
gängerinnen im Hause wollte ich mich nicht auf den gewöhnlichen
gesellschaftlichen Fuß stellen; dagegen widmete ich mich dem Studium,
stählte mein Herz gegen jedwede Widerwärtigkeit und rächte mich
an dem Schicksal, welches mir das Glück nicht bewilligte, dadurch
daß ich es verdiente.   Alle Abende kam die gute Agathe um ein
halbes Stündchen bei mir zuzubringen.   Die süßen Thränen der
Freundschaft begleiteten die Ergießungen ihres Herzens. Einige Bewegung im Garten in Stunden wo Alles sich zur Ruhe begeben
hatte bildete meinen einsamen Spaziergang; die Ergebung eines besonnenen Geistes, der Friede eines guten Gewissens, die Erhebung
eines Charakters welcher dem Unglück trotzt, eine längst zur Ge-

wohnheit gewordene Arbeitsluſt welche die Stunden ſo ſchnell dahin-
fließen macht, das Wohlbehagen einer geſunden Seele die im Gefühl ihres Daſeins und ihres eignen Werthes Entſchädigungen findet
von denen der große Haufe Nichts weiß, das waren meine Schätze.
Ich war nicht immer ohne Schwermuth, aber ſie hatte ihre Reize,
und wenn ich nicht glücklich war ſo hatte ich doch Alles in mir was
nöthig iſt um es zu ſein; ich konnte mit Stolz daran denken daß
ich alles Anderweitige was mir fehlte zu entbehren verſtehe.

Herr Roland, verblüfft und betrübt, ſchrieb mir auch ferner-
hin als ein Mann der nicht aufhören konnte mich zu lieben, den
aber das Benehmen meines Vaters verletzt hatte. Nach fünf oder
ſechs Monaten kam er und gerieth in Flammen als er mich an dem
Gitter wieder erblickte wo er meinem Geſichte inzwiſchen durchaus
kein Leiden anmerken konnte. Er wollte mich beſtimmen das Kloſter
zu verlaſſen, bot mir aufs Neue ſeine Hand, ließ mich durch ſeinen
Bruder, den Benediktiner, dringend erſuchen ſie anzunehmen. Ich
überlegte gründlich und tief was ich thun ſollte. Ich verhehlte mir
nicht daß ein Mann der weniger als fünf und vierzig Jahre gehabt
hätte, nicht mehrere Monate gewartet haben würde um mich zu einer
Aenderung meines Entſchluſſes zu veranlaſſen, und ich geſtehe aufrichtig daß eben dieſer Umſtand meine Empfindungen zu einem Grade
zurückgeführt hatte der jede Selbſttäuſchung unmöglich machte: auf
der andern Seite bedachte ich daß ſeine ebenfalls ſehr wohl überlegte erneuerte Werbung mich ſeiner innigſten Werthſchätzung ver-
gewiſſern müſſe, und daß ich, wenn er ſeine Empfindlichkeit gegen die
äußeren Unannehmlichkeiten die ſeine Verbindung mit mir nach ſich
ziehen konnte überwunden habe, einer Achtung um ſo ſicherer ſein
dürfe die zu rechtfertigen ich keine Mühe haben würde. Wenn endlich die Ehe wie ich dafür hielt ein ſtrenges Band war, ein Bündniß

bei welchem die Frau gewöhnlich das Glück der beiden Betheiligten auf ihr Gewissen nimmt, that ich dann nicht besser daran meine Fähigkeiten, meinen Muth in dieser ehrenvollen Aufgabe zu üben, als in der Vereinzelung in welcher ich dermalen lebte? Ich könnte hier die nach meiner Ansicht sehr verständigen Betrachtungen entwickeln die mich bestimmten, und gleichwohl hatte ich nicht alle angestellt worauf die Umstände mich hätten leiten können, worauf man aber auch einzig und allein an der Hand der Erfahrung gerathen kann. Ich wurde die Frau eines ächten Biedermannes der mich immer mehr liebte je besser er mich kennen lernte. Da ich nur nach der ernstlichsten Befragung meiner Vernunft geheirathet hatte, so fand ich Nichts was mich vom Wege derselben hätte ablenken können, und widmete mich meiner Pflicht mit einer mehr schwärmerischen als berechneten Hingebung. Dadurch daß ich beständig über die Art und Weise nachdachte wie ich meinen Lebensgefährten in jeder Beziehung beglücken könnte, bemerkte ich daß zu meinem eignen Glücke Etwas fehlte. Ich habe keinen Augenblick aufgehört in meinem Gemahl einen der achtungswürdigsten Männer zu erblicken welche leben, und seine Verbindung mit mir als eine hohe Ehre zu schätzen; aber ich habe oft gefühlt daß es uns an Gleichheit fehlte; daß das Uebergewicht eines die Herrschaft liebenden Charakters, verbunden mit dem Umstande daß er zwanzig Jahre mehr hatte als ich, eine gedoppelte und dadurch um mehr als die Hälfte zu große Ueberlegenheit von seiner Seite begründete. Wenn wir in der Einsamkeit lebten so hatte ich zuweilen peinliche Stunden zuzubringen; wenn wir uns in die Welt hinein begaben, so wurde ich von Leuten geliebt unter denen ich einige bemerkte die möglicher Weise einen allzugroßen Eindruck auf mich machen konnten: ich versenkte mich mit meinem Manne in die Arbeit, ein weiteres Uebermaaß das seine schlimmen Folgen nach sich zog, denn ich gewöhnte ihn bei Nichts in der Welt und in keinem Augenblick mich entbehren zu können.

Das erste Jahr unserer Ehe brachten wir ganz in Paris zu wohin Roland durch die Handelsvorsteher berufen war welche neue Verordnungen für die Manufakturen einführen wollten, Verordnungen die Roland aus allen Kräften bekämpfte durch die Grundsätze der Freiheit welche er überall geltend zu machen suchte. Er ließ eine für die Akademie verfaßte Beschreibung einiger Künste drucken und ordnete seine Papiere über Italien. Er machte mich zu seinem Abschreiber und seinem Correktor, und ich unterzog mich diesem Geschäfte mit einer Demuth über die ich jetzt lachen muß so oft ich daran denke, und die mit einem so geübten Geiste wie der meinige beinahe unverträglich scheint. Indeß floß sie aus meinem Herzen; ich hegte eine so aufrichtige Verehrung für meinen Mann daß ich gerne annahm er sehe besser als ich; dabei fürchtete ich jeden Schatten auf seinem Gesicht dermaßen, und er hielt so fest an seinen Ansichten daß ich es erst nach ziemlich langer Zeit zu der Zuversichtlichkeit gebracht habe ihm zu widersprechen. Ich studirte damals die Naturgeschichte und die Botanik; dies war meine einzige und mühevolle Erholung nach meiner Beschäftigung als Geheimschreiberin und Haushälterin; denn da wir unsern bleibenden Aufenthalt nicht in Paris hatten, folglich ein sogenanntes Hotel garni bewohnten, und da ich überdies bemerkt hatte daß die zarte Gesundheit meines Mannes sich nicht mit jeder Küche vertrug, so nahm ich das Geschäft auf mich die Gerichte die für ihn taugten mit eigenen Händen zuzubereiten. In Amiens brachten wir vier Jahre zu; ich wurde dort Mutter und Amme meines Kindes, ohne mich von den Arbeiten meines Mannes zurückzuziehen der einen ansehnlichen Theil der neuen Encyklopädie auf sich genommen hatte. Wir verließen das Studirzimmer nur um Spaziergänge außerhalb der Stadt zu machen; ich schrieb ein Werkchen über die Pflanzen in der Picardie, und das Studium der Sumpfpflanzen rief die Torfgräberkunst ins Leben. Häufige Krankheiten machten mich um Rolands Leben besorgt; meine Pflege war ihm nicht nutzlos und bildete zugleich ein neues Band. Er gewann mich wegen meiner treuen Hingebung immer lieber; ich fühlte mich durch das Gute was ich ihm that immer mehr zu ihm hingezogen.

Er hatte in Italien einen jungen Mann kennen gelernt dessen sanftes, ehrliches Gemüth er sehr schätzte, und der mit ihm nach Frankreich zurückkam wo er sich dem Studium der Medizin widmete und unser Hausfreund wurde. Es ist dies Lanthenas, den ich noch mehr geschätzt haben würde wenn nicht die Revolution, dieser Prüfstein der Menschen, dadurch daß sie ihm eine öffentliche Rolle anwies die Schwachheit seines Charakters und seine Mittelmäßigkeit ans Licht gezogen hätte. Er hat Privattugenden, besitzt aber keine äußeren Vorzüge; meinem Manne gefiel er sehr, und er bewies uns beiden große Anhänglichkeit; ich liebte ihn, behandelte ihn als einen Bruder, gab ihm sogar diesen Namen: seine Ergebenheit und Ehrlichkeit sind sich lange Zeit gleich geblieben. Er wollte zu uns ins Haus ziehen; Roland bewilligte es; ich widersetzte mich, weil ich dachte ein so vollständiges Opfer von einem Menschen seines Alters, und mit der Neigung die er für uns an den Tag legte, führe im Stillen den Gedanken einer Erwiederung nach sich die uns unsre Grundsätze verboten, und die er überdies von mir niemals erhalten hätte. Er war ein guter und zärtlicher Bruder, aber etwas Anderes konnte er für mein Herz nicht sein, und dies Gefühl machte mich um so freier und aufrichtiger in dem innigen Verhältniß das sich zwischen uns dreien gebildet hatte. Lanthenas war wie die meisten Leute zufrieden mit dem was er hatte, so lange

Andere nicht mehr erhielten. Unter dem letzten Ministerium meines Mannes entsetzte sich sein Gemüth das noch nie eine Prüfung zu über-stehen gehabt hatte über den großen Aufschwung welchen die Revolu-tion nahm. Er wollte keiner der äußersten Parteien angehören; seine Ansichten nahmen eine neue Färbung an: sein Herz verbot es ihm grausam zu sein wie die Bergmänner, aber eben so wenig wagte er es sich zu unsrer Anschauungsweise zu bekennen. Er meinte sich zwischen die rechte Seite deren Leidenschaften er tadelte, und die linke zu stellen deren Uebergriffe er nicht billigen konnte. So war er weniger als Nichts, und machte sich beiden Parteien verächtlich.

Sophie heirathete während meines Aufenthaltes in Amiens den Ritter von Gomicourt der sechs französische Meilen von da auf einem Landgute wohnte. Henriette die Herrn Roland geliebt hatte und nach dem Wunsche ihrer Familie seine Frau hätte werden sollen, billigte un-verholen den Vorzug den er mir gegeben mit der rührenden Aufrich-tigkeit die ihren Charaker ehrt, und der Edelherzigkeit die sie liebens-würdig macht. Sie heirathete den alten von Bouglans der Wittwer geworden war, und dem trotz seiner fünf und siebenzig Jahre sowohl Beichtvater als Arzt ein neues Ehebündniß angerathen hatten. Beide Schwestern sind Wittwen; Sophie ist wieder fromm geworden; ihre angegriffene Brust macht ihr viel zu schaffen und erweckt Sorge für ihr Leben das für ihre zwei hübsche Kinder nothwendig wäre. Die Ver-schiedenheit unsrer Charaktere und Ansichten hat, nebst der Entfernung und den vielen Geschäften, unser Freundschaftsband aufgelockert ohne es zu zerreißen. Henriette welche frei, dabei fortwährend voll Leben und Herzlichkeit ist, hat mich in meiner Gefangenschaft besucht und wollte sogar meine Stelle einnehmen damit ich mich retten könnte.

Roland hatte zu Anfang unsres Ehebundes gewünscht daß ich nicht viel Umgang mit meinen Herzensfreundinnen haben sollte. Ich

fügte mich seinen Anmuthungen und nahm mir die Freiheit öfter wieder mit ihnen zusammen zu kommen erst, als die Zeit meinem Manne
Vertrauen genug eingeflößt hatte um ihm jede Unruhe wegen einer
etwaigen Theilung meiner Liebe zu benehmen. Er hatte hierin eine
falsche Ansicht. Die Ehe ist würdevoll und strenge; wer einer gefühlvollen Frau die Süßigkeit der Freundschaft mit Personen ihres Geschlechtes nimmt der entzieht ihr eine nothwendige Nahrung und bringt
sie in Gefahr. Auf wieviele tausenderlei Arten ließe sich nicht diese
Wahrheit weiter entwickeln!

Wir waren im Jahr 1784 in den Gerichtsbezirk von Lyon gekommen und nahmen unsre Wohnung in Villefranche, dem elterlichen
Hause des Herrn Roland, wo noch seine Mutter die ihr Alter gleich
mit der Jahreszahl schrieb und sein ältester Bruder, der Kanonikus
und Rath, lebten. Ich könnte zahlreiche Gemälde aufführen von den
Sitten einer kleinen Stadt und ihrem Einflusse, von den häuslichen
Widerwärtigkeiten eines Zusammenlebens mit einer durch ihr Alter
ehrwürdigen, durch ihre Launen aber furchtbaren Frau, und unter zwei
Brüdern von denen der jüngere die Leidenschaft der Unabhängigkeit,
der ältere aber die Gewohnheit und Vorurtheile des Herrschens hatte.

Zwei Wintermonate hindurch blieben wir in Lyon das ich gut
kennen gelernt habe und von dem ich viel sagen könnte: eine Stadt,
prachtvoll durch ihre Lage und durch ihr Material, blühend durch ihre
Fabriken und ihren Handel, interessant durch ihre Alterthümer und
ihre Sammlungen, glänzend durch ihren Reichthum; eine Stadt die
der Kaiser Joseph mit lüsternen Augen betrachtete und die sich als eine
großartige Hauptstadt ankündigte; heute ein ungeheures Grab, worin
sich die Opfer einer Regierung ängstigen die hundertmal grausamer ist
als der Despotismus selbst auf dessen Trümmern sie sich erhoben hat.
Im Herbst gingen wir auf das Land, und nach dem Tod der Frau

la Platière, meiner Schwiegermutter, brachten wir den größten Theil
des Jahres bort zu. Der Bezirk von Thezée, zwei Meilen von Villefranche, wo das Clos la Platière liegt, ist ein seinem Boden nach
trockener, durch seine Weinberge und Waldungen aber reicher Land-
strich, und die letzte Weingegend vor den Hochgebirgen des Beaujolais.
Hier haben sich meine einfachen Neigungen in allen Einzelheiten der
erfrischenden ländlichen Wirthschaft geübt; hier habe ich einige Kenntnisse die ich mir erworben zur Erleichterung meiner Nachbarn ange-
wandt: ich wurde der Dorfarzt und genoß um so mehr Liebe als ich
Unterstützungen bot statt Lohn zu verlangen, und als der Wunsch nützlich zu sein meinen Bemühungen etwas Liebenswürdiges gab. Wie
leicht doch der Landmann sein Vertrauen demjenigen schenkt der ihm
Gutes erweist! Man verschreit ihn als undankbar; es ist wahr, ich
verlangte keine Erkenntlichkeit, aber man liebte mich, und wenn ich
wegreiste wurde ich beweint. Ich habe auch lustige Auftritte gehabt;
mehrere Male sind gute Weiber von drei oder vier (französischen)
Meilen her mit einem Pferde gekommen, um mich zu ersuchen ich
möchte doch einen Kranken den der Arzt aufgegeben hatte vom Tode
retten. Meinen Mann entriß ich seinen Klauen im Jahre 1789 in
einer schrecklichen Krankheit aus welcher die Verordnungen der Doktoren
ihn ohne meine Pflege nicht gerettet hätten. Ich brachte zwölf Tage ohne
Schlaf und ohne meine Kleider abzulegen, dann sechs Monate in der
Unruhe und Aufregung einer gefahrvollen Genesung zu und wurde
nicht selbst unwohl davon; so gewiß ist es daß das Herz Kraft verleiht
und die Thätigkeit verdoppelt. Die Revolution kam dazu und setzte
uns in Flammen; Freunde der Menschheit, Anbeter der Freiheit,
glaubten wir sie würde das ganze Menschengeschlecht wie neu gebären,
dem schimpflichen Elend das auf der unglücklichen Klasse lastete der wir
so oft unser Mitleid geweiht hatten ein Ende machen, und jauchzten

ihr freudig entgegen. Unsre Ansichten verfeindeten uns in Lyon mit vielen Leuten die bloß an die Berechnungen des Handels gewöhnt waren und nicht begriffen daß man aus Philosophie Aenderungen, welche nur andern Menschen Nutzen bringen, hervorrufen und billigen könne; sie wurden schon dadurch Feinde des Herrn Roland; andere aber schätzten ihn von dieser Zeit an um so mehr. Man wählte ihn in den neu ernannten Gemeinderath; hier that er sich durch seine unbeugsame Geradheit hervor; man fürchtete ihn, und auf der einen Seite setzte sich die Verleumdung gegen ihn in Bewegung, während auf der andern Zuneigung oder Unparteilichkeit ihn vertheidigten. Für die Interessen der Stadt zum Abgeordneten in der konstituirenden Versammlung ernannt, kam er nach Paris; hier brachten wir etwa ein Jahr zu: ich habe anderwärts gesagt wie wir mehrere Mitglieder dieser Versammlung kennen lernten, und wir schlossen uns natürlich denjenigen an die gleich uns die Freiheit nicht für ihre Personen, sondern die Freiheit um ihrer selbst willen liebten, und die gegenwärtig mit uns das gemeinsame Schicksal theilen das beinahe alle ihre Begründer und alle wahren Freunde der Menschheit, Männer wie Dion, Sokrates, Phocion und so manche Andere in der alten, Barnevelbt und Sidney in der neuen Zeit betroffen hat.

Ich hatte mit meinem Mann im Jahre 1784 eine Reise nach England, im Jahr 1787 eine andere durch die Schweiz gemacht; in beiden Ländern habe ich interessante Personen kennen gelernt: mit mehreren sind wir in Verbindung geblieben; es ist noch kein Jahr daß wir von Lavater, diesem berühmten, durch seine Schriften, seine glänzende Einbildungskraft, sein liebevolles Herz und die Reinheit seiner Sitten wohlbekannten Zürcher Pastor Nachricht erhielten[1]): der ehr-

---

[1]) Es ist noch ein von Lavaters Hand entworfener Schattenriß vorhanden der Herrn und Frau Roland und ihre Tochter vorstellt. Herr Bosc,

liche und gelehrte Gosse aus Genf seufzt sicherlich über die Verfolgung welche wir erleiden: ich weiß nicht was aus dem geschickten Zach geworden ist der in der letzten Zeit Deutschland durchreiste, früher Professor in Wien war, und den ich in London traf[1]), wo Roland sich bei Banks, dem Präsidenten der königlichen Gesellschaft, welcher die Gelehrten seines Landes so wie die Fremden die nach London kamen bei sich versammelte, mit ihm herumstritt. Ich habe auf meinen Reisen das Vergnügen und den Nutzen gehabt, welchen die Gesellschaft eines Mannes gewährt der die Gegenden bereits kennt und genau besehen hat; ich habe Beobachtungen angestellt und das was mir am meisten auffiel zu Papier gebracht. Auf gleiche Weise habe ich einige Theile Frankreichs besucht; die Revolution hat unsre Fahrten in den Süden, so wie die Reise nach Italien die ich wünschte und hoffte verhindert. Da uns die Wohlfahrt des Staates über Alles geht so hat sie sich aller unsrer Gedanken bemächtigt, hat alle unsre Plane unterjocht; wir haben uns der Leidenschaft hingegeben ihr zu dienen. Man wird in meinen Schriften sehen wie Roland, so zu sagen ohne sein Wissen, Mitglied der Regierung wurde, und sein Benehmen als Staatsmann kann nicht ermangeln der unparteiischen Nachwelt seine Uneigennützigkeit, die Klarheit seines Geistes und seine Tugenden zu beweisen.

Mein Vater dessen Aufführung gegen uns nicht die lobenswertheste gewesen war, ging weder eine neue Ehe noch anderweitige besonders lästige Verbindungen ein; wir bezahlten einige Schulden die er gemacht hatte, und veranlaßten ihn sein Geschäft das nicht mehr

---

Mitglied des Institutes, einer der ehrenwerthesten Freunde dieser Frau, besaß ihn.　　　　　　　　　　　　　　　　　　　　A. d. fr. H.

[1]) Frau Roland spricht hier von dem berühmten Mathematiker und Astronomen Franz Freiherrn von Zach (geb. 1754 zu Preßburg in Ungarn) der die verwittwete Herzogin von Sachsen-Gotha auf ihren Reisen als Oberhofmeister begleitete und 1832 in Paris an der Cholera starb.　　A. d. H.

glücklich ausschlagen konnte aufzugeben, wogegen wir ihm ein Jahr=
geld aussetzten. So unheilvoll für ihn seine Verirrungen gewesen in
welchen auch noch die kleine Hinterlassenschaft meiner Großmutter zu
Grunde gegangen war, und obgleich er unser Verfahren mit ihm nur
rühmen konnte, so war er doch zu hochmüthig als daß ihm der Ge=
danke uns schuldig zu sein nicht vielen Schmerz bereitet hätte; dieser
Zustand gereizter Eigenliebe hinderte ihn zuweilen, selbst denjenigen
die ihren Ehrgeiz darein sezten ihm gefällig zu sein Gerechtigkeit wider=
fahren zu lassen; er starb, sechzig Jahre alt, in dem rauhen Winter
von 1787 auf 1788 an einem Katarrh der ihn seit langer Zeit be=
lästigt hatte. Mein theurer Oheim starb im Jahr 1789 zu Vincennes;
bald darauf verloren wir den vielgeliebten Bruder meines Mannes;
er hatte mit uns die Schweizerreise gemacht, war Prior und Pfarrer
von Longpont, als solcher zum Wahlmann eines Bezirks ernannt
worden, wo er die Freiheit predigte wie er die evangelischen Tugenden
ausübte; der Sachwalter und Arzt seiner Pfarrkinder, überhaupt
zu gescheidt für einen Mönch, wurde er von ehrgeizigen Burschen
auf seinem Orden verfolgt die ihm manche Unannehmlichkeiten und Ver=
drießlichkeiten zuzogen, was auch sein Ende beschleunigte. So unter=
liegen überall und zu allen Zeiten die Rechtschaffenen; sie haben folglich
eine andere Welt wo sie wieder leben sollen, oder es wäre nicht der
Mühe werth auf dieser geboren zu werden.

Blinde Verläumder! verfolgt Roland auf seiner Spur, unter=
suchet so grüblerisch als ihr wollt sein Leben, beobachtet das meinige;
fragt die Gesellschaften in denen wir gelebt, die Städte wo wir uns
aufgehalten haben, das Land wo man sich am leichtesten gibt wie man
ist; prüfet . . . . . je mehr ihr uns in der Nähe sehen werdet, um
so größer wird euer Aerger sein: eben darum wollt ihr uns ver=
nichten.

16

Man hat Roland den Vorwurf gemacht, er habe um den Adelsbrief nachgesucht; die Wahrheit über diese Sache ist wie folgt: Seine Familie hatte seit mehreren Jahrhunderten die Vorrechte dieses Standes, aber in Folge von Aemtern wodurch sie nicht übertragbar wurden, und einer Wohlhabenheit die alle äußeren Zeichen derselben, als Wappen, Kapelle, Livree, Lehen u. s. w. aufrecht erhielt. Die Wohlhabenheit verschwand; an ihre Stelle trat ein anständiges Mittelmaaß, und Roland hatte die Aussicht seine Tage auf einem Gute zu beschließen, dem einzigen das seiner Familie geblieben war, und das seinem ältesten Bruder noch jetzt gehört; er glaubte sich durch seine Arbeiten berechtigt seinen Nachkommen einen Vortheil zu sichern den seine Vorfahren genossen hatten, und den zu kaufen er verschmäht haben würde. Demgemäß reichte er seine Rechtsansprüche ein, um Anerkennung seines Adels oder Erhebung in den Adelsstand zu erwirken. Dies geschah im Anfang des Jahres 1784; ich weiß nicht welcher Mensch in dieser Zeit und in seiner Lage darin etwas Unvernünftiges gefunden haben würde. Ich kam nach Paris und sah bald daß die neuen Handlungsvorsteher, eifersüchtig auf seinen Vorrang in einem Theil der Verwaltung, wo er mehr verstand als sie, und aus Feindseligkeit gegen seine Ansichten über die Freiheit des Handels die er nachdrucksvoll vertheidigte, ihm zwar die verlangten Zeugnisse über seine großen Arbeiten die sie ihm nicht verweigern konnten ausstellten, aber sein Gesuch nicht auf eine Art unterstützen würden die einen Erfolg sichern kann. Ich war der Ansicht, man müsse diesen Gedanken wieder einschlafen lassen, und machte keine weiteren Versuche. Um diese Zeit geschah es daß ich auf die Nachricht von allerhand eingetretenen Veränderungen um die Versetzung Rolands nach Lyon nachsuchte und sie erlangte; diese neue Stelle brachte ihn nämlich seinem Geburtslande wieder näher und

führte ihn mit seiner Familie zusammen zu der er sich, wie ich wohl
wußte, in der Folge zurückzuziehen wünschte. Ihr Patrioten des
Tags die ihr der Revolution bedürfet um Etwas zu werden, bringt
eure Werke her und waget es eine Vergleichung anzustellen!

Dreizehn Jahre an verschiedenen Orten, in beständiger Arbeit
und in sehr mannigfachen Verbindungen von denen die letzten in ge=
nauestem Zusammenhang mit der Tagsgeschichte stehen zugebracht, wür=
den den vierten und interessantesten Theil meiner Denkwürdigkeiten bilden.
Die abgerissenen Stücke die man in meinen Charakterbildern und
Einzelzügen finden wird mögen seine Stelle vertreten: ich kann
meine Feder inmitten der Gräuel die mein Vaterland zerfleischen nicht
weiter führen: ich kann nicht auf seinen Trümmern leben, lieber will
ich mich unter ihnen begraben. Natur, öffne Deinen Schooß!

Im neun und dreißigsten Lebensjahre.

Abgeriffene Bemerkungen.

Wäre es mir verstattet gewesen länger zu leben, so hätte ich, glaube ich, nur noch eine einzige Versuchung gehabt, nämlich die eine Geschichte des Jahrhunderts zu schreiben und die Macaulay meines Landes zu werden: [1] ich habe in meinem Gefängniß eine wahre Leidenschaft für Tacitus gefaßt; ich kann nicht schlafen ohne einige Abschnitte von ihm gelesen zu haben: es scheint mir, wir sehen beide mit denselben Augen! und mit der Zeit wäre es nicht unmöglich gewesen daß ich mich über einen gleich ergiebigen Stoff nach seinem Vorbild ausgedrückt hätte.

[1] Katharina Macaulay, geboren 1733, durch das Lesen der Alten mit republikanischen Gesinnungen erfüllt, schrieb in diesem Geiste eine Geschichte ihres Vaterlandes (von Jacob I. an bis zum Sturze der Stuart in acht Bänden, die 1763—83 erschienen sind — ein Band enthält in Briefform die Fortsetzung dieser Geschichte bis auf die Zeit der Verfasserin). 1777 bereiste sie Frankreich, wo sie mit den ausgezeichnetsten Männern in Berührung kam, und 1785 brachte sie drei Wochen bei Washington auf seinem Gute Mount-Vernon in Virginien zu. 1778 heirathete sie in zweiter Ehe einen Bruder des durch sein himmlisches Bett bekannt gewordenen Doktors Graham. Sie starb 1791.   A. d. H.

Es thut mir sehr leid daß ich mit meinen geschichtlichen Mittheilungen einen gewissen Brief verloren habe den ich am 6. Juni an
Garat schrieb. Ich hatte ihm meine Einwendungen gegen meine Haft zuge-
schickt, und darauf hatte er mir einen vier Seiten langen schönen Brief geschrieben worin er mich seiner ganzen Hochachtung, seines Schmerzes u. s. w. versicherte; zugleich sprach er sich über die öffentlichen
Angelegenheiten aus und suchte den Zweiundzwanzig ihr Verderben ins eigene Gewissen zu schieben, gleich als hätten sie in der
Versammlung auf eine mit den Interessen der Republik unverträgliche
Art gehandelt und gesprochen. Ich antwortete Garat mit guten Gründen deren Ausdruck ich jetzt bedaure; ich schilderte ihm sein Benehmen
als das Erzeugniß der Schwäche der ich unsre Leiden zuschrieb, einer
Schwäche die von einer ängstlichen, nur den Eingebungen der Furcht
gehorchenden Mehrheit getheilt werde; ich bewies ihm, daß er [1]
und Barrère [2] nur geeignet seien alle wahren Staatsmänner in's
Verderben zu stürzen und sich selbst durch ihren Mangel an einem geraden offenen Auftreten mit Schande zu bedecken. Ich habe die abgeschmackten Deklamationen einer Heerde von Schöpsen gegen die Leidenschaften, wie sie es nannten, der rechten Seite niemals ver-
bauen können. Rechtschaffene Männer, gefestet in ihren Grundsätzen
und durchdrungen von einer gerechten Entrüstung gegen das Verbrechen, erhoben sich nachdrücklich gegen die Verruchtheit einiger
Schurken und die schändlichen Maßregeln wozu sie führte; und diese

---

[1] Garat der nach Roland Minister wurde und die Revolution überlebte,
hat sich in seinen Memoiren gegen die Vorwürfe die ihm Frau Roland in
mehreren Stellen der ihrigen macht, gerechtfertigt.　　　　　A. d. H.

[2] Barrère, der berüchtigte Anakreon der Guillotine, hat in neuester Zeit
an dem Herausgeber seiner Memoiren, dem Sohne des berühmten Carnot,
einen Vertheidiger gefunden.　　　　　A. d. H.

Eunuchen von Politikern werfen ihnen vor sie sprechen mit zu vieler Wärme!

Man hat es Roland sehr übel angerechnet daß er das Ministerium abgegeben hat, nachdem er kurz zuvor erklärt daß er auf diesem Posten allen Stürmen Trotz bieten werde. Man hat nicht eingesehen daß er nothwendig seine Entschlossenheit hatte zeigen müssen um die Schwachen aufrecht zu erhalten, und daß er ihnen dadurch am 6. Januar Muth einflößte; daß er aber, nachdem die etwa am 18. ausgesprochene Verurtheilung Ludwigs XVI. die Minderheit der Besonnenen und den Sturz ihrer Herrschaft im Convent dargethan, keine Unterstützung mehr zu hoffen hatte, und nicht schnell genug austreten konnte um sich nicht zum Mitschuldigen von Albernheiten zu machen. Gewiß Roland verabscheute die Tyrannei und glaubte Ludwig schuldig, aber er wollte die Freiheit sichern und glaubte sie verloren, sobald die Dummköpfe vorwiegenden Einfluß gewonnen hätten. Er ist nur zu gut gerechtfertigt, er und alle die Männer die man heute zum Tode führt! Im Uebrigen glaube ich dies in der Stelle meiner Schriften wo ich von seinem zweiten Ministerium sprach näher ausgeführt zu haben. Sein Austritt ist das Zeichen zur gänzlichen Niederlage gewesen, und er hat dies vorhergesehen.

Meine arme Agathe! Sie hat ihr Kloster verlassen und ist nach wie vor eine klagende Taube geblieben; sie weint um ihre Tochter, denn so nennt sie mich. Ach ich hätte viele Leute über welche ich hübsche Abschweifungen in meine Geschichte einflechten könnte: diese gute Desportes die mit fünfzig Jahren nach tausenderlei Verdrießlichkeiten starb; diese gute Base Trude die sich auf's Land zurückgezogen hat; meine alte Haushälterin genannt Mignonne, die bei meinem Vater starb und in meinen Armen ihren Geist aushauchte mit den Worten: „Ich habe mir nur eine einzige Sache vom Himmel erbeten, Jungfer Phlipon, nämlich bie bei Ihnen zu sterben; ich bin zufrieden.« Und biese traurige Verbindung meines unglücklichen Vaters mit einem lieberlichen Kerl, Namens Leveilly, bessen Tochter mich interessirte, so baß ich ihr aus Rücksicht auf ihre Jugend, ihre Lebhaftigkeit, so wie einige angenehme Eigenschaften mitleibig meine Wohlthaten zuwendete, bie aber bann in ben Pfuhl bes Lasters versunken ist, alle Schaam abgeworfen und in biesen letzten Zeiten mich genöthigt hat ihre Anwesenheit nicht mehr zu bulden, während ich mich ihrer Brüder angenommen und ihnen Gutes erwiesen habe!

Schluß ber Denkwürbigkeiten aus bem Privatleben.

Zwischen ber Zeit wo bie Denkwürbigkeiten aus bem Privatleben aufhören, und bem Augenblick wo Frau Roland bie Geschichte bes ersten Ministeriums beginnt, finbet sich eine Lücke von mehreren Jahren welche wir mit ben freundschaftlichen Briefen ausfüllen, bie Frau Roland an Herrn Bosc, ben ersten Herausgeber ihrer Denkwürbigkeiten, geschrieben hat. Sie folgen hier unter bem Titel:

Briefwechsel.

Amiens, ben 23. August 1782.

Ich habe, verehrter Freund, einen Brief von Herrn Gosse erhalten ber sie gewiß interessiren wirb. Anliegend erhalten Sie ihn. Sie können barin bie Art und Weise ersehen wie bie Generale

Frankreich, Savoyen und Bern bei
Genf verfahren sind.

... ob Sie darüber eben so urtheilen werden wie
... daß diese armen Genfer sich so schlecht als nur
... bei der Sache benommen haben. Als wären
... Blindheit geschlagen, haben sie sich ohne Noth einigen
... in die Hände geliefert deren Umtriebe klar genug am
..., und von denen sie verkauft worden sind. Ungeduld hat
... um das andere meiner bemeistert als ich es las, und
... kocht mir in den Adern. Ich beklage aus tiefstem Her-
zensgrund die Leute die troz ihrer vortrefflichen Absichten die bessere
Partei nicht zu erkennen wußten, oder vielmehr nicht Einfluß genug hatten ihr den Sieg zu verschaffen. Aber so viel scheint mir
klar daß Genf im Allgemeinen der Freiheit nicht mehr würdig war:
man trifft da nicht die Hälfte der Thatkraft deren es bedurft hätte
um ein so theures Gut zu vertheidigen oder unter seinen Trümmern zu sterben. Nur um so bitterer wird mein Haß gegen die
Unterdrücker deren Nachbarschaft diese Republik alles sittlichen Haltes
beraubt hatte, bevor sie kamen um sie zu zerstören.

Goffe sagt mir, daß sein Freund den ich in Paris kennen
gelernt habe der Aristokratenpartei angehöre, und daß er ihn seit
dem Untergange der Freiheit nicht habe besuchen wollen, weil die
verschiedenen Stimmungen worin sich beide befinden leicht zu Verdrießlichkeiten führen könnten. Ich hätte darauf schon lange ge-
wettet: es ist dies ein Herr Coladon den ich Seladon nannte,
und der weiter Nichts ist als ein hübscher Bursche dessen süßliches
Wesen auf eine ganze Meile weit den Sklaven ankündigt, und von
dessen Gelichter ich Hunderte für einen einzigen Hinkebein von Goffe's
Schlag hingegeben hätte.

Die Tugend, die Freiheit haben keine andere Zufluchtsstätte mehr als im Herzen einer kleinen Anzahl ehrlicher Leute; zum Henker mit allem Uebrigen und mit sämmtlichen Thronen der Welt! Ich würde das den Souveränen ins Angesicht sagen; man würde darüber lachen, weil es aus dem Munde einer Frau kommt; aber wahrhaftig! wäre ich in Genf gewesen, ich wäre eher gestorben als ich sie hätte lachen sehen!

In Sailly bei Corbie 1789.

Ich weiß nicht der wievielte Juni heute ist; nur so viel kann ich Ihnen sagen daß man hier in diesem Augenblick Mittags drei Uhr hat, und daß gestern ein Festtag gewesen ist. Ich habe am Sonntag meinen lieben Freund [1] gesehen; er hat mich gestern Abend verlassen: ich habe eine sehr schlechte Nacht gehabt und war diesen Morgen noch so übel auf daß ich Ihnen nicht schreiben konnte, so fest ich es mir vorgenommen hatte. Ich gebe Ihnen diese Reihenfolge von Thatsachen nicht als nothwendige Ursachen und Wirkungen, sondern ganz einfach so wie sie ist. Ihre Briefe sind mir mitgetheilt worden, weil der Empfang von solchen zu den angenehmen Dingen gehört die wir haben, und wir kein Vergnügen recht genießen können ohne es mit einander zu theilen. Ich kann Ihnen für Ihre Nachrichten keine andere bieten. Mit der Politik gebe ich mich nicht ab; in Beziehung auf andere Dinge bin ich nicht mehr auf dem Laufenden, und ich kann von Nichts sprechen als von den Hunden die mich aufwecken, den Vögeln die

---

[1] Herrn Roland; seine Frau nennt ihn in ihren Briefen meistens so.
A. d. fr. H.

der vereinigten Truppen von Frankreich, Savoyen und Bern bei
ihrer Besetzung der Stadt Genf verfahren sind.

Ich weiß nicht, ob Sie darüber eben so urtheilen werden wie
ich, aber ich finde daß diese armen Genfer sich so schlecht als nur
immer möglich war bei der Sache benommen haben. Als wären
sie mit Blindheit geschlagen, haben sie sich ohne Noth einigen
Verräthern in die Hände geliefert deren Umtriebe klar genug am
Tage lagen, und von denen sie verkauft worden sind. Ungeduld hat
sich einmal um das andere meiner bemeistert als ich es las, und
das Blut kocht mir in den Adern. Ich beklage aus tiefstem Her-
zensgrund die Leute die trotz ihrer vortrefflichen Absichten die bessere
Partei nicht zu erkennen wußten, oder vielmehr nicht Einfluß genug hatten ihr den Sieg zu verschaffen. Aber so viel scheint mir
klar daß Genf im Allgemeinen der Freiheit nicht mehr würdig war:
man trifft da nicht die Hälfte der Thatkraft deren es bedurft hätte
um ein so theures Gut zu vertheidigen oder unter seinen Trümmern zu sterben. Nur um so bitterer wird mein Haß gegen die
Unterdrücker deren Nachbarschaft diese Republik alles sittlichen Haltes
beraubt hatte, bevor sie kamen um sie zu zerstören.

Goffe sagt mir, daß sein Freund den ich in Paris kennen
gelernt habe der Aristokratenpartei angehöre, und daß er ihn seit
dem Untergange der Freiheit nicht habe besuchen wollen, weil die
verschiedenen Stimmungen worin sich beide befinden leicht zu Verdrießlichkeiten führen könnten. Ich hätte darauf schon lange ge-
wettet: es ist dies ein Herr Coladon den ich Seladon nannte,
und der weiter Nichts ist als ein hübscher Bursche dessen süßliches
Wesen auf eine ganze Meile weit den Sklaven ankündigt, und von
dessen Gelichter ich Hunderte für einen einzigen Hinkebein von Goffe's
Schlag hingegeben hätte.

Die Tugend, die Freiheit haben keine andere Zufluchtsstätte mehr als im Herzen einer kleinen Anzahl ehrlicher Leute; zum Henker mit allem Uebrigen und mit sämmtlichen Thronen der Welt! Ich würde das den Souveränen ins Angesicht sagen; man würde darüber lachen, weil es aus dem Munde einer Frau kommt; aber wahrhaftig! wäre ich in Genf gewesen, ich wäre eher gestorben als ich sie hätte lachen sehen!

In Sailly bei Corbie 1789.

Ich weiß nicht der wievielte Juni heute ist; nur so viel kann ich Ihnen sagen daß man hier in diesem Augenblick Mittags drei Uhr hat, und daß gestern ein Festtag gewesen ist. Ich habe am Sonntag meinen lieben Freund [1] gesehen; er hat mich gestern Abend verlassen: ich habe eine sehr schlechte Nacht gehabt und war diesen Morgen noch so übel auf daß ich Ihnen nicht schreiben konnte, so fest ich es mir vorgenommen hatte. Ich gebe Ihnen diese Reihenfolge von Thatsachen nicht als nothwendige Ursachen und Wirkungen, sondern ganz einfach so wie sie ist. Ihre Briefe sind mir mitgetheilt worden, weil der Empfang von solchen zu den angenehmen Dingen gehört die wir haben, und wir kein Vergnügen recht genießen können ohne es mit einander zu theilen. Ich kann Ihnen für Ihre Nachrichten keine andere bieten. Mit der Politik gebe ich mich nicht ab; in Beziehung auf andere Dinge bin ich nicht mehr auf dem Laufenden, und ich kann von Nichts sprechen als von den Hunden die mich aufwecken, den Vögeln die

---

[1] Herrn Roland; seine Frau nennt ihn in ihren Briefen meistens so.
A. d. fr. H.

mich dafür trösten daß ich nicht schlafen kann, den Kirschbäumen die vor meinen Fenstern stehen, und den jungen Kühen die das Gras im Hofe abweiden.

Ich wohne unter dem Dache einer Frau, [1]) zu der mich das Bedürfniß zu lieben führte, als ich in meinem eilften Jahre mit vierzig jungen Mädchen die keine andere Sorge hatten als durch Spiele und Scherze sich die Langeweile zu vertreiben, in einem Kloster zusammen war. Ich war fromm wie weiland Frau Guyon, [2]) ich schloß mich fest an eine Gespielin die sich auch ein wenig der Mystik zuneigte, und die holde Freundschaft nährte sich von derselben Flamme des Gefühls welche uns den lieben Gott bis zum Wahnsinn lieben ließ. Diese Gespielin machte mich als sie in ihre Heimath zurückgekehrt war mit Herrn Roland bekannt, indem sie ihm Briefe an mich mitgab; Sie können sich denken, wie Alles was aus dieser Bekanntschaft gefolgt ist mir die Gelegenheit oder zufällige Ursache woburch sie herbeigeführt worden fortwährend theuer machen muß.

Meine Freundin hat sich seit Kurzem verheirathet und ich habe gewissermaßen dazu beigetragen sie zu diesem Schritt zu bestimmen; ich besuche sie auf dem Lande dessen Aufenthalt ich ihr als den geeignetsten für das Glück reiner Seelen gerühmt habe. Ich schlendere auf ihrem Gute herum; ich zähle ihre Hühner, wir pflücken die

---

[1]) Diese Frau war Sophie Cannet, die Freundin, von der in diesen Memoiren öfter die Rede ist. A. d. fr. H.

[2]) Die ehrwürdige Freundin Fenelons deren von ihr selbst verfaßte (von Henriette von Montenglaut 1826 ins Deutsche übersetzte) Lebensbeschreibung selbst für diejenigen die an ihrem quietistischen „In Gott versunken sein" keinen Geschmack finden, als ein wichtiger Beitrag zur Seelenkunde sehr merkwürdig bleibt. A. d. H.

Früchte des Gartens und wir sagen uns daß Alles dies weit
mehr werth ist als die Wichtigkeit, mit der man sich um den
grünen Tisch setzt auf welchem die Karten hin und her flie-
gen; als die Zurüstungen zu einer Toilette womit man sich beschäftigen muß um sich in einem Zirkel zu langweilen; als das
seichte Geschwätz von diesen und jenen u. s. w., u. s. w. Trotz
dem verlangt es mich sehr nach Amiens zurückzukehren, weil ich
blos zur Hälfte hier bin; meine Freundin verzeiht mir es, weil ihr
Mann ebenfalls abwesend ist und sie somit aus ihrer eignen Entbehrung auf die meinige schließen kann; und so angenehm wir es
finden einander vorzuklagen, so gestehen wir doch beide daß es
eine recht traurige Sache ist aus seinem Taubenhause entfernt oder
allein in demselben zu sein. Inzwischen bleibe ich die ganze
Woche noch hier, weiß aber nicht, ob sich für meine Gesundheit
daraus der ganze Nutzen ergeben wird den mein lieber Freund ge-
hofft hat. Ich habe doch seit drei Tagen jede Arbeit eingestellt,
fühle mich aber noch nicht zum Besten: mit dem Aussehen des
Freundes war ich ziemlich zufrieden; ich fürchte sein Studierzimmer
wie das Feuer, und die Woche die ich hier zuzubringen habe erscheint mir wie eine Ewigkeit, wegen des Bösen was er sich in
dieser Zwischenzeit thun kann. Gestehen Sie daß es große Zuversichtlichkeit von mir voraussetzt Ihnen ein solches Geplauder einer
Landbewohnerin zuzuschicken, und doch verlange ich, nicht daß
Sie mir dafür verbunden sein sollen, sondern daß Sie es als einen
vollkommen aufrichtigen und mit keiner Eigenliebe versetzten Beweis von Freundschaft aufnehmen. Ich bin schwerfällig und matt,
und trotz des Wohlgefallens das ich an meiner Umgebung habe,
trotz des Reizes der mich an alle Einzelheiten des Landlebens fesselt, trotz der gerührten Stimmung welche der Anblick der Natur

in ihrer Einfachheit immer in mir hervorruft, fühle ich mich schläfrig und dumm werden.

Ich habe von allen meinen Spaziergängen Pflanzen mit nach Hause gebracht: mehrere sind mir bekannt; die andern waren trocken, bevor Murray mir in ihrer Beurtheilung zu Hilfe kam, und die Zeit vergeht ohne mich zu ermuntern. Ueberhaupt sind die Frauen, was ihre Gemüthsstimmung anbelangt, ebenso veränderlich wie die Luft welche sie einathmen; ich schreibe nach den Eindrücken des Augenblicks; und hätte ich diesen Brief morgen früh abgeschickt, vielleicht wäre er dann lebhaft und heiter gewesen.

Leben Sie wohl; erinnern Sie sich Ihrer lieben Freunde; ich schließe den meinigen in diesen Wunsch ein, weil wir in unsern Gefühlen niemals von einander getrennt sind, und Sie zu denjenigen Gegenständen gehören bei welchen wir dieselben mit dem größten Wohlgefallen verweilen lassen.

Amiens den 29. Juli 1783.

Es genügt mir daß Sie die Waffen niederlegen; ich verlange nicht daß sie mir zurückgegeben werden; ich will kein Gesetz annehmen, vermesse mich aber eben so wenig Jemanden eines aufzulegen. Sie haben sich nicht getäuscht über die Ansprüche Ihres Geschlechtes, ich will sogar sagen über seine Rechte, und sind entschieden als Vertheidiger derselben aufgetreten; Sie haben sie auch nicht bloßgestellt mir gegenüber die ich keines davon angreifen will; nur die Form haben Sie vergessen, und das ist Alles. Was sind die Gefälligkeiten, die ehrerbietigen Rücksichten Ihres Geschlechtes gegen das meinige anders als die Schonung des großmüthigen Mächtigen gegen den Schwachen den er ehrt und in seinen Schutz nimmt? Wenn Ihr als Gebieter sprechet, so erwecket Ihr sogleich den Gedanken daß man Euch widerstehen und so stark Ihr auch seid, vielleicht noch mehr thun kann. (Der unverwundbare Achill war es nicht überall.) Tretet Ihr huldigend auf, so seid Ihr ein Alexander der die in seine Gefangenschaft gerathenen Fürstinnen als Königinnen behandelt, ohne daß dieselben ihre Abhängigkeit vergessen. Dies ist vielleicht der einzige Punkt in welchem uns unsre Bildungsstufe nicht in Widerspruch mit der Natur gebracht hat. Die Gesetze lassen uns unter einer beinahe anhaltenden Vormundschaft, und der Gebrauch überträgt uns in der Gesellschaft alle kleine Ehren; wir sind Nichts sobald es auf's Handeln, wir sind Alles wenn es nur auf's Vorstellen ankommt.

Glauben Sie deßhalb nicht mehr daß ich mich über das täusche was wir verlangen können oder über das was Sie anzusprechen für gut finden. Ich glaube, ich will nicht sagen besser als irgend eine **Frau**, sondern so fest als nur ein **Mann**, an die Ueberlegenheit Ihres Geschlechts in allen Beziehungen. Ihr habt vor Allem die Kraft uns Alles was damit zusammenhängt oder daraus erwächst, den Muth, die Ausdauer, die Großartigkeit der Anschauung und die großen Talente. Euch steht es zu die Gesetze in der Politik, wie in den Wissenschaften die Erfindungen zu machen; beherrschet die Welt, verändert die Oberfläche der Erdkugel; seid stolz, furchtbar, gewandt und gelehrt; Ihr seid Alles das ohne uns, und durch Alles das müsset Ihr unsre Herrn sein. Aber ohne uns hättet Ihr keine Tugend, keine Liebenswürdigkeit, keine Liebe, kein Glück. Bewahret deßhalb den Ruhm und die Machtvollkommenheit in allen Orten; wir haben, wir wollen keine Herrschaft außer durch die Sitten, keinen Thron außer in Euren Herzen. Ich würde nie Etwas verlangen was darüber hinausginge; es thut mir oft leid, wenn ich Frauen mit Euch um einige Vorrechte streiten sehen muß die ihnen so schlecht anstehen; selbst

der Autorstitel scheint mir, und wenn das Werkchen noch so unbe=
deutend ist, an den Frauen lächerlich. So gewiß man von ihrer
Geschicklichkeit in einigen Beziehungen sprechen kann, so sollen sie doch
ihre Kenntnisse oder Talente niemals für das Publikum haben.

Das Glück eines einzigen Mannes zu machen und durch alle
Zauber der Freundschaft und Wohlanständigkeit ein Band für Viele
zu sein: ich kann mir keine schönere Bestimmung denken als diese.
Keinen Aerger, keinen Krieg mehr, lassen Sie uns in Frieden leben.
Erinnern Sie sich nur daß Sie, um sich Ihren Stolz bei den Frauen
zu bewahren, es vermeiden müssen denselben vor ihren Augen zur
Schau tragen. Der kleine Krieg den ich, um uns in der Freiheit des
Vertrauens gegenseitig zu vergnügen, mit Ihnen geführt habe, würde
von der gewandten Gefallsucht auf ganz andere Art geführt werden,
und Sie kämen nicht so leicht davon. Immer den Schutzherrn zu ma=
chen um nur mit eigenem Willen unterwürfig zu sein, darin besteht
das Geheimniß von euch Männern. Aber wie gutmüthig ich bin daß
ich Ihnen dieses sage, und das Uebrige wissen Sie besser als ich. Sie
haben mich zum Schwatzen bringen wollen; nun gut, wir sind quitt,
leben Sie wohl!

Den 7. Juni 1784.

Es ist schon sehr lange her, werther Freund, daß ich nicht das
Vergnügen gehabt habe mich mit Ihnen zu unterhalten; aber ich
habe so viel zu thun und so viel auszuruhen daß ich nie mit Etwas
zu Ende komme. In Crespy habe ich viele Freundschaft erlebt und
allerhand Ausflüge von da aus gemacht. Unter den letztern war der
nach Ermenonville nicht der uninteressanteste. Sehr beschäftigt mit
Ihnen und den Dingen die wir dort sahen, haben wir uns an den
letzteren erfreut, und Sie als Theilnehmer unsrer Freuden herzuge=

wünscht. Der Ort an und für sich, das Thal worin Ermenonville liegt ist das trübseligste Ding von der Welt; auf den Höhen Sand, in den Niederungen Moor; trübe, schwarzgraue Wasser; keine Aussicht, nicht ein einziger Blick auf die Felder, auf lachende Landschaften, Waldungen worin man wie begraben ist, niedrige Wiesen: das die Natur. Aber die Kunst hat Wasser herangeführt, eingetheilt, zurückbehalten, hat die Wälder behauen und durchbrochen; aus der Vereinigung beider ergiebt sich ein anziehendes, schwermüthiges Ganze, anmuthige Einzelheiten und malerische Partien. Die Pappelinsel, inmitten eines prachtvollen, mit Gehölze gekrönten Wasserbeckens, bietet den angenehmsten und interessantesten Anblick von ganz Ermenonville, selbst abgesehen von dem Gegenstande welcher fühlende und denkende Menschen dahinzieht. Der Eingang in den Wald, die Art wie das Schloß vortritt, und die Vertheilung der Wasser die es umgeben, bilden den zweiten Anblick der am meisten Eindruck auf mich gemacht hat. Ich freute mich da und dort auf Steinen Inschriften zu finden; aber die Ruinen, die Gebäude u. s. w. die an verschiedenen Plätzen hervorragen, haben im Allgemeinen den Fehler den ich beinahe allen diesen Nachahmungen in englischen Gärten vorwerfe; sie sind nämlich zu klein angelegt, ermangeln somit der Wahrscheinlichkeit und fallen dadurch ins Lächerliche. Endlich hat Ermenonville keine der glänzenden Schönheiten aufzuweisen welche den Reisenden in Erstaunen setzen, aber ich glaube daß es den Einwohner der sich tagtäglich da befindet fesselt; hätte übrigens nicht Jean Jacques den Ort berühmt gemacht, so zweifle ich ob man jemals von der Landstraße abgegangen wäre um ihn zu besuchen. Wir sind ins Zimmer des großen Meisters getreten; es ist von Niemanden mehr bewohnt; wahrhaftig Rousseau war hier sehr schlecht aufgehoben;

er war ganz vergraben und hatte weder Luft noch Aussicht: jetzt wohnt er besser als er je in seinem Leben gewohnt hatte; er war nicht für diese unwürdige Welt geschaffen.

Ich könnte Ihnen sehr viel erzählen von Allem dem was ich seit meiner Abreise von Paris und seit meiner Ankunft dahier erlebt habe. Die arme Eudora hat ihre traurige Mutter nicht erkannt die dies erwartete und gleichwohl wie ein Kind darob weinte; ich habe zu mir gesagt: Nun geht es mir wie den Frauen die ihre Kinder nicht gesäugt haben; ich habe etwas Besseres verdient, und doch hat es mir Nichts genützt. Nachdem die süße Gewohnheit mich zu sehen einmal unterbrochen worden, hat sie auch das Band der Anhänglichkeit zerrissen das mich an dies kleine Geschöpf knüpfte.... Ich kann noch jetzt nicht ohne furchtbare Betrübniß daran denken. Inzwischen hat mein Kind seine früheren Gewohnheiten wieder angenommen; es liebkost mich wie vorher: aber ich wage es nicht mehr an das Gefühl zu glauben das diesen Liebkosungen Werth gibt: ich wollte es bedürfte noch der Milch, und ich hätte ihm welche zu geben.

Sie, den wir mit so freudigem Bewußtsein unsern Freund nennen, denken Sie auch an diejenigen die Sie nicht mehr sehen? Ich muß schließen; leben Sie wohl und empfangen Sie unsere zärtlichen Grüße.

Den 28. März 1785.

Ich hatte große Lust meine Tochter sprechen zu lassen, aber ich habe Ihnen für mich selbst zu viel mitzutheilen, und beschränke mich darauf Ihnen ein Blatt zu schicken das sie nach ihrer Art vollgekritzelt hat. Sie haben mich mit allen Ihren Erzählungen zum

Weinen gebracht, nachdem ich über die ernste Unterschrift Ihres Briefes hatte lachen müssen. Eudora war sehr erfreut als sie vernahm daß Sie ihr geschrieben hatten; endlich habe ich ihr diesen Brief vorgelesen; als sie den Namen Mutter hörte und den Auftrag zu küssen lachte sie und sagte: „Das ist also für mich?" Wahrhaftig, Sie bedurften wegen der Sache die Sie erwähnen meiner Verzeihung nicht. Habe ich wohl nöthig dies mit Betheurungen zu versichern? Hier, wenn irgendwo, finden die zwei Zeilen ihre Anwendung:

Genügt doch zwischen uns was unser Beider Pflicht,
Das ist der wahre Schwur, die andern gelten nicht.

Hätte ich Ihnen jemals Etwas zu verzeihen gehabt so wäre es der unglückselige Gedanke gewesen dessen Eindruck Ihnen noch nahe geht, aber meine Neigung hat für den Edelmuth Nichts übrig gelassen; sie hat mich die Verirrungen der Ihrigen würdigen gelehrt; ich habe in den Irrthümern derselben nur ihre Kraft und ihre Lebhaftigkeit gesehen, und ich liebe Sie vielleicht noch mehr als wenn Sie das Unrecht nicht begangen hätten von meiner Seite ein Unrecht für möglich zu halten dessen ich mich nicht schuldig fühle. Wenn einmal die Zeit der Wahrheit allen ihren Glanz wiedergeben wird, dann werden Sie bei dieser Entfernung die Sie jetzt bedauern weniger verloren zu haben glauben, werden sehen daß sich an den Gesinnungen Ihrer Freunde Nichts verändert hat, und die Süßigkeit eines freundschaftlichen und vertraulichen brieflichen Verkehrs wird Ihnen durch die paar Meilen welche Sie in Gedanken mehr zurücklegen müssen um Nichts vermindert scheinen.

Sie fragen was ich thue und glauben daß ich nicht mehr dieselben Beschäftigungen habe wie in Amiens. Ich habe allerdings

17

316

weniger Muße um mich diesen letzteren hinzugeben oder sie mit angenehmen Studien zu untermischen. Ich bin dermalen vor Allem Hausfrau und habe in dieser Beziehung unaufhörlich zu sorgen. Mein Schwager hat mich ersucht die Haushaltung zu übernehmen, womit sich seine Mutter seit einer Reihe von Jahren nicht mehr beschäftigte, und welche selbst zu leiten oder theilweise der Dienerschaft zu überlassen er müde war. Folgendes ist die Art wie ich meine Zeit verwende. Wenn ich aufstehe beschäftige ich mich mit meinem Kinde und mit meinem Manne; ich lasse das erstere lesen, setze Beiden ihr Frühstück vor, lasse Beide zusammen im Zimmer oder in Abwesenheit des Vaters blos die Kleine mit ihrer Gouvernante, und schicke mich dann an die Haushaltungsgegenstände vom Keller bis zum Speicher in Augenschein zu nehmen; die Früchte, der Wein, das Weißzeug und andere Einzelheiten geben jeden Tag etwas zu sorgen; wenn mir vor dem Mittagessen Zeit übrig bleibt (und Sie müssen bedenken daß man um zwölf Uhr speist und daß man bis dahin ein wenig gesäubert sein muß, weil man Gefahr läuft Gesellschaft zu erhalten welche die Frau Mama gerne einladet) so bringe ich sie auf dem Studirzimmer bei der Arbeit zu die ich jederzeit mit meinem lieben Freunde getheilt habe. Nach Tische bleiben wir Alle einige Zeit beisammen, und ich verweile mich beinahe regelmäßig bei meiner Schwiegermutter bis sie Gesellschaft hat. Während dieser Zwischenzeit nähe oder sticke ich Etwas; sobald ich frei bin gehe ich wieder aufs Arbeitszimmer und fange von Neuem an zu schreiben; wenn aber der Abend kommt stellt sich der gute Bruder bei uns ein; man liest Journale oder auch etwas Besseres. Manchmal kommen einige Herren; wenn ich dann nicht selbst vorlese so nehme ich bescheiden mein Nähzeug zur Hand, höre zu und sorge dafür daß das Kind uns nicht unterbricht, denn es verläßt uns

niemals außer wenn ich ein förmliches Mahl gebe: da ich nicht will
daß es Jemand beläſtige, ſo bleibt es dann auf ſeinem Zimmer oder
geht mit ſeiner Gouvernante ſpazieren und erſcheint erſt wenn der
Nachtiſch aufgetragen iſt. Beſuche mache ich blos die allernothwen-
digſten. Zuweilen gehe ich (doch iſt es bis jetzt ſelten vorgekommen)
nach dem Mittageſſen mit meinem Freunde und Eudora ſpazieren.
Mit dieſen Abwechslungen ohngefähr nimmt jeder Tag den gleichen
Gang und durchläuft denſelben Kreis. Das Engliſche, das Italieniſche,
die bezaubernde Muſik, Alles das bleibt weit hinten. Es ſind dies
Liebhabereien, Kenntniſſe die vor der Hand unter der Aſche begraben liegen, wo ich ſie wieder aufſuchen werde um ſie meiner Eudora
beizubringen wenn ſie ſich einmal entwickelt. Ordnung und Friede
in Allem was mich umgibt, in den Gegenſtänden die mir anvertraut ſind, unter den Perſonen mit benen ich zu thun habe, die
Intereſſen meines Kindes die ich fortwährend im Auge behalte, das
ſind meine Beſchäftigungen und meine Vergnügungen. Dieſes Leben
wäre ein ſehr ſtrenges wenn mein Gatte nicht ein Mann von vielem
Verdienſt wäre den ich unendlich liebe; aber mit dieſem Schatze iſt
es ein wonnevolles Leben, deſſen ſämmtliche Augenblicke von zärtlicher Freundſchaft und ſüßem Vertrauen bezeichnet werden die mir
Alles erſetzen und Allem einen ſehr hohen Werth geben. Es iſt
dieſes Leben überaus günſtig für die Ausübung der Tugend, für
die Aufrechthaltung aller Neigungen und Liebhabereien welche das
geſellſchaftliche Glück und in dieſem Zuſtand der Geſellſchaft das
Glück der Einzelnen ſichern; ich fühle ſeinen Werth, ich freue mich
es zu genießen und richte mein ganzes Augenmerk darauf, ja ich
erlabe mich ſchon jetzt an der Hoffnung mir einſt das Zeugniß ertheilen zu dürfen, daß ich verdient habe was ich einſt dem Herrn
von Ornay geſchrieben:

Heil der Mutter ber vor ihrem Ende
Noch der süße Trost geblieben:
Nicht das Leben blos hab' ich gegeben,
Nein ich lehrt' auch wie man es muß lieben.

Mein Schwager, eine äußerst sanfte und gefühlvolle Natur, ist auch sehr religiös. Ich lasse ihm die Befriedigung vorauszusetzen daß seine Glaubensartikel mir eben so klar erscheinen als ihm selbst, und benehme mich äußerlich so wie es in der Provinz einer Familienmutter die Jedermann erbauen soll ansteht. Da ich in meiner frühen Jugend sehr fromm war so kenne ich meine Schrift und mein Meßbuch so gut wie meine Philosophen, und mache von meiner damaligen Gelehrsamkeit um so lieber Gebrauch als sie andern Leuten zur ausnehmenden Erbauung dient. Die Wahrheit, die Neigung meines Herzens, die Leichtigkeit womit ich mich dem was Andern gut däucht füge, ohne den Erfordernissen der Ehrlichkeit Eintrag zu thun, läßt mich ganz natürlich und ohne die mindeste Anstrengung das sein was ich sein muß. Behalten Sie diese Ergießung meines Vertrauens für sich und antworten Sie mir hierüber so unbestimmt wie es sich gebührt: ich bin noch allein; mein lieber Freund befindet sich in Lyon von wo er erst nach Ostern zurückkehren wird: er schreibt mir daß es mit seinen Augen besser gehe; auch versichert mir dies aufs Neue sein Bedienter der einige Geschäfte hier zu besorgen hatte und nun zu ihm zurückgekehrt ist. Beurtheilen Sie aus diesem Geplauder der Freundschaft ob ich an die Ihrige glaube der ich die Würdigung dieses Zeugnisses der meinigen anheimstelle.

Ich wollte Ihnen noch von der Akademie schreiben, von Beaumarchais [1]), von der anziehenden Chemie womit Sie sich beschäftigen,

---

[1]) Beaumarchais den Goethe's Clavigo verewigt, hat unter Ludwig XVI. als diplomatischer Agent, Banquier, Literat und Ränkemacher eine nicht un

aber ich habe meine Zeit um Ihnen zu schreiben nach meinen Morgen=
geschäften und vor dem Mittagessen gewählt; jetzt bleiben mir nur noch
zehn Minuten für meinen Anzug, und so viel brauche ich in der Regel.
Ich grüße Sie von ganzem Herzen.

Melden Sie mir akademische, wissenschaftliche u. s. w. Neuigkei=
ten und hauptsächlich Alles was Sie interessirt. Noch einmal, leben
Sie wohl!

Den 22. April 1785.

Sie haben mir in Ihrem Briefchen das ich gestern empfing
den Leviten gelesen; ich sehe ein daß Sie einigermaßen Recht dazu
haben, aber ich war dermaßen mit meinem Kinde beschäftigt, war
so matt an Leib und Seele daß ich dennoch nicht gar zu sehr Un=
recht hatte.

Mit Eudora geht es besser, doch befriedigt sie mich keines=
wegs; sie ist so bleich, so . . . . . ich weiß selbst nicht wie ich sagen
soll, daß ich mich ihretwegen beunruhige ohne mir selbst genügende
Gründe für meine Besorgnisse vorhalten zu können. Unser Haus
ist so groß daß wir es trotz unsrer nicht unansehnlichen Zahl von
Köpfen nicht ausfüllen können und deßwegen noch zwei Miethleute
haben. Man ist hier in Beziehung auf die Art zu bauen und sich
einzurichten, wenigstens was anständige und angenehme Eintheilung,
besonders auch was die Niedlichkeit der kleineren Ausschmückungs=

---

bedeutende aber ziemlich zweideutige Rolle gespielt. Er brachte den Barbier
von Sevilla und die Hochzeit des Figaro auf die Bühne, veranstaltete die
erste Ausgabe der sämmtlichen Werke Voltaire's und büßte dabei einen großen
Theil seines Vermögens ein das er sich durch glückliche Spekulationen im
amerikanischen Unabhängigkeitskriege erworben hatte. Er starb 1799.

A. d. H.

gegenstände betrifft, wohl um hundert Meilen hinter Paris zurück und wie es scheint eben so weit auch hinter Lyon, wohin wir doch nur fünf Meilen haben. Es ist wahr daß örtliche Umstände alles Holzwerk und Alles was sich auf Zimmermanns- und Tischlerarbeit bezieht sehr theuer machen in dieser kleinen Stadt, wo die Hauptverschwendung auf die Freuden der Tafel gerichtet ist. Das kleinste Bürgerhaus das nur ein wenig über dem gewöhnlichen Haufen steht, gibt hier kostbarere Gastmähler als die reichsten Häuser von Amiens und eine gute Anzahl sehr wohlhabender Häuser in Paris.

Eine elende Wohnung, eine köstliche Tafel, ein prachtvoller Putz, beständiges und zuweilen hohes Spiel, das ist der gute Ton in dieser Stadt die lauter platte Dächer hat, und deren kleine Straßen als Abzugskanäle für den Unrath dienen. Auf der andern Seite ist man hier nichts weniger als geistig verwahrlost; man spricht recht gut, ohne Accent und vollkommen nach den Regeln der Kunst; der Ton ist anständig, angenehm; aber in Beziehung auf Bekanntschaften ist man ein wenig kurz angebunden. Unsre Rathgeber sind Leute die als hochgewichtig betrachtet werden; unsre Advokaten sind so stolz wie die in Paris und die Prokuratoren so schuftig wie nirgends in der Welt. Im Uebrigen steht man hier das wahre Widerspiel von Amiens; dort sind die Frauen im Allgemeinen besser als die Männer; in Villefranche findet das Gegentheil statt, und hier tritt eben bei den Frauen der Provinzialsirniß am sichtbarsten hervor.

Ich weiß weder warum noch wie ich dazu gekommen bin mein Adoptivvaterland auf diese Art zu zeichnen; ich betrachte es als das meinige und behandle es demgemäß wie Sie sehen.

Ist denn Lablancherie wieder ein wenig zu Kräften gekommen? ich habe im Journal de Paris die Eröffnung seines Salons angekündigt gesehen. Und diese Museen alle? So wahr ich lebe sie

gleichen dem Phönix und erstehen jedes Jahr neu aus ihrer Asche.
Waren Sie in der schönen Sitzung wo die Lobrede auf Gebelin [1])
vorgetragen wurde? Leben Sie wohl. Meine Herrn im Hause sind
beständig auf dem Lande wo sie sich wohlbefinden; einer von ihnen
kommt immer wieder in den Taubenschlag zurück; ich überlasse es
Ihnen zu rathen welcher?

Den 28. April 1785.

Erst morgen geht der Courier ab, und ich habe schon gestern
geschrieben. Es ist erst Morgens neun Uhr, ich habe tausenderlei
zu thun; aber da erhalte ich Ihr liebenswürdiges Geplauder vom
25. und bin eben selbst im Zuge zu schwatzen; es bedarf keiner
sonderlichen Aufforderung um mich auf diese Art denen die ich liebe
nahe zu bringen.

Ich habe so eben von meinem Mann und meinem Schwager
Nachrichten erhalten durch einen Winzer der jeden Donnerstag die
kleinen Vorräthe, die Butter, die Eier, die Gemüse u. s. w. bringt:
sind das nicht recht hübsche Sachen in einen Brief hinein? Aber
sie nehmen sich auch recht hübsch in einer Speisekammer aus und
erinnern an die ländlichen Zurüstungen; in dieser letzten Beziehung
sind sie wirklich allerliebst. Mein armer Tauber ist ganz erstarrt in
dem kalten Winde; doch werde ich ihn sobald nicht wieder sehen,
denn der Bruder kommt am Samstage zurück um die Nonnen Beichte

---

[1]) Court de Gebelin († 1784) ist der Verfasser des Werkes: Le monde
primitif analysé et comparé avec le monde moderne, in dem die Früchte
erstaunlicher Belesenheit aufgehäuft sind. Als er den Plan zu demselben bekannt machte fragte ihn d'Alembert, ob er zum Behufe der Ausarbeitung
über vierzig Gelehrte verfügen könne. Es erschien 1773—1784 in neun
Bänden.   A. d. H.

zu hören, und dann muß der andere bleiben um die Arbeiten zu überwachen. Alle unsre Leute sind auswärts; wir Frauen müssen immer zu Hause bleiben, und sehen Sie meine Einfachheit, ich habe nicht einmal einen Staarmatz um mich mit ihm zu vergnügen. Nicht als ob es in der Stadt daran mangelte, aber sie sind durchaus nicht verführerisch. Die jungen Leute sind hier im Allgemeinen kein guter Schlag, und darüber kann man sich nicht wundern, denn die Frauen verstehen Nichts; es sind Reisen, Vergleichungen nothwendig um sie abzuhobeln; auch kehren sie als liebenswürdigere Männer nach Hause zurück, während die Frauen in ihrem alten Schlendrian dahin leben, und ihre Gesichtchen schneiden mit denen sie auf Niemand einen Eindruck machen. Ich glaube meine Erfahrung könnte Ihrer Lavater'schen Gelehrsamkeit wohl zu statten kommen, wenn ich Ihren Beobachtungen über das Gesicht das Sie studiren und dessen Lippen Ihnen Mühe machen, ins Klare verhälfe. Die Natur hat diese Frau gut gemacht und ihr, wenn auch nicht Geist doch einen gesunden Verstand gegeben; die Erziehung hat an ihr Nichts entwickelt und Nichts ausgebildet; man darf da weder Ideen suchen die sich außerhalb des gewöhnlichen Kreises verstiegen, noch Geschmack, noch Zartheit, noch jene Blume des Gefühls die nur einer ausgezeichneten Organisation oder einem feingebildeten Geiste angehört. Denken Sie sich dazu von der einen Seite die gewöhnliche Ungezwungenheit welche die Welterfahrung mit sich bringt, von der andern die Neigung und Gewohnheit die Männer zu beherrschen ohne das Talent sie an ihrer Stelle, oder wenn Sie wollen, in ihrem Range zu erhalten, und Sie werden den Schlüssel zum Ganzen haben. Aus diesem Verein von Eigenschaften ergibt sich eine recht angenehme Gesellschafterin bei welcher Jedermann sich wohl befindet, eine schätz-

befindet sich beffer. Freund Lanthenas gab mir auf Ihnen taufend
Sachen in seinem Namen zu melden, allein er wird Ihnen wohl
selbft gefchrieben haben seit er mir diesen Auftrag ertheilte.

Leben Sie wohl; ich habe beinahe Luft Ihnen böse zu fein
wegen des Kummers den Sie mir bereiten; doch ift das nicht möglich und ich grüße Sie aufs Herzlichfte.

Den 19. Auguft 1785.

Während Sie mit Ihren Gelehrten zu Mittag fpeiften faßen
wir hier zu Tifche mit der Wittwe eines Akademikers und Grafen
und Gräfinnen aus der Nachbarschaft, theils heiligen, theils weltlichen Perfonen; denn es befand fich eine Stiftsdame und ein Graf
von Lyon unter der Gefellschaft; Sie können fich also von der
Heiligkeit einen Begriff machen. Die Wittwe war die Frau des
Grafen von Milly und fühlt fich mit vollem Recht sehr behaglich
in ihrem Wittwenftande: wenn Sie ihre Gefchichte nicht wiffen so
will ich fie Ihnen einmal gelegentlich mittheilen. Wir hatten zwar
keine fo intereffante Pflanzensammlung zu befichtigen wie diejenige
die Sie fo glücklich gemacht hat, doch hatten wir anftändige und
leidlich unterrichtete Offiziere, eine bei den Militärs zu seltene Sache
um nicht sehr angenehm zu sein, und wir beschloffen den Tag mit
einem Spaziergang auf eine Kirchweihe; so nennt man hier Fefte
bei welchen fich das Landvolk auf einer Wiese verfammelt, wo Alles
nach Behagen tanzt und trinkt: hier find Geigen, etwas weiter hinweg Pfeifen, da ein Dudelfack; wer kein Inftrument hat fingt;
Andere laffen fich unter Zelten, bei einem Wein so rauh und so
herb wie der von Surenne, wohl sein, und zuweilen führen die
schönen Damen noch Contretänze auf. Aber kehren wir zu unfern
eigenen Angelegenheiten zurück. Sie find ein großer Prahlhans und

324

Ich hätte große Luft mit Ihnen zu schwatzen, obgleich Ihre Plane [1]) mich auf einige Tage stumm gemacht haben. Ich habe im Augenblick große Eile; ich kann Ihnen blos einige Worte sagen und ankündigen daß der Inspector unverzüglich über mehrere Punkte Ihres Briefes an Sie schreiben wird. Ich wage es nicht Ihnen über Ihre Reiseentwürfe meine Meinung zu sagen; meine Bemerkungen könnten unmöglich uneigennützig sein, und bei dem besten Willen meine Gründe mit der Ruhe einer unbetheiligten Person vorzutragen, würde der Kummer Sie in so weite Fernen ziehen zu sehen unwillkürlich vorwalten.

Hätten Sie eine näherliegende Aussicht auf Beförderung in Ihrer Stelle, so würde ich Sie siegreich bekämpfen; Sie besitzen Thätigkeit genug für die Art von Unternehmung von der Sie sich verlocken lassen, aber Sie besitzen nicht die Eisennatur welche die moralische Thatkraft aufrecht erhält und den Strapazen einer so mühsamen Reise Trotz bietet. Ich weiß daß man das Recht hat Glücksspiele zu wählen die, wenn auch mit Lebensgefahr verbunden, gleichwohl ein gutes Ende nehmen können. Es ist dies eine Lotterie bei welcher das Gefühl die Waage hält und auf die Vernunft bestimmend einwirkt; aber Freunde haben einen andern Compaß; ihr Geist billigt und ihr Herz kämpft dagegen: man muß also schweigen, und in diese Nothwendigkeit sehen wir uns versetzt, weinen aber wie die Kinder wenn wir von Ihnen sprechen. Warum läßt das Glück nicht an einem und demselben Orte die Menschen weilen welche die Freundschaft so eng mit einander verknüpft hat? Eubora

---

[1]) Herr Bosc war ernannt worden um als Naturforscher eine Reise um die Welt zu machen.

befindet sich besser. Freund Lanthenas gab mir auf Ihnen tausend Sachen in seinem Namen zu melden, allein er wird Ihnen wohl selbst geschrieben haben seit er mir diesen Auftrag ertheilte.

Leben Sie wohl; ich habe beinahe Lust Ihnen böse zu sein wegen des Kummers den Sie mir bereiten; doch ist das nicht möglich und ich grüße Sie aufs Herzlichste.

Den 19. August 1785.

Während Sie mit Ihren Gelehrten zu Mittag speisten saßen wir hier zu Tische mit der Wittwe eines Akademikers und Grafen und Gräfinnen aus der Nachbarschaft, theils heiligen, theils weltlichen Personen; denn es befand sich eine Stiftsdame und ein Graf von Lyon unter der Gesellschaft; Sie können sich also von der Heiligkeit einen Begriff machen. Die Wittwe war die Frau des Grafen von Milly und fühlt sich mit vollem Recht sehr behaglich in ihrem Wittwenstande: wenn Sie ihre Geschichte nicht wissen so will ich sie Ihnen einmal gelegentlich mittheilen. Wir hatten zwar keine so interessante Pflanzensammlung zu besichtigen wie diejenige die Sie so glücklich gemacht hat, doch hatten wir anständige und leidlich unterrichtete Offiziere, eine bei den Militärs zu seltene Sache um nicht sehr angenehm zu sein, und wir beschlossen den Tag mit einem Spaziergang auf eine Kirchweihe; so nennt man hier Feste bei welchen sich das Landvolk auf einer Wiese versammelt, wo Alles nach Behagen tanzt und trinkt: hier sind Geigen, etwas weiter hinweg Pfeifen, da ein Dudelsack; wer kein Instrument hat singt; Andere lassen sichs unter Zelten, bei einem Wein so rauh und so herb wie der von Surenne, wohl sein, und zuweilen führen die schönen Damen noch Contretänze auf. Aber kehren wir zu unsern eigenen Angelegenheiten zurück. Sie sind ein großer Prahlhans und werfen immer mit Versprechungen um sich aus denen nie Etwas wird; Sie kündigen immer Leute an die niemals kommen; Sie machen uns für Nichts und wieder Nichts den Mund wässerig! Schon dreimal haben wir den Tag ausgerechnet und abgewartet wo Ihrer Ankündigung zufolge irgend Jemand kommen sollte, und siehe da — es hat sich bis jetzt noch Niemand gezeigt. Inzwischen tröste ich mich über Ihren Liebhaber, seit ich weiß daß er erst fünfzehn Jahre alt ist; da gibt es etwas heranzubilden, und ich bin noch nicht alt genug um die Erzieherin zu machen und bei Schulknaben Glück zu suchen. Wahrhaftig! ich wünschte Sie in England zu sehen; dort würden Sie sich in alle Frauen verlieben; ich selbst, ein Frauen- zimmer, war so zu sagen in sie verliebt. Die dortigen Damen gleichen den unsrigen ganz und gar nicht und haben im Allgemeinen jenen eigenthümlichen Schnitt im Gesichte auf den Lavater so große Stücke hält. Ich wundere mich nicht wenn ein mit Gefühl begabter Mann der die Engländerinnen kennt sich nach Pennsylvanien berufen glaubt. Glauben Sie mir daß jeder Mensch der nicht für die Engländer Hochachtung und zu ihren Frauen eine zärtliche mit Bewunderung gemischte Hinneigung empfindet, ein Niederträchtiger oder ein Schwin- delkopf ist, oder auch ein unwissender Gimpel der spricht ohne Etwas zu verstehen.

Sie, mein Herr, sind ein Unverschämter und desgleichen ein Schwindelkopf, denn ich habe bloß aus dem Wuchs geschlossen daß es Baldrian sei, und die sehr großen spezifischen Unterschiede haben mich auf die Ueberzeugung gebracht daß es eine andere Pflanze ist, weßhalb ich Sie um ihren Namen anging. Nun ziehen Sie daraus einen Schluß; wenn Sie aus diesem Geplauder zu ersehen meinen daß ich sehr aufgeräumt sei, so täuschen Sie sich höchlich; ich bin im Gegentheil ganz wüthend, und Sie werden es leicht glauben,

wenn ich hinzufüge daß ich in diesem Jahre ganz und gar nicht
aufs Land gehen und mein Gütchen eben so wenig besuchen werde
als Sie es sehen; der ganze Unterschied besteht darin daß ich einige
Früchte von demselben esse; aber sie haben zwei vollständige Meilen
gemacht, sie haben ihre Frische verloren, und endlich pflücke ich sie
nicht mit eigner Hand.

Ich schließe mit dieser Klage und wünsche Ihnen Freude und
Gesundheit.

Den 27. August 1765.

Der Courier geht erst übermorgen ab; aber ich habe einige
freie Augenblicke und will mich beeilen Ihnen zu melden daß Ihnen
nicht das Verdienst zukommt mir Lablancherie zuerst genannt zu
haben. Ich hatte erfahren daß er sich in Lyon befinde, und von
diesem Augenblick an zweifelte ich nicht daß Sie von ihm hatten
mit mir sprechen wollen. Inzwischen ist es mir sehr angenehm zu
wissen daß Sie ihn nicht an Fräulein Philpon erinnert hatten;
seine Nachlässigkeit erscheint mir um so entschuldbarer. Ich bin
bescheiden, ich! aber das muß ich Ihnen erzählen daß Lablancherie in Lyon den Director der Akademie, Herrn von Villers, besuchte und ihn bat ihn in eine Sitzung zu führen, worauf Herr
von Villers in einem rücksichtsvollen, höflichen Tone ihn fragte ob
er vielleicht in diese Gesellschaft aufgenommen zu werden wünsche.
Nein, sagte er, ich kann bei keiner sein. — Und warum
nicht? — Weil ich dann bei allen Akademien Europas
sein müßte. Herr von Villers, ein achtungswürdiger Mann, dem
es weder an Charakter noch an Entschlossenheit fehlt, antwortete
blos: „Sie haben mir gesagt, mein Herr, daß Sie bei dem und
dem Herrn zu Mittag speisen werden; Sie können ihn auch bitten

Sie in die Akademie zu führen." Ich habe hier in der Sitzung der unsrigen zwei oder drei verdienstvolle Männer gesehen die aus Lyon sind und einstimmig Lablancherie für einen unerträglichen Gecken erklären. Unter uns gesagt, dies hat mich nicht sehr gewundert, denn es scheint mir daß er schon vor zehn Jahren einige Anlage dazu besessen hatte, und eine so lange auf Nichts als Ränke verwendete Zwischenzeit hat dieses Talent nothwendig zur vollständigen Entwicklung bringen müssen.[1]

Kommen wir jetzt auf unsre akademische Sitzung die gut ausgefüllt und nach dem allgemeinen Urtheil sehr angenehm war; ich berufe mich auf das letztere, weil das meinige Ihnen aus zwei Gründen verdächtig sein könnte. Erstens hat mein lieber Freund eine mit großem Beifall aufgenommene Abhandlung über den Einfluß der Pflege der Wissenschaften in den Provinzen, verglichen mit ihrem Einfluß in der Hauptstadt vorgetragen; es war darin viel von den Frauen die Rede von denen mehrere die Nasen rümpften und mir vielleicht die Augen ausreißen würden, wenn sie sich denken könnten daß ich einigen Antheil daran gehabt habe.

Der Director unterhielt uns von den Entdeckungen des Jahrhunderts. Ein Fremder entwickelte in einem sehr angenehmen Vortrag die Ansicht daß die Pflanzen nicht ohne Gefühl seien, und stützte sich dabei auf anziehende Thatsachen. Dieser Schriftsteller ist ein in Lyon ansässiger Schweizer der aus England kommt, wo er in Oxford zum Doktor ernannt wurde und sich neuerdings mit einem

---

[1] Lablancherie machte ungeachtet der Unterstützung welche einige große Herren ihm und seinem Unternehmen angedeihen ließen, mehrmals Bankerott und wurde endlich, 40,000 Livres Schulden hinterlassend, flüchtig.

A. d. H.

achtzehnjährigen Fräulein aus Sedan verheirathet hat bis er auch
zu uns brachte. Wir haben die Leutchen den Tag nach der Sitzung
bei uns behalten und sind recht gut mit einander bekannt geworden.
Ein Generalvikar von Lyon den wir schon früher kannten verlas
einige aus dem Deutschen übersetzte vortreffliche kritische Abhandlungen. Der Sekretär gab einen Brief in hübschen Versen zum
Besten, gerichtet an unsern Freund, wie er in sein Vaterland zu-
rückkehrt an der Hand einer Gemahlin von welcher der Dichter in
der Dichtermanier spricht. Es ist mehr als zweifelhaft daß dies mich
bei den Damen sehr empfohlen hat, und da sie Nichts darüber zu
sagen wagen, so möchten sie gerne an dem Vortrage eines Akademikers dessen Frau ein öffentliches Lob empfangen hat Etwas mäkeln
können. Unglücklicherweise ist derselbe, so große Wahrheiten er ihnen
sagt, ungemein höflich und sogar elegant. Im Uebrigen ist der Sekretär ein angesehener, durch seine Geistesbildung ausgezeichneter
Mann und Domdechant.

Sprechen wir jetzt von Ihren Herren Ducis und Thomas die
sich in Lyon befinden und einander lobpreisen wie die zwei Esel in
der Fabel. Der Letztere hat sich's beigehen lassen Verse auf diesen
Jeannin herauszugeben den Sie kennen, und über den alle Welt sich
lustig macht. Der Akademiker lobt darin den Marktschreier so daß
es eine wahre Schande ist, und um die Sache noch rührender zu
machen hat er in seinem Dichtwerk eine Episode über Ducis einge-
flickt der auf einer Reise über die Gebirge von Savoyen in einem
schlechten Wagen Todesangst ausgestanden und einen recht traurigen
Fall gethan hat. Thomas erblickt in seinem Collegen den Sophokles
Frankreichs, er läßt ihn wie Hippolyt von seinen unlenksamen Pfer-
den fortschleppen die seinen Wagen zu tausend Stücken zertrümmern.
Ein Provinzial den dieses Kauderwelsch anekelte und der Weihrauch

beinahe erstickte, hat in Versen geantwortet die ich Ihnen zuschicke, mit dem aufrichtigen Bedauern Ihre Meinung über meine guten Landsleute nicht theilen zu können; aber wenn die Richter Ihres Parnasses solche Tölpeleien begehen, wie wollen Sie dann den Schwarm unsrer Maulaffen vertheidigen? Abgesehen von dem schlechten Gegenstand den sich Thomas als seinen Götzen ausersehen hat, rechtfertigen seine Verse nicht einmal den Ruf eines gewöhnlichen Lobhudlers. Und doch sind es diese zwei Akademiker die am Dienstag in der öffentlichen Sitzung glänzen werden, wo einer von ihnen einen Gesang aus seiner Petreis vorzulesen gedenkt. Lablancherie wird Ihnen Neuigkeiten mitbringen wenn er bald abreist; ich glaube nicht daß er in Lyon viele Unterschriften findet.

Den 12. Oktober 1785.

Ei, schönen guten Tag, lieber Freund! Es ist schon sehr lange her daß ich Ihnen nicht geschrieben habe; aber ich rühre auch seit einem Monat keine Feder mehr an und glaube einige von den Neigungen des Thieres anzunehmen dessen Milch mich gesund machen soll: ich veresele mit Gewalt und beschäftige mich mit all den kleinen Sorgen des Schweinelebens auf dem Lande. Ich dörre Birnen die köstlich werden sollen; wir trocknen Trauben und Pflaumen; man veranstaltet Wäschen, man arbeitet am Weißzeug; man frühstückt weißen Wein, man legt sich ins Gras um das Räuschchen auszuschlafen; man folgt den Traubenlesern; man ruht im Walde oder auf den Wiesen aus; man schüttelt Nüsse von den Bäumen; man hat alles Winterobst gepflückt und breitet es auf den Speichern aus. Wir machen, Gott weiß es, dem Doktor viel zu schaffen. Sie geben uns Grüße an ihn auf; wahrhaftig Sie sind ein sonderbarer Kauz.

Sie haben uns allerliebste Berichte zugesandt die uns ungemein interessiren; wahrlich Sie sollten zum Vergnügen Ihrer Freunde
immer auf den Beinen sein und namentlich nicht vergessen sie zu
besuchen.

Leben Sie wohl; es geht jetzt ans Frühstück, und dann ziehen
wir in Masse aus um Mandeln zu pflücken. Gruß, Gesundheit und
Freundschaft über Alles.

Auf Clos den 15. Oktober 1785.

Sie sehen mich noch hier, an einem Ort wohin ich auf
acht Tage gekommen war und wo ich wahrscheinlich zwei Monate
bleiben werde. Hauswirthschaftliche Anordnungen hatten mich zu
dem ersten Entschlusse bestimmt; Rücksichten auf mein sittliches und
leibliches Wohlergehen bringen mich davon ab. Unsre Mutter macht
allerdings während unsrer Abwesenheit so viel Aufwand wie wenn
wir alle da wären; Fremde nehmen unsern Platz an der Tafel ein;
aber was wollen Sie? Wir befinden uns hier an einer Stätte
des Friedens und der Freiheit; wir hören nicht mehr vom frühen
Morgen bis zum späten Abend keifen; wir sehen ein griesgrämiges
Gesicht nicht mehr auf welchem sich bald Gleichgültigkeit, bald Eifersucht abspiegelt, auf welchem Aerger und Zorn, in das Gewand des
Spottes gehüllt, hervortritt sobald wir irgend einen Erfolg erleben
und von irgend einer Seite her Beweise von Achtung erhalten. Wir
athmen eine gute Luft ein, wir geben uns der Freundschaft, dem
Vertrauen hin, ohne fürchten zu müssen durch ihre Kundgebung eine
harte Seele zu erbittern welche dieselbe niemals gekannt hat und sich
ärgert so oft sie Spuren davon bei Andern erblickt. Endlich können
wir thun und uns beschäftigen oder auf angenehme Art die Zeit
vertreiben wie wir wollen, ohne die traurige Gewißheit zu haben

18

daß Alles was wir beginnen ohne Unterschied getadelt, bekrittelt, falsch ausgelegt wird u. s. w.

Solche Vortheile sind wohl einige Geldopfer werth. Inzwischen ist es unmöglich es das ganze Jahr so umzutreiben wenn wir nicht einen förmlichen Bruch herbeiführen wollen, und dann wäre es nicht der Mühe werth gewesen sich zu vereinigen. Nun gut, sage ich Ihnen diesmal genug? Glauben Sie daß ich Sie noch liebe? Sie dürfen auch glauben daß ich, obgleich ich Sie immer eben so liebte, weder gegen Sie noch sonst Jemand mich über die Mutter meines Man- nes geäußert haben würde wenn er Ihnen nicht selbst zuerst von ihr gesagt hätte. Im Uebrigen muß man Alles gestehen; diese Ver- drießlichkeiten die mir in den ersten Monaten so empfindlich waren, erscheinen mir jetzt erträglicher, ich weiß sie besser zu beurtheilen. So lange ich einige Hoffnung erhalten konnte inmitten der Wun- derlichkeiten des sonderbarsten Charakters ein Herz zu finden, habe ich mich abgequält es gefangen zu nehmen; ich fühlte mich unglück- lich als es mir nicht gelingen wollte. Jetzt da ich klar und deutlich blos ein eigensüchtiges, grillenhaftes Wesen vor mir sehe dessen Freude und Leben der Widerspruch ist, das nie ein anderes Ver- gnügen gekannt hat als seine Nebenmenschen durch seine Launen zu belästigen, das über den Tod zweier Kinder denen es Nichts als Kummer und Verdruß bereitet hat frohlockt, das mit Vergnügen uns Alle dahin sterben sehen würde und kein Geheimniß daraus macht; jetzt fühle ich mich bei der Gleichgültigkeit, beinahe beim Mitleid angelangt und kenne nur noch für kurze seltene Augenblicke Entrüstung oder Haß. Alles zusammengenommen ist es sehr gut daß wir hierhergekommen sind und allda bleiben; die Gesundheit unsres Kindes erheischt es bringender als wir selbst dachten bevor wir an- langten. Glauben Sie überdies, mein Freund, daß man kein großes

Gut haben kann ohne es mit einigem Jammer zu erkaufen; ich hätte ja schon hienieden das Paradies und genösse vollständige Himmelswonne, wenn ich neben dem Glück einen so theuren Mann wie der meinige ist zu besitzen, auch anderwärts blos Veranlassungen zur Zufriedenheit hätte.

Auf Glos den 2. Juni 1786.

Wahrhaftig da steht mir der Verstand still! Sie haben also die Predigt nicht erhalten die ich meinem Freunde über seine Art zu reisen hielt! Sie haben also meine Antwort auf das artige Billet nicht erhalten das Sie mit den Worten schlossen: **Adieu ou au diable?** [1])

Nun gut, auf diese letzte Antwort muß ich zurückkommen um Ihnen zu sagen daß ich jedesmal, so oft ich gesammelten Gemüthes und im Frieden meiner Seele mitten in einer Landschaft spazieren gehe an deren Reizen ich mich voll Wohlgefallen erlabe, etwas Wonniges in dem Gedanken finde alle Güter einem höchsten Verstande zu verdanken; ich liebe es dann daran zu glauben, und will daran glauben. Nur im Staube des Stubirzimmers wenn man über den Büchern erblaßt, oder im Wirbel der Welt wo man die Verdorbenheit der Menschen athmet, trocknet das Gefühl aus, und eine trübselige Vernunft erhebt sich mit den Wolken des Zweifels oder den zerstörenden Dünsten der Ungläubigkeit. Wie man Rousseau liebt, wie man ihn weise und wahr findet, wenn man ihn als Dritten zwischen die Natur und sich stellt!

So leben Sie denn wohl bis ich die Bemerkungen erhalte die Sie mir auf der ersten Zeile ankündigen, und zu deren Abfassung Sie auf der zweiten keine Zeit zu haben behaupten.

---

[1]) Unübersetzbares Wortspiel.　　　　　　　　　　　　　A. d. H.

Ich habe ihn wieder gesehen, diesen lieben Freund; wir sind aufs Neue vereinigt, und ich will nicht mehr daß er ohne mich Reisen mache. Er hat mich auf dem Lande aufgesucht als ich Ihren Brief erhielt welchen ich nicht buchstäblich beantworten kann, weil er auf Clos liegen geblieben ist. Nur so viel kann ich Ihnen sagen daß er mir Vergnügen gemacht hat, trotz des größeren Vergnügens vor welchem jedes andere zu verschwinden scheint meinen Turteltäuber wieder zu besitzen.

Sie sind ein närrischer Gascogner mit Ihren Geschichten von Bienenstöcken; Ihr Verlust und Ihr Verdruß sind die ersten Dinge nach welchen ich mich erkundigt habe. Im Anfang wußte man nicht was ich sagen wollte, am Ende lachte man mir ins Gesicht. Kommen Sie jetzt so oft Sie wollen um mir Ihr Leid zu klagen: ich werde immer glauben daß Sie die Leute blos zum Besten haben.

Leben Sie wohl; geben Sie uns bald Nachrichten und empfangen Sie die Versicherung unsrer alten unverbrüchlichen Freundschaft.

Den 18. August 1786.

Sie sind nicht blos ein unbesonnener, Sie sind ein ganz gedankenloser, unverschämter Mensch, oder was soll ich sagen? Wie kann ich es Ihnen jemals verzeihen daß Sie mich meine Zeit mit dem Abschreiben der langweiligsten Dinge von der Welt vergeuden ließen? Abschreiben! Abschreiben! ich abschreiben! Es ist dies eine Herabwürdigung, eine Entweihung, eine Lästerung gegen den Richterstuhl des Geschmacks. Es steht Ihnen nach solchen Vorgängen wohl an die Nase hoch zu halten und die Achseln aufzuwerfen, Sie Eindringling in der Hauptstadt aus welcher ich einen guten Theil des Guten was sie besaß weggenommen habe. Wissen Sie nicht daß

ich auf meinem Puttische auch Journale, Federn, ja sogar Farben
liegen habe, daß ich von meinem Landleben so wie der Langweilig-
keit der Stadt in dieser Jahreszeit sprechen, daß ich mein Urtheil
über Neuigkeiten abgeben, auf das Wort des Herausgebers des
Feuille de Paris hin für ein Werk in Leidenschaft gerathen,
Besuche machen, gehaltloses Zeug schwatzen oder anhören kann u. s. w.?
Oder besteht etwa nicht darin der Triumph des Geistes und der Kunst
der eleganten Damen in Ihrer schönen Welt?

Gehen Sie, kleiner Junge, Sie sind noch nicht gewandt genug
zum Spotte und noch nicht unverschämt genug um den guten Ton
inne zu haben. Sie besitzen nicht einmal Leichtigkeit genug daß eine
geschickte Frau sich Ihrer Erziehung annehmen könnte ohne sich selbst
bloszustellen. Gehen Sie, sammeln Sie Insekten, zanken Sie sich
mit Ihren Gelehrten über die Natur der Schneckenhörner oder die
Farben der Flügel eines Käfers herum; bei unsern Frauen werden
Sie Nichts ausrichten als daß Sie sie um ihre gute Laune bringen.

Es freut mich daß die liebenswürdige Familie Aubran an uns
denkt; sagen Sie ihr es wenn Sie sie sehen, und grüßen Sie mir
sie recht freundlich.

Auf Glos den 8. Oktober 1786.

Ihre brünstigen Gebete haben mich aus dem Aufenthalt der
Schatten zurückgerufen und ich kann wieder mit den Lebendigen ver-
kehren. Ich hatte Sie in der andern Welt nicht aus den Augen
verloren; aber ich bemerkte Sie blos in der Ferne wie jene flüchtigen Wolken die sich am Horizont zeigen und mit ihm zu ver-
mischen scheinen. Ihre Gebete, Ihre Anstrengungen um sich hervor-
zuthun haben mich unter euch Weltleute wieder zurückgeführt, und
zwar im Besitze einer neuen Erfahrung. Als ich nur noch einen

Planeten bewohnt hatte, glaubte ich man könne die Gesellschaft seiner Bewohner hegen und pflegen ohne den Beziehungen zu den Menschen eines andern zu schaden: dem ist nicht also, ich sehe es wohl ein; und Proserpina hatte Recht das Jahr zwischen Pluto und Ceres zu theilen. So lange ich im Arbeitszimmer an einen Schreibtisch angeleimt blieb haben Sie oft Nachricht von mir erhalten; Sie und alle unfre auswärtigen Freunde haben mein Leben, vielleicht auch mein Herz nach meinen Briefen beurtheilt; und während diese rasch und lebhaft auf einander folgten, betrachteten mich Leute aus meiner Nachbarschaft, aus meiner Stadt als eine Einsiedlerin die nur mit den Todten zu sprechen verstehe und jeden Verkehr mit Ihresgleichen verschmähe. Ich habe die Feder weggelegt, die großen Arbeiten eingestellt; ich bin aus meinem Museum hervorgekommen; ich habe mich der Gesellschaft hingegeben, habe sie zu mir herantreten lassen; ich habe mit denen die mich umgaben gesprochen, gegessen, getanzt, gelacht wie eine andere; man hat eingesehen daß ich weder eine Bärin, noch ein Sternbild, noch ein Mannweib sei, sondern ein Wesen das Duldsamkeit für sich in Anspruch nehme und gegen Andere übe; und Sie haben mich als todt betrachtet. Bald werde ich meine Beschäftigungen wieder aufnehmen, in meine Einsamkeit zurücktreten und der Streitsatz wird sich abermals verändern.

Was haben Sie seit dieser Zeit gethan? Sie haben ohne Zweifel die Summe Ihrer Kenntnisse vermehrt, aber haben Sie auch größeren Muth gewonnen um die Menschen so zu nehmen wie sie sind, die Welt so wie sie ihren Gang hat, und das Glück so wie es sich darbietet? Was mich betrifft so befinde ich mich auf dem Standpunkt wo man blos noch das was zu diesem Zwecke beitragen kann beachtet. Sie werden mir sagen dies sei nicht sehr schwer wenn man sein gutes Brod habe, und dazu noch eine andere Person die zum Philosophiren und dem Uebrigen mithelfe; aber es gibt auch noch in der Umgebung andere Dinge die das nicht thun und Einfluß auf unser Glück haben; diesen Einfluß nun verwandelt meine Vernunft in etwas Gutes oder führt sie ihn auf Null zurück.

Sehen Sie, wie artig ich bin! Artig! das will nicht wenig bedeuten, denn Sie müssen wissen daß man zu Villefranche im Beaujolais unter diesem Ausdruck (gentil) in seiner Anwendung auf eine Frau, oder auch auf einen Mann, Rechtschaffenheit, Liebe zur Arbeit, Einsicht, Thätigkeit u. s. w. versteht. So sind Sie ein artiger Mann, wenn Sie Ihre Pflicht als Bürger, als Beamter, falls Sie ein solcher sind u. s. w. gebührend erfüllen. Lachen Sie deßhalb eben so wenig als ich lache, wenn ich von einem Familienvater oder einem guten Advokaten ernsthaft sagen höre: er ist artig. Man drückt sich wenigstens in diesem Lande gar zärtlich aus, und sind etwa in demjenigen das Sie bewohnen die Wichtigthuer, die Leute mit krummem Buckel, die Mondors und die vornehmen Redner immer sehr hoch geachtet? Sie den ich von hier aus schnell sprechen höre und wie der Blitz gehen sehe, mit einem bald nachdenklichen, bald gedankenlosen Gesichte das aber niemals Achtung gebietet wenn Sie den Ernsthaften machen, weil Sie dann auf gut Lavaterisch Grimassen schneiden, und nur die Besonnenheit Ihrem Gesichte gut ansteht; Sie den wir sehr lieben und der es nicht anders verdient, sagen Sie uns ob die Gegenwart Ihnen erträglich und die Zukunft lachend ist; denn das ist es was das Glück des Alters ausmacht in welchem die Täuschungen der schönen Jahre verschwinden und die Sorgen des Ehrgeizes ihren Anfang nehmen.

Den 20. Oktober 1786.

Ich erinnere mich eines gewissen Beichtzettels den Sie mir
ausgefertigt haben: er enthält eine förmliche Lossprechung, und heute
fühle ich mich geneigt auf die Gnade zu antworten: Guten Tag
denn, Friede sei mit uns! Vielleicht hätte ich früher darauf geantwortet wenn ich mehr Muße gehabt hätte; Geschäfte auf der einen
Seite, Sorgen auf der andern, mitten in Allem drin Gesellschaft,
das ist mehr als man braucht um die Tage auszufüllen und die Lust
oder die Fähigkeit zu freundschaftlichen Plaudereien zu benehmen,
überdieß . . . . . aber wir wollen nicht darauf zurückkommen.

Wenn ich einige Augenblicke für mich hatte so verwandte ich
sie auf die Niederschreibung meiner kleinen Reise in die Schweiz
welcher ich, wie Sie sehen, mehr Ehre erweise als der nach England; ich habe sie noch nicht vollendet und weiß auch noch nicht
wann dies geschehen wird. Inzwischen bin ich trotz der Regengüsse,
der Stürme, der Hagelschläge und der Kälte die uns bei unsrer
Weinlese betroffen und dieselbe hinausziehen, noch auf einen guten
Theil des Winters hierher gefesselt. Ihr Hauptstädter müßtet sehr
erbaut sein eine eurer Landsmänninnen mitten in den Wäldern wo
im Winter die Wölfe heulen und die nahen Berge sich bereits mit
Schnee bedecken ansässig zu sehen; aber wenn man euch hört, so ist
jeder Aufenthalt gleich, sobald man nicht in Paris selbst weilen kann;
Lyon oder die Wälder von Alir gelten in euren Augen gleichviel.
Was werden Sie mir Gutes berichten? Erzählen Sie mir ein wenig
wie es in Ihrem Kopfe aussieht; das Herz ist im Grunde ein guter
Teufel, und ließe es sich nicht zuweilen vom ersteren in die Irre
führen so würde es ziemlich gerade seine Bahn wandeln. Und die
Wissenschaften, und die Einsamkeit? Haben Sie ein Mittel gefunden
diese Dinge zu vereinigen, oder wollen Sie bald den erstern, bald

der zweiten den Hof machen? Unter so vielen Revolutionen die so viele Leute bedrohen, verspricht Ihnen Ihr Zustand da ein ge= wünschtes Vorwärtsschreiten? Plaudern Sie nun auch, geben Sie uns Nachrichten von sich und lassen Sie uns die alte Freundschaft fester knüpfen.

Den 24. Oktober 1786.

Es freut mich daß Sie meinen Zorn gegen diese ewigen Esse= reien und diese verschiedenen Widerwärtigkeiten in der Haushaltung theilen; hätte ich zu gebieten oder wäre ich allein mit meinem Täuber, ich würde drei Jahre lang kein Essen geben und mir einige hübsche Zimmer in der Stadt und eine allerliebste Wohnung auf Clos zurecht machen; inzwischen steht es nicht aus als ob ich so bald ins Paradies eingehen sollte.

Wir haben gegenwärtig Nordwind; ich kleide mich wie um Weihnachten; man steht auf den Feldern kaum den kleinen Ehren= preis und den Gauchheil; an den Hecken sind blos Veilchen und Schlüsselblumen die halb offen zwischen ihren Blättern hervorsehen. Ich habe eine Art von Insekt gefunden das dem Bücherscorpion gleicht, nur viel größer ist und sich in einem Schneckenhaus ein= quartiert hatte, gerade wie der Eremit Bernhard in dem Häuschen seiner Wahl. Ich hatte im Sinne nächsten Monat nach Lyon zu gehen; die Haushaltungsgeschäfte hindern mich daran; ich bedaure es weil mir viel daran liegt meine Bekanntschaft mit Frau von Villers in bessern Gang zu bringen; es ist dies die einzige Frau in diesen Strichen die für mich paßt; sie ist höflich, liebenswürdig, sanft, bescheiden wie ihre Glücksumstände, anspruchslos und sehr unterrichtet; sie widmet sich gänzlich ihrem Manne der viel älter ist als sie, und mit dem sie seine Arbeiten theilt; ich weiß nicht ob

Sie diesen Gelehrten auf us kennen, einen vortrefflichen Mann im
Grunde, sehr hartnäckig in seinen Meinungen und in seiner Mode,
ziemlich bewandert in der Chemie und den verschiedenen Theilen der
Wissenschaft, ganz vorzüglich aber in der Insektenkunde; er besitzt
eine sehr interessante Insektensammlung die sein und seiner Frau
Werk ist. Dies ist beinahe die einzige Bekanntschaft die in Lyon
und hier etwas Anziehendes für mich hat; inzwischen werde ich in
der erstgenannten Stadt mehrere, in verschiedenen Beziehungen interessante Personen zu sehen bekommen. Die Geschäfte vor Allem:
ich verlasse Sie jetzt und denke die halbe Stunde die Sie mir so
eben genommen haben bald wieder hereinzubringen.

Villefranche den 10. November 1788.

An der Kaminecke, aber Vormittags elf Uhr, nach einer friedlichen
Nacht und den verschiedenen Beschäftigungen des Morgens, mein Freund
an seinem Schreibtische, meine Kleine mit Stricken beschäftigt, und
ich mit dem einen plaudernd, die Arbeit der andern überwachend,
das Glück genießend hübsch warm im Schooße meiner kleinen theuren
Familie zu sein, und an einen Freund zu schreiben während der
Schnee über so viele von Elend und Kummer darniedergedrückte
Unglückliche herabfällt — fühle ich mich von Mitleid mit ihrem Schicksal
ergriffen, denke voll Rührung über das meinige nach und rechne in
diesem Augenblick die unangenehmen Verbindungen oder Umstände
die manchmal mein Glück zu stören scheinen könnten, für Nichts.
Ich freue mich meiner gewohnten Lebensweise zurückgegeben zu sein.
Ich habe zwei Monate lang eine allerliebste Frau im Hause gehabt
deren schönes Gesicht und spitzes Näschen Sie auf den ersten Blick
zum Narren machen würde. Ihr zu Liebe habe ich mich unter die
Leute begeben und Gesellschaften eingeladen; sie ist sehr gefeiert

worden; wir haben dieses äußerliche Leben mit ruhigen Tagen die
wir auf dem Lande zubrachten untermischt, und namentlich mit angenehmen Abenden an denen wir gemeinschaftlich lasen und über
das Gelesene zusammen plauderten. Endlich aber muß man zu seiner
gewohnten Art und Weise des Seins zurückkehren. Wir sind unter
uns, und mit innigem Vergnügen finde ich mich wieder in meinem
kleinen Zirkel als die Nächste am Mittelpunkt. Auch habe ich mich,
trotz dringender Einladungen und eines beinahe förmlichen Versprechens
einen Theil des Winters in Lyon zuzubringen, entschlossen das Tau-
benhaus nicht zu verlassen. Mein lieber Freund kann inzwischen
eine Reise und einen ziemlich langen Aufenthalt in dieser Hauptstadt seines Kreises nicht umgehen; aber ich werde ihn dort allein
unsre Bekannte besuchen, seinen Verwaltungsgeschäften nachgehen
und sich an Akademien vergnügen lassen; ich verschließe mich für
den ganzen Winter in meine Einsamkeit, und werde nicht vor den
ersten schönen Tagen aus derselben hervortreten um alsdann meine
Federn in der Sonne des Frühlings zu entfalten. Ich habe gelächelt
zu Ihren Muthmaßungen über das was man von mir denken müsse,
was man für das Spiel und die Gesellschaften von mir erwarten
könne, und habe zu mir gesagt: Solche Schlüsse machen doch alle
unsre Gelehrte, Physiker, Chemiker oder was sie sonst sein mögen.
Sie gehen von einigen Punkten aus die man ihnen an die Hand
gegeben hat, deren Ursache und Zusammenhang sie aber nicht kennen;
sie ersetzen diesen Mangel durch ihre Muthmaßungen, überfirnissen
das Ganze mit dem Kauderwelsch hochklingender Redensarten und
bringen voll Wichtigkeit die falschesten Ergebnisse von der Welt als
handgreifliche Wahrheiten zu Markte.

Aus dem Umstande daß ich mich einem Gaste zu Liebe in die
Gesellschaften begeben habe wo man mich so gut wie eine Andere

meine Rolle spielen sehen und daraus abnehmen konnte, daß ich mein häusliches Stillleben sehr lieben müsse, weil ich fast immer allein bleibe, während ich mich doch für den Nothfall aufs Empfangen und Vorstellen verstehe — aus diesem Umstande zieht mein Philosoph hurtig den bündigen Schluß daß ich mich entschlossen habe wie eine Provinzialdame zu leben, immer in Saus und Braus und mit den Karten in der Hand.

Aus dem Umstande daß ich mich darüber wundere, daß das Kind eines gefühlvollen Mannes und einer sanften Frau einen Eigensinn habe den man nur durch nachdrucksvollen Ernst bändigen könne; aus dem Umstande daß ich bedaure zu großer Strenge genöthigt zu sein um es zu frühzeitiger Unterwerfung unter das Joch der Nothwendigkeit zu zwingen, daraus ersieht mein Vernunfthelb daß die weitverbreitete Seuche mich angesteckt hat und meine Tochter in Bälde ein eisernes Halsband und Fußschellen tragen wird. Armer Junge! wenn Sie mit Ihren Studien keine besseren Fortschritte machen, so beklage ich Sie daß Sie so viele Zeit mit Arbeiten verlieren. Wahrhaftig, wenn Sie seit drei Monaten in meiner Nähe gewesen wären so würden Sie vielleicht mehr Wahrheiten gelernt haben als Sie wohl in langer Zeit entdecken werden. Fürs Erste würden Sie die ganze ausgezeichnete Einwohnerschaft einer kleinen Stadt kennen gelernt haben; ich hätte Ihnen zu Urtheilen über den Charakter, die Neigungen, die Talente oder die Einbildungen jeder einzelnen Person, so wie über ihre Beziehungen zum Ganzen und untereinander verholfen. Sie hätten die Plane, die Pflichten, die Leidenschaften; das öffentliche und geheime Spiel dieser letzteren; ihren Einfluß auf große Maaßregeln und kleine Handlungen; das Endergebniß aller dieser Dinge für die allgemeinen Sitten und die der einzelnen Familien durchschauen können. Sie hätten einen Cursus in der Philosophie, der Moral, ja selbst in der Politik gemacht, und zwar einen vollständigern als die Vereinigung Ihrer zusammenhangslosen und noch zerstreuten Beobachtungen in langer Zeit bilden kann. Ferner hätte ich Sie aufs Land geführt, in Gesellschaft einer Italienerin voll Feuer, Geist, Anmuth und Talent, einer Dame die mit diesem Allem Urtheil, einige Kenntnisse, viel Gemüth und Ehrlichkeit verbindet; in Gesellschaft einer Deutschen die von Natur sanft, in ihren Sitten, theilweise in Folge einer republikanischen Erziehung, streng, in ihrem Benehmen einfach ist und mit einer ungewöhnlichen Geistesbildung große Herzensgüte vereinigt; in Gesellschaft eines Mannes der kalt, geistreich, in der Literatur wohl bewandert, sanft und feingebildet ist: die andern Personen kennen Sie. Dies war der Grundstock zu unserm ländlichen Familienleben während dieser Ruhezeit; denken Sie sich dazu noch einige Personen aus der Nachbarschaft, einige Originale die Alles ausstechen; überdies vollständige Freiheit, eine gesunde Tafel, vortreffliches Wasser, erträglichen Wein, große Spaziergänge, lange Plaudereien, vorzügliche Lektüren u. s. w. und beurtheilen Sie selbst, ob Ihr philosophischer Cursus nicht ein glückliches Ende hätte nehmen müssen.

Vernehmen Sie daß Eudora jetzt gut liest; daß sie anfängt kein anderes Spielzeug mehr zu kennen als die Nadel; daß sie zu ihrem Vergnügen geometrische Figuren macht; daß sie von Toilettenzwang ganz und gar Nichts weiß; daß sie von dem Werth welchen man auf Putzlappen legen kann keinen Begriff hat; daß sie sich für schön hält wenn man ihr sagt sie sei brav, und ihr weißes Kleidchen zeichne sich durch Sauberkeit aus; daß sie ihre höchste Belohnung in einem Gutchen findet welches ihr unter Liebkosungen gereicht wird; daß ihre Grillen seltener werden und weniger lang andauern; daß sie bei der Nacht wie am hellen Tage herumgeht, sich vor Nichts fürchtet und es nicht der

Mühe werth hält in irgend einer Sache was es auch sein mag zu lügen. Denken Sie sich dabei daß sie fünf Jahre und sechs Wochen alt ist; daß ich über keinen, wenigstens keinen wichtigen Gegenstand, falsche Begriffe bei ihr finde, und gestehen Sie daß wir, wenn ihr Eigensinn mich ermüdet, ihre Grillenhaftigkeit mich beunruhigt, ihre Gedankenlosigkeit unsern Einfluß schwieriger gemacht hat, unsre Bemühungen nicht als gänzlich vergeudet betrachten müssen.

Zu guter Letzt habe ich in Ihrem Briefe gefunden daß alle Betrachtungen deren unmittelbarer Gegenstand Sie selbst waren sehr richtig sind; daß Sie wohl einsehen was zu Ihrem größeren gegenwärtigen und künftigen Glück förderlich sein könnte; daß Sie somit noch ein besserer Philosoph sind als sieben Achtel des Menschengeschlechts. Fahren Sie mit all dem fort ein guter Freund zu sein, und Sie werden bei sich selbst so wie bei allen rechtschaffenen Leuten in bedeutendem Werthe stehen. Leben Sie wohl; der Mittag naht heran, man wird mich sogleich zum Essen rufen; ich habe nur noch Zeit Sie im Namen der ganzen kleinen Haushaltung, auch Eudora mit inbegriffen die sich Ihrer Person oder wenigstens Ihres Namens noch erinnert, aufs Herzlichste zu grüßen.

Den 6. April 1788.

Wahrhaftig, mein Werthester, ich werde mich mit Nächstem an eine dritte Person wenden müssen um Nachrichten von Ihnen zu erhalten; Sie haben schon so lange nicht mehr mit der Umständlichkeit und dem zutraulichen Tone welcher das Vertrauen unter Freunden nährt, geschrieben, daß ich beinahe zweifle ob ich willkommen sein werde wenn ich auf dem alten Fuße fortfahre.

Sollten wir nicht etwas Neues zu erfahren haben? Und Sie der Sie mir früher meldeten daß Sie sich mit jedem Jahre verändern, gleichen Sie noch Ihrem Bilde wie es vor drei Jahren war? Es ist höchst nothwendig daß Sie mich darüber ins Klare setzen, denn so langsichtig man sich auch die Brille denken mag, so reicht die meinige doch nicht auf hundert Meilen aus und mein Urtheil ist ein blos annäherndes. Zum Beispiel, ich erinnere mich eine vortreffliche Seele, ein liebendes Herz bei Ihnen gekannt zu haben, und da solche Dinge sich nicht so leicht verändern, so glaube ich Sie noch immer im Besitze derselben und liebe Sie deßhalb. Aber es scheint mir auch daß Sie zuweilen im Ausdruck und im Styl so ziemlich das Gegentheil von sanft sind; ferner daß Sie es nicht gerne ertragen wenn man es Ihnen sagt; dann erinnere ich mich Ihnen das Leid heimgegeben zu haben, wenn dieses Gegentheil mich ungeduldig machte: und nun frage ich mich: Wie steht es jetzt damit aus? Ist die Färbung greller oder milder geworden? Für die letztere Ansicht muß ich mich entscheiden, wenn ich mir die Wirkungen des Studiums, des Nachdenkens, der glücklichen Neigungen vorstelle; für die erstere, wenn ich den Einfluß der Welt, die Bekanntschaft mit einfältigen Menschen, das Gefühl der Ungerechtigkeit, den Haß des Vorurtheils und der Tyrannei in Betracht ziehe. So werde ich denn in dieser Ungewißheit schweben bis Sie mich herausziehen. Aber damit Sie in Beziehung auf mich aller Zweifelsqualen überhoben sind, so will ich Ihnen meinen, auf die Orte die ich bewohne berechneten, Höhemesser mittheilen. Auf dem Lande verzeihe ich Alles: wenn Sie mich da wissen so dürfen Sie sich mir vollständig so zeigen wie Sie in dem Augenblick wo Sie mir schreiben sind: wunderlich, hofmeisternd, brummig wenn es sein muß; ich bin da die Nachsicht und gute Stunde selbst; meine Freundschaft weiß da alle Aeußerlichkeiten zu ertragen und sich in alle Tonarten zu finden. In Lyon mache ich mich über Alles lustig; die Gesellschaft macht mich da heiter, meine Einbildungskraft geräth ins Feuer, und wenn Sie dieselbe reizen so müssen Sie sich auf ihre muthwilligen Ausfälle gefaßt halten; sie ließe Ihnen keinen Scherz hingehen ohne denselben mit doppelten und dreifachen Zinsen zu bezahlen. In Villefranche über- lege ich Alles reiflich und verfalle selbst zuweilen in den Predigerton. Ich bin da ernst und beschäftigt, die Sachen machen einen gebührenden Eindruck auf mich, und ich lasse ihn unverstellt sehen; ich gebrauche hier hauptsächlich die Vernunft, während ich übrigens allda eben so lebhaft fühle wie anderwärts.

Gestehen Sie jetzt daß ich Ihnen große Vortheile in unsrer Partie einräume; Sie wissen alle meine Eigenheiten bevor ich die Ihrigen kenne.

In allen diesen Dingen sehe ich schon aus der Ferne Ihre streng logische Schlußbildungsweise die nicht zu meinen Gunsten ist; sie nimmt Ihnen viele Zeit weg, hält Ihre Einbildungskraft im Zaum und liefert auch nicht ein einziges Wörtchen für die Freundschaft. Ich weiß nicht mehr ob Sie Ihre Beweise in barocco oder in felopton führen [1]), und ich die ich sämmtliche Kategorien des Aristoteles ver- gessen habe, die ich außer dem Herrgottsvögelein kein Insekt kenne und aus dem ganzen Linné nur noch etwa zwanzig Redensarten zum Ge- brauch in der Küche oder für Klistiere weiß; ich fürchte sehr unsre alte Freundschaft möchte keine Anknüpfungspunkte mehr finden. Aber um sie wieder zu erwecken will ich Ihnen von meiner Tochter erzählen die Sie lieben weil sie mich wüthend macht. Aus diesem Rechtsgrunde verdient sie jederzeit Ihre Anhänglichkeit, obschon sie mir weit mehr Hoffnung macht daß dies nicht immer so sein wird. Sie fängt an die Schande eines Verweises beinahe eben so zu fürchten wie das trockene

---

[1]) Worte die in der alten Logik dazu dienten gewisse Arten von Schlüssen zu bezeichnen. A. d. fr. H:

Brod; einige Worte des Lobes machen ihr vielleicht noch mehr
Vergnügen als ein Stückchen Zucker, und Liebkosungen von ihren
Eltern sind ihr noch lieber als das Spielen mit ihrer Puppe. Dies
beweist schon Entartung genug, werden Sie sagen; betrachten Sie
übrigens auch den Weg den wir zu diesem Ziele gemacht haben.
Sie schreibt und tanzt sehr gerne weil das Uebungen sind die ihren
Kopf nicht anstrengen, und in diesen beiden Zweigen wird sie es
wohl weit bringen. Das Lesen macht ihr Vergnügen wenn sie nichts
Besseres zu thun weiß, was nicht sehr häufig der Fall ist, und sie
hält blos solche Geschichten aus deren Ausgang sie nach höchstens
einer halben Stunde vor Augen steht; von Robinson ist sie noch
hundert Meilen entfernt. Ueber dem Clavier gähnt sie zuweilen;
hier muß der Kopf arbeiten, und das ist nicht ihre Liebhaberei;
inzwischen gibt es da Töne die ihr gefallen, und wenn sie mit beiden
Händen ein Stückchen aus den drei Pächtern herausgequält hat
so kennt ihre Selbstzufriedenheit keine Grenzen, und sie wiederholt fünf= oder sechsmal drei oder vier Noten die ihr besonders
gefallen. Sie liebt ein schön weißes Kleid, weil dieses sie hübscher
macht und ihrer Erscheinung wirklich etwas Angenehmes gibt; sie
hat keine Ahnung davon daß es kostbare Kleider gebe welche der
Person die sie trage Ansehen verschaffen, und ein mit rosarothen
Bändchen eingefaßter lederner Schuh ist ihr lieber als eine seidne
Fußbedeckung von dunkler Farbe. Aber es macht ihr noch weit mehr
Vergnügen auf dem Felde umher zu rennen und zu hüpfen, als
hübsch weiß und etwas steif sich in Gesellschaften zu zeigen. Sie
hat eine starke Neigung gerade das Gegentheil von dem was man
sie anweist zu sagen und zu thun, weil sie es lustig findet nach
ihrem eignen Köpfchen zu handeln, und dies geht manchmal sehr
weit. Da man ihr aber Alles mit Wucher zurückbezahlt, so fängt

19

sie an einzusehen daß sie dabei nicht zum Besten fährt, und wünscht sich zu einer That des Gehorsams Glück wie wir etwa zu einer erhabenen Anstrengung. Ihre blonden Haare nehmen mit jedem Tage mehr eine kastanienbraune Färbung an; sie ist ein wenig blaß, wenn sie sich nicht gerade eine starke Bewegung macht. Zuweilen erröthet sie vor Verlegenheit und hat nichts Eiligeres zu thun als mir eine Dummheit anzuvertrauen, wenn sie dieselbe begangen hat. Sie ist sehr kräftig und ihr Temperament hat einige Aehnlichkeit mit dem ihres Vaters; sie ist sechs Jahre, sechs Monate und zwei Tage alt; sie verehrt ihren Vater, obgleich er viel mit ihr spielt, so sehr daß sie sich's von mir als höchste Gunst ausbittet ich möchte ihm ihre Dummheiten verschweigen; mich fürchtet sie weniger und nimmt zuweilen einen ziemlich ungezwungenen Ton gegen mich an; aber ich bin ihre Vertraute in allen Dingen, und sie ist sehr in Verlegenheit mit ihrem kleinen Persönchen wenn wir miteinander gespannt sind, denn sie weiß dann nicht mehr wen sie bei ihren Vergnügungen um Rath fragen, wem sie ihre tollen Streiche erzählen soll. Wir sind auf dem Punkte uns zu entscheiden ob wir sie einimpfen lassen wollen oder nicht; es ist dies wirklich eine Sache die mir vielen Kummer macht und sehr zu Herzen geht. Bei gleichgültigen Personen würde ich mich leicht entschließen, denn es sind viele Wahrscheinlichkeiten für einen glücklichen Erfolg vorhanden; aber wenn bei meinem Kinde eine Ausnahme statt finden und es das Opfer werden sollte, so müßte ich mir mein ganzes Leben lang Vorwürfe machen es dieser Gefahr ausgesetzt zu haben, und ich wollte lieber die Natur hätte es getödtet, als daß ich die Hand dabei im Spiele gehabt hätte. Ueberdies fürchte ich die Fehler eines fremden Blutes die sich durch das Einimpfen mittheilen können, und ich habe auf diesen Einwurf noch von Niemand eine befriedigende Antwort erhalten.

Finden Sie mir doch, wenn Sie es können, genügende Gründe auf um mich zu bestimmen.

Leben Sie wohl; ich will meine Arbeit wieder aufnehmen: schreiben Sie mir, ob ich gut daran gethan habe die Ihrige zu unterbrechen. Ich wünsche Ihnen Frieden des Herzens sammt Allem was ihn zu Ihrer vollständigen Beglückung würzen kann, und wenn Sie, wie ich hoffe, noch immer unser lieber Freund sind so empfangen Sie meine herzlichen Grüße.

Den 2. Juni 1788.

Sie, als Bewohner der Hauptstadt der über Alles was man dort denkt auf dem Laufenden sein muß, sagen Sie uns doch wer Herr Carra ist, der Verfasser der Broschüre welche den Titel führt: Herr von Calonne wie er ist u. s. w. ferner Verfasser des kurzen Wortes, so wie mehrerer literarischen Werke die ich nicht kenne, und angeblich an der königlichen Bibliothek angestellt? Was für eine Art von Mensch ist er? Worin bestehen seine Talente? In welchem Rufe steht er? Welchen Eindruck hat seine Schrift über Calonne hervorgebracht, und was sagt man von ihr? Ich muß alle diese Dinge wissen.

Ich kenne von ihm noch Nichts als diesen Calonne wie er ist. Derselbe ist in einem festen, aber rauhen und boshaften Style geschrieben und so beklamatorisch gehalten daß ich, als ich mir einmal das Vergnügen machen wollte ihn laut mit dem Tone der zu den Ausdrücken zu passen scheint zu lesen, mir selbst wie eine Besessene vorkam; dies müßte eine Stentorsbrust auftreiben und alle Zimmerdecken in die Luft sprengen.

*

Was uns aber am luſtigſten vorkam iſt eine Geſchichte wegen welcher der Verfaſſer ſeinen ganzen Unmuth gegen den Ex-
miniſter ergießt; ſie betrifft ein angeblich neues mechaniſches In-
ſtitut deſſen Entſtehung und Fortgang wir beſſer kennen als Herr
Carra, der ſich herausnimmt darüber zu ſprechen und ſich ſelbſt als
Hauptperſon bei der Sache hinzuſtellen. Wir wollen Ihnen dieſe
Geſchichte mit der Zeit ausführlicher mittheilen; vor der Hand
aber melden Sie uns wer dieſer Carra iſt; im Uebrigen iſt ſeine
Rechnung bereits fertig, und er hat ſich, nachdem wir hinter die
Wahrheit über dieſen Artikel gekommen ſind, allerlei Hiebe müſſen
gefallen laſſen: doch man muß ſeinen Mann ganz kennen lernen.

Heute Mittag reite ich ſpazieren, um deſto eher wieder zu
meinen Kräften zu kommen; ſchreiben ·Sie uns von unſern Brüdern
Laplatière und Lanthenas und ſagen Sie ihnen viele Grüße. Sie
thun mir Unrecht, wenn Sie behaupten ich habe Ihnen die Schwei-
zerreiſe nicht ſchicken wollen; ich hatte mein Manuſcript gerade um
die Zeit der großen Poſtveränderungen zu Ende gebracht, und nun
fragte ich Sie ob keine Gefahr dabei ſei wenn ich Ihnen ein
ziemlich dickes Paket zuſchicken wolle; Sie haben mir auf dieſe
Frage die ich dreimal wiederholte nicht geantwortet; ich habe Ihnen
mein Manuſcript nicht zugeſchickt, und indeß iſt Tauſenderlei da-
zwiſchen gekommen. Gedulden Sie ſich, mein Beſter, ich muß
jetzt noch Bemerkungen hinzufügen und dieſe ſind noch nicht fertig.

Leben Sie wohl, wir ſind nach wie vor gute Leutchen und
haben Sie recht lieb.

In Beziehung auf Carra melden Sie uns doch, ob dieſer
Menſch in einigem Anſehen ſteht; er ſcheint es wenigſtens nicht
übel zu nehmen wenn man dies glauben wollte, obſchon er es
ſelbſt nicht zu behaupten wagt. Nach ſeinem ganzen Benehmen

scheint er für einen Kämpen des ersten Ministers gehalten werden
zu wollen, gleich als ob dieser eines solchen bedürfte. [1])

Den 1. October 1788.

Hänge Dich, Leckermaul Crillon; wir bereiten Eingemachtes,
Weinbeermuß und gesottene Weine, gedörrte Birnen nebst Gutchen
aller Art, und Du bist nicht da sie zu kosten. Sehen Sie, Herr
Elegant, das sind meine dermaligen Beschäftigungen; im Uebrigen
herbstet man über Hals und Kopf, und bald wird man die Trauben und ihren köstlichen Saft nur noch in den Schränken der
Hausfrau oder in den Fässern des Hausherrn finden. Der dies-
jährige Wein wird sehr gut werden, aber wir bekommen wenig in
Folge des kleinen Besuches den der Hagel bei uns abgestattet hat:
eine Ehre wovon man immer eine theure und lange Erinnerung
bewahrt.

Warum schreiben Sie uns denn nicht mehr, Sie der nichts
einzuherbsten hat? Oder gibt es vielleicht noch andere Beschäftigungen
auf der Welt?

---

[1]) Carra begleitete nach einander die Stelle eines Sekretärs bei einem
Hospodar der Moldau den der Sultan erdrosseln ließ, und bei dem Kar-
dinal-Bischof von Straßburg, Ludwig von Rohan der auf so ärgerliche
Weise in die Halsbandgeschichte verwickelt war. Nachdem er die letztere
Anstellung verloren hatte ward er Journalist und reihte sich in dieser Eigenschaft entschieden unter das Banner der Revolution. Er gab die Annales
patriotiques heraus, schloß sich an Brissot und die Girondisten an (Roland
ernannte ihn während seines Ministeriums zum Aufseher der Nationalbiblio-
thek) und theilte ihr Schicksal als diese Partei dem Berge unterlag. Er
wurde am 31. Okt. 1793 guillotinirt. Unter den von ihm veröffentlichten
Schriften befinden sich auch Mémoires historiques et authentiques sur
la Bastille (in drei Bänden). 　　　　　　A. d. H.

Aber Sie politifiren ins Blaue hinein und erschöpfen sich in
Abhandlungen über das Gute was zu thun wäre, und was niemals
zu Stande kommen wird. Was wird aus Herrn Necker werden? Man
sagt er habe eine furchtbare Partei gegen sich. Und der große Teufel von Erzbischof? Man sagt er sei nach Rom gereist; jetzt heißt
es er werde unter genauer Aufsicht gehalten.

Gott schenke den Rechtschaffenen Frieden und vernichte die
Schlechten! Denken Sie noch ein wenig an Ihre Freunde am Ende
der Welt die Sie nicht vergessen und Sie freundlich umarmen, mit
Ausnahme Euboras welche sich bereits dagegen sträuben könnte.

Wie steht es mit den Wissenschaften inmitten unsrer politischen
Zuckungen und des Todeskampfes unsrer Finanzen? Und die Gelehrten und die Schwätzer? Und die Sammlungen und die Unter-
suchungsgerichte? Und Lablancherie und seine Unternehmung? Und
die Museen und die Maulaffen u. s. w. u. s. w.

Man sagt hier Necker's Antwort sei schon ganz fertig; aber
um sie zu veröffentlichen, müsse er das Königreich verlassen. Was
spricht man in Ihren Gesellschaften davon? Wir die wir ihn trotz
seines Charakters für nichts viel Besseres als einen Charlatan
halten, wir zweifeln sehr am Vorhandensein dieser Antwort und
an ihrer Güte, im Fall sie wirklich da wäre.

Carra hat ganz den Ton der zu Ihrer Beschreibung von ihm
paßt, und es wird mir sehr angenehm sein ihn genauer durchschauen
zu können.

Sagen Sie unserm Bruder was ich ihm nicht habe schreiben
können, daß der Intendant hierher gekommen ist um die Ein-
registrirung vornehmen zu lassen, worauf unser Amt, so sehr es
sich über diese kleine Gewaltthat freute, gleichwohl sich nicht den
Anschein geben wollte, als beeilte es sich darnach zu handeln. Es

kam ein Brief des Intendanten an seinen Unterbevollmächtigten worin er fragt, ob das Gericht seine Geschäfte angetreten habe, und ankündigte daß man, wenn sich Schwierigkeiten finden sollten, den Hof davon unterrichten müßte u. s. w. Die Glocke des Palastes schlägt und unsre Beamten versammeln sich wahrscheinlich als Landgericht.

Die große Amtei von Lyon hat am Freitag ihre erste Sitzung gehalten, auf die Drohung hin daß der Sitz derselben nach Macon verlegt werden würde, im Fall sich Schwierigkeiten ergeben sollten.

Aber Macon weigert sich unter der Gerichtsbarkeit von Lyon zu stehen.

Nichtsdestoweniger und im Ganzen sind alle kleinen Tribunale mit der Revolution zufrieden.

Nur uns Plebejern, in deren Taschen man die Hand stecken wird ohne daß sich Jemand fände der Haltein! riefe, nur uns will diese Einregistrirungsgeschichte und diese Bildung eines an den König verkauften Höchstengerichtes ganz und gar nicht gefallen.

Dann scheinen uns die Vollmachten der unteren Gerichte zu umfassend. An den kleinen Orten wo Fraubaserei und Voreingenommenheiten so großen Einfluß haben, ist das Glück von beinahe sämmtlichen Privatleuten in die Willkür von Richtern gegeben welche sich sehr leicht täuschen und irren können.

Lassen Sie uns warten und zusehen: preisen wir Amerika und weinen wir an den Gestaden des Flusses von Babylon. [1]

Leben Sie wohl; wir bleiben Ihnen mit der alten Liebe zugethan.

----

[1] Anspielung auf den Psalm: super flumina Babylonis illic sedimus et flevimus u. s. w.   A. d. H.

Auf Clos Laplatière den 8. Oktober 1788,

Sie melden uns Nichts mehr, mein Lieber, und doch treten die Parlamente auf eine ganz verwundersame Art auf. Sollten denn die Freunde der Freiheit und Ordnung welche ihre Wiederherstellung wünschten, genöthigt sein dieselbe zu bedauern? Was für einen Eindruck hat ihr Beschluß in der Hauptstadt hervorgebracht? Diese Wiederauffrischung der Stände von 1614, diese Anmaßungen, dieser Ton und diese Sprache sind höchst auffallend.

Wir stehen also auf dem Standpunkte wo wir blos zu erfahren haben, ob wir trübselig unter der Zuchtruthe eines einzigen Despoten ein Scheinleben fortsetzen oder unter dem eisernen Joche mehrerer vereinigten Despoten seufzen sollen.

Die Alternative ist furchtbar und läßt keine Wahl zu; denn man kann sich unter zwei gleichschlimmen Dingen für keines entscheiden. Wenn die Nation bei einer aristokratischen Regierung weniger durchgängig herabgewürbigt ist als unter dem Despotismus eines zügellosen Monarchen, so ist auf der andern Seite das Volk bei der ersteren zuweilen schwerer zu leiten, und dieser Fall würde bei uns eintreten wo die Bevorrechteten Alles sind und die zahlreichste Klasse beinahe als Null betrachtet wird.

Man sagt die hohe finanzielle Welt habe sich gegen Herrn Necker verbündet. Was macht dieser Minister? Wird er sich wohl auf seinem Platze behaupten?

Den 4. September 1789.

Ihr lieber Brief bringt uns sehr unliebe Nachrichten; wir haben gebrüllt, als wir sie vernahmen und die öffentlichen Blätter lasen: man will uns eine schlechte Verfassung übertünchen, wie man unsre unvollständige und fehlerhafte Erklärung nur so hingeschmiert hat. Werde ich keine Adresse zu sehen bekommen worin eine neue Prüfung des Ganzen verlangt wird? Kommen doch täglich Beistimmungs= und andere derartige Adressen genug zum Vorschein die unsre Kindheit anzeigen und unsre Schandmale aufdecken; euch, ihr Pariser, steht es zu in Allem mit einem guten Beispiele voran zu gehen; zeiget der Versammlung durch eine besonnene und kräftige Adresse daß ihr eure Rechte kennet, daß ihr sie erhalten wollet, daß ihr bereit seid sie zu vertheidigen, und daß ihr von ihr Anerkennung derselben verlanget. Ohne diesen entscheidenden Schritt steht Alles schlimmer als je. Nicht das Palais=Royal muß ihn thun, sondern eure Bezirke müssen sich dazu vereinigen; wenn sie dies aber unterlassen so soll es dennoch ausgeführt werden, nur muß dann die Zahl die sich dazu entschließt stark genug sein um Achtung einzuflößen und durch ihr Beispiel andere hinzureißen.

Ich predige so viel ich kann. Ein Wundarzt und ein Dorfpfarrer haben sich auf Brissots Journal wofür wir ihnen Sinn beigebracht haben, abonnirt; aber unsre kleinen Städtchen sind gar zu verdorben und unsre Landbewohner gar zu unwissend. Villefranche wimmelt von Aristokraten, Leuten die aus dem Staube hervorgegangen sind, welchen sie abzuschütteln meinen indem sie sich mit hochmüthiger Absichtlichkeit die Vorurtheile eines andern Standes aneignen.

Sie können sich denken welche schöne Tage ich jetzt habe, wenn Sie sich meinen Schwager vorstellen der ein eingefleischterer, despotischerer und fanatischerer Priester ist als Sie je einen Pfaffen gesehen haben; auch kommen wir wenig zusammen; er plagt uns viel, und ich bin fest überzeugt daß er uns aus Haß gegen unsre Grundsätze so viel Böses anthun wird als er nur kann.

Ich weiß nicht ob Sie verliebt sind, aber das weiß ich sicher daß, wenn bei den dermaligen Umständen ein ehrlicher Mann der Fackel Amors folgen kann, er sie nothwendig am geheiligten Feuer der Fackel des Vaterlandes angezündet haben muß. Ihr Abenteuer war interessant genug um Erwähnung zu verdienen; ich danke Ihnen für die Mittheilung, nur kann ich es Ihnen kaum verzeihen daß Sie uns den Namen eines so schätzbaren Wesens nicht wissen ließen.

Ich höre so eben von dem Schritt welchen der König, seine Brüder und die Königin bei der Versammlung gethan haben. Sie haben verteufelt Angst gehabt! Dies ist Alles was dieser Schritt beweist; aber um an die Aufrichtigkeit ihres Versprechens sich in die Bestimmungen der Versammlung zu fügen glauben zu können, müßte man die Erfahrungen welche diesem Schritte vorangingen nicht gemacht haben. Der König müßte vor Allem sämmtliche fremde Truppen entlassen haben.

Wir sind der schrecklichsten Sklaverei näher als je, wenn man sich durch ein falsches Vertrauen blenden läßt. . . . .

Muß man nicht bei so rauher Jahreszeit selbst in der Erinnerung seiner Freunde zu gefrieren fürchten? Empfangen Sie daher dies Billet als einen kleinen Büschel zur Unterhaltung des geheiligten Feuers, und wachen Sie getreulich daß es nicht erlösche.

Von uns guten Landbewohnern die wir bei dem strengen Winterfroste, welcher die Natur um uns her gefangen hält, unsre einzige Zerstreuung in der süßen, theuren Freundschaft finden, ist nicht wohl zu befürchten daß wir den Cultus derselben vernachlässigen. Vereinigen Sie Ihre Gebete mit den unsrigen, und lassen Sie uns diese liebenswürdige Gottheit gemeinschaftlich ehren so oft wieder ein Jahr dahingeht und die Entstehungszeit unsrer Verbindung in weitere Fernen rückt. Werden Sie denn nicht mehr mit uns plaudern wie Sie früher zuweilen thaten? Läßt Ihnen Linné's Latein gar keine

Zeit mehr übrig für die Mittheilungen redseliger Freundschaft? Leben Sie wohl! wenn Sie auf dieses Gebet ein Amen sprechen, so können wir von Neuem anfangen; inzwischen empfangen Sie die herzlichsten Grüße von uns Allen.

Eudora ist groß und hat schöne blonde Haare die in natürlichen Locken auf ihre weißen Schultern fallen; dunkle Brauen umschließen ihre grauen Augen, und ihr kleines Stutznäschen hat bereits etwas Herausforderndes.

Lyon den 22. Januar 1790.

Wie? auch Sie wollen in Zerstreuungen Trost suchen! Ist das die Rolle eines Patrioten? Nein Sie müssen Ihren eigenen und aller guten Bürger Muth entflammen, müssen protestiren, donnern, sich furchtbar zeigen.

Was ist denn aus der Kraft der öffentlichen Meinung geworden welche die Erklärung der Rechte gemacht hat und so manchen Dingen zuvorgekommen ist? Geben Sie ihr ihren ganzen Einfluß zurück; veranlassen Sie alle Gesellschaften der Verfassungsfreunde und ganz Paris von der Versammlung zu verlangen, daß sie einzig und allein die Verfassung mache, daß sie dieselbe aber auch wirklich mache, daß sie die neue Gesetzgebung anzeige und jeden Gegenstand untergeordneter Art von sich weise.

Leben Sie wohl; wenn Sie sich trostlos geberden so werde ich sagen daß Sie eine Weiberrolle spielen welche ich nicht auf mich nehmen möchte. Man muß wachen und predigen bis zum letzten Athemzuge oder seine Hand ganz aus der Revolution lassen. Ich umarme Sie in der Hoffnung daß der Ausdruck Ihres Kummers nicht als Ausdruck Ihres Entschlusses zu betrachten ist.

Auf Clos, den 17. Mai 1790.

Laſſen wir auf einen Augenblick die Politik bei Seite und kehren wir zur Naturgeſchichte zurück, zu deren Studium uns die Felder von Neuem aufrufen. Aber unſre Begriffe über ſie ſind dermaßen verwirrt daß wir ſelbſt mit Errleben in der Hand, Mühe haben uns darin zurechtzufinden. Ich will Ihnen übrigens meine Bedenken darüber doch lieber ein andermal mittheilen und hoffentlich geben Sie mir dann den Faden dieſes Labyrinths in welchem ich mich dermaßen verloren habe, daß ich nicht mehr weiß wie ich herauskommen ſoll.

Es iſt köſtliches Wetter; die Natur hat ſich ſo verändert daß man ſie ſeit ſechs Tagen kaum mehr kennt. Die Weinberge und die Nußbäume waren ſchwarz wie im Winter; ein Schlag mit einer Zauberruthe kann das Anſehen der Dinge nicht ſchneller umwandeln als die Wärme einiger ſchönen Tage gethan hat; Alles grünt und belaubt ſich; man findet einen angenehmen Schatten wo ſo eben noch das traurige todte Auge der Erſtarrung und Unthätigkeit gehaftet hatte.

Ich könnte hier die öffentlichen Angelegenheiten und die Streitigkeiten der Männer vergeſſen; zufrieden damit in meiner Wohnung Ordnung zu erhalten, meine Hühner brüten zu ſehen und meine Kaninchen zu füttern, könnte ich vielleicht aufhören an die Umwälzungen der Reiche zu denken. Aber wenn ich in der Stadt bin, da erwecken das Elend des Volkes und der Uebermuth der Reichen von Neuem meinen Haß gegen die Ungerechtigkeit und Unterdrückung. Meine ganze Seele drängt ſich dann in den Wunſch für den Sieg der großen Wahrheiten und den Erfolg unſrer Wiedergeburt zuſammen.

Man iſt auf dem Lande mit dem Beſchluß wegen der Lehnsrechte sehr unzufrieden; man findet den. Ablösungspreis für die Gülten und Gebühren unendlich lästig; man will weder ablösen noch bezahlen; es wird eine Reform nöthig sein, oder es werden noch mehr Schlösser in Flammen aufgehen. Das Unglück wäre vielleicht nicht so groß, wenn nicht zu befürchten stände die Feinde der Revolution möchten diese Ausbrüche der Unzufriedenheit benützen um das Vertrauen der Völker auf die Nationalversammlung zu schwächen und einige Unordnungen hervorzurufen nach denen es sie, wie nach einem Triumphe und einem Mittel wieder emporzukommen, gelüstet.

Man macht in Lyon Vorbereitungen zu einem Lager. Schicken Sie uns daher nur wackere Leute vor denen die Aristokratie in ihrer Höhle erzittern soll. Es war die Frage aufgeworfen worden ob man den Frauen erlauben solle sich dem Lager zu nähern; offenbar sannen diejenigen die diesen Zweifel erhoben auf irgend eine Verrätherei; aber der Gedanke war zu widrig und hat keinen Anklang gefunden.

Leben Sie wohl und plaudern Sie auch wieder einmal mit uns.

Den 15. August 1790.

Ich glaubte so sicher mit dem gestrigen Courier Briefe zu erhalten daß ich zum zweitenmal in die Stadt geschickt habe, in der Meinung man habe sich auf der Post nicht genau genug erkundigt; aber es ist leider nur allzuwahr daß Niemand von dem Triumvirat an uns geschrieben hat. Was thut Ihr denn, meine Freunde? O, ich zweifle nicht daran, Ihr beschäftigt euch mit euren Bürgerpflichten, und die kritischen Umstände mehren die Zahl derselben.

Mit großem Leidwesen habe ich gesehen daß die politische Thatkraft selbst in der Hauptstadt nachzulassen scheint; ich schließe das aus Allem was in der Versammlung vorgeht die in Beziehung

auf ihre eigenen Beschlüsse folgerichtiger zu Werke gehen, den Ministern gegenüber fester auftreten würde, wenn die öffentliche Meinung eine gesunde und mächtige wäre, wie sie es immer ist wo
Gerechtigkeit und Allgemeinheit ihre Hauptmerkmale bilden. Ich
schließe es aus der Gleichgültigkeit und Nachläffigkeit die sich in
euren Wahlen kundgeben; wie kam es daß Paris für die Ernennung des Gemeindeprokurators nur sechstausend Stimmen lieferte?
So lange man nicht mehr Theilnahme beweisen, nicht mehr Aufmerksamkeit auf die Wahl der Beamten, ihre Aemter mögen nun
sein von welcher Bedeutung sie wollen, verwenden wird, so lange
muß es um das Staatswohl mißlich aussehen. Der Friede des
Kaisers mit der Pforte, sein Bündniß mit England, Holland und
Preußen; die Zulassung der drei letztgenannten Mächte als Ver-
mittler zwischen ihm, dem Kaiser, und den belgischen Staaten, scheinen
mir die Knechtung dieser zu weissagen und in Folge derselben Unglück aller Art das man uns zudenkt. Der zwischen England und
Spanien abgeschlossene Vergleich könnte leicht blos eine Wirkung
des Bündnisses aller dieser Potentaten sein, um mit unserm Ministerium gemeinschaftliche Sache gegen die Nation zu machen. Man
läßt beständig Truppen gegen Lyon hin marschiren; sie ziehen noch
nicht in diese Stadt ein um daselbst die Steuereinnahme wieder her-
zustellen, was von dringender Wichtigkeit erscheinen könnte, sondern
man läßt sie gemüthlich in der Umgegend herum spazieren und
Cantonnirungs-Quartiere beziehen. Ich glaube daß man uns von
allen Seiten Schlingen legt, und daß Aufstände in den benachbarten Staaten nöthig wären um den Erfolg unsrer Revolution zu
sichern.

Man hatte ausgestreut, die Sectionen von Paris haben Commissäre ernannt um ein Manifest an alle europäischen Mächte zu

erlaffen und ihnen die friedlichen Absichten der Franzosen kund zu
thun denen es blos um ihre Wiedergeburt zu thun sei; aber ihr
großherziger Entschluß, ihrer Vertheidigung gegen Jeden der sie zu
stören wagen würde Alles aufzuopfern, und demgemäß jede Section
der Hauptstadt zur Unterhaltung von vierhundert Mann beitragen
zu laffen die bereit sein müßten sich überallhin zu verfügen wo dies
zur Abtreibung der Feinde nöthig sein könnte — ist diese Idee
vielleicht nur ein schöner Traum, oder arbeitet ihr wirklich daran
sie zur Ausführung zu bringen? Mich hat sie ungemein gerührt,
und ich würde ihre Wirkung in unserm dermaligen Zustande für
unendlich nothwendig halten.

Ich weiß nicht, ob der Plan ein Beobachtungs-Lager in der
Dauphiné zu errichten ein bloser Entwurf geblieben ist oder nicht?
Guter Gott, wie schwach sind wir doch wenn es die Freiheit gilt,
und wie wenige Leute scheinen mir ihren Werth zu empfinden!

Denken unfre Reisende schon ans Abschiednehmen? Sind sie
vielleicht bereits abgegangen, oder haben sie wenigstens einen Tag
festgesetzt wo sie sich auf den Weg machen wollen? Sie, der Mittelpunkt des freundschaftlichen Briefwechsels und der Vereinigungspunkt der Beziehungen zu deren geliebten Gegenständen Sie gehören,
laffen Sie uns doch nicht ganz ohne Nachrichten; empfangen, theilen Sie die zärtlichen Gesinnungen die uns einander nahe führen
und uns mitten unter euch versetzen.

Auf Clos, Montag den 27. September 1790.

Ihren Brief vom 20. haben wir erst mit dem Samstags-
Courier erhalten, weil er nach unfrer Abreise von Lyon in diese
Stadt kam. Wir schmachteten schon lange genug um Nachrichten

von Ihnen und haben sie voll Begierde in Empfang genommen, aber Ihre Bemerkungen über die Staatsangelegenheiten betrüben uns um so mehr weil sie vollkommen mit Allem übereinstimmen was wir von andern Seiten her vernehmen. Inzwischen glauben Sie uns nicht durch die Journale belehren zu müssen; keines von ihnen gibt den richtigen Begriff von dem schlimmen Stande der Dinge, und eben das macht das Unglück noch größer. Es ist dies der Augenblick, wo die patriotischen Schriftsteller die verworfenen Mitglieder die durch Heuchelei und Ränke ihr Gelübde verrathen, die Interessen ihrer Wähler blos stellen, bei ihrem Namen bezeichnen sollten; sie sollten laut und öffentlich sagen was Sie, werther Freund, uns von dem General schreiben: was thut man mit der Preßfreiheit, wenn man die Mittel nicht benützt welche sie gegen die Uebel bietet die uns bedrohen? Brissot scheint zu schlafen; Loustallot[1] ist gestorben, und wir haben seinen Verlust bitterlich beweint; Desmoulins hätte Gelegenheit sein Amt als Generalprokurator der Laterne wieder anzutreten[2]. Aber was ist aus der Thatkraft des Volkes geworden? Necker ist abgereist ohne den Abgrund der

---

[1] Loustallot war eben in Bordeaux als Advokat angenommen worden als die Revolution ausbrach und ihn aus seiner Laufbahn riß. Er ward Mitarbeiter an der von Prudhomme herausgegebenen Zeitschrift „les Révolutions de Paris,“ starb jedoch schon im Oktober 1790, 29 Jahre alt. Der Club der Cordeliers und jener der Jakobiner trug um ihn drei Tage lang Trauer.   A. d. H.

[2] Camille Desmoulins legte sich diesen Namen bei als der Gouverneur der Bastille, de Launay, der Vorsteher der pariser Bürgerschaft, de Flesselles, und einige andere dem Volke verhaßte oder verdächtige Männer Opfer der Wuth desselben wurden. Bekanntlich bediente es sich zur Vollstreckung seiner tumultuarischen Urtheile gewöhnlich der Laternenpfähle.   A. d. H.

Finanzen zu beleuchten, und man eilt nicht das Labyrinth nach allen Seiten zu durchsuchen das er verlassen hat? Warum erhebt Ihr euch nicht gegen die Feigheit dieses erkauften Ausschusses der es wagt die Schulden des Grafen von Artois zu vertheidigen? . . . . Der Sturm tost, die Schurken offenbaren sich, die schlechte Partei frohlockt, und man vergißt daß der Aufstand die heiligste Pflicht ist wenn das Wohl des Vaterlandes in Gefahr schwebt! O ihr Pariser! wie gleichet ihr noch dem flatterhaften Volke, das blos ein Aufbrausen hatte dem man fälschlich den Namen Begeisterung gab! Lyon ist geknechtet; die Deutschen und die Schweizer herrschen alda durch ihre Bajonete, und unterstützen eine verrätherische Munizipalität die sich mit den Ministern und den schlechten Bürgern verständigt. Bald wird man nur noch über die Freiheit zu weinen haben, wenn man nicht für sie stirbt. Man wage nicht mehr zu sprechen, sagen Sie; immerhin: es ist auch Zeit zum Donnern. Vereinigen Sie sich mit den ehrlichen Leuten die es noch gibt, klagen, eifern, schreien Sie; rütteln Sie das Volk aus seiner Schlafsucht; decken Sie die Gefahren die es demnächst zu Boden drücken werden auf, und geben Sie der kleinen Anzahl einsichtsvoller Deputirter ihren Muth wieder; denn diese würden bald wieder zu ihrem Uebergewichte gelangen, wenn die öffentliche Stimme sich erhöbe um sie zu unterstützen.

Ich kann Ihnen von unserm Leben und unsern ländlichen Ausflügen Nichts schreiben; die Republik ist weder glücklich noch gesichert, und das trübt unser Glück; unsre Freunde apostolisiren mit einem Eifer der gewiß zu Erfolgen führen würde, wenn sie ihn eine Zeitlang an demselben Ort bethätigen könnten.

20

Wir haben den englischen Pack für unsern Doktor erhalten der in diesem Lande mehr als je Doktor ist, alle Kranken daselbst durch Predigen und Händeauflegen nach Art Christi heilt, aber weniger als dieser dafür sorgt daß dem Kaiser gegeben wird was des Kaisers ist.

Wahrhaftig unsre Vertreter sind weit mehr darauf bedacht die Steuern zu sichern oder zu vermehren ‚als uns über die Verwendung der Gelder aufzuklären. Auch kann ich, so eine eingefleischte Pariserin ich bin, nicht umhin euch für elende Knirpse zu erklären, so lange ihr euch nicht über die Finanzen und deren weise Verwaltung besser belehren lasset. Sehet die Hausfrauen an; diese kennen die Schwäche und Stärke der Häuser wie der Reiche, und so lange man nicht auf den Topf Acht hat, kann alle Philosophie in der Welt einen gänzlichen Verfall des Vermögens nicht verhindern.

Anliegend erhalten Sie Depeschen welche Sie gefälligst an ihre Adresse besorgen wollen. Ich hoffe daß Sie die unsrige, nach London bestimmte, empfangen haben.

Unser Freund leidet noch immer am Beine; aber ich denke daß wir binnen acht Tagen nach Lyon gehen werden wo die Munizipalbeamten sehr gut gewählt worden sind. Von den weiteren Wahlen zum Maire u. s. w. höre ich Nichts mehr sprechen; wir wollen sehn was das zu bedeuten hat. Was meine Gesundheit betrifft, so rede ich von ihr blos wenn ich nicht anders kann; im Uebrigen ist dies Sache meines Muthes, und ich spreche kein Wort davon.

Leben Sie wohl und bleiben Sie immer unser lieber Freund.

———

Sorget doch daß über die Art der Verantwortlichkeit der Minister Beschlüsse gefaßt; sorget doch daß eurer vollziehenden Gewalt Zaum und Gebiß angelegt; sorget doch daß die Nationalgarbisten organisirt werden; hunderttausend Oestreicher versammeln sich auf euren Grenzen; die Belgier sind überwunden, unser Geld geht dahin ohne daß man sieht wie; man bezahlt die Prinzen und die Flüchtlinge die aus unsern Mitteln Waffen zu unsrer Unterjochung schmieden lassen..... Zum Henker! obschon ihr Pariser seid, so seht ihr doch nicht weiter als eure Nase reicht, oder es fehlt euch an Entschlossenheit um eurer Versammlung Füße zu machen! Nicht unsre Vertreter sind es welche die Revolution gemacht haben; mit Ausnahme von etwa einem Dutzend sind alle zusammen nicht im Stande sie zu begreifen. Die öffentliche Meinung ist es, das Volk ist es das immer den rechten Weg geht, wenn diese Meinung es richtig leitet; in Paris ist der Sitz dieser Meinung: so vollendet denn euer Werk oder macht euch darauf gefaßt es mit eurem Blute zu benetzen.

Leben Sie wohl; Bürgerin und Freundin, im Leben und im Tod.

Ich weine um das vergossene Blut; man kann mit dem von Menschen nicht sparsam genug umgehen; aber es ist mir sehr lieb daß sich Gefahren vorzeigen. Ich sehe kein anderes Mittel um euch anzuspornen und auf die Beine zu bringen. In ganz Frankreich herrscht Gährung; ihre Grade stehen mit den Maßregeln die nach Außen ergriffen werden in genauester Verbindung; die öffentliche Streit-

macht ist nicht organisirt, und Paris hat sich noch nicht genug Einfluß auf die Versammlung erworben um sie zu zwingen daß sie
Alles thut was ihre Pflicht erheischt.

Ich erwarte von euren Sectionen kräftige Beschlüsse; wenn sie
meine Hoffnung täuschen, so werde ich glauben daß ich den Unter-
gang Carthagos zu beseufzen habe, und obschon ich meine Predigten für die Freiheit nicht einstellen werde, so werde ich doch die
Hoffnung aufgeben dieselbe in meinem unglückseligen Vaterlande befestigt zu sehn. Lassen Sie mir die Naturgeschichte und alle Wissenschaften bei Seite bis auf die, Mann zu werden und rings umher
Gemeinsinn zu verbreiten.

Ich habe Lanthenas sagen hören Deputirte gehen in den Jardin
des Plantes um dort zu studiren: guter Gott! und Sie haben ihnen
ihre Schande nicht vorgehalten! .... Und diese ehrlichen Bürger
welche mit Schmerz sehen wie die Verworfenheit immer mehr um
sich greift, erheben sich nicht nachdrücklich gegen ihre Fortschritte? ....
verfolgen nicht alle ihre Spuren? .... rufen nicht die öffentliche
Meinung an um sie diesem Strome entgegen zu stellen? .... wo
ist denn der Muth, wo ist denn die Pflicht?

Wagen Sie es diese Leute daran zu erinnern. Wenn ich die
kleinste Intrigue bemerkte die gegen das Wohl des Vaterlandes
gerichtet wäre, ich würde mich beeilen sie vor dem ganzen Weltall
anzuklagen.

Der Weise drückt seine Augen zu bei den Fehlern oder Schwachheiten des Privatmannes, aber der Bürger darf selbst seinem Vater
keine Gnade schenken wenn es sich um das Staatswohl handelt.

Man sieht wohl daß diese ruhigen Menschen keine Bewunderer von Brutus gewesen waren, bevor die Revolution ihn in die Mode gebracht hatte.

Wachet auf, und möchten wir eure Anstrengungen und eure Erfolge zu gleicher Zeit erfahren!

Man sagt daß Sie den Großsprecher machen, daß Sie schöne Dinge schreiben um uns die Pariser und sich selbst anzupreisen, daß man aber weit und breit keine Wirkungen davon verspüre. Es ist wahr, die Rüstungen die ihr decretirt sind höchst lächerlich, so lange unsre Nationalgardisten überall ohne Organisation, ohne Uebung und ohne Waffen bleiben. Es ist eine recht schöne Sache fünf und zwanzig Millionen Menschen aufzählen zu können unter denen nicht dreimalhunderttausend im Stande sind das Land zu vertheidigen! Und inzwischen füllen sich die feindlichen Grenzen; die großen Despoten und die kleinen Fürsten, die Flüchtlinge und die Unzufriedenen im Innern verbünden sich um uns blutige Auftritte zu bereiten. Lesen Sie die gedruckte Adresse die Sie beigefügt finden, und vernehmen Sie daß wir nicht Zeit haben uns zu rühmen, sondern daß man bereits unsre Werke sehen kann.

Sie mögen sagen was Sie wollen, so lange ich Ihre tirannischen und unwissenden oder bestochenen Ausschüsse kleinliche Decrete vorschlagen, sich mit allem Andern nur nicht mit der Verfassung vergnügen oder blos Schreckbilder für Sperlinge aufstellen sehe, so lange werde ich erklären daß die Pariser nicht mehr die wackern Leute sind die sie geschienen, oder daß sie ihre Gewandtheit verloren haben. Merken Sie sich das, oder ich werde Ihnen das Nämliche ins Angesicht wiederholen. Leben Sie wohl; morgen werde ich Ihnen wegen unsrer Wohnung schreiben; inzwischen danken wir Ihnen aufs herzlichste für Ihre Mittheilungen und ich verlasse Sie jetzt um unsre Pakete zu machen; ehe acht Tage vergehen, werden wir in Ihrer Nähe sein.

Schluß des Briefwechsels.

Geschichtliche Mittheilungen über die Revolution.

Erstes Ministerium Rolands.

Wie ist Roland, ein strenger Philosoph, ein arbeitsamer Gelehrter, ein Mann der eben wegen dieser zwei Eigenschaften die Zurückgezogenheit liebte, von Ludwig XVI. ins Ministerium berufen worden? Dies ist eine Frage die sich viele Leute stellen werden; ich selbst würde sie mir an jedem andern Orte als da wo ich jetzt bin vorlegen; nun aber will ich mit Thatsachen darauf antworten.

Roland war Inspektor des Handels und der Manufakturen im Steuerkreise Lyon, und bethätigte in diesem Amte Kenntnisse und Einsichten im Verwaltungsfache woburch sich das Kollegium der Inspektoren immer hätte auszeichnen müssen, wenn die Regierung es verstanden hätte den Geist des Instituts derselben aufrecht zu erhalten, in Beziehung auf welche nun aber Roland beinahe einzig dastand. Durchweg über seinem Amte stehend, ein leidenschaftlicher Arbeiter und wohl empfänglich für den Ruhm, sammelte er im stillen Zimmer die Materialien die seine Erfahrung und Thätigkeit herbeigeschafft, und setzte das Wörterbuch der Manufakturen für die neue Encyklopädie fort. Brissot schickte ihm als Beweis seiner Hochachtung für die Grundsätze der Gerechtigkeit und Freiheit die er in

Rolands Schriften ausgesprochen gefunden hatte, einige seiner Werke
zu. Dieses Zeichen von Anerkennung wurde mit dem bei Schriftstellern natürlichen Feingefühle und dem Selbstbewußtsein eines ehrlichen Mannes der sich von Seinesgleichen gelobt sieht aufgenommen; es veranlaßte einen Briefwechsel der im Anfang sehr schwach
betrieben, später durch einen unsrer Freunde der in Paris Brissot's
Bekanntschaft machte, und ihn uns mit sehr vortheilhaften Farben
als einen Mann schilderte welcher der in seinen Schriften enthaltenen philosophischen und moralischen Theorie eine praktische Bedeutung zu geben verstehe, in bessern Gang gebracht wurde, endlich
durch die Revolution von 89 Nahrungsstoff die Menge bekam;
denn die mit jedem Tage sich mehrenden Ereignisse erhielten Geist
und Gemüth der für die Freiheit vorbereiteten Philosophen in
ernster Thätigkeit, und führten interessante Verbindungen herbei
zwischen Männern welche sich durch die Liebe zu ihren Mitmenschen
und die Hoffnung, das Reich der Gerechtigkeit und des Glückes für
Alle angehn zu sehen, hatten entflammen lassen. Da Brissot um
diese Zeit ein periodisches Blatt gegründet hatte das wegen der Vortrefflichkeit seines Räsonnements oft wird zu Rathe gezogen werden,
so ließen wir ihm alle Thatsachen und Bemerkungen zukommen
deren Veröffentlichung uns die Umstände als zweckmäßig erscheinen
ließen: bald vervollkommnete sich die Bekanntschaft; wir wurden
Vertraute und innige Freunde ohne uns noch gesehen zu haben. ·

Inmitten der in solchen Revolutionszeiten unvermeidlichen Krisen
wo die Grundsätze, die Vorurtheile, die Leidenschaften unübersteig-
liche Schranken errichten zwischen Leuten die bis dahin scheinbar für
einander gepaßt hatten, wurde Roland in die Municipalität von
Lyon berufen. Seine Stellung, seine Familie und seine Verbindungen schienen ihn an die Aristokratie fesseln zu müssen; sein

Charakter, sein Ruf machten ihn der Volkspartei wichtig der ihn seine Philosophie und seine Strenge zuführen mußten. Sobald er ernannt war zog er sich um so heftigere Feinde zu, als seine un-erschütterliche Gerechtigkeitsliebe schonungslos alle Mißbräuche auf-deckte die sich in der Verwaltung der städtischen Finanzen angehäuft hatten. Sie gab ein getreues Miniaturbild von der Verschleuderung der Staatsfinanzen, und Lyon sah sich in eine Schuldenmasse von vierzig Millionen gestürzt. Man mußte Hilfe suchen, denn die Fabriken hatten im ersten Jahr der Revolution Noth gelitten; zwanzigtausend Arbeiter waren den Winter über brodlos gewesen: es wurde beschlossen eine außerordentliche Deputation an die kon-stituirende Versammlung abgehen zu lassen um sie von dieser Lage in Kenntniß zu setzen, und Roland wurde abgesandt. Wir kamen am 20. Februar 1791 in Paris an. Ich hatte seit fünf Jahren meine Heimath nicht wieder gesehen; ich hatte mit einer Theilnahme von der man sich nur bei genauer Kenntniß meines Charakters und Thätigkeitstriebes einen Begriff machen kann, den Gang der Revo-lution, die Arbeiten der Versammlung verfolgt, den Charakter und die Talente ihrer angesehensten Mitglieder studirt. Ich eilte in die Sitzungen; ich sah den gewaltigen Mirabeau [1]), den staunenswür-

---

[1]) Den einzigen Mann in der Revolution dessen hervorragender Geist Männer beherrschen und einer Versammlung Achtung gebieten konnte; groß durch seine Fähigkeiten, klein durch seine Laster, aber immer hoch über dem gewöhnlichen Haufen stehend und unfehlbar Beherrscher desselben, sobald er sich die Mühe nehmen wollte ihm seine Befehle vorzuschreiben. Er starb bald darauf: ich glaubte damals er sei zur rechten Zeit für seinen Ruhm und die Freiheit dem Schauplatz entrückt worden, aber die Ereignisse haben mich ihn zurückwünschen gelehrt. Es bedurfte des Gegengewichtes eines Mannes von dieser Kraft um sich dem Treiben eines Gaunerhaufens ent-gegen zu stellen und uns vor der Herrschaft der Banditen zu bewahren.

digen Cazalès [1]), den kecken Maury [2]), die schlauen Lameth, den kalten Barnave [3]); mit Verdruß bemerkte ich auf Seite der Schwarzen jene Art von Ueberlegenheit welche man sich durch die Gewohnheit öffentlichen Auftretens, die Reinheit der Sprache und durch feine, höfliche Manieren in den Versammlungen zu erwerben pflegt: aber die Kraft der Vernunft, der Muth der Rechtschaffenheit, philosophische Aufklärung, wissenschaftliche Bildung, Verwaltungskenntnisse und juristische Gewandtheit mußten den Patrioten der linken

---

[1]) Cazalès war der beredteste Vorkämpfer der Royalisten in der Nationalversammlung. Nach der Zurückführung des Königs von Varennes nach Paris gab er seine Entlassung und wanderte aus. In der Folge kehrte er wieder in sein Vaterland zurück und starb 1805. A. d. H.

[2]) Der Abbé Maury, ein ehrgeiziger Sophist, begab sich, als er von dem revolutionären Frankreich Nichts mehr zu hoffen hatte, nach Rom und wurde von Pius VI. mit dem Range eines Erzbischofs in partibus bekleidet und zur Krönung Kaiser Franz II. nach Frankfurt als Gesandter abgeordnet. Später erhielt er den Kardinalshut und erwarb sich Napoleons Gunst, der ihn zum Erzbischof von Paris ernannte. Sein Benehmen in den Streitigkeiten die der Kaiser mit dem römischen Hofe hatte, zog ihm das Mißfallen des letztern zu und er büßte es nach der Restauration durch längere Gefangenschaft die Pius VII. über ihn verhängte. Er starb 1817.
A. d. H.

[3]) Barnave war einer der Commissäre die von der gesetzgebenden Versammlung aus ihrer Mitte abgeordnet wurden um Ludwig XVI. von Varennes nach Paris zurückzubegleiten. Diese Reise bildete den Wendepunkt seines Lebens. Früher entschiedener Revolutionär, trat er nun auf die Seite derjenigen welche die Monarchie und den König retten wollten, und verfiel mit ihnen dem Verhängniß. Einige Tage nach der Hinrichtung der Königin der er seine Dienste gewidmet hatte, wurde er vor das Revolutionstribunal gestellt und nach einer erschütternden Vertheidigungsrede die nur seine Richter ungerührt ließ, zum Tode verurtheilt. A. d. H.

Sette den Sieg sichern, wenn sie alle rein waren und vereint bleiben konnten.

Briffot besuchte uns. Ich kenne nichts Spaßhafteres, als das erste Zusammentreffen von Leuten die schriftlich einen Freundschafts=bund abgeschlossen hatten ohne einander von Person zu kennen: man schaut sich neugierig an, ob wohl die Gesichtszüge der Phy=siognomie der Seele entsprechen und die äußere Erscheinung der Person die Ansicht bestätigt die man sich von ihr gebildet hat. Briffot's einfache Manieren, seine Offenherzigkeit, seine natürliche Nachlässigkeit erschienen mir in vollkommenem Einklang mit der Strenge seiner Grundsätze, aber ich fand bei ihm eine Art von Leichtfertigkeit seines Geistes und Charakters welche sich nicht gleich gut mit der Würde der Philosophie vertrug; ich habe sie immer mit Leidwesen bemerkt und seine Feinde haben sie immer auszubeu=ten gewußt. Je näher ich übrigens diesen Mann kennen lernte, um so mehr habe ich ihn geschätzt; es ist unmöglich eine vollständigere Uneigennützigkeit mit größerem Eifer für die öffentlichen Angelegen=heiten zu verbinden und sich mit aufrichtigerer Selbstvergessenheit dem Wohle des Volks zu widmen; aber seine Schriften sind besser geeignet darauf hinzuwirken als seine Person, weil ihnen die ganze Eindringlichkeit inne wohnt welche Vernunft, Gerechtigkeit und Auf=klärung einem Werke geben können, während seine persönliche Er=scheinung aus Mangel an Würde keinen Eindruck machen kann. Er ist der beste Mensch, ein guter Gatte, ein zärtlicher Vater, ein treuer Freund, ein tugendhafter Bürger; seine Gesellschaft ist so angenehm wie sein Charakter gefällig ist; vertrauensvoll bis zur Unvorsichtigkeit, heiter, natürlich, offen wie man es mit fünfzehn Jahren ist, war er bestimmt mit Weisen zu leben und von Schur=ken genarrt zu werden. Ein einsichtsvoller Publicist, indem er sich von Jugend auf der Erforschung der gesellschaftlichen Verhältnisse und der Mittel zur Völkerbeglückung gewidmet hat, besitzt er ein richtiges Urtheil über den Menschen, kennt aber gleichwohl die Menschen ganz und gar nicht. Er weiß daß es Laster gibt; aber er kann einen Menschen der ein gutmüthiges Gesicht hat und mit ihm spricht nicht für lasterhaft halten, und wenn er Einzelne als solche erkannt hat, so behandelt er sie als Narren die man beklagt ohne ihnen zu mißtrauen. Er kann nicht hassen; man darf von ihm sagen seine weiche, empfängliche Seele habe nicht Festigkeit genug für ein so kräftiges Gefühl. Bei seinen vielen Kenntnissen arbeitet er äußerst leicht und verfaßt eine Abhandlung wie ein Anderer ein Liedchen abschreibt; auch erkennt das geübte Auge in seinen Werken neben einer vortrefflichen Darstellung der Hauptsache die eilfertigen Pinselstriche eines flüchtigen und leicht obenhin streifenden Geistes. Seine Thätigkeit, seine Gefälligkeit, die sich bei keiner Sache entzieht welche er nützlich glaubt, haben ihm den Anschein gegeben als wolle er sich in Alles mischen, und Leute die mit aller Gewalt Gründe gegen ihn hervorsuchen mußten haben ihn deßhalb als Ränkeschmied verschrieen. Wahrhaftig ein Ränkeschmied eigenthümlicher Art der niemals weder an sich, noch an die Seinigen denkt, der eben so wenig Fähigkeit als Lust hat sich mit seinen Interessen zu beschäftigen, der sich der Armuth so wenig schämt als er den Tod fürchtet, indem er die eine wie den andern als den gewohnten Lohn der öffentlichen Tugenden betrachtet. Ich habe ihn seine ganze Zeit der Revolution widmen gesehen, ohne einen andern Zweck, als der Wahrheit zum Siege zu verhelfen und zum allgemeinen Besten mitzuwirken; voll Unverdrossenheit sein Blatt redigirend das ihm Gelegenheit zu Gelderwerb genug geboten hätte, und sich mit dem bescheidenen Gehalte begnügend, welchen ihm sein

Affocié gab. Seine Frau, bescheiden wie er, mit einem sehr guten
Verstand und einiger Seelenstärke begabt, beurtheilte die Sachen
strenger. Sie hatte seit ihrer Verheirathung die Augen immer auf
die Vereinigten Staaten von Nordamerika gerichtet, als einen Aufent-
haltsort der ihrem und ihres Mannes Geschmack und Sitten vortrefflich zusagen würde, und wo man sich mit sehr schwachen Geld-
mitteln leicht fortbringen könnte. Briffot hatte demgemäß eine Reise
dahin gemacht, und sie standen auf dem Punkte überzusiedeln, als
die Revolution ihn feffelte. In Chartres geboren und ein Schul-
freund von Petion der aus derselben Stadt ist, schloß Briffot einen
noch festeren Bund mit ihm in der konstituirenden Versammlung
wo seine Kenntnisse und Arbeiten dem Freunde mehrmals nützliche
Dienste leisteten. Er machte uns mit ihm, so wie mit mehreren
Deputirten welche frühere Beziehungen oder auch bloß die Gleichheit der Grundsätze und der Eifer für das Staatswohl häufig zu-
sammenführten, bekannt. Es wurde sogar beschlossen daß man viermal in der Woche Abends zu mir kommen wolle, weil ich ansässig
und gut logirt, und meine Wohnung keinem von sämmtlichen Mitgliedern dieser kleinen Ausschüsse zu entlegen war.

Diese Anordnung war mir im höchsten Grade angenehm; sie
erhielt mich über die Dinge für die ich mich lebhaft interessirte auf
dem Laufenden; sie begünstigte meine Neigung den politischen Räsonnements zu folgen und die Menschen zu studiren. Ich wußte
welche Rolle meinem Geschlechte zukam, und bin nie aus derselben
herausgetreten. Die Versammlungen wurden in meiner Gegenwart
gehalten, ohne daß ich Theil daran nahm; außer dem Kreise und
an einem Tische sitzend beschäftigte ich mich mit Handarbeiten oder
schrieb Briefe, während die Männer sich beriethen: wenn ich aber
auch zehn Sendschreiben abzufertigen hatte, was zuweilen vorkam,

so verlor ich doch kein Wort von Allem was gesprochen wurde, und es kam hie und da vor daß ich mich in die Lippen biß um Nichts drein zu reden.

Was mir hauptsächlich auffiel und mich wirklich unangenehm berührte, das war diese Art von oberflächlichem Geschwätze womit Männer von tüchtigem Verstande drei bis vier Stunden zubringen können, ohne zu etwas Entscheidendem zu gelangen. Nehmet doch die Sachen einzeln vor; ihr gedenkt vortreffliche Grundsätze durchzuführen, gute Ideen voranzustellen, Bahnen zu öffnen; aber massenweise kann von keinem vorgezeichneten Gange, von keinem festen Ergebniß, von keinem bestimmten Punkte die Rede sein, bei welchem der Verabredung gemäß Jeder auf diese oder jene Art ankommen soll.

Ich hätte vor Ungeduld manchmal Ohrfeigen austheilen mögen unter diesen weisen Männern die ich wegen der Ehrlichkeit ihres Gemüths, der Reinheit ihrer Gesinnungen täglich mehr achten lernte; vortreffliche Schwätzer, sammt und sonders Philosophen, einsichtsvolle Politiker in der Verhandlung die aber von der Kunst die Menschen zu leiten, folglich Einfluß in der Versammlung zu gewinnen, Nichts verstanden, daher gewöhnlich ganz umsonst ihr Wissen und ihren Geist entwickelten.

Doch habe ich der Entwerfung einiger guten Beschlüsse angewohnt, welche durchgegangen sind; bald gab der Bund der Minderheit des Adels der linken Seite vollends den Hauptstoß und führte die Uebel der Revision herbei; es war nur noch eine kleine Anzahl unerschütterlicher Männer da die für die Grundsätze zu kämpfen wagten, und am Ende zählte sie beinahe keine Mitglieder mehr außer Buzot, Petion und Robespierre. Dieser erschien mir damals als ein ehrlicher Mann; ich verzieh ihm den Grundsätzen

zu Liebe seine schlechte Sprache und seinen langweiligen Vortrag.
Gleichwohl hatte ich bemerkt daß er immer mitten in diesen Aus-
schüssen saß; er hörte alle Ansichten an, gab selten die seinige zum
Besten, oder nahm sich nicht die Mühe sie näher zu entwickeln,
und ich habe mir sagen lassen daß er am folgenden Tag der erste
war der auf die Tribüne stieg und die Gründe geltend machte die
Abends zuvor seine Freunde auseinandergesetzt hatten. Dieses Benehmen wurde ihm manchmal sanft vorgeworfen; er half sich mit
allerhand Ausflüchten heraus, und man ließ ihm seine Schlauheit
als Ausfluß einer verzehrenden Eigenliebe von der er wirklich ge-
plagt war hingehen. Inzwischen that dies dem Vertrauen einigen
Abbruch, denn wenn es sich darum handelte Etwas vorzuschlagen,
und über Thatsachen übereinzukommen, oder demgemäß die Rollen
unter sich zu vertheilen, so war man nie sicher ob nicht Robespierre
in einer plötzlichen Anwandlung sich quer in den Weg warf oder
unbesonnener Weise dem Unternehmen zuvorkam, nur um sich die
Ehre desselben zuzuwenden, und auf diese Art Alles scheitern machte.
Da ich damals die Ueberzeugung hegte Robespierre liebe leidenschaftlich die Freiheit, so war ich geneigt seine Mißgriffe dem Uebermaaß eines ungestümen Eifers zuzuschreiben: nur verdroß mich diese
Art von Rückhaltsamkeit welche entweder die Furcht durchschaut zu
werden, weil man nicht leicht kennen zu lernen ist, oder das Mißtrauen eines Menschen, der in sich selbst keinen Grund findet an die
Tugenden Anderer zu glauben, anzukündigen scheint, und die zu
Robespierre's entschiedenen Charakterzügen gehört; aber ich sah dies
damals für Schüchternheit an. So kann man mit einem glücklichen
Vorurtheile zu Gunsten einer Person die schlimmsten Anzeichen in
Merkmale der besten Eigenschaften verwandeln. Nie hat das Lächeln
des Vertrauens auf Robespierre's Lippen geruht, während sie bei-

nahe immer von dem bittern Lachen des Neides zusammengezogen
sind welcher höhnisch erscheinen will. Sein Talent als Redner war
weniger als mittelmäßig; seine gemeine Stimme, seine schlechten
Ausdrücke, seine fehlerhafte Aussprache machten seinen Vortrag höchst
langweilig. Aber er vertheidigte die Grundsätze mit Wärme und
Hartnäckigkeit; es gehörte Muth dazu dies fortwährend zu thun in
einer Zeit wo die Zahl der Vertheidiger des Volks ungemein herab-
geschmolzen war. Der Hof haßte sie und ließ sie verleumden; die
Patrioten mußten sie also aufrecht erhalten und ihnen Muth einsprechen. Ich schätzte Robespierre in dieser Beziehung; ich gab ihm
meine Achtung zu erkennen, und selbst zu einer Zeit wo er nicht
fleißig in dem kleinen Ausschusse erschien, kam er manchmal Mittags und lud sich bei mir zu Tische. Aufgefallen war mir die Angst
die sich bei der Flucht des Königs nach Varennes seiner bemächtigt
zu haben schien; ich traf ihn Nachmittags bei Petion wo er voll
Unruhe sagte, die königliche Familie habe diesen Entschluß nicht
gefaßt, ohne in Paris eine Bundesgenossenschaft zu wissen welche
den Patrioten eine Bartholomäusnacht bereiten werde, und er glaube
keine vier und zwanzig Stunden mehr zu leben. Petion und Briffot
sagten dagegen diese Flucht des Königs sei sein Verderben, und man
müsse sie ausbeuten; die Gesinnungen des Volkes seien vortrefflich;
es werde durch diesen Schritt über die Treulosigkeit des Hofes
besser aufgeklärt als man durch die klügsten Schriften hätte thun
können; diese einzige Thatsache mache es Jedermann klar daß der
König die Verfassung die er beschworen nicht wolle; es sei dies
der Augenblick sich eine angemessenere zu sichern, und man müsse
die Gemüther auf die Republik vorbereiten. Robespierre fragte
jetzt mit seinem gewöhnlichen Hohnlachen und Nägelkauen, was denn

Republif fei [1]). Der Plan zu einem Journal unter dem Titel: le Républicain (es kamen nur zwei Nummern davon heraus) wurde am nämlichen Tage entworfen. Dumont, der Genfer, ein Mann

---

[1]) Wir können uns nicht enthalten bem Bilde, das Frau Roland von einem Manne entwirft über den das Urtheil der Geschichte noch so wenig festgestellt erscheint, ein paar Züge beizufügen die auf den Anfangs: und auf den Endpunkt seiner Laufbahn ein eigenthümliches Streiflicht fallen lassen. Man liest in den **Mémoires secrets pour servir à l'histoire de la ré- publique des lettres en France depuis 1762 jusqu'à nos jours (à Londres 1784—89)** folgenden Auszug aus einem Briefe von Arras unterm 26. Juni 1783 (S. Band XXIII. S. 40): Der Prozeß wegen bes Blitz- ableiters wurde hier während drei feierlicher Sitzungen von einem Herrn von Robespierre, einem jungen Abvokaten von seltenem Verdienst, verhandelt; er entwickelte in dieser Angelegenheit bei welcher die Wissenschaften und Künste wesentlich betheiligt sind, eine Beredtsamkeit und einen Scharffinn die einen hohen Begriff von seinen Talenten einflößen, und trug den Sieg davon. Das Obergericht dieser Stadt stieß das Urtheil der Schöppen von St. Omer um und erlaubte Herrn Blzery von Boisvalé seinen Blitzableiter wieder auf- zurichten. — Der Freiherr von Hormayr erzählt in den Lebensbildern aus dem Befreiungskriege (III, 156): Merkwürdig, aber seiner Zeit den Wissenden in Wien längst kein Geheimniß war, daß man daselbst 1794 die Hoffnung auf Wiederherstellung einiger Ordnung, ja zum Frieden, auf den ärgsten Bluthund, auf Maximilian Robespierre setzte, daß Thugut mit ihm wegen der Rettung der unglückseligen Königin Maria Antoinette angebunden hatte, daß diese Aufgabe aber selbst dem Entsetzlichen zu gefähr- lich erschien, daß Robespierre und sein Bruder, bei allen Römergrimassen, gleichwohl gegen Gold und Silber nicht den geringsten Widerwillen hatten, daß nur durch sie die Ausführung der großen, erst 1796 ins Werk gesetzten Invasionsplane Carnots verzögert wurde. ... Robespierre's Sturz und blutiger Ausgang traf eben im ungelegensten Augenblick mit der bereits be- gonnenen Räumung Belgiens (in der von Robespierre im Allgemeinen be- reits genehmigten [Oestreich eröffneten] Perspective auf Bayern) zusammen.

11

von Geist, arbeitete daran; Duchatelet, ein Militär, gab feinen Namen dazu, und Condorcet, Briffot u. f. w. verfprachen ihre Mitwirkung.

Die Verhaftung Ludwigs XVI. machte Robespierre viele Freude; in feinen Augen wurde dadurch jedem Unglücke vorgebeugt, und er hörte auf für fich zu fürchten: die andern waren darüber betrübt; fie beforgten neue Verwirrungen in der Regierung; fie dachten das Ränkefpiel werde von vorn beginnen, und die Gährung des durch das Vergnügen den Schuldigen feftgehalten zu fehen befchwichtigten Volkes werde nicht mehr dazu dienen die Anftrengungen der Freunde der Freiheit zu unterftützen. Sie urtheilten richtig und um fo ficherer als die Verföhnung Lafayettes mit den Lameth ihnen ein neues Bündniß bewies welches nicht das Staatsintereffe zur Grundlage haben konnte. Es war unmöglich, ihnen ein Gegengewicht zu geben, außer durch die Macht der Meinung wenn fie fich auf eine achtunggebietende Weife kundgab; die Patrioten haben hierzu immer blos ihre Feder und ihre Stimme gebraucht; aber wenn eine Volksbewegung ihnen zu Hilfe kam, fo nahmen fie diefelbe mit Vergnügen auf, ohne fich lange umzufehen oder fonderlich darum zu bekümmern wie fie entftanden fei. Hinter dem Vorhang ftand ein Betheiligter, den die Ariftokraten zu heftig angriffen als daß die Patrioten nicht in Verfuchung hätten gerathen follen ihm zu verzeihen, fo lange fie nur folche Dinge bemerkten die fich zum allge-

---

— Man kennt das: »quel malheur pour nous, que M. de Robespierre soit mort!« Ohne Robespierre's, feines Bruders und feiner Greuelgenoffen unerwarteten Fall und Hinrichtung wäre, bei der bereits vollendeten Evacuation der Niederlande und des linken Rheinufers, der öfterreichifche Separatfriede vielleicht noch etwas früher erfolgt als der preußifche zu Bafel.

A. d. H.

meinen Beſten kehren ließen; überdies konnten ſie ſich nicht über-
reden daß ſeine Perſon furchtbar ſei.

Es iſt ſehr ſchwer in Revolutionen leidenſchaftslos zu bleiben;
es iſt ſogar beiſpiellos daß eine Revolution ohne Leidenſchaft vor
ſich gegangen wäre; man hat große Hinderniſſe zu überwinden, und
dies iſt blos durch eine Thätigkeit, eine Hingebung möglich welche
an die höchſte Begeiſterung grenzt oder dieſelbe hervorbringt. Man
greift dann gierig zu Allem was die jeweiligen Zwecke fördern kann,
und man verliert die Fähigkeit vorauszuſehen was etwa ſchaden
wird. Daher dieſes Vertrauen, dieſe Begierde womit man eine plötzliche Bewegung benützt, ohne auf ihren Urſprung zurückzugehen um
ſich über die Mittel, wie ſie geleitet werden muß, gebührend zu unterrichten; daher dieſe Zartheit, wenn ich ſo ſagen darf, in der
Behandlung von mitwirkenden Perſonen die man nicht ſchätzt, die
man aber gewähren läßt weil ſie auf daſſelbe Ziel loszugehen
ſcheinen. Orleans war ſicherlich für ſich allein nicht zu fürchten;
aber ſein Name, ſeine Verbindungen, ſein Reichthum und ſein Anhang gaben ihm große Mittel: er hatte gewiß im Geheimen an
allen Volksunruhen Theil; die reinen Männer ſahen nur mit Argwohn auf ihn, allein dies ſchien ihnen ein nothwendiger Gährungs-
ſtoff zu ſein um eine träge Maſſe aufzuregen; es genügte ihnen
keinen Theil daran zu haben, und ſie ſchmeichelten ſich Alles zum
Beſten des Volkes lenken zu können; überdies glaubten ſie mehr
an das Verlangen des Herzogs, ſich an einem Hofe der ihn ver-
ſchmäht hatte und an deſſen Demüthigung er ſich nunmehr weiden
konnte, zu rächen als an ſeine Selbſterhebungsplane.

Die Jakobiner ſchlugen eine Bittſchrift an die Verſammlung
vor, um von ihr die Aburtheilung des Verräthers welcher geflohen
zu verlangen oder ſie aufzufordern, dem Wunſche des Volkes über

die Behandlung die er verdienen konnte zu entsprechen, und inzwischen zu erklären daß er das Vertrauen der Einwohnerschaft von Paris verloren habe. Laclos, dieser geistvolle Mann, den die Natur zu großen Plänen geschaffen hatte, der aber lasterhaft genug war alle seine Talente der Intrigue zu widmen; Laclos, ein Anhänger des Herzogs von Orleans und mächtig in seinem Rathe[1]), machte diesen Vorschlag bei den Jakobinern die ihn annahmen, und bei denen er durch einen Haufen von etlichen Hundert Krakeelern und Gassendirnen die Abends zehn Uhr aus dem Palais-Royal in ihren Sitzungssaal stürzten, unterstützt wurde. Ich sah sie dort ankommen; die Gesellschaft ging auf eine Berathung mit diesem Haufen ein der ebenfalls seine Meinung abgab; sie setzte die Grundlage der Petition fest und ernannte zu ihrer Abfassung Commissäre unter denen sich Laclos und Brissot befanden. Sie arbeiteten dieselbe noch in der nämlichen Nacht aus, denn es war beschlossen worden daß eine Deputation aus der Gesellschaft die Bittschrift am andern Tag auf das Marsfeld bringen sollte, um daselbst Jedermann mitgetheilt zu werden der sich über ihren Inhalt zu unterrichten und sie zu unterzeichnen wünschen sollte.

Laclos schützt ein in Folge von Nachtwachen entstandenes Kopfweh vor das ihm nicht gestatte die Feder zu führen; er bat Brissot sie zu ergreifen, besprach sich mit ihm über die Abfassung der Schrift und schlug als letzten Artikel ich weiß nicht mehr welche Clausel

---

[1]) Laclos, Verfasser des berüchtigten Romans „Les liaisons dangereuses ou lettres recueillies dans une société et publiées pour l'instruction de quelques autres" wurde in den gegen seinen Gönner Orleans-Egalité eingeleiteten Prozeß verflochten und erhielt erst nach dem 9. Thermidor seine Freiheit wieder. Er starb 1803 als Brigadegeneral.

A. d. H.

vor, die das Königthum beibehielt und für Orleans eine Thüre offen ließ: Briffot, höchlich erstaunt, verwarf sie lebhaft und der andere, ein sehr gewandter Mann, verließ ihn mit einer Miene als hätte er nicht die ganze Bedeutsamkeit seines Antrages erwogen: er sah wohl ein daß er denselben noch immer konnte hineinschlüpfen lassen, und er hat sich wirklich in der Druckschrift befunden die als der von den Jakobinern beschlossene Entwurf verbreitet wurde. Als aber die Gesellschaft die sich am andern Morgen versammelte um den Inhalt der Petition zu prüfen und ihre Absendung zu besorgen, erfuhr daß die Nationalversammlung über das Schicksal des Königs entschieden hatte, so sandte sie Commissäre nach dem Marsfelde ab um dem Volke zu verkünden daß, da in der Angelegenheit des Königs ein Beschluß gefaßt worden, zu der beantragten Petition kein Grund mehr vorhanden sei.

Ich war auf dem Bundesfelde wohin meine Neugierde mich geführt hatte; es waren blos zwei- oder dreihundert Personen um den Vaterlandsaltar herum zerstreut und Deputirte von den Corbeliers, von den Brüdergesellschaften hielten, indem sie Piken mit auffordernden Inschriften in der Luft schwangen, Volksreden an die Umstehenden und schürten den Unmuth gegen Ludwig XVI. Man erklärte, da die Jakobiner ihre Petition zurücknehmen, so sei es nöthig, daß die eifrigen Bürger eine andere abfassen und sich zu diesem Behuf am nächsten Tage versammeln. Damals war es, daß die Anhänger des Hofs, im Gefühl der Nothwendigkeit durch Schrecken Achtung zu gebieten, auf Mittel sannen einen großen Schlag zu thun: es wurden demgemäß allerlei Ränke vorbereitet; die unerwartete Verkündigung und die rasche Vollziehung des Martialgesetzes führten das Gemetzel vom Marsfelde herbei, wie man es mit Recht genannt hat. Erschreckt wagte es das Volk nicht mehr sich zu rühren; ein Theil der Nationalgarbe der sich verführen oder täuschen ließ und den General Lafayette, sei es nun aus Anhänglichkeit an den Hof oder aus blindem Vertrauen auf seine muthmaßliche Vaterlandsliebe, unterstützte, gab sich selbst zum Walle gegen jeden Mitbürger her; die Todesfahne wurde am Stadthause aufgesteckt und die ganze Revision ging unter ihrem Einflusse vor sich.

Beinahe zu gleicher Zeit hatte man die Feuillans (die Gemäßigten) gestiftet, um die Jakobiner zu schwächen, und sicherlich hat das ganze Verfahren der Verbündeten um diese Zeit bewiesen wie sehr der Hof und seine Anhänger in Beziehung auf Berechnung und ▓▓▓ ihren Gegnern überlegen waren.

Ich kenne keinen Schreck, welcher ▓▓▓ ▓▓▓ ▓▓▓ ließe die Robes▓▓▓ ▓▓▓ sprach wirklich ▓

ihm vorgehen; es wäre Untreue gegen meine Grundsätze und ich würde einen falschen Begriff von ihnen veranlassen, wenn ich mich unter die Feuillans begäbe; mir widerstreitet eine Rolle in der ich zwei Gesichter hätte. Gregoire¹) ist hingegangen und wird uns von dem was dort vorgeht benachrichtigen; endlich vermag man Nichts gegen Robespierre ohne die Versammlung zum Handeln zu bringen, und ich werde immer da sein um ihn zu vertheidigen. Was mich betrifft, der ich nicht zu den Jakobinern gehe weil diese Art von Leuten mich ärgert und mir in ihren lärmenden Versammlungen noch scheußlicher vorkommt, so will ich mich doch beharrlich bei ihnen einstellen, so lange die Verfolgung dauert die sich gegen eine nach meinem Dafürhalten für die Freiheit nützliche Gesellschaft erhebt." Buzot malte sich in seinen Worten getreulich ab; er handelt auch wie er spricht, gerade und aufrichtig; er ist die Rechtschaffenheit selbst, gekleidet in die sanften Formen des Gefühls. Er hatte in dem kleinen Ausschusse bald meine Aufmerksamkeit auf sich gezogen durch die hohe Ber...

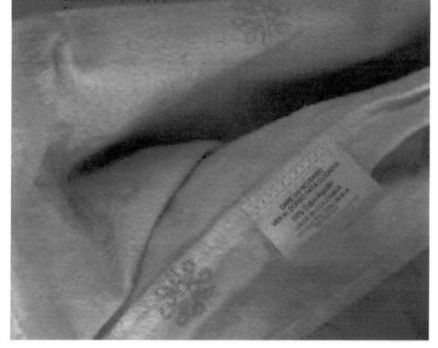

garde der sich verführen oder täuschen ließ und den General Lafayette, sei es nun aus Anhänglichkeit an den Hof oder aus blindem Vertrauen auf seine muthmaßliche Vaterlandsliebe, unterstützte, gab sich selbst zum Walle gegen jeden Mitbürger her; die Todesfahne wurde am Stadthause aufgesteckt und die ganze Revision ging unter ihrem Einflusse vor sich.

Beinahe zu gleicher Zeit hatte man die Feuillans (die Gemäßigten) gestiftet, um die Jakobiner zu schwächen, und sicherlich hat das ganze Verfahren der Verbündeten um diese Zeit bewiesen wie sehr der Hof und seine Anhänger in Beziehung auf Berechnung und Ränke ihren Gegnern überlegen waren.

Ich kenne keinen Schreck welcher sich mit der Angst vergleichen ließe die Robespierre bei diesen Umständen an den Tag legte. Man sprach wirklich davon ihm den Prozeß zu machen, wahrscheinlich um ihn einzuschüchtern: man sagte bei den Feuillans entspinne sich eine Verschwörung gegen ihn und die zur Abfassung der jakobinischen Petition ernannten Commissäre. Wir beunruhigten uns wirklich um ihn, Roland und ich: wir ließen uns Abends elf Uhr zu ihm ins Marais führen um ihm eine Zufluchtsstätte anzubieten, aber er hatte seine Wohnung bereits verlassen: wir begaben uns zu Buzot, um ihm zu sagen daß er, ohne sich von den Jakobinern zu trennen, vielleicht wohl daran thun würde unter die Feuillans zu treten, um selbst beurtheilen zu können was bei ihnen vorgehe, und sich bereit zu halten, diejenigen die man verfolgen wolle zu vertheidigen. Buzot ist einige Zeit unschlüssig: „Ich würde Alles thun, sagt er darauf, um diesen unglücklichen jungen Mann (Robespierre nämlich) zu retten, obgleich ich weit entfernt bin die Meinung gewisser Leute über ihn zu theilen; er denkt zu viel an sich selbst um die Freiheit so sehr zu lieben; aber er dient ihr und das ist mir genug. Nichtsdestoweniger muß das Gemeinwohl ihm vorgehen; es wäre Untreue gegen meine Grundsätze und ich würde einen falschen Begriff von ihnen veranlassen, wenn ich mich unter die Feuillans begäbe; mir widerstreitet eine Rolle in der ich zwei Gesichter hätte. Gregoire[1]) ist hingegangen und wird uns von dem was dort vorgeht benachrichtigen; endlich vermag man Nichts gegen Robespierre ohne die Versammlung zum Handeln zu bringen, und ich werde immer da sein um ihn zu vertheidigen. Was mich betrifft, der ich nicht zu den Jakobinern gehe weil diese Art von Leuten mich ärgert und mir in ihren lärmenden Versammlungen noch scheußlicher vorkommt, so will ich mich doch beharrlich bei ihnen einstellen, so lange die Verfolgung dauert die sich gegen eine nach meinem Dafürhalten für die Freiheit nützliche Gesellschaft erhebt." Buzot malte sich in seinen Worten getreulich ab; er handelt auch wie er spricht, gerade und aufrichtig; er ist die Rechtschaffenheit selbst, gekleidet in die sanften Formen des Gefühls. Er hatte in dem kleinen Ausschusse bald meine besondere Aufmerksamkeit auf sich gezogen durch die hohe Verständigkeit seiner Ansichten und jenes feste, entschiedene Wesen das dem Gerechten eigen ist. Er wohnte nicht sehr weit von uns; er hatte eine Frau die ihm zwar in geistiger Beziehung nicht gewachsen zu sein schien, aber ein anständiges Weibchen war und mit der ich oft zusammenkam. Als die Erfolge von Rolands Sendung in Angelegenheiten der Schulden der Gemeinde Lyon uns erlaubten ins Beaujolais zurückzukehren, blieben wir mit Buzot und Robespierre in brieflichem Verkehr; mit dem ersteren

---

[1]) Gregoire, Bischof von Blois, gehörte zu den edelsten Charakteren der Revolution auf deren Gang er vielfach einwirkte. Napoleon drang ihm den Grafentitel auf welchen er jedoch fast nie trug. Als er auf dem Todtenbette lag gab sich Herr von Quelen, Erzbischof von Paris, viele aber vergebliche Mühe ihn zu dem zu bewegen was man Aussöhnung mit der Kirche zu heißen pflegt. Gregoire starb 1831.   A. d. H.

war er lebhafter; es fand sich zwischen uns mehr Gleichheit, eine
größere Grundlage für die Freundschaft und ein weit reicheres geistig
gemüthliches Kapital um sie zu unterhalten. Sie ist innig unver-
brüchlich geworden; ich werde anderwärts erzählen wie diese Verbindung sich noch fester geknüpft hat.

Roland war durch seine Sendung sieben Monate in Paris aufgehalten worden; wir verließen diese Stadt um die Mitte Septembers,
nachdem Roland für die Gemeinde Lyon Alles ausgewirkt hatte was
sie nur wünschen konnte, und brachten den Herbst auf dem Lande zu
wo wir uns mit der Weinlese beschäftigten.

Eine der letzten Handlungen der constituirenden Versammlung
war die Aufhebung der Inspektoren. Wir besannen uns ob wir auf
dem Lande bleiben wollen, oder ob es nicht besser wäre den Winter in
Paris zuzubringen um Rolands durch vierzigjährigen Dienst wohler-
worbene Rechte auf eine Pension geltend zu machen, und zugleich seine
encyklopädische Arbeit fortzusetzen die sich mitten im Schooße der Aufklärung, unter lauter Gelehrten und Künstlern, weit besser abfassen
ließ als in einer Einöde.

Wir kamen im Laufe des Dezembers nach Paris zurück. Die
Mitglieder der constituirenden Versammlung waren wieder nach Hause
gegangen. Petion war Maire geworden, und die Geschäfte die sich an
dieses Amt knüpften, nahmen seine ganze Zeit in Anspruch. Es war
kein Vereinigungspunkt mehr vorhanden, und auch Brissot sahen wir
weit weniger. Unsre ganze Aufmerksamkeit drängte sich auf die inne-
rern Angelegenheiten zusammen; Rolands Thätigkeit leitete ihn auf
den Plan zu einem Journal der nützlichen Künste, und wir suchten in
den Annehmlichkeiten des Studiums eine Zerstreuung nach den öffentlichen Angelegenheiten deren Zustand uns betrübend schien. Gleichwohl versammelten sich mehrere Abgeordnete der gesetzgebenden Ver-

sammlung bei einem unter ihnen auf dem Bendôme-Platze, und Roland deſſen Patriotismus und Einſichten man hochſchätzte, wurde eingeladen ſich daſelbſt einzufinden; die weite Entfernung verleidete ihm die Sache und er ging nur ſehr wenig hin. Einer unſrer Freunde der dieſen Zirkel fleißig beſuchte, eröffnete uns gegen die Mitte des Monats März, der Hof ſei dermaßen eingeſchüchtert daß er in ſeiner Verlegenheit Etwas zu thun wünſche was ihn wieder einigermaßen beim Volke beliebt machen könne; er würde ſich nicht ſträuben jakobiniſche Miniſter zu nehmen, und die Patrioten beſchäftigen ſich damit ſeine Wahl auf angeſehene und fähige Männer zu lenken, was um ſo wichtiger ſei als der Hof möglicherweiſe die ganze Sache als eine Schlinge benütze, und es nicht ungern ſehen würde, wenn man talentloſe Leute vorſchöbe über die er ſich mit Recht beklagen oder luſtig machen könnte. Er fügte hinzu, einige Perſonen haben an Roland gedacht deſſen Stellung in der gelehrten Welt, wie auch ſeine Kenntniſſe im Verwaltungsfache, ferner ſeine allbekannte Gerechtigkeitsliebe und Charakterfeſtigkeit ſichere Bürgſchaften darbieten würden. Dieſer Gedanke erſchien mir als blos im Gehirn eines Träumers gewachſen und machte keinen Eindruck auf mich.

Am 21. deſſelben Monats beſuchte mich Briſſot des Abends, wiederholte mir dieſelben Sachen noch beſtimmter und fragte ob Roland wohl darauf eingehen würde dieſe Laſt auf ſich zu nehmen; ich antwortete ihm, als ich mich nach der erſten Eröffnung geſprächsweiſe mit meinem Manne darüber unterhalten, habe es mir geſchienen daß er zwar die damit verbundenen Schwierigkeiten und ſogar Gefahren recht wohl zu ſchätzen wiſſe, daß aber ſein Eifer und ſeine Thätigkeit ihn nicht abgeneigt machen würden ſich darauf einzulaſſen; inzwiſchen müſſe man die Sache noch genauer betrachten. Rolands Muth erſchrak vor Nichts; das Gefühl ſeiner Kraft flößte ihm das Vertrauen ein der Freiheit und ſeinem

Vaterlande nützliche Dienste leisten zu können, und diese Antwort wurde Brissot am folgenden Tage ertheilt.

Freitag den 23., Abends elf Uhr, trat er in mein Zimmer mit Dumouriez der unmittelbar nach der Sitzung des Ministerrathes gekommen war, um Roland seine Ernennung zum Minister des Innern anzukündigen und ihn als Amtsgenossen zu begrüßen. Dumouriez der seit kurzer Zeit Minister war, sprach von der aufrichtigen Absicht des Königs die Verfassung in Kraft zu erhalten und von der Hoffnung die Maschine in guten Gang gesetzt zu sehen, sobald der Rath nur von einem und demselben Geiste beseelt wäre; er sprach gegen Roland sein ausnehmendes Vergnügen darüber aus, einen tugendhaften und aufgeklärten Patrioten gleich ihm an die Spitze der Regierung berufen zu wissen. Brissot bemerkte, das Departement des Innern sei unter den obwaltenden Umständen das kitzlichste und schwierigste, und deßhalb finden die Freunde der Freiheit eine wahre Beruhigung darin dasselbe festen und reinen Händen anvertraut zu sehen. Sie blieben eine Viertelstunde und setzten noch für den folgenden Tag eine Zeit fest, um den Eid zu leisten. Ich hatte Dumouriez zum erstenmal gesehen und sagte, als die beiden Herrn wieder weg waren, zu meinem Manne: „Nun das ist gewiß ein feiner Kopf, und was für falsche Augen er hat! Vielleicht wird man ihm weniger trauen dürfen als allen andern zusammen; er hat sich sehr vergnügt gezeigt über die patriotische Wahl mit deren Ankündigung er beauftragt wurde, aber ich würde mich nicht wundern wenn er Dich eines Tags wieder nach Hause schickte." In der That ließ mich dieser kurze Anblick eine so große Verschiedenheit zwischen Dumouriez und Roland entdecken daß es mir nicht schien, als ob sie sich lange Zeit mit einander vertragen könnten. Ich sah auf der einen Seite die personifizirte Gradheit und Freimüthigkeit, die strenge Gerechtigkeitsliebe ohne irgend eines der Mittel wie sie Höf-

linge, oder eine der Rückſichten wie ſie Männer von Welt zu gebrauchen pflegen; auf der andern glaubte ich einen ſehr geiſtreichen
Roué zu erkennen, einen kühnen Chevalier der gewiß mit Allem, nur
nicht mit ſeinen Intereſſen und ſeinem Ruhme, ein loſes Geſpötte
treibe. Daß ſolche Elemente einander abſtoßen müſſen, dieſer Schluß
war ganz und gar nicht ſchwer.

Miniſter geworden, hatte Roland bei ſeiner unglaublichen Thätigkeit, ſeiner Leichtigkeit im Arbeiten und ſeinem großen Ordnungs-
ſinn bald alle Theile ſeines Departements in ſeinem Kopfe in die
rechte Reihe geſtellt. Aber die Grundſätze und Gewohnheiten der
Bureau-Chefs machten die Arbeit unendlich mühſam: er mußte ſehr
auf ſeiner Hut ſein und ſich ungemein zuſammennehmen um in keine
Widerſprüche zu gerathen; fortwährend hatte er mit ſeinen Unter-
beamten zu kämpfen. Er fühlte zwar wohl die Nothwendigkeit in
dieſer Beziehung Aenderungen zu treffen, aber er war zu klug um dies
zu thun bevor er ſich mit den Geſchäften vertraut gemacht und der
Leute verſichert hatte, die er an die Stelle der andern ſetzen konnte.
Was den Miniſterrath betraf, ſo glichen ſeine Sitzungen mehr geſell-
ſchaftlichen Plaudereien als Berathungen von Staatsmännern. Jeder
Miniſter brachte ſeine Ordonnanzen und Proklamationen zur Unter-
zeichnung mit, und der Juſtizminiſter legte die Beſchlüſſe zur Beſtäti-
gung vor. Der König las die Zeitung, richtete an jeden einige Fragen
über ſeine perſönlichen Verhältniſſe, bethätigte ſomit ziemlich gewandt
die Art von Theilnahme aus der ſich die großen Herrn ein Verdienſt
zu machen wußten, ſprach wie ein guter Mann über die Angelegenheiten im Allgemeinen und betheuerte jeden Augenblick in treuherzigem
Tone ſeinen Wunſch, die Verfaſſung in rechten Gang zu bringen. Ich
habe es geſehen wie Roland und Clavière drei Wochen lang beinah
entzückt waren über die Geſinnungen des Königs, wie ſie ihm auf ſein

Wort glaubten und sich als brave Männer über die Wendung freu-
ten welche die Dinge nehmen würden. „Mein Gott, sagte ich zu
ihnen, wenn ich euch so vertrauensvoll in den Ministerrath gehen
sehe, so scheint es mir immer als ständet ihr im Begriff eine
Dummheit zu begehen." Ich habe niemals an den konstitutionellen
Beruf eines Königs glauben können der unter dem Despotismus
geboren, für denselben erzogen und ihn auszuüben gewohnt war.
Ludwig XVI. hätte ein hoch über den gewöhnlichen Menschen stehen-
der Geist sein müssen um aufrichtig die Verfassung zu wollen die
seine Macht beschränkte; und wenn er dieser Mann gewesen wäre,
so hätte er die Dinge nicht geschehen lassen welche die Verfassung
herbeigeführt haben.

Als Roland zum erstenmal bei Hofe erschien, waren die Einfachheit seines Anzugs, sein runder Hut und seine Bändelschuhe
Gegenstände der Verwunderung und Steine des Anstoßes für alle
Kammerdiener, diese Geschöpfe deren ganzes Dasein von der Etikette
abhing und die das Wohl des Staates an die Erhaltung derselben
geknüpft glaubten. Mit unruhiger Miene, gerunzelten Augenbraunen ging der Ceremonienmeister auf Dumouriez zu und sagte in
leisem, unbehaglichem Tone, indem er blinzelnd auf Roland zeigte,
zu ihm: „Ei, ei, mein Herr, keine Schnallen an den Schuhen! —
Ach ja, mein Herr, es ist Alles verloren," erwiederte Dumouriez mit
einer Kaltblütigkeit über die man laut auflachen mußte[1]).

Hier ist der Augenblick zu sagen was man damals vom König

---

[1]) Roland, sagt Dumouriez in seinen Memoiren (II. 145), glich Plutarch oder einem Quäker im Sonntagsstaate; glatte, weiße, wenig gepuderte
Haare, ein schwarzes Kleid, Schuhe mit Bändern statt mit Schnallen, machten
daß man ihn angaffte wie das Rhinozeros. Doch hatte er ein anständiges
und angenehmes Aeußeres.   A. d. H.

und dem Hofe dachte. Ludwig XVI. entsprach nicht ganz dem Bilde welches geflissentliche Verkleinerungssucht von ihm entworfen hatte: er war weder der viehdumme Mensch den man der Verachtung des Volkes preisgab, noch der gute, gemüthliche, ehrliche Mann den seine Freunde lobpriesen. Die Natur hatte ihn zu einem gewöhnlichen Geschöpfe gemacht, das in niedrigen Verhältnissen seine Stelle wohl ausgefüllt hätte, durch die Erziehung des Thrones aber verdorben und durch seine Mittelmäßigkeit zu Grunde gerichtet wurde in einer schwierigen Zeit, wo blos mit Hilfe von Genie und Tugend seine Rettung möglich war. Ein gewöhnlicher Kopf der an den Stufen des Thrones herangebildet und von Kindheit an zur Verstellung angehalten wird, erwirbt sich viele Vortheile in seiner Art mit den Menschen umzugehn; die Kunst Jedem blos das zu zeigen was für seine Augen allein gemünzt ist, ist bei ihm weiter Nichts als eine Gewohnheit worin die Uebung ihm den Schein der Gewandtheit gibt: man müßte ein geborner Gimpel sein um in einer solchen Lage durchaus dumm zu erscheinen. Ludwig XVI. besaß übrigens ein gutes Gedächtniß und viele Thätigkeit; er blieb nie unbeschäftigt und las oft. Die verschiedenen Verträge welche Frankreich mit den benachbarten Mächten abgeschlossen, hatte er wohl inne; er wußte seine Geschichte gut und war der beste Geograph in seinem Königreich. Ein ungewöhnliches Namengedächtniß, die richtige Anwendung dieser Namen auf die Gesichter ihrer Eigenthümer an seinem Hofe, so wie die passende Anbringung der auf sie bezüglichen Anekdoten erstreckte sich bei ihm auf alle Individuen die sich auf irgend eine Weise in der Revolution gezeigt hatten; man konnte ihm, in welchem Zusammenhange es auch geschehen mochte, Niemanden nennen ohne daß er eine auf Thatsachen gestützte Ansicht über ihn gehabt hätte. Dagegen fehlte es Ludwig XVI. an aller Erhebung der Seele, aller Kühnheit des Geistes, aller Kraft des Charakters, und überdies waren seine Blicke eng begrenzt, seine Gefühle in eine falsche Bahn geleitet durch die religiösen Vorurtheile und die jesuitischen Grundsätze. Die religiösen Hauptideen, der Glaube an einen Gott, die Hoffnung auf Unsterblichkeit, vertragen sich recht gut mit der Philosophie und geben ihr eine größere Grundlage, während sie zugleich ihre schönste Krone bilden. Wehe den Gesetzgebern, welche diese mächtigen Mittel zu politischen Tugenden zu begeistern und die Sitten des Volkes zu erhalten gering schätzen! Wären es auch bloße Täuschungen die man dadurch erzielte, so müßte man sie ausdrücklich schaffen und unterhalten zur Tröstung des Menschengeschlechtes. Aber die Religion unsrer Priester bot statt der guten Handlungen blos Stoffe zu kindischen Befürchtungen und nichtssagenden Uebungen; überdies bekräftigte sie alle Grundsätze des Despotismus auf welche sich das Ansehen der Kirche stützt. Ludwig XVI. fürchtete die Hölle und die Excommunikation; es war unmöglich unter solchen Umständen nicht ein armer König zu sein. Wäre er zwei Jahrhunderte früher zur Welt gekommen und hätte er ein vernünftiges Weib gehabt, so hätte er nicht mehr Lärm in der Welt gemacht als so viele andere Fürsten seines Geschlechtes die über die Bühne dahin gegangen sind ohne viel Gutes oder Böses zu thun. Inmitten der Zügellosigkeiten des Hofes Ludwigs XV. und einer furchtbaren Zerrüttung der Finanzen auf den Thron gelangt, umgeben von verdorbenen Leuten, hingerissen von einer unbesonnenen Frau die mit östreichischer Ungezogenheit die Anmaßung der Jugend und Vornehmheit, eine lüsterne Sinnlichkeit nebst gedankenlosem Leichtsinn verband, und sich von allen Lastern eines asiatischen Hofes verführen ließ worauf das Beispiel ihrer Mutter sie nur zu gut vorbereitet hatte, war Ludwig XVI.

zu schwach um die Zügel einer ihrem Untergange sich entgegenstür-
zenden und zerfallenden Regierung zu halten, und beschleunigte ihr
gemeinsames Verderben durch zahllose Fehler. Necker der in seiner
Politik wie in seinem Style immer gleich schwülstig war, ein mit-
telmäßiger Mann von dem man eine gute Meinung hatte, weil er
selbst eine große von sich hegte und dieselbe unverholen kundthat,
und dem es namentlich an allem Vorausblick fehlte; ein aufge-
blasener Finanzmann welcher nur den Inhalt der Börse zu berechnen
verstand und bei jeder Gelegenheit von seinem Charakter sprach, wie
die galanten Frauen von ihrer Keuschheit reden; Necker war ein
schlechter Steuermann in dem Sturme welcher heranzog. Frankreich war gleichsam erschöpft an Männern; es ist wirklich eine
auffallende Thatsache, wie sehr es in dieser Revolution daran fehlte;
nur Pygmäen waren zu sehen. Nicht als ob es an Geist, an Aufklärung, an Wissenschaft, an Talenten, an Philosophie gemangelt
hätte; diese Artikel waren nie so häufig gewesen; sie bildeten das
letzte Aufflackern einer ihrem Erlöschen nahen Kerze; aber jene
Seelenstärke die J. J. Rousseau so richtig als das erste Erfor-
derniß des Helden bezeichnet hat, unterstützt von dem gesunden Urtheil das alle Sachen zu würdigen weiß, und dem umfassenden Blick
der in die ferne Zukunft dringt, Eigenschaften deren Vereinigung
den Charakter und den Mann von höherem Schlag ausmacht —
diese sucht man überall und findet sie beinahe nirgends.

Ludwig XVI., der beständig zwischen der Furcht seine Unterthanen zu erbittern und dem Wunsche sie im Zaume zu halten
schwankte, dabei unfähig war sie zu beherrschen, rief die Reichs-
stände zusammen, statt in Beziehung auf die Ausgaben und an
seinem Hofe bessere Ordnung zu schaffen: nachdem er nun selbst
den Keim zu Neuerungen entwickelt und das Mittel dazu dargeboten

hatte, meinte er sie erstiđen zu können durch Anmaßung einer Gewalt gegen die er eine wohlgeschlossene Körperschaft ins Feld geführt, und gab dadurch blos das Zeichen zum Widerstande. Es
blieb ihm Nichts mehr übrig als gutwillig einen Theil seiner Macht
zu opfern, um sich in dem andern die Möglichkeit zu erhalten sie
wieder vollständig an sich zu reißen; da er dies nicht anzustellen
wußte, ließ er sich auf elende Ränke ein, das einzige was die Personen verstanden die er selbst ausgewählt hatte oder die sich der
besonderen Gunst seiner Gemahlin erfreuten: gleichwohl waren ihm
in der Verfassung Mittel genug zur Macht und zum Glüđe geblieben, wenn er nur die Einsicht gehabt hätte sich darauf zu beschränken; in Ermangelung des Geistes der ihn außer Stands gesetzt
hatte ihre Einführung zu verhindern, konnte Ehrlichkeit ihn retten,
wenn er ihr, nachdem er sie einmal angenommen, aufrichtig ihre
Geltung hätte gestatten wollen. Aber da er auf der einen Seite
immer die Aufrechthaltung einer Sache verkündete die er auf der
andern untergraben ließ, so erregten seine Schleichwege und sein
hinterlistiges Benehmen zuerst Mißtrauen und zündeten am Ende
die Fackel der Entrüstung an.

Die Ministerversammlungen wurden in einer Art abgehalten
welche in Vergleich zu dem, was sie seither geworden sind, für
anständig gelten konnte, aber in Betracht der großen Interessen womit man sich beschäftigen mußte lächerlich war. Jeder Minister der
Bons oder andere ähnliche sämmtlich durch das Gesetz bestimmte,
seinem Departement angehörige Dinge, worüber keine Berathungen
nothwendig waren, unterzeichnen zu lassen hatte, begab sich am bestimmten Tage vor der Sitzungsstunde zum König um dies kleine
Privatgeschäft abzumachen. Sobann verfügten sie sich alle zusammen
in den Versammlungssaal; hier zog man die Proklamationen über

deren Gegenstand man sich besprechen mußte aus der Brieftasche;
der Justizminister legte seine Dekrete zur Genehmigung vor, und
endlich eröffnete sich die Berathung, oder sollte sie sich wenigstens
eröffnen über den Gang der Regierung, die innere Ordnung, die
Beziehungen zu den Mächten, Frieden oder Krieg u. s. w. Bei
Proklamationen von vorübergehender Bedeutung handelte es sich blos
darum das Dekret und die Gelegenheit, bei der es in Anwendung
zu bringen sei, zu prüfen: dies war immer schnell geschehen; der
König ließ seine Minister verhandeln, las inzwischen die Zeitung,
die englischen Journale in der Ursprache oder schrieb einige Briefe.
Die Bestätigung der Dekrete nahm seine Aufmerksamkeit in Anspruch; er gab sie nicht gerne, verweigerte sie aber doch niemals;
auf die erste Vorlegung unterschrieb er nicht, sondern verschob es
auf die nächstkommende Sitzung; dann erschien er mit seiner bereits
fertigen Meinung, gab sich aber den Anschein als ließe er sie durch
die Erörterung sich bilden. Wenn es sich um die großen Gegenstände der Politik handelte, so umging er die Prüfung derselben
häufig dadurch daß er das Gespräch auf allerlei andere und zwar
auf die Privatangelegenheiten der Einzelnen lenkte. Wenn vom Krieg
die Rede war, so sprach er von Reisen; handelte es sich um ein
diplomatisches Interesse, so erzählte er von den Sitten, oder machte
Fragen über örtliche Verhältnisse des betreffenden Landes; wurde der
Zustand des Innern in Erwägung gezogen, so hielt er sich an einigen
Einzelheiten des Landbaus oder Gewerbfleißes; er fragte Roland
über seine Werke, Dumouriez über Anekdoten u. s. f.: der Sitzungssaal war nur noch ein Café wo man vergnüglich plauderte; es
wurde kein Protokoll über die Berathungen aufgesetzt, auch war
nicht einmal ein Sekretär da um ein solches zu führen; nach drei
oder vier Stunden trennte man sich ohne Etwas zu Stande gebracht

22

zu haben als einige Unterschriften, und so ging es dreimal in der Woche. „Nein, das ist doch erbärmlich! rief ich voll Ungeduld, wenn ich Roland nach seiner Rückkehr fragte was geschehen sei. Ihr seid alle recht vergnügt, weil man euch mit Plackereien verschont und euch sogar höflich begegnet; ihr seht aus als thäte Jeder in seinem Departement so ziemlich was er will; ich fürchte sehr man möchte ein falsches Spiel mit euch spielen. — Aber die Geschäfte gehen doch voran. — Ja, und die Zeit geht verloren, denn in dem Strom der Angelegenheiten die euch hinreißen wollte ich lieber, ihr verwendetet drei Stunden auf einsame Betrachtungen über diese wichtigen Interessen als daß ihr sie mit nutzlosen Plaubereien vergeudet.“

Es wurde viermal in der Woche Sitzung gehalten; die Minister beschlossen an diesen Sitzungstagen gemeinschaftlich bei einem von ihnen zu speisen; ich empfing sie alle Freitage. Grave war damals Kriegsminister; es war dies ein in jeder Beziehung kleiner Mensch; die Natur hatte ihn sanft und schüchtern geschaffen; seine Vorurtheile geboten ihm Stolz, sein Herz flößte ihm das Verlangen ein liebenswürdig zu erscheinen, und in der Verlegenheit wie er das Alles vereinigen sollte, war er beim Lichte besehen gar Nichts. Ich kann ihn noch sehen wie er im Hofkleide auf den Absätzen einherging, den Kopf hochhaltend auf dem schwachen Körperlein, das Weiße seiner blauen Augen zeigend, die er nach dem Essen nur mit Hilfe von zwei oder drei Tassen Café offen halten konnte; er sprach wenig und man hätte glauben können er thue dies aus Rückhaltsamkeit, aber der eigentliche Grund war Mangel an Ideen; endlich verlor er inmitten der Geschäfte seines Departements dermaßen den Kopf daß er seine Entlassung verlangte. Lacoste, ein ächter Schreiber vom alten Schlage, mit dem ganzen nichtssagenden und linkischen

Anstrich, dem kalten Wesen und dem schulmeisternden Tone dieser
Race von Menschen, besaß zwar die Mittel welche Geschäftserfah-
rung gibt, aber sein ruhiges Aeußere verbarg eine Heftigkeit des
Charakters deren Aufwallungen ins Lächerliche gingen wenn ihm
widersprochen wurde: überdies fehlte es ihm an dem klaren umfassenden Blicke und der Thätigkeit die für einen Mann der Verwaltung nothwendig sind. Duranthon den man aus Bordeaux hatte
kommen lassen um das Justizministerium zu übernehmen, war, sagt
man, ein ehrlicher Mann, aber äußerst faul; er geberdete sich gecken-
haft und ist mir wegen seines furchtsamen Charakters und seines
wichtigthuenden Gesalbaders immer wie ein altes Weib vorgekommen. Clavière dem der Ruf großer Geschicklichkeit im Finanzwesen
ins Ministerium voranging, besizt, glaube ich, in diesem Fache Kenntnisse über die ich nicht urtheilen kann. Ein thätiger und guter Arbeiter, jähzornig, hartnäckig, wie Leute die ihre größte Zeit in der
Einsamkeit des Arbeitszimmers zubringen gewöhnlich sind, krittlich
und schwierig bei den Erörterungen, mußte er mit Roland der trocken
und absprechend war und nicht minder zäh an seinen Ansichten hielt,
häufig in unsanfte Berührungen kommen. Diese zwei Männer sind
geschaffen um sich zu achten ohne sich jemals zu lieben, und sie
haben ihre Bestimmung nicht verfehlt. Dumouriez besaß mehr als
sie das was man Geist nennt, aber weniger sittlichen Gehalt als
einer von ihnen. Thätig und tapfer, ein guter General, ein gewandter Hofmann, im Besitze eines guten Styls und der Fähigkeit
sich leicht auszudrücken, großer Unternehmungen fähig, hatte er immer blos zu wenig Charakter für seinen Geist oder zu wenig Besonnenheit und Ausdauer gehabt um einen gefaßten Plan gründlich
zu verfolgen. Lustig bei seinen Freunden und stets bereit sie alle
zusammen hinters Licht zu führen, galant bei den Frauen, aber

keineswegs geeignet bei solchen Glück zu machen, für die ein zärtliches Verhältniß etwas Verführendes haben konnte, war er für die
ministeriellen Ränke an einem verdorbenen Hofe wie geschaffen. Seine
glänzenden Eigenschaften und das Interesse seines Ruhmes haben zu
der Ansicht geführt, er könne bei den Armeen der Republik nützlich
verwendet werden, und vielleicht wäre er den geraden Weg gewandelt
wenn der Convent mehr Einsicht gezeigt hätte; denn er ist zu gewandt um nicht wie ein rechtschaffener Mann zu handeln wenn sein
Ruf und sein Interesse ihn dazu auffordern.

Grave wurde durch Servan ersetzt; dies war ein Ehrenmann
in der vollen Bedeutung des Wortes; er hatte einen feurigen
Charakter, reine Sitten, und verband mit der ganzen Strenge eines
Philosophen die Güte eines fühlenden Herzens; ein aufgeklärter
Patriot, ein muthiger Kriegsmann, ein wachsamer Minister, hätte
er nur mehr kalte Besonnenheit und Charakterstärke besitzen sollen.

Da die religiösen Unruhen so wie die Maaßregeln der Feinde
entscheidende Beschlüsse nothwendig gemacht hatten, so entschleierte
sich Ludwig XVI., dessen Aufrichtigkeit selbst denjenigen seiner Minister
die sich veranlaßt gefunden hatten wirklich daran zu glauben, bereits
verdächtig geworden war, vollends ganz und gar durch seine Weigerung dieselben zu bestätigen. Im Anfang war diese Weigerung
keine förmliche: der König wollte blos über die Sache nachdenken;
er verschob seine Bestätigung auf die folgende Sitzung und fand
immer Gründe um sie noch mehr hinauszuziehen. Diese Aufschübe
veranlaßten die Minister sich nachdrücklich auszusprechen. Roland und
Servan besonders bestanden fest auf ihrer Forderung und sagten mit
großer Unerschrockenheit die schlagendsten Wahrheiten, weil jeder von
ihnen die Wichtigkeit und Nothwendigkeit des Gesetzes für das ihm
übertragene Departement fühlte. Das allgemeine Interesse lag Allen

klar vor Augen und die sechs Minister waren hierüber vollkommen
einverstanden. Mittlerweile aber wurde Dumouriez auf deſſen luſtige
Einfälle der König große Stücke hielt, und den ſeine Lebensweiſe dem
Hofe weniger fremd machte, mehreremale zu der Königin berufen.
Er hatte einen kleinen Verdruß zu rächen und ſah ſich jetzt die Gelegenheit geboten, ſich ſeiner Collegen zu entledigen deren Strenge
ſeiner ganzen Art und Weiſe nicht zuſagte: er ließ ſich auf Anordnungen ein deren Wirkung in Bälde ans Tageslicht kam.

Roland und ich hatten ſchon oft genug über die Schwachheit
ſeiner Collegen geſeufzt. Das Hinausziehungsſhſtem des Königs hatte
uns auf den Gedanken gebracht, es müßte von großer Wirkung
ſein wenn man ihm einen gemeinſchaftlichen Brief ſchriebe worin alle
in der Sitzung bereits entwickelte Gründe zuſammengeſtellt würden,
deren ſchriftlicher, von ſämmtlichen Miniſtern unterzeichneter Ausdruck
aber, nebſt der Forderung ihrer Entlaſſung, falls Se. Maj. auf ihre
Forderungen nicht eingehen zu können glauben ſollte, den König zu
einem entſcheidenden Schritt nöthigen oder ſeine Abſichten klar vor
den Augen Frankreichs darthun müßte. Ich hatte den Brief entworfen[1]), nachdem ich mich über ſeine Grundlagen mit Roland ver-
ſtändigt der ihn ſeinen Collegen vorlegte; alle billigten die Idee,
aber über die Ausführung waren die meiſten verſchiedener Anſicht:
Clavière wollte dieſen und jenen Ausdruck nicht; Duranthon wollte
zögern; Lacoſte meinte es habe keine Eile mit ſeiner Unterſchrift:
da nun Maaßregeln dieſer Art die Wirkung eines raſchen Entſchluſſes und eines lebhaften Gefühls ſein müſſen, ſo ließ uns die
Erfolgloſigkeit des erſten Verſuches jeden neuen zum Voraus als
vergeblich erſcheinen. Man mußte ſich alſo auf einen vereinzelten

---

[1]) Siehe Beilage 1.

Schritt beschränken, und da der Ministerrath nicht Charakter genug hatte sich gemeinschaftlich auszusprechen, so kam es dem Manne der sich über den Ereignissen stehend fühlte zu, für sich allein die Rolle zu übernehmen die das Collegium hätte durchführen müssen; es handelte sich nicht mehr darum seine Entlassung einzureichen, sondern eine Wegschickung zu verdienen; nicht darum zu sagen: Thu das oder wir ziehen uns zurück, sondern zu erklären daß Alles verloren sei wenn man sich nicht zu dem bezeichneten Schritte entschließe.

Ich schrieb den berühmt gewordenen Brief. Ich halte hier einen Augenblick ein um Zweifelhaftes aufzuklären und vielen Leuten die größtentheils mir blos deßwegen einiges Verdienst beilegen, um es meinem Manne entziehen zu können, während mehrere andere mir eine Art von Einfluß auf die Geschäfte zuschreiben die ich wirklich nicht gehabt habe, einen festen Haltpunkt für ihre Ansichten hierüber zu geben. Gewohnheit und Liebe zur Beschäftigung haben mich die Arbeiten meines Mannes theilen lassen, so lange er ein einfacher Privatmann war; ich schrieb mit ihm wie ich mit ihm aß, weil mir das Eine beinahe so natürlich war wie das Andere, weil ich sein Glück als meinen Lebenszweck betrachtete und mich daher demjenigen widmete was ihm am meisten Vergnügen machte. Er schrieb über gewerbliche Gegenstände, ich desgleichen, obschon sie mich langweilten; er liebte gelehrte Bildung und wir stellten gemeinschaftliche Forschungen an; es gewährte ihm eine Erholung irgend eine literarische Abhandlung an eine Akademie zu schicken: wir arbeiteten sie zusammen aus, oder auch jedes einzeln um dann zu vergleichen und die bessere Arbeit vorzuziehen oder beide zu verschmelzen; er hätte Predigten machen können, so hätte ich auch welche geschrieben. Er wurde Minister; ich mischte mich nicht in die Verwaltungsangelegenheiten: aber handelte es sich um ein Kreisschreiben, um eine Instruktion, um eine wichtige Staatsschrift, so besprachen wir uns darüber wie es das zwischen uns eingeführte Vertrauen mit sich brachte, und durchdrungen von seinen Ideen denen ich die meinigen beifügte, ergriff ich die Feder zu deren Führung ich mehr Zeit hatte als er. Da wir beide dieselben Grundsätze und dieselbe Anschauungsweise hatten, so vereinigten wir uns am Ende über die Art und Weise sie auszusprechen, und mein Mann hatte Nichts dabei zu verlieren wenn er die Arbeit mir übergab. Ich konnte, wenn es sich um eine Sache der Gerechtigkeit oder Vernunft handelte, Nichts aussprechen was er nicht vermöge seines Charakters und seines Auftretens ins Werk zu setzen oder zu unterstützen im Stande gewesen wäre, und das was er ausgeführt hatte oder versprechen konnte verstand ich besser auseinander zu setzen als er gethan hätte. Roland wäre ohne mich kein minder guter Staatsmann gewesen; seine Thätigkeit, sein Wissen gehören wie seine Rechtschaffenheit ihm allein an; durch meine Mitwirkung hat er mehr Eindruck hervorgebracht, weil ich in seine Schriften jene Mischung von Kraft und Milde, von Stärke der Vernunft und Gefühl das zum Herzen spricht, legte wie sie vielleicht nur bei einer fühlenden und zugleich mit einem hellen Kopfe begabten Frau zu finden ist. Mit innigem Vergnügen machte ich die Aufsätze, von denen ich dachte daß sie ihm nützlich sein müßten, und dies gewährte mir mehr Freude als wenn man mich als Verfasserin gekannt hätte. Ich strebe blos nach Glück; dieses knüpfe ich an das Gute was ich thue, und der Ruhm ist mir kein Bedürfniß; ich sehe in dieser Welt keine Rolle die mir zusagte als die der Vorsehung. Uebelwollende mögen immerhin dies Geständniß für eine Unverschämtheit erklären, denn es kann wirklich einer solchen gleichen; aber wer mich kennt wird darin blos einen Beweis meiner Aufrichtigkeit erblicken.

Ich komme auf den Brief zurück welcher in einem Zuge hinge-

worfen wurde, wie beinahe Alles was ich in dieser Art that; denn die
Nothwendigkeit, die Zweckmäßigkeit einer Sache einsehn, ihre gute
Wirkung begreifen, den Wunsch hegen dieselbe hervorzubringen und
den Gegenstand woraus diese Wirkung sich ergeben mußte in die Form
werfen — dies Alles war für mich eine und dieselbe Verrichtung.
Dieser Pache der noch in demselben Jahre Roland verleumden ließ und
uns noch heute als Feinde der Freiheit verfolgen läßt, war im Zimmer meines Mannes zugegen als wir gedachten Brief mit einander
lasen. „Es ist ein sehr kühner Schritt! sagte damals dieser Heuchler,
den ich für einen Weisen hielt. — Kühn! allerdings, aber er ist gerecht und nothwendig, was liegt an dem Uebrigen?" Roland begibt
sich am 10. Juni mit seinem Brief in der Tasche in den Ministerrath,
in der Absicht ihn seinen Collegen vorzulesen und dann dem Könige zu
übergeben. Man eröffnet die Erörterung über die Genehmigung der
zwei Decrete. Der König schiebt sie hinaus, indem er zu seinen Ministern sagt, sie sollen ihm in der nächsten Sitzung Jeder für sich ihre
Ansicht schriftlich mittheilen. Roland konnte die seinige sogleich abgeben; nach dem was so eben gesprochen worden war, glaubte er aus
einer Art von Rücksicht auf seine Collegen warten zu müssen, aber als
er nach Hause kam, fanden wir daß er nichts Besseres thun konnte, als
sein Schreiben abgehen zu lassen: es wurde am 11. Juni Morgens in
die Hände des Königs überantwortet[1]).

Am andern Tage, Abends acht Uhr, sehe ich Servan mit ver-
gnügtem Gesichte in mein Zimmer kommen: „Wünschen Sie mir
Glück, sagte er zu mir; ich habe die Ehre weggejagt zu sein. — Mein
Mann, versetzte ich, wird sie also in Kurzem mit Ihnen theilen, und
es verdrießt mich daß Sie der Erste sind." Er erzählte mir sofort,

---

[1]) Siehe Beilage II.

daß er ſich Morgens wegen einiger in ſein Departement einſchlagender Sachen zu dem Könige begeben und mit Wärme von der Nothwendigkeit des Lagers von 20,000 Mann geſprochen habe wenn er wirklich den Planen der Feinde entgegen arbeiten wolle; darauf habe der König ſehr übellaunig ihm den Rücken gekehrt, und in demſelben Augenblick ſei Dumouriez aus dem Kriegsminiſterium gekommen, wo er ſich eingeſtellt habe um ihm in Folge eines Befehls deſſen Ueberbringer er geweſen, ſein Portefeuille abzunehmen. „Dumouriez? Er ſpielt da eine garſtige Rolle die mich aber ganz und gar nicht überraſcht.ˮ An den drei vorhergehenden Tagen war er oft in den Tuilerien geweſen und hatte lange Unterredungen mit der Königin gehabt. Als Roland hörte daß Servan bei mir war, machte er der Audienz die er eben ertheilte ein Ende, vernahm die Neuigkeit und ließ ſeine Kollegen mit Ausnahme von Dumouriez einladen ihn zu beſuchen.

Er war der Anſicht daß man die Wegſchickung nicht abwarten müſſe und daß es, nachdem Servan ſeinen Abſchied bereits erhalten, den Männern die ſich zu denſelben Grundſätzen bekennen zukomme, ihre Entlaſſung einzureichen wenn nicht anders der König Servan zurückberufe und Dumouriez wegſchicke, mit welchem ſie nicht mehr zuſammen im Rathe ſitzen könnten. Ich zweifle nicht daran daß der Hof, wenn die vier Miniſter ſich darauf eingelaſſen hätten, ein wenig in Verlegenheit gekommen wäre, wie er ſie erſetzen ſollte; daß Lacoſte und Duranthon ſich dabei Ehre erworben und daß die Sache nur um ſo größern Eindruck auf das Publikum gemacht hätte; allein ſie brachte dieſen auf eine andere Art hervor.

Die Miniſter kamen; man berathſchlagte ohne Etwas abzuſchließen, außer daß man ſich am nächſten Morgen um acht Uhr verſammeln und daß Roland für ſie einen Brief bereit halten ſolle. Ich hätte es niemals geglaubt, wenn mich nicht die Umſtände in den Fall gefeßt hätten mich durch eigne Erfahrung zu überzeugen, wie selten ein guter Kopf und ein fester Charakter sich in einer Person zusammenfinden; wie wenig Menschen daher zur Leitung der Geschäfte, geschweige denn zu wirklichem Herrschen geeignet sind. Wollt ihr aber daß diese beiden Eigenschaften sich mit einer vollständigen Uneigennützigkeit paaren, dann verlangt ihr einen Phönix der beinahe unmöglich zu finden ist. Ich wundere mich nicht mehr daß Männer die hoch über dem gemeinen Haufen stehen und sich an der Spitze der Reiche befinden, gewöhnlich eine ziemlich große Verachtung gegen die Menschen überhaupt hegen; es ergibt sich dies beinahe nothwendig aus einer bedeutenden Menschenkenntniß, und um die Fehler zu vermeiden zu welchen dieses Ergebniß diejenigen hinreißen kann denen das Glück der Nation anvertraut ist, dazu gehört eine Philosophie und Großmuth wie man sie nur äußerst selten auf Erden antrifft.

Die Minister erschienen zum Rendez-vous; sie äußerten allerlei Bedenklichkeiten wegen des Briefs und erklärten am Ende es werde doch besser sein sich persönlich zum Könige zu begeben und mit ihm zu sprechen; mir schien dieses Mittel blos eine Art ausweichen zu wollen: man spricht mit einer Person welcher ihr Rang und die Gewohnheit große Rücksichten sichern niemals so nachdrücklich als man ihr schreiben kann. Es wurde beschlossen, Lacoste welcher nicht erschienen war abzuholen oder ihm wenigstens den Vorschlag zu machen sich den Andern anzuschließen. Kaum hatten sich diese Herrn im Hotel der Marine versammelt, als eine Botschaft vom Könige Duranthon den Befehl überbrachte sich allein und unverzüglich ins Schloß zu verfügen. Clavière und Roland sagten ihm, sie wollen seine Rückkehr auf der Kanzlei abwarten. Sie waren nicht lange dort als sie Duranthon mit langem Gesichte ankommen sahen. Schweigend, mit einem Ausdruck erheuchelten Bedauerns zog er langsam aus jeder seiner Taschen einen Befehl des Königs für jeden der beiden Andern. „Nur heraus damit, sagte Roland lachend zu ihm; ich sehe schon daß unsre Langsamkeit uns um die Initiative gebracht hat." Es war wirklich ihre Entlassung. „Jetzt bin ich auch weggejagt, kündigte mir mein Mann bei seiner Rückkehr an. — Ich hoffe, antwortete ich ihm, daß Du es noch besser verdient hast als irgend ein Anderer; aber Du wirst wohl nicht warten dürfen bis der König es der Versammlung ankündigt, und da er sich die in Deinem Briefe enthaltenen Lehren nicht zu Nutze gemacht hat, so mußt Du diese Lehren für das Publikum nützlich machen indem Du sie ihm mittheilst; nachdem Du den Muth gehabt hast diesen Brief zu schreiben, mußt Du folgerichtigerweise auch die Kühnheit haben der Versammlung eine Abschrift davon zuzuschicken; sie soll, indem sie Deine Entlassung erfährt, zugleich auch die Ursache derselben sehen."

Dieser Gedanke mußte meinem Manne sehr gefallen; er wurde festgehalten und man weiß wie die Versammlung die Entlassung der drei Minister durch die Erklärung ehrte daß sie das Bedauern der Nation mit sich nehmen, wie sie ihr Wohlgefallen an dem Briefe dadurch ausdrückte daß sie ihn drucken ließ und in die Departements sandte. Ich bin überzeugt — und ich glaube auch, die Ereignisse haben es bewiesen — daß dieser Brief viel dazu beigetragen hat Frankreich aufzuklären; er hielt dem König so nachdrücklich und besonnen vor die Augen was sein eignes Interesse ihm zu thun gebot, daß man daraus ersehen konnte, wie er sich blos aus entschiedener Widersetzlichkeit gegen die Einhaltung der Verfassung weigerte darauf einzugehen.

Wenn ich mich erinnere daß Pache in Rolands Zimmer war, als wir das Conzept mit einander lasen, und daß er diesen Schritt

sehr kühn fand; wenn ich daran denke wie oft dieser Mann Zeuge
unserer Begeisterung für die Freiheit, unsers Eifers ihr zu dienen
gewesen ist, und wenn ich ihn heute an der Spitze der willkürlichen
Behörde erblicke die uns unterbrückt und als Feinde der Republik
verfolgt, so frage ich mich ob ich wache, und ob der Traum nicht
bald mit der Hinrichtung dieses ehrlosen Heuchlers endigen soll.

Ich habe gesagt, daß Dumouriez einen kleinen Verdruß zu
rächen gehabt hatte als er sich mit dem Hofe gegen seine Collegen
verbündete; die Sache hing folgendermaßen zusammen.

Dumouriez hatte zu seinem Hauptagenten und Generaldirektor
des Departements der auswärtigen Angelegenheiten Bonne-Carrère
ernannt, einen Ritter des Sanktludwigsordens, zu welcher Auszeichnung er ihm verholfen hatte; einen schönen Mann der aber im
Ruf eines Ränkeschmieds stand und diesen Ruf durch sein Benehmen rechtfertigte. Ich habe ihn ein einzigesmal gesehen als Dumouriez ihn zu mir zum Mittagessen brachte. Sein angenehmes
Aeußere verführte mich so wenig als das des Herault de Sechelles[1]).
„Alle diese schönen Bursche, sagte ich zu einem Freunde, scheinen mir
armselige Patrioten zu sein; sie sehen aus als ob sie sich selbst viel
zu sehr liebten, um ihre eigne Person nicht dem Wohle des Staates
vorzuziehen, und ich kann niemals der Versuchung widerstehen ihren
Eigendünkel dadurch zu Boden zu schlagen daß ich den Vorzug auf
den sie am eitelsten sind gar nicht zu beachten scheine.“

---

[1]) Herault de Sechelles, aus einer adeligen mit der Herzogin von
Polignac, der Freundin Maria Antoinettens, verwandten Familie, war vor
der Revolution Generaladvokat beim Pariserparlamente. Er schloß sich an
den Berg an, half die Girondisten stürzen und ward von Robespierre zugleich mit Danton und Camille Desmoulins auf das Schaffot geschickt.
                                                            A. d. H.

Ich habe mehr als einmal hochachtungswerthe Männer, Deputirte aus der Zahl der wunderlichen Leute welche sich immer die
höchste Ehrlichkeit zum Ziele gesetzt hatten und die heute eben deshalb als Ehrlose erklärt werden — diese Männer habe ich über die
Wahl die Dumouriez getroffen, seufzen und erklären hören daß die
patriotischen Minister in ihren Wahlen nicht streng genug sein
können, um durch die tadellosefte Amtsführung in allen Zweigen
der Verwaltung die Freiheit zu sichern. Ich weiß daß Dumouriez
deshalb freundliche Vorstellungen gemacht wurden, und daß er sich
mit der Einsicht und den Talenten Bonne-Carrères entschuldigte
dessen Geist, Erfindsamkeit und Geschmeidigkeit nicht geleugnet werden kann, aber es verbreitete sich das Gerücht von einer durch
Bonne-Carrère besorgten Angelegenheit in welcher bei einem Notar
hunderttausend Franken niedergelegt worden waren, woran Frau von
Beauvert ihren Antheil haben sollte; es war dies die Geliebte des
Generals, eine galante Frau, die Schwester Rivarols [1]) und umgeben von der stinkenden Aristokratie der Wüstlinge. Ich habe den
ganzen Handel und die Personen vergessen, aber die Namen, die
Zeiten und die einzelnen Umstände sind bekannt und erwiesen worden. Man beschloß ernstlich mit Dumouriez zu sprechen und ihn
aufzufordern daß er Bonne-Carrère entlassen und einen Anstand beibehalten oder annehmen solle, ohne welchen er nicht im Ministerium
bleiben könne oder der guten Sache schaden müsse. Gensonné der
Dumouriez genau kannte, und Brissot welchem die Lumpenstreiche

---

[1]) Hätten Bonmots die Revolution aufhalten oder Ludwig XVIII. auf
den Thron helfen können, so wäre Graf Anton Rivarol der Mann dazu
gewesen. Er erlebte jedoch den Sieg des Prinzips, wie er den Prätendenten
nannte als ihn Napoleon zum Abfall von der Sache desselben bewegen wollte,
nicht und starb 1801 in Berlin.   A. b. H.

Bonne-Carrères angezeigt worden waren, beschlossen, bei Roland, in seiner Gegenwart und der weitern Anwesenheit von drei oder vier Personen, entweder Collegen von ihm oder Deputirten, mit ihm zu sprechen. Wirklich wurden, nachdem man bei mir zu Mittag gespeist und ich mich in mein gewöhnliches Zimmer zurückgezogen hatte, Dumouriez die Beschwerdepunkte entgegengehalten und die betreffenden Bemerkungen gemacht. Roland, mit dem würdevollen Ernst seines Alters und Charakters, erlaubte sich dringend auf der Sache zu bestehen, indem das ganze Ministerium dabei betheiligt sei. Nichts war Dumouriez so ungewohnt, als eine solche Genauigkeit die sich herausnahm ihm Vorstellungen zu machen: er wollte sich mit einem leichten Tone aus der Sache ziehen, als man aber mit Gründen auf ihn einbrang, wurde er ärgerlich und entfernte sich mißvergnügt. Von diesem Augenblick an kam er mit den Deputirten nicht mehr zusammen und schien nicht sonderlich erbaut wenn er sie bei mir traf. Er stellte sich weniger oft ein; ich machte mir über dieses Benehmen meine eigenen Gedanken und sagte zu Roland, ohne mich auf das Intriguenspiel zu verstehen, glaube ich doch daß nach dem gewöhnlichen Weltgange die Stunde gekommen sei Dumouriez zu Grunde zu richten, wenn man es vermeiden wolle selbst von ihm gestürzt zu werden. „Ich weiß wohl, fügte ich hinzu, daß Du Dich zu keinem derartigen Spiel erniedrigen kannst, aber so viel bleibt gleichwohl wahr daß Dumouriez darauf bedacht sein muß, sich derjenigen zu entledigen deren Tadel ihn verletzt hat. Wenn man sich herausnimmt zu predigen und wenn man es ohne Nutzen gethan hat, so muß man strafen oder sich darauf gefaßt halten selbst belästigt zu werden." Dumouriez der Bonne-Carrère liebte, machte ihn zum Vertrauten der ihn betreffenden Vorgänge: dieser wußte die Sache die man ihm vorwarf zu verdecken, und überdies hatte er durch Frauen, mit denen er in Verbindung stand, einigen Zutritt bei der Königin. Man intriguirte: die vielgenannten Dekrete kamen dazu, und obgleich Dumouriez der Ansicht war, daß sie genehmigt werden sollen, so wußte er sich doch dem Hofe angenehm zu erhalten und wirkte zur Entfernung seiner Collegen mit, indem er theils Nachfolger bezeichnete, theils selbst das Kriegsministerium annahm, das er übrigens nicht lange behauptete; denn der Hof der im Anfange sehr froh gewesen war, ihn beizubehalten um nicht den Schein auf sich zu laden als entlasse er sämmtliche Minister die zu den sogenannten Patrioten gehörten, entledigte sich bald darauf auch seiner; aber er war zu gewandt um nicht eine vollständige Ungnade von sich abzuwenden, und er erhielt eine seinem Grade angemessene Anstellung beim Heere.

Dies veranlaßt mich den Zeiten vorzugreifen und auf einmal Alles vollends herauszusagen was ich über Dumouriez zu berichten habe.

Nach dem zehnten August meinten die Patrioten man müsse aus seinen Talenten Nutzen ziehen, und es stehe zu hoffen daß er in der kriegerischen Laufbahn einen guten Gebrauch davon machen werde. Eines der schwierigsten Geschäfte der Regierung um diese Zeit war die Wahl ihrer Beamten, namentlich in diesem Fache. Das alte System hatte blos Adelige zum Offizierrang zugelassen; Kenntnisse oder Erfahrungen waren auf diesen Stand beschränkt; das Volk sah voll Unruhe den Befehl über die Streitmacht welche eine ihren Wünschen schnurstracks widersprechende Verfassung schützen sollte, in ihren Händen: unangenehm berührt von diesem Gegensatze, konnte es nicht mit den besser unterrichteten Männern über die auf den Charakter des Einen, die Leidenschaften des Andern, die Grundsätze des Dritten u. s. w. sich stützenden Gründe des Vertrauens urtheiten. Die Schmeichler des Volks steigerten noch seine Befürchtungen und regten sein Mißtrauen an; ewige Ankläger, erweisen sie sich als Feinde aller Angestellten um sich der Aemter zu bemächtigen die ihrem Ehrgeize anstehen: so haben es noch zu allen Zeiten alle Aufwiegler gemacht, von Hippo, dem Volksredner von Syrakus an bis auf Robespierre, den Pariser Schwätzer.

Als Roland zum zweitenmal ins Ministerium berufen wurde, glaubte er es den Interessen des Staates und den Umständen schuldig zu sein, die zwischen ihm und Dumouriez obwaltende Gespanntheit schwinden zu lassen, da sie nun Beide jeder in seiner Art der Republik dienen konnten. „Die politischen Umstände, schrieb er ihm, „haben sich eben so sehr verändert, wie die des Krieges; ich sehe „mich wieder im Ministerium, Sie stehen an der Spitze der Ar„meen; Sie haben die Fehler Ihres Ministeriums zu tilgen und „das schönste Feld für Ihren Ruhm zu durchlaufen. Sie haben sich „in eine Intrigue hineinziehen lassen welche Sie bestimmte Ihren „Collegen zu schaden, und Sie sind bald darauf von demselben Hofe „mit welchem Sie auf gutem Fuß bleiben wollten hintergangen „worden. Aber Sie besitzen einige Aehnlichkeit mit jenen tapfern „Rittern die zuweilen kleine Schlechtigkeiten begingen über welche sie „selbst zuerst lachten, aber sich nichtsdestoweniger wie Verzweifelte „schlugen wenn es die Ehre galt. Man muß gestehen daß ein solcher „Charakterzug, wenn er sich auch nicht zum Besten mit der republi„kanischen Strenge verträgt, eine Folge der Sitten ist deren wir uns „noch nicht haben entledigen können, und daß man Ihnen wohl wird „verzeihen müssen wenn Sie Siege erfechten. Sie werden mich im „Rathe jederzeit bereit finden Ihre Unternehmungen zu unterstützen, „so lange sie das Wohl des Staates zum Zwecke haben; ich kenne „keine Privatneigungen oder Abneigungen wenn es sich darum handelt

413

„ihm zu dienen, und ich werde Sie als einen der Retter meines
„Vaterlandes lieben wenn Sie sich aufrichtig seiner Vertheidigung
„widmen." Dumouriez antwortete sehr gut und schlug sich desgleichen.
Er trieb die Preußen zurück: ich erinnere mich daß man um diese Zeit
einige Hoffnung hatte ihn dem Bunde abtrünnig zu machen, und daß
einige Unterhandlungen zu diesem Behufe stattfanden, aber sie hatten
keinen Erfolg. Er kam, nachdem die Feinde unser Gebiet geräumt
hatten, nach Paris um die Operationen in Belgien vorzubereiten:
Roland sah ihn im Ministerrathe; ich empfing ihn ein einzigesmal
mit vielen andern Personen zur Mittagstafel. Als er in mein Zimmer
trat sah er etwas verlegen aus und bot mir, ziemlich ungeschickt für
einen so unbefangenen Mann, ein reizendes Bouquet das er in der
Hand hielt. Ich lächelte und sagte zu ihm: das Schicksal mache lustige
Streiche, und er habe ohne Zweifel nicht erwartet, daß es mich in den
Stand setze ihn von Neuem in demselben Hotel zu empfangen, aber die
Blumen stehen dem Besieger der Preußen um Nichts weniger schön
und ich nehme sie mit Vergnügen aus seiner Hand an. Nach Tisch
wollte er in die Oper gehen; es war dies noch ein Ueberrest des alten
Wahnsinns der Generale sich im Schauspielhause zu zeigen und nach
Theaterkronen zu schnappen wenn sie einen Vortheil erfochten hatten.
Es fragte mich Jemand ob ich nicht auch hingehen wolle; ich umging
eine bestimmte Antwort, weil es sich weder mit meinem Charakter noch
meinen Sitten vertrug mit Dumouriez daselbst zu erscheinen. Als aber
die Gesellschaft weggegangen war, machte ich Vergniaur den Vorschlag
mich mit meiner Tochter in meine Loge zu begleiten. Wir verfügten
uns also ins Opernhaus. Die Logenschließerin war ganz verwundert
und sagte mir, die Loge des Ministers sei besetzt. „Das ist nicht mög=
lich, antwortete ich ihr: man konnte nämlich blos mit Billeten die er
unterzeichnet hatte hineingelangen, und ich hatte Niemanden eines ge=

23

geben. — Der Minister ist drin. — Nein, er ist es nicht: öffnen Sie mir, ich will sehen wer es ist.“ Drei oder vier Sansculotten die wie ächte Raufbolde aussahen, standen vor der Thüre. „Es wird nicht geöffnet, riefen sie, der Minister ist drin. — Ich kann nicht umhin zu öffnen,“ antwortet die Frau und schließt wirklich auf. Ich bemerke Dantons dicke Gestalt, neben ihm Fabre und drei oder vier Frauen von zweideutigem Aussehen. Das Schauspiel hatte begonnen; sie sahen auf die Bühne hinab: Danton neigte sich nach der Nebenloge hin, um mit Dumouriez zu plaudern den ich erkannte: ich hatte dies Alles mit einem einzigen Blicke überschaut, ohne daß Jemand in der Loge mich sah; nun zog ich mich schnell zurück und warf die Thüre zu. „Aller-dings, sagte ich zur Schließerin, ist dies ein ehemaliger Justizminister, dem ich lieber die Frucht einer Ungezogenheit lassen will als daß ich mich mit ihm bloßstelle: ich habe Nichts da zu thun“; und ich zog mich zurück, dachte aber dabei Dantons Ungeschliffenheit habe mich doch wenigstens vor der Unannehmlichkeit gerettet die ich hatte vermei-den wollen, in Dumouriez Gesellschaft zu erscheinen in dessen unmit-telbarer Nähe ich mich befunden hätte. Ich habe mir sagen lassen daß Danton und Fabre[1]) ihn auch in alle andern Theater begleiteten wo er die Schwachheit gehabt hatte sich zu zeigen. Ich für meine Person habe ihn nie wieder gesehn. Darauf haben sich unsre Beziehungen zu einem Manne beschränkt als dessen Mitschuldige man uns bei seinem Verrathe anzuschwärzen beliebt hat. Dumouriez ist thätig, wachsam,

---

[1]) Fabre, der von dem Preise, den ihm die Akademie der jeux floraux in Toulouse zuerkannte, den Namen d'Eglantine annahm (dieser Preis be-stand aus einem goldenen Kleinod das eine wilde Rose darstellte) — war zuerst Schauspieler, dann beschäftigte er sich mit Literatur, ward in den Konvent gewählt und im April 1794 — „als die Revolution wie Saturn ihre eigenen Kinder verschlang“ — hingerichtet. A. d. H.

geistreich und tapfer, geschaffen für den Krieg und die Intrigue.
Ein gewandter Offizier, war er nach dem eigenen Urtheil seiner
eifersüchtigen Collegen der einzige unter ihnen der die Fähigkeit besaß eine große Armee gut anzuführen. Ein geleckter Höfling, taugte
er vermöge seines Charakters und seiner Unsittlichkeit besser für den
alten Hof als für die neue Regierung. Mit weit aussehenden Plänen
und aller nothwendigen Kühnheit um sie zu verfolgen, ist er großer
Unternehmungen fähig, und es fehlt ihm nicht an Mitteln sie auszuführen, aber er hat nicht Charakter genug für seinen Geist; Ungeduld und Ungestüm machen ihn unbesonnen und voreilig. Er versteht es ein Complott anzuzetteln, kann aber den Zweck desselben
nicht lange geheim halten; er bedürfte eines kälteren Kopfes um
Parteihaupt zu werden.

Ich bin überzeugt daß Dumouriez nicht mit der Absicht den
Verräther zu machen nach Belgien gegangen war; er hätte der
Republik gedient wie einem König, wenn er nur seinen Ruhm und
seinen Vortheil dabei gefunden hätte: als aber die schlechten Anordnungen des Convents, das scheußliche Benehmen seiner Commissäre, die Albernheiten der vollziehenden Gewalt unsre Sache in
diesem Lande verderbten, und die ganze Wendung der Dinge einen
allgemeinen Umsturz voraussehen ließ, da kam er auf den Gedanken
den Lauf derselben umzuändern, und aus Mangel an Klugheit und
reiflicher Ueberlegung verlor er sich in seinen Berechnungen. Dumouriez muß bei den Orgien von Männern und für sittenlose Weiber
sehr liebenswürdig sein; er scheint noch das Ungestüm der Jugend
und die ganze Fröhlichkeit einer lebhaften, freien Einbildungskraft
zu besitzen; auch hat seine Höflichkeit bei Frauen von rückhaltendem
Benehmen etwas Gezwungenes. Im Ministerrathe unterhielt er den
König angenehm durch die abenteuerlichsten Erzählungen worüber

seine ernsten Collegen nicht umhin konnten zu lachen; zuweilen mischte er aber auch kühne und wohlangebrachte Wahrheiten hinein. Welcher Unterschied zwischen diesem Manne mit allen seinen Fehlern und Luckner, der einige Zeit die Hoffnung Frankreichs war! Ich habe nie etwas so Mittelmäßiges gesehn. Es ist dies ein halb verdummter alter Soldat ohne Geist, ohne Charakter, eine wahre Puppe die sich von jedem Laffen leiten ließ, ein Kerl der mittelst einer schlechten Sprache, seiner Neigung zum Trunk, etlicher Kraftflüche und einer gewissen Unerschrockenheit sich bei den Armeen Beliebtheit erwarb unter den bezahlten Maschinen, welche sich von Jedem narren lassen der sie auf die Schulter klopft, sie buzt und manchmal straft. Ich hatte ihn während des ersten Ministeriums Roland's einmal über Tische bei mir und unterhielt mich vier bis fünf Stunden lang mit ihm, oder war wenigstens bei seinem Gespräche zugegen. „Ach mein armes Vaterland! sagte ich am andern Tage zu Guadet der mich fragte, wie mir Luckner gefallen habe; so bist Du denn verloren, da Du außerhalb Deines Schooßes ein solches Geschöpf suchen mußt um ihm Deine Geschicke anzuvertrauen!"

Ich verstehe Nichts von der Taktik und Luckner mochte diejenige die zu seinem Handwerk nothwendig war wohl inne haben, aber auf der andern Seite weiß ich, daß man ohne logisches Denken und ohne Geist kein großer Feldherr sein kann[1]).

---

[1]) Luckner, ein geborner Bayer, trat nachdem er als Husarenoberst im Heere Friedrich II. bei Roßbach die Franzosen schlagen geholfen hatte, als Generallieutenant in französische Dienste. Hier verhielt er sich bis zum Ausbruch der Revolution ziemlich unthätig; er bekannte sich zu den Grundsätzen derselben und erhielt 1791 den Marschallstab. Der Minister Narbonne sagte der Nationalversammlung von ihm sein Herz sei französischer als sein Accent. Dies mußte wohl der Fall sein; denn er machte sich zu-

Was mich am meisten überrascht hat, seit die hohe Stellung meines Mannes mir Gelegenheit verschaffte viele Personen und namentlich wichtige Staatsbeamte kennen zu lernen, ist die durchgängige Mittelmäßigkeit; sie überschreitet Alles was die Einbildungskraft sich vorstellen kann, und zwar in allen Stufen von dem Schreiber an der bloß den gewöhnlichsten Verstand nöthig hat um eine Frage richtig aufzufassen, etwas Methode um sie zu behandeln und ein Bischen Styl um Briefe zu schreiben, bis hinauf zu dem Minister welcher an der Spitze der Regierung steht, dem Kriegsmann der die Heere befehligen, und dem Gesandten der unterhandeln soll. Nie hätte ich ohne diese Erfahrung das Menschengeschlecht so arm geglaubt. Auch habe ich erst von dieser Zeit an einige Zuversicht gewonnen; bis dahin war ich bescheiden wie eine Klosterschülerin; ich nahm immer zum Voraus an, die Leute die entschiedener waren als ich müßten auch gewandter sein. Wahrhaftig, ich wundere mich nicht daß man mich sehr liebte; man fühlte wohl daß ich Etwas taugte, und doch behandelte ich in meiner Treuherzigkeit die Eigenliebe Anderer mit ungemeiner Zartheit.

So waren wir denn ins Privatleben zurückgetreten: man wird mich vielleicht fragen ob ich über die Art wie Roland ins Ministerium berufen worden, nie etwas Umständlicheres erfahren habe. Ich kann versichern daß ich nichts Näheres weiß, und daß mir nicht einmal der Gedanke gekommen ist Erkundigungen darüber einzuziehen;

---

weilen, wie man in den Memoiren Lafayette's lesen kann, im gebrochensten Kauderwelsch Luft. Sein schwankendes Benehmen, seine Verbindungen mit Lafayette u. s. w. mißfielen den Gewalthabern; er wurde abgerufen, vor Gericht gestellt und am 5. Jänner 1794, einen Tag nach der Hinrichtung seines Adjutanten, des jüngern Custine, auf das Schaffot geschickt.

A. d. H.

die Sache schien sich mir, wie so viele Sachen in der Welt, von selbst zu machen: es kommt Einer auf die Idee, sie gefällt Mehreren und so unterstützt tritt sie vor diejenigen auf deren Entscheidung es ankommt. Ich habe gesehen daß im vorliegenden Falle Deputirte auf den Gedanken gerathen waren; ich weiß aber denjenigen nicht der ihn zuerst zum Antrag erhoben und bei Hofe in Anregung gebracht hat. Roland hat auch nicht mehr darüber erfahren und sich eben so wenig darum bekümmert wie ich. Als es sich darum handelte Grave als Kriegsminister einen Nachfolger zu geben, wußten die Minister und die patriotischen Deputirten nicht auf wen sie die Wahl lenken sollten; die bekannten Militärs galten beinahe alle für Feinde der Verfassung. Roland dachte an Servan der sich im Dienste befand und des St. Ludwigskreuzes würdig befunden worden war; seine Grundsätze waren nicht zweifelhaft, da er sie schon vor der Revolution in einem geschätzten Werke (der Bürgersoldat) dargelegt hatte. Wir kannten ihn persönlich von Lyon her, wo er im verdienten Rufe eines einsichtsvollen und thätigen Mannes stand. Endlich hatte er im Jahre 1790 eine Stelle bei Hofe verloren, wo Herr Guignard St. Priest seinen Bürgersinn nicht liebte; in Erwägung dieser Rücksichten vereinigten sich die Mitglieder des Raths ihn dem Könige vorzuschlagen der ihn auch annahm.

So lange mein Mann im Ministerium war, legte ich mir das Gesetz auf weder Besuche zu machen, noch anzunehmen und keine Frau zu Tische zu laden. Ich hatte in dieser Beziehung keine großen Opfer zu bringen, denn da Paris nicht mein gewöhnlicher Wohnort war, so war der Kreis meiner Bekannten daselbst nicht sehr ausgedehnt; überdies hatte ich mich nirgends in die große Gesellschaft begeben, weil ich das Studium eben so sehr liebe als ich das Spiel haffe, und weil einfältige Menschen mich langweilen. Gewöhnt meine Tage im Innern meines häuslichen Zirkels zuzubringen, theilte ich die Arbeiten Rolands und ging meinen eigenen Liebhabereien nach. Ich bewahrte mir also, indem ich diese Strenge in meinem Hotel einführte, zu gleicher Zeit meine Art und Weise zu sein, und beseitigte die Unannehmlichkeiten die eine interessirte Menge hochgestellten Personen immer bereitet. Eigentliche Gesellschaftszirkel habe ich niemals gehabt; ich empfing zweimal in der Woche Minister, Deputirte und solche Personen mit denen mein Mann sich besprechen oder mit denen er Verbindungen unterhalten mußte. Man sprach in meiner Gegenwart von Geschäften, weil ich weder die Wuth mich hineinzumischen, noch überhaupt Etwas an mir hatte was Mißtrauen einflößte. Unter allen Zimmern einer sehr umfassenden Wohnung hatte ich mir zu meinem täglichen Aufenthalt den kleinsten kabinetartigen Salon ausgewählt, wo meine Bücher und ein Schreibtisch standen. Es fügte sich oft daß Freunde oder Collegen die mit dem Minister Etwas im Vertrauen zu sprechen hatten, statt zu ihm auf sein Amtszimmer zu gehen, wo er von seinen Schreibern und einer Masse anderer Leute umgeben war, zu mir kamen und mich ersuchten ihn rufen zu lassen. Auf diese Art befand ich mich ohne Ränke oder eitle Neugierde immer auf dem Laufenden. Roland fand es angenehm nachher unter vier Augen mich darüber zu sprechen, mit dem Vertrauen das stets zwischen uns geherrscht und unsre Kenntnisse wie unsre Ansichten zu einem gemeinsamen Gute für uns Beide gemacht hat; auch geschah es daß die Freunde, welche blos eine Nachricht mitzutheilen, ein Wort zu sagen hatten, da sie immer gewiß sein konnten mich zu treffen, sich an mich wandten und mich ersuchten es ihm bei der nächsten besten Gelegenheit mitzutheilen.

Man hatte das Bedürfniß gefühlt dem Einfluß des Hofes, der Aristokratie, der Civiliste und ihrer Blätter durch Mittheilungen an das Volk, denen man eine große Oeffentlichkeit verschaffte, ein Gegengewicht zu geben. Ein Journal das öffentlich angeschlagen wurde, schien zu diesem Zweck geeignet; man mußte einen besonnenen und aufgeklärten Mann welcher im Stande war, den Ereignissen zu folgen und sie in ihrem wahren Lichte darzustellen, aufsuchen um ihm die Redaktion zu übergeben. Louvet der bereits als Schriftsteller, Gelehrter und Politiker bekannt war, wurde hiefür bezeichnet, gewählt und übernahm das Geschäft. Nun fehlte es noch an dem nöthigen Kapitale: Petion hatte selbst kein Geld für die Polizei, und doch war dies in einer Stadt wie Paris, zumal bei einem Zustande der Dinge, wo man viele Leute haben mußte, um zur rechten Zeit von dem was geschehen ist oder geschehen soll unterrichtet zu werden, schlechterdings nothwendig. Es wäre schwer gewesen von der Versammlung welches zu erhalten; diese Forderung hätte unfehlbar die Anhänger des Hofs argwöhnisch gemacht und wäre auf Hindernisse gestoßen. Man kam auf den Gedanken, Dumouriez der als Minister der auswärtigen Angelegenheiten Gelder für geheime Ausgaben hatte, könnte wohl dem Maire von Paris für die Polizei monatlich eine Summe abtreten, und von dieser Summe könnte man vorweg die Kosten des Anschlageblattes bestreiten, das der Minister des Innern zu überwachen hätte. Das Mittel war einfach, es wurde beschlossen. Dies die Entstehung der Sentinelle.

Im Laufe des Juli, als in Folge der Treulosigkeit des Hofes, des Vorrückens der fremden Truppen und der Schwäche der Versammlung die Angelegenheiten eine immer schlechtere Wendung nahmen, fragten wir uns, wohin die bedrohte Freiheit sich wohl flüchten

könnte. Wir unterhielten uns oft mit Barbaroux und Servan über
den vortrefflichen Geist des Südens, die Entschlossenheit der Departements in diesem Theile Frankreichs, und die günstigen Gelegenheiten welche die örtlichen Verhältnisse allda zur Gründung einer
Republik darbieten würden, im Falle der Hof siegen und so glücklich
sein sollte den Norden und Paris zu unterjochen. Wir nahmen
Landkarten vor; wir zeichneten die Abgrenzungslinie; Servan studirte die militärischen Stellungen; man berechnete die Streitkräfte;
man prüfte die Art der Erzeugnisse und die Mittel sie zu benützen;
jeder erinnerte sich an die Orte oder die Personen von denen man
Unterstützung erwarten konnte, und alle waren darüber einig daß
man nach einer Revolution die zu so großen Hoffnungen berechtigt,
nicht in Sklaverei zurück versinken dürfe, sondern Alles aufbieten
müsse um irgendwo eine freie Regierung zu gründen. „Dies ist
unser letztes Mittel, sagte Barbaroux, im Fall die Marseiller die
ich hierher begleitet habe, nicht gut genug von den Parisern unterstützt werden sollten um den Hof in den gebührenden Schranken
zu halten; ich hoffe indeß daß sie damit zu Stande kommen und
wir einen Convent erhalten werden, der ganz Frankreich in eine
Republik umwandelt."

Ohne daß er sich näher darüber aussprach, sahen wir wohl
daß ein Aufstand im Entstehen begriffen war. Er schien unvermeidlich, da der Hof Vorbereitungen traf die Unterjochungsabsichten
ankündigten. Man wird sagen er habe dies zu seiner Vertheidigung
gethan; aber der Gedanke an einen Angriff wäre entweder Niemanden gekommen oder hätte unter dem Volke keinen Anklang gefunden, wenn der Hof aufrichtig für Einhaltung der Verfassung gesorgt hätte; denn so klar sie alle diese Mängel derselben sahen, so
wollten doch selbst die entschiedensten Republikaner für den Augen-

blick nichts Anderes als sie, und hätten weitere Verbesserungen von
der Erfahrung und der Zeit erwartet.

Es ist wahr daß sich in Revolutionszeiten, namentlich bei ver=
dorbenen Völkern und in den großen Städten, jederzeit eine Klasse
von Menschen findet die, da sie sich der Vortheile des Glückes be=
raubt sehen, nach seinen Begünstigungen lüstern sind und dieselben
um jeden Preis herauszupressen suchen, oder auch sich gewöhnt
haben, sie durch Mittel zu ersetzen die nicht eben zu den erlaubten
gehören. Thut sich einer von ihnen durch Kühnheit des Geistes,
Entschlossenheit des Charakters oder sonst einige angeborne Talente
hervor, so wird er der Häuptling oder Anführer einer unruhigen
Bande die sich bald mit allen Leuten rekrutirt, welche Nichts zu
verlieren haben und daher bereit sind Alles zu wagen; mit allen
Einfaltspinseln welche sie zu bethören wissen, und endlich mit solchen
Individuen welche von den Politikern in ihre Reihen geschickt wer=
den, oder auch von denjenigen Mächten in deren Interesse es liegt
Schwäche und Spaltungen zu unterhalten, um sie dann zu ihrem
Vortheil auszubeuten.

Die patriotischen Gesellschaften, die Versammlungen von Leuten
welche zusammentraten, um über ihre Rechte und Interessen zu be=
rathen, haben uns ein Miniaturbild von dem gegeben was in der
großen Staatsgesellschaft vorgeht.

Zuerst sind es einige feurige Männer welche das Bewußtsein
der öffentlichen Gefahren lebhaft durchbringt und zu dem aufrich=
tigen Wunsche führt sie zu beseitigen. Ihnen schließen sich die Phi=
losophen an, weil sie diese Verbindung für nothwendig halten zum
Umsturze der Tyrannei und zur Verbreitung der für Ihresgleichen
nützlichen Grundsätze. In der That entwickeln sich große Wahr=

heiten und werden zum Gemeingut; edelherzige Gefühle erwachen und verbreiten sich; Herz und Kopf erhalten gleich starke Anregungen. Nun treten Leute hervor welche sich öffentlich zu diesen Grundsätzen bekennen, die zu ihrer Geltendmachung geeignete Sprache annehmen und das allgemeine Wohlwollen zu gewinnen suchen, um Stellen oder Einfluß zu erhalten. Um sich noch bemerklicher zu machen, gehen sie über die Wahrheit hinaus, bearbeiten die Einbildungskraft durch übertriebene Schilderungen, schmeicheln den Leidenschaften der Menge die stets geneigt ist das Riesige zu bewundern, veranlassen sie zu Maaßregeln bei welchen sie sich nützlich machen, damit man glauben soll sie seien immer nothwendig, und arbeiten zu guter Letzt darauf hin die besonnenen oder aufgeklärten Männer zu verdächtigen, deren Verdienst sie erschreckt und mit denen sie keinen Wettkampf aushalten könnten. Die Verleumdung welche sie im Anfang auf plumpe Weise anwenden, lernt in den Demüthigungen die ihr widerfahren sich als System aufstellen; sie wird eine tiefe Kunst in welcher nur diese Menschen allein und Ihresgleichen Glück machen können.

Unstreitig hatten sich viele Leute dieses Schlags in die Volkspartei gegen den Hof geworfen, bereit diesem für sein Geld zu dienen und, wenn er schwächer wurde, ihn dann zu verrathen. Der Hof gab sich das Ansehen, als hielte er alle diejenigen die sich seinen Wünschen entgegenstellten für solche Leute, und gefiel sich darin sie unter dem Titel Aufrührer zusammenzuwerfen. Die wahren Patrioten ließen diese lärmende Koppel wie abgerichtete Hunde gehen, und vielleicht war es ihnen nicht unlieb, sich ihrer als verlorner Posten zu bedienen welche dem Feind in den Rachen laufen. Sie berechneten in ihrem Haß gegen den Despotismus nicht daß, wenn es in der Politik erlaubt ist durch schlechte Leute gute Dinge thun zu lassen, oder ihre Ausschweifungen zu einem nützlichen Zwecke auszubeuten, es auf der andern Seite unendlich gefährlich ist ihnen die Ehre der ersten zuzuerkennen oder sie für die zweiten nicht zu bestrafen.

Ende der geschichtlichen Mittheilungen über das erste Ministerium.

Erste Beilage.

An den König.

Paris ben 19. Mai 1792, im vierten Jahr ber Freiheit.

Sire,

Das Erste was Minister bie sich mit Ihrem Vertrauen beehrt
sehen, Ihnen schulben, ist bie Wahrheit. Sie kennen zu lernen ist
von ber höchsten Wichtigkeit für Ew. Majestät; sie gelangt immer
um so schwerer in bie Nähe bes Thrones, weil viele Leibenschaften
ihren Vortheil barin finben sie von bemselben entfernt zu halten.
Die Verpflichtung sie Ihnen zu sagen ist Männern theuer bie sich
rühmen ein Vaterland zu haben, unb bie in Ihrer Person ben con-
stitutionellen König eines freien Volkes erkennen. Wir sind Ew.
Majestät bieses Zeugniß schulbig unb ertheilen es Ihnen aus hin-
gebungsvollem Herzen; Ihre ganze Sprache, sowohl im Ministerrathe
als jebem Einzelnen von uns gegenüber, athmet Liebe zur Verfassung unb ben festen Willen sie zu vertheibigen. Dieser stets sich
wiederholenbe Ausbruck hat uns bie Hoffnung eingeflößt bem Vertrauen Ew. Majestät zu entsprechen. Männer bes Volkes unb
Bürger vor Allem, konnten wir blos Minister bes obersten Hauptes
ber vollziehenben Gewalt ber Gesetze sein unb bleiben, für welche

wir leben und sterben müssen. Aber Sire, diese Ihrer Weisheit
würdige Sprache die Ihnen neben unsrer Hochachtung auch unsre
Liebe erwirbt, wird von der unermeßlichen Menge der Bürger welche
blos die Thatsachen sehen oder nur mit Ihrer Umgebung in Berührung kommen, nicht verstanden. Wenn es Thatsachen gibt woran
die Mißvergnügten sich halten können, wenn man in Ihrem
Hause tadelnswerthe Aeußerungen braucht, so wird das
Volk welches blos diese Thatsachen sieht, blos diese Aeußerungen
erfährt, ängstlich, unruhig, und sein Vertrauen leidet Noth. Es
bemerkt mit Leidwesen, daß Ew. Majestät sich eines Al-
moseniers bedienen welcher den Bürgereid nicht geschworen hat; daß die Unbeeidigten darauf pochen; daß sie dieses Benehmen zu ihrer Rechtfertigung anführen und ihren Anhängern
dadurch neuen Muth zu machen suchen. Das Volk weiß nicht was
es auf ihre Beweisführungen antworten soll; denn nachdem es Ew.
Majestät zur Osterzeit in die Pfarrkirche hat gehen sehn, kann es
nicht glauben daß Ihr Gewissen es sei was Ihnen den Verkehr
mit den beeidigten Priestern verbiete, und schließt daraus daß die
unbeeidigten Recht haben, wenn sie sagen Ew. Majestät wähle
einen von ihnen aus Vorliebe für ihre Grundsätze und
Wohlgefallen an ihrer Widersetzlichkeit.

Ew. Majestät wiederholen uns tagtäglich daß Sie die Verfassung ins Werk gesetzt zu sehen wünschen, und die Gründe welche
Sie anführen, so wie die Gesinnungen welche Sie aussprechen, sind
uns gleich unverwerfliche Zeugnisse für die Aufrichtigkeit dieses
Willens; aber das Volk hat erfahren daß in Ihrer nächsten Umgebung sehr unconstitutionelle Vorschläge preisgegeben werden; daß
diese Vorschläge dem Kronprinzen im Tone theilnahmsvoller
Klage beigebracht werden; daß irregeführte Frauen deren

Grundsätze bekannt genug, und deren Verwandte aus-
gewandert sind, ihm die Nationalversammlung und die Patrioten
als die Feinde seiner Familie schildern; es glaubt, auf diese Art
den Samen des Irrthums, der Furcht und ungerechten Hasses in
diese junge Seele streuen zu sehen welche sich nur den großen Grundsätzen der ewigen Gerechtigkeit erschließen sollte. Es glaubt daß der
Erbe des Throns durch seine Erziehung zu einer förmlichen Oppo-
sition gegen die Mehrheit des Volkes vorbereitet werde, die seine
Stütze werden könnte, eine solche aber blos für einen in der Liebe
zur Verfassung großgewachsenen Fürsten abgeben kann. Daher seine
Vorstellungen von geheimen Rathschlägen die dem Kronprinzen ertheilt, von treulosen Ränken womit er umstrickt werde. Von einer
andern Seite blickt es auf die Garde Ew. Majestät; es behauptet
daß dieselbe aus Menschen bestehe die ihren Haß gegen die Verfassung offen an den Tag legen; daß diejenigen unter ihnen welche
sich zu den Grundsätzen der guten Bürger bekennen, Beleidigungen
von Seiten ihrer Kameraden, Plackereien von Seiten ihrer Offiziere
ausgesetzt seien, und sich bald genöthigt sehen werden aus einem
Corps auszureißen das man aus Feinden der öffentlichen Sache
bilden wolle. Als Beweis aus der neuesten Zeit führt es den Schmaus
dieser Garden an bei welchem auf die Gesundheit des Generals Beau-
lieu (eines östreichischen Generals) getrunken und zu den Vortheilen
die er über die Franzosen erfochten, gejubelt wurde. Von diesem
Augenblicke an sieht es in unsern Unfällen etwas mit den Wünschen der nächsten Umgebung Ew. Majestät dermaßen Uebereinstim-
mendes, daß es schnell zu dem Verdachte übergeht diese Unfälle
könnten vorbereitet worden sein.

Was uns betrifft, Sire, die wir Zeugen von den Absichten
und Wünschen Ew. Majestät für das Glück Frankreichs und ihrer

vollkommen verstchert sind, so können wir uns nicht verhehlen daß böswillige Menschen Sie durch falsche und übertriebene Berichte zu hintergehen suchen, welche geeignet sind Sie zu betrügen und Ihr Vertrauen auf eine Nation die man Ihnen mit garstigen Farben vormalt, zu zerstören. Mehrere Male schon sind wir im Falle gewesen solche ungetreue Berichte Lügen zu strafen, die offenbar nur in der Abstcht ausgeheckt worden sind Ihre Ruhe zu stören, Ihr gefühlvolles Herz zu erbittern.

Auf diese Art verbreiten von der einen Seite das Benehmen Ihrer eigenen Diener, die Gespräche die in Ihrem Hause geführt werden, Mißtrauen und Unruhe, während man von der andern durch gewandte Lügen Sie in die gleiche Stimmung zu versetzen trachtet. Auf diese Art könnte eine gegenseitige Entfremdung herbeigeführt werden zwischen einer stolzen, großherzigen Nation und einem gerechten, guten Könige die einander lieben sollten, deren Abstchten und Wünsche, wenn ste in vollkommenem Einklang ständen, auf gleiche Weise das Wohl Aller fördern müßten.

Vergebens wiederholen wir den geängsteten Leuten die Ausbrücke der Anhänglichkeit Ew. Majestät an die Verfassung. Diese Ausbrücke, ruft man, diese Sprache, finden ste sich nicht in dem Briefe welchen der Minister Montmorin im April 1791 im Namen des Königs schrieb? Was ist seitdem geschehen? Was muß man von eben diesen Ausbrücken erwarten? Nur allein aus Thatsachen darf man sich ein Urtheil bilden; und so lange die Umgebungen des Königs Haß gegen die Revolution athmen, so lange nicht sein entschieden ausgesprochener Wille jeden Feind der Verfassung erbleichen macht und aus seiner Nähe vertreibt, so lange glauben wir daß er sich täuschen läßt, oder zweifeln an seinem Willen selbst.

Inzwischen regen sich die Rebellen von außen; die Mißvergnügten sammeln sich im Innern; in Ermanglung von Gründen
stützen sie sich auf Vorwände, und Alles was wir so eben erwähnt
haben, liefert ihnen deren nur zu viele. Was müssen bei diesem
Stand der Dinge die Männer thun die sich mit Ihrem Vertrauen
beehrt sehen? Ihnen mit eben so viel Einfachheit ◼◼◼◼uth die
Unruhe des Volkes und die Gründe seines Mißtrauens ◼◼ Augen
führen, wie wir dem Volke selbst bei jeder Gelegenheit die führenden Beweise entgegenhalten die uns Ew. Majestät von ◼◼◼ Liebe
zum Gesetze geben. Im Eifer diese Doppelaufgabe zu erfüllen,
kennen wir weder die Berechnungen noch die Schwachheit welche
uns hindern könnten etwas Unangenehmes zu wiederholen. Dadurch
daß man den Königen immer durch lachende Gemälde schmeicheln
wollte, hat man ihnen häufig die Völker entfremdet. Vollkommen
unsern Pflichten ergeben, werden wir Ew. Majestät die Wahrheit
sagen, indem wir Ihnen die Besorgnisse und Forderungen des
Volkes mittheilen, indem wir Ihnen den wahren Stand der Dinge
vorzeichnen.

Frankreich ist in dem Zeitabschnitt seiner Revolution angelangt
der den Triumph derselben durch rasche Erfolge sichern oder durch
langes Unglück vorbereiten muß. Dieser Triumph ist unausbleiblich;
aber entweder wird das gegenwärtige Geschlecht Zeuge desselben sein,
oder wird es ihn für das folgende mit einem Theil seines Blutes
erkaufen. Im ersten Fall werden Ew. Majestät den Genuß des
Friedens und des Sieges theilen; im zweiten werden Sie dem gemeinsamen Unglück nicht entgehen. Ach wer weiß die Opfer welche
dann fallen könnten! Die Wiederkehr der alten Ordnung der Dinge
ist unmöglich; sobald die Ideen der Gerechtigkeit, Freiheit und Gleichheit in der thätigen Masse des Volkes einmal Platz gegriffen haben,

24

keimen sie in ihr und entwickeln sich immer mehr. Vergebens würde sich eine gewisse Klasse durch die Gewohnheit der Vorrechte, die Liebe zu Auszeichnungen hinreißen lassen Alles zu versuchen um sie zu erstricken; solche nutzlose Anstrengungen führen nur noch wärmere Erörterungen darüber herbei; das Bewußtsein der Thatsache vereinigt sich mit der Ueberzeugung von dem Rechte; daraus entsteht die glühendste, stolzeste und mächtigste Leidenschaft, die der Unabhängigkeit die sich durch Nichts beseitigen läßt, und nur durch das Gesetz geregelt werden kann. Die Wiederherstellung des Abels in welcher Gestalt man sie sich auch denken mag, ist eben so wenig möglich als die Wiederherstellung der Stände.

Der allgemeine Wille hat sich gegen ihn ausgesprochen; die Verfassung ist gemacht; die Nation würde sich unter ihren Trümmern begraben, wenn irgend eine Macht im Stande wäre diese Verfassung, welche sie aufrecht zu erhalten wünscht, umzustürzen.

Sie selbst, Sire, haben, indem Sie diese Verfassung annahmen, Ihr eignes Schicksal an das Schicksal der Verfassung geknüpft, so daß Ihr Glück nur aus der vollkommenen Einhaltung derselben erwachsen kann: ein Angriff auf sie ist eine Erschütterung Ihres Thrones, eine Beleidigung gegen Ihre Person, denn er würde voraussetzen daß Sie gegen Ihr Gewissen haben schwören oder die Absicht hegen können sich Ihren eigenen Schwüren zu entziehen, um sich gegen den Wunsch des ganzen Reiches der Unterstützung einer Partei zu widmen welche blos geeignet ist die Ruhe zu stören, und deren ehrgeizige Absichten nur durch Plünderung und Mord in Vollzug gesetzt werden können.

Auf gleiche Weise werden wir unsern Mitbürgern die Wahrheit sagen, indem wir ihnen die Weisheit der Reden Ew. Majestät,

fo wie Ihre fortwährende Kundgebung der reinften und konftitu-
tionellften Gefinnungen verfichern. Wir werden fie uns felbft fagen,
indem wir uns wiederholen daß einem rechtschaffenen Manne wenig
daran gelegen ift diefen oder jenen Poften einzunehmen, wenn er
nur feiner Pflicht getreu bleibt und fie bis zum Tode erfüllt.

Der Minifter des Innern,
Unterzeichnet: Noland.

Zweite Beilage.

Brief an den König, von Roland, Minister des Innern.

Sire,

Der dermalige Zustand Frankreichs kann nicht lange andauern: es ist ein Zustand der Krisis deren Heftigkeit den höchsten Grad erreicht hat. Er kann nicht anders als mit einem Schlage endigen bei welchem Ew. Majestät sich selbst ebenso betheiligt finden müssen, als er für das ganze Reich von hoher Wichtigkeit ist.

Mit Ihrem Vertrauen beehrt und auf einen Posten gestellt, wo ich Ihnen die Wahrheit schulde, werde ich es wagen sie Ihnen zu sagen; es ist dies eine Verpflichtung welche Sie selbst mir auferlegt haben.

Die Franzosen haben sich eine Verfassung gegeben; diese hat Mißvergnügte und Aufrührer gemacht; die Mehrheit der Nation will sie festhalten; sie hat geschworen sie mit ihrem Blute zu vertheidigen und hat mit Freude den Krieg gesehen, der ihr ein großes Mittel darbot sie zu sichern. Inzwischen hat die Minderheit, durch Hoffnungen aufrechterhalten, alle ihre Anstrengungen vereinigt um

den Vortheil zu erringen. Daher dieser innere Kampf gegen die
Gesetze; diese Verwirrung worüber die guten Bürger seufzen und
deren die Uebelwollenden sich zu bemächtigen suchen, um die neue
Regierungsweise zu verleumden. Daher diese allerwärts hervorge=
rufene Spaltung, denn Gleichgültige sind nirgends zu finden; man
will entweder den Triumph, oder die Aenderung der Verfassung;
man handelt um sie aufrechtzuerhalten oder ihr Abbruch zu thun.
Ich werde mich einer weiteren Prüfung dessen was sie an und für
sich ist enthalten, um nur in Betracht zu ziehen was die Umstände
erheischen, und indem ich mich der Sache so viel als möglich fremd
mache, werde ich untersuchen was man erwarten kann und was zu
begünstigen dienlich ist.

Ew. Majestät genossen große Vorrechte welche Sie als dem
Königthum angehörig betrachteten. Erzogen in dem Gedanken sie
zu behalten, haben Sie nicht mit Vergnügen sehen können daß man
sie Ihnen entriß; der Wunsch sie wiederzubekommen war eben so
natürlich, als das Bedauern sie vernichtet zu sehen. Diese Empfin=
dungen die in der Natur des menschlichen Herzens ihre Begrün=
dung finden, haben von den Feinden der Revolution in ihre Be=
rechnungen aufgenommen werden müssen. Sie haben daher auf
heimliche Begünstigung gezählt, bis die Umstände offenen Schutz
gestatten würden. Diese Stimmung konnte der Nation selbst nicht
entgehen und hat ihr Mißtrauen erwecken müssen. Ew. Majestät
sind daher beständig in der Alternative gewesen sich Ihren ersten
Gewohnheiten, Ihren persönlichen Neigungen hinzugeben, oder Opfer
zu bringen die von der Philosophie vorgeschrieben, von der Noth=
wendigkeit geforbert wurden; folglich die Rebellen zu ermuthigen,
dadurch daß Sie die Nation in Unruhe versetzten, oder letztere zu

beſchwichtigen, indem Sie ſich vollſtändig an ſie anſchloſſen. Alles hat ſein Ziel, und das der Ungewißheit iſt endlich gekommen.

Können ſich Ew. Majeſtät heute offen mit denen verbünden welche ſich vermeſſen die Verfaſſung umgeſtalten zu wollen, oder müſſen Sie ſich großherziger Weiſe ohne Rückhalt dem Beſtreben widmen dieſelbe zum Siege zu führen? Dies iſt die wahre Frage deren Löſung der gegenwärtige Stand der Dinge unvermeidlich macht.

Was die rein metaphyſiſche Frage betrifft, ob die Franzoſen für die Freiheit reif ſeien, ſo iſt ihre Erörterung hier von keinem Belang, denn es handelt ſich nicht um eine Muthmaßung darüber was wir in einem Jahrhundert geworden ſein werden, ſondern darum zu ſehen weſſen das gegenwärtige Geſchlecht fähig iſt.

Die Erklärung der Rechte iſt ein politiſches Evangelium geworden, und die franzöſiſche Verfaſſung eine Religion für welche das Volk bereit iſt unterzugehen. Auch hat ſein Ungeſtüm ſchon einigemale den Grad erreicht daß es die Stelle des Geſetzes vertrat, und wenn letzteres nicht nachdrücklich genug war die Ruheſtörer in Schranken zu halten, ſo haben die Bürger ſich die Erlaubniß genommen ſelbſt die Strafgewalt zu üben. Auf dieſe Art ſind Habſeligkeiten von Emigrirten oder von Perſonen die als Angehörige ihrer Partei erkannt wurden, Verwüſtungen ausgeſetzt geweſen zu welchen die Rache verleitete; aus dieſem Grunde ſind ſo viele Departements genöthigt worden mit Härte gegen die Prieſter zu verfahren die von der öffentlichen Meinung in die Acht erklärt und als Opfer auserſehen waren.

Bei dieſem Zuſammenſtoß der Intereſſen haben alle Gefühle den Ton der Leidenſchaft angenommen. Das Vaterland iſt nicht etwa eine Phraſe in deren Ausſchmückung ſich die Einbildungskraft gefallen hat; es iſt ein wirklich beſtehendes Weſen dem man Opfer gebracht hat, an das man sich mit jedem Tage fester anschließt wegen der Sorgen die es bereitet, das man durch große Anstrengungen geschaffen hat, das sich inmitten von Bekümmernissen erhebt, und das man sowohl der Schmerzen wegen die man um seinetwillen erduldet, als auch um der Hoffnungen willen die sich an seinen Begriff knüpfen, liebt. Jede Versündigung an ihm ist ein Mittel die Begeisterung für dasselbe neu zu entflammen.

Wie hoch wird diese Begeisterung steigen in dem Augenblick, wo die versammelte Macht der auswärtigen Feinde mit den Ränkeschmieden im Innern einen Bund schließt um ihm die unheilvollsten Schläge zu versetzen?

In allen Theilen des Reichs hat die Gährung ihre höchste Spitze erreicht: sie wird fürchterlich ausbrechen, wenn nicht anders ein wohlbegründetes Vertrauen auf die Absichten Ew. Majestät sie zu beruhigen vermag. Aber dieses Vertrauen wird sich nicht auf bloße Versicherungen hin einstellen; es kann nur noch Thatsachen zu Grundlagen haben.

Der französischen Nation ist es zum klaren Bewußtsein gekommen daß ihre Verfassung den gewünschten Gang nehmen kann, daß die Regierung alle ihr nothwendige Kraft haben wird, sobald Ew. Majestät, von dem unabänderlichen Willen durchdrungen dieser Verfassung zum Siege zu verhelfen, die gesetzgebende Behörde mit der ganzen Macht Ihrer Vollziehungsgewalt unterstützen, dem Volke jeden Vorwand zu Besorgnissen nehmen, den Unzufriedenen aber alle Hoffnung abschneiden werden.

Es sind z. B. zwei wichtige Dekrete erlassen worden; alle beide sind von wesentlicher Bedeutung für die öffentliche Ruhe und das Wohl des Staates. Der Aufschub ihrer Genehmigung flößt Mißtrauen ein; dauert er noch länger, so wird er Mißvergnügen

hervorrufen, und ich muß es sagen, bei der gegenwärtigen
Gährung der Gemüther kann Mißvergnügen zu Allem
führen.

Es ist nicht mehr Zeit zurückzuweichen; es ist sogar keine
Möglichkeit mehr vorhanden zu zögern. Die Revolution ist in den
Gemüthern gemacht; sie wird eine blutige Vollendung nehmen und
durch Blut gekittet werden, wenn nicht Weisheit einem Unglück
zuvorkommt dessen Vermeidung jetzt noch möglich ist.

Ich weiß, daß man auf den Gedanken kommen kann durch
äußerste Maaßregeln vielleicht Alles zu bewerkstelligen und Alles in
Schranken zu halten: aber wenn man Gewalt entwickelte um die
Versammlung zu bemeistern, wenn man Schrecken in Paris, Zwie-
spalt und Bestürzung in seiner Umgebung verbreitete, dann würde
ganz Frankreich sich voll Entrüstung erheben, würde in den Greueln
eines Bürgerkriegs sich selbst zerfleischen und jene düstere Thatkraft
entwickeln welche die Mutter der Tugenden und Verbrechen, für
diejenigen aber die sie hervorgerufen, jederzeit unheilvoll ist.

Das Wohl des Staates und das Glück Ew. Majestät sind
aufs Innigste verbunden; keine Macht ist im Stande sie zu trennen:
grausame Beängstigungen und sicheres Unglück aller Art werden
Ihren Thron umgeben, wenn nicht Sie selbst ihn auf die Grundlagen der Verfassung stützen und in dem Frieden befestigen den seine
Aufrechthaltung uns endlich verschaffen muß.

So machen es Ew. Majestät die allgemeine Stimmung, der
Verlauf der Dinge, die politischen Gründe und Ihr eigenes Interesse
zur unabweisbaren Pflicht sich mit dem gesetzgebenden Körper zu
vereinigen und dem Wunsche der Nation zu entsprechen; sie machen
das was sich aus den Prinzipien als Verpflichtung ergibt, zur
Nothwendigkeit, aber die natürliche Gutherzigkeit dieses liebreichen

Volkes ist bereit darin einen Grund zur Erkenntlichkeit zu erblicken. Man hat Sie entsetzlich hintergangen, Sire, wenn man Ihnen Widerwillen oder Mißtrauen gegen dieses leicht zu rührende Volk einflößte; dadurch daß man Sie beständig in Unruhe zu erhalten suchte, hat man Sie zu einem Benehmen verleitet das geeignet war in Beziehung auf Sie Besorgnisse zu erregen. Sobald das Volk sieht daß Sie entschlossen sind diese Verfassung an die es sein Glück geknüpft hat, in volle Wirksamkeit treten zu lassen, werden Sie der Gegenstand seiner dankbaren Huldigungen sein.

Das Benehmen der Priester an vielen Orten, die Vorwände welche der Fanatismus den Unzufriedenen lieferte, haben ein weises Gesetz gegen die Ruhestörer hervorgerufen: mögen Ew. Majestät demselben die Genehmigung ertheilen! Die öffentliche Ruhe verlangt dieselbe und für das Wohl der Priester ist sie unumgänglich. Wenn dieses Gesetz nicht in Kraft tritt, so werden die Departements sich genöthigt sehen, wie sie es bereits allerwärts thun, gewaltsame Maaßregeln an seine Stelle treten zu lassen, und das erbitterte Volk wird durch Ausschweifungen ergänzen was ihm versagt wird.

Die Versuche unsrer Feinde, die Aufregungen die sich in der Hauptstadt kundgethan haben, die äußerste Unruhe welche das Benehmen Ihrer Garde hervorgerufen, und die noch jetzt durch die Beweise von Zufriedenheit genährt wird, welche Ew. Majestät derselben in einer für den Augenblick wahrhaft unpolitischen Proklamation geben ließen, die Lage von Paris, seine kurze Entfernung von den Grenzen, alles das hat das Bedürfniß eines Lagers in seiner Nähe fühlbar gemacht. Diese Maaßregel deren Klugheit und Dringlichkeit jedem verständigen Kopfe eingeleuchtet hat, wartet nur noch auf die Genehmigung Ew. Majestät. Warum müssen Sie sich durch Hinausziehungen den Anschein geben, als wollten Sie nicht

25

auf die Sache eingehen, während Sie sich durch einen raschen Entschluß alle Herzen gewinnen würden? Bereits haben die Versuche
des Generalstabs der Pariser Nationalgarde gegen diese Maaßregel
den Argwohn veranlaßt, derselbe handle nach höhern Eingebungen;
bereits erweckten die Deklamationen einiger überspannten Demagogen
den Verdacht, dieselben stehen mit den Leuten in Verbindung die
bei dem Umsturz der Verfassung zunächst betheiligt seien; bereits
stellt die öffentliche Meinung die Absichten Ew. Majestät blos;
noch eine kurze Zögerung, und das Volk wird mit Betrübniß in
seinem König den Freund und den Mitschuldigen der Verschwörer
erblicken.

Gütiger Himmel! hast du die Mächtigen der Erde mit Blindheit geschlagen, und werden sie sich immer nur von Solchen berathen lassen die sie ihrem Verderben entgegenführen!

Ich weiß daß die strenge Sprache der Wahrheit am Throne
selten mit Huld aufgenommen wird; ich weiß auch daß die Revolutionen deßhalb nöthig werden, weil sie sich beinahe niemals in
der Nähe desselben vernehmen läßt; vor Allem weiß ich daß ich
nicht blos als ein den Gesetzen unterwürfiger Bürger, sondern als
Minister der mit dem Vertrauen Ew. Majestät beehrt oder mit
Verrichtungen beauftragt ist, welche dasselbe voraussetzen, die Pflicht
habe diese Sprache gegen Ew. Majestät zu führen, und ich weiß
Nichts was mich verhindern könnte eine Pflicht zu erfüllen die mit
meinem Bewußtsein verwachsen ist.

In demselben Geiste werde ich meine Vorstellungen an Ew.
Majestät darüber wiederholen daß sowohl Pflicht als Interesse zur
Vollziehung des Gesetzes rathen, welches vorschreibt daß dem
Ministerrathe ein Sekretär anzuwohnen habe. Schon allein das
Vorhandensein des Gesetzes spricht so mächtig daß man glauben

Druck:
Customized Business Services GmbH
im Auftrag der KNV-Gruppe
Ferdinand-Jühlke-Str. 7
99095 Erfurt